Le journal de
Lisée

18 mois au pouvoir, mes combats, mes passions

COLLECTION TÉMOIGNAGES

Responsable de la collection : Ginette Haché
Directrice artistique : Jocelyne Fournel
Directrice de la production : Lucie Daigle
Révision : Chantale Cusson

Les Éditions Rogers ltée
1200, av. McGill College, bureau 800
Montréal (Québec) H3B 4G7
Téléphone : 514-843-2564

Direction : Carole Beaulieu, Catherine Louvet
Gestionnaire, division livres : Louis Audet

Le journal de Lisée : 18 mois au pouvoir, mes combats, mes passions
ISBN : 978-0-88896-710-7
Dépôt légal : 3ᵉ trimestre 2014
Bibliothèque et Archives nationales du Québec, 2014
Bibliothèque et Archives Canada, 2014

Diffusé par Socadis
Imprimé en octobre 2014 au Québec, Canada.

Aux militants indépendantistes
de Rosemont, avec
affection et reconnaissance.

TABLE DES MATIÈRES

Tirer les bonnes leçons, mener les bons combats

Le soir des élections, le 7 avril 2014, j'étais zen. La défaite déferlait sur nous. Elle ne m'atteignait pas vraiment. Je l'avais vue venir. Je l'avais escomptée. En gros. Mais pas en détail. Non, pas en détail. Chaque ami député ou ministre battu était comme une piqûre. Brûlante. Ah, non. Pas lui!

Yves-François Blanchet, battu? Dites-moi que ce n'est pas vrai! Daniel Breton? Ahrrrr. Réjean Hébert? Comment un ministre aussi compétent, aussi dévoué, dont le Québec a cruellement besoin, peut-il être viré? Diane De Courcy, ma complice de tous les combats. Il n'y a pas de justice! Pierre Duchesne, Élizabeth Larouche? Je pourrais les nommer tous. Un moment, même Martine Ouellet, même Nicolas Marceau sont en difficulté. C'est dur. C'est trop dur.

Et ce n'est pas que la défaite. C'est son ampleur. L'électorat nous repousse avec force. Loin, très loin. Nous renvoie 30 ans en arrière, à notre score des élections de 1973.

Puis, il y a cette inconnue qui semble en train de battre Pauline Marois dans Charlevoix. Une tragédie et une bénédiction. Tragédie, car Pauline ne mérite pas ce coup de pied de l'âne. (Je ne parle pas de la candidate, mais de la situation.) Bénédiction, car Pauline pourra partir sans subir de nouveaux affronts. La coupure est nette. Sans bavure. Il y a dans cette cruauté électorale un élément théâtral. Le rideau tombe. La pièce est finie.

DANS LES JOURS QUI ONT SUIVI, JE REVIVAIS LES LENDEMAINS DU RÉFÉRENDUM DE 1995. Pas sur le fond. Dans la forme. L'adrénaline, encore active dans le sang du conseiller de Jacques Parizeau que j'étais alors, exigeait de l'action, encore de l'action.

Alors, en avril 2014, je n'ai pas pris un jour de repos. Jusqu'à Pâques, je suis entré au bureau chaque matin. Y ai passé chaque journée. Expédier les affaires courantes. Voir les salariés. Chaque conseiller qui perd son emploi. Écouter, encourager, féliciter.

Je ne suis pas un pleureur. Je n'ai qu'un peu d'humidité au coin des yeux en écrivant ces mots. Mais j'ai vu pleurer autour de moi. Beaucoup. On avait réussi à créer dans notre cabinet des Relations internationales et de la Métropole, entre les conseillers, le personnel, un esprit de groupe remarquable. Se séparer les uns des autres constituait une déchirure de plus.

J'ai bien failli échapper une larme, à Québec, devant les salariés du ministère des Relations internationales (MRI), réunis un midi pour les adieux ministériels.

« Vive le peuple du MRI libre ! » leur ai-je lancé de la mezzanine, avant de les rejoindre dans le hall.

« Libre de quoi ? » continuai-je. « De Lisée, évidemment ! »

Je voulais rester léger, tout en les remerciant pour leur loyauté et leur professionnalisme, et en leur parlant du sens de l'État qu'on attendait d'eux dans la transition à venir. De la nécessaire continuité de l'activité internationale du Québec.

Mais mon sous-ministre, l'ex-universitaire Michel Audet, m'a pris en embuscade en m'introduisant et en me disant combien j'allais lui manquer.

Il ne faut pas me complimenter quand j'essaie de réprimer mes émotions. Ça me fait craquer.

Ça m'avait fait ça le soir du référendum de 1995. J'avais tout encaissé sans broncher. La déception immense — on pensait gagner —, la tension autour de M. Parizeau qu'on tentait de canaliser pour son discours final. Descendu sur le plancher avant le maintenant trop fameux discours, mais après que la défaite eut été confirmée, je me pensais en pleine maîtrise de mes émotions.

« Monsieur Lisée, me dit une dame, une militante pleine de bienveillance que je ne connaissais pas, vous avez bien fait ça. Vous avez vraiment bien fait ça. »

Elle parlait de la campagne, je suppose. C'est vrai qu'on avait fait une campagne formidable, jusque-là. Et on voyait dans la salle les militants avec des panneaux du Oui ornés d'une marguerite, devenue le symbole spontané du projet indépendantiste.

« Vous avez bien fait ça. » C'était comme si elle venait d'ouvrir une vanne. Je n'arrivais pas à retenir mes larmes. Pourtant, il le fallait bien. Le pire était à venir.

À 19 ans de distance, sur le podium, devant le peuple du MRI, je me retiens de toutes mes forces. Avec une blague.

« Je ne vous demanderai pas pour qui vous avez voté. »

Silence.

« O.K., levez la main ceux qui n'ont pas voté pour moi ! »

Rires généralisés.

« Ils n'habitent pas dans Rosemont », signale ironiquement Michel Audet.

Je vais mieux.

COMPRENDRE. JE VEUX COMPRENDRE. Que s'est-il passé, exactement ? Pourquoi et comment ? Écouter, lire, rencontrer des gens, parler aux sondeurs, aux candidats, aux vieux routiers, aux jeunes recrues. Faire le plein d'info, juste après l'accident, avant que les indices partent au vent, que l'opinion envahissante prenne le pas sur les faits.

Comme en 1995, il m'a fallu une semaine pour que l'adrénaline se dissipe dans les échos de la défaite. Que la chute d'énergie réclame ses droits sur le corps et l'esprit.

Que je trouve refuge dans le sourire insouciant de mes enfants, dans les bras de ma blonde, que je fasse éclater de rire mon ami Kick avec un récit de campagne que la charité chrétienne ne permet pas de raconter ici, que je m'évade avec *Captain America* en Imax et 3D (excellent, dans le genre !) et que je m'entende m'esclaffer de nouveau en regardant *The Secret Life of Walter Mitty* (que je recommande chaudement à tous les dépressifs, occasionnels ou non).

Il faut digérer tout ça. Devenir un bon député de l'opposition. Poser de bonnes questions à l'Assemblée nationale. Ouvrir de nouveaux dossiers. Apprendre quelque chose de neuf chaque jour. Participer au débat sur l'avenir de notre grande et belle idée, l'indépendance du Québec. La seule qui vaille tout cet enthousiasme. Toute cette peine.

ÉCRIRE, AUSSI. ÉCRIRE BEAUCOUP. Ce que j'ai fait après la défaite, inondant les abonnés de mon blogue (jflisee.org) d'analyses et de réflexions. D'abord, parce que je voulais comprendre, vraiment, ce qui s'était passé. Et qu'il fallait que je mette cela en forme dans ma tête. Et la meilleure façon d'y arriver est de le mettre en mots.

Je sais aussi que ces billets de blogue ont accompagné le processus de deuil de milliers d'autres partisans, qui, comme moi, ont vécu en mars 2014 le déclenchement d'une campagne électorale qui annonçait un vote de confiance majoritaire des Québécois, qui s'est transformée sous nos yeux en déraillement et s'est terminée par la plus amère défaite de l'histoire de notre mouvement.

ÉCRIRE, MAINTENANT, CE LIVRE, POURQUOI? Parce qu'il faut revenir de la défaite. Parce qu'il faut faire le point. Parce qu'il faut témoigner. Parce qu'il faut voir plus loin, derrière, mais surtout devant. Tirer les bonnes leçons, puis mener les bons combats.

Aussi parce que, bientôt, il faudra pourvoir le poste de chef du Parti québécois. Les journalistes et caricaturistes ont décidé que l'auteur de ces lignes était un candidat présumé. Qu'il ne pense qu'à ça, depuis des lustres. Qu'il ronge son frein. Qu'il se prépare à bondir.

Si seulement c'était si simple. La décision serait prise depuis longtemps. Je foncerais et puis c'est tout!

Mais la réalité n'a pas cette belle linéarité. J'ai dû me faire longtemps tirer l'oreille pour me présenter comme député. J'étais parfaitement satisfait de mon plan de carrière: aider Pauline Marois à faire la souveraineté. Je la savais capable de gouverner et de diriger. Je me pensais outillé pour l'aider dans le grand dossier de l'indépendance.

Si on y arrivait, de l'autre côté du Oui, dans plusieurs années, lorsque la première première ministre d'un Québec souverain tirerait sa révérence, je pourrais me poser la question de la succession. Et ce très long délai avant que se pose la question de la direction du parti m'allait très bien, merci.

La défaite du 7 avril a donc déjoué mon absence de plan. Et me voici sommé de trancher.

Dans l'enchaînement de pas qui pourrait me conduire d'ici à là, il y a une première décision... que je n'ai pas eu à prendre: celle de m'investir dans les débats que notre mouvement doit entreprendre pour se renouveler. Je ne peux pas m'en empêcher. C'est dans ma nature.

La deuxième décision fut d'accepter, ce printemps, de réfléchir avec quelques amis et collègues souverainistes à la possibilité d'une candidature. Et de poser un minimum de jalons qui me permettraient, si je le décidais, d'entamer la course du bon pied.

Alors, oui, j'y pense. Mais ça ne suffit pas. Il faut le vouloir. Il faut le vouloir énormément. D'abord, parce que le degré de difficulté est considérable. Et multiforme. D'excellents candidats sont pressentis. Certains sont aguerris. D'autres, redoutables.

Ensuite, les questions qui se posent au Parti québécois de 2014 sont existentielles. Son identité est en cause, à plusieurs égards : doit-il rester enraciné au centre gauche, ou doit-il n'être que pragmatique ? Doit-il foncer vers l'objectif indépendantiste coûte que coûte ou gérer le temps avec un électorat réfractaire ? Doit-il se présenter comme le seul recours ou accepter de composer avec d'autres formations politiques ? La désaffection des jeunes est-elle réversible et, si oui, au prix de quels changements d'attitude ? L'épisode de la charte de la laïcité a-t-il durablement rompu les ponts entre le PQ et les non-francophones, ou y a-t-il encore des points de rassemblement possibles avec beaucoup de nos citoyens de la diversité ? La chute du sentiment indépendantiste nécessite une nouvelle dose de pédagogie souverainiste, mais laquelle ? Et comment la déployer de façon efficace ?

D'autres chefs du PQ, ou aspirants-chefs, se sont cassé la gueule pour moins que ça. Et même si on trouvait des majorités sur chacun de ces sujets, l'étape électorale de 2018 — multipartisme oblige — se présente plus que comme un simple obstacle. Plutôt comme un courant qu'il faut remonter, tels des saumons triomphant des rapides des rivières de la Côte-Nord. La bonne nouvelle est qu'ils y parviennent.

Il faudra donc se battre pour refonder l'identité du parti, puis œuvrer pour faire la jonction entre ce parti renouvelé et l'électorat. Re-faire connaissance. Re-trouver la confiance. Re-trouver l'élan.

Bref, on ne se lance pas dans ce(s) combat(s) à la légère. Surtout quand on est père de jeunes enfants (et d'un cinquième à naître au moment d'écrire ces lignes). Il faut trouver en soi davantage qu'une volonté ou qu'une ambition personnelle. Il faut une motivation. Il faut savoir pourquoi on le veut. Et pour qui on le veut.

« L'important n'est pas d'avoir raison, l'important, c'est de gagner », me répète parfois un conseiller péquiste. Je ne suis pas d'accord. Je crois qu'il est indispensable de ne gagner que pour les bonnes raisons. Et d'accepter de prendre le risque de la défaite plutôt que d'être l'esclave des chemins de la victoire. Ce qui s'appelle l'authenticité.

« Il n'est pas interdit d'être habile », affirmait souvent devant moi Jacques Parizeau. Je dirais même, je dirais plus : « Il est indispensable d'être habile. » Mais il est interdit d'être faux ou retors. Il est interdit d'être vide et de n'avoir que des convictions moulées sur l'air du temps et sur le dernier sondage. Ce qui s'appelle la cohérence.

Écrire ce livre m'aidera à voir plus clair dans tout ça. Je vous invite, chers lecteurs, à faire ce trajet avec moi. Je l'ai conçu comme un témoignage principalement construit autour des textes, mémos ou discours produits ou publiés juste avant, pendant et après cette année et demie de pouvoir, qui fut une des plus intenses de ma vie. Sauf pour les corrections linguistiques, les textes sont rendus dans leur intégralité. J'y signale des « [ajouts] », pour des mises à jour ou des clarifications, et des coupes « [...] », pour des éléments confidentiels ou redondants ou sans intérêt.

J'aurais pu me contenter d'en résumer les contenus. De paraphraser et de faire beaucoup plus court. Le lecteur aura bien sûr le choix d'en sauter des bouts, mais j'estime que le récit gagne en authenticité lorsqu'on lit le texte tel qu'il fut écrit au moment des faits. C'est le côté « journal » de l'ouvrage que vous avez en main.

Certains chapitres, notamment ceux qui portent sur l'analyse du vote, sont des synthèses et mises à jour de plusieurs textes écrits à chaud après le scrutin.

Ce sont des traces, des témoignages de mes réflexions et de mon action. Car s'il faut porter un jugement sur un candidat potentiel pour savoir s'il sera, demain, le leader qu'il nous faut, les meilleurs indices ne se trouvent-ils pas dans son action récente ? Comment me suis-je comporté pendant les grands débats ? Pendant les crises ? Quand j'ai eu la capacité de réaliser des choses, qu'ai-je fait ?

Si je me lance dans la campagne, j'aurai des idées, des propositions, c'est certain. Mes collègues aussi. Mais de quel bois se chauffe-t-on vraiment ? Voilà la question à poser avant de choisir celui qui entrera dans l'atmosphère brûlante de la vie politique.

Ces écrits, ces indices, je vais beaucoup les mettre en contexte. Mais je conçois aussi ce livre comme un rappel des orientations que j'ai imprimées ou esquissées, tant sur les grandes questions — souveraineté, langue — que dans les fonctions ministérielles transversales qui furent les miennes. Elles préfigurent les orientations du candidat que je pourrais devenir. Je le conçois finalement comme une réflexion sur ce qui cloche aujourd'hui dans les rapports entre notre parti et l'opinion publique, et sur les moyens de se remettre au diapason de la société québécoise d'aujourd'hui.

Côté témoignage, je ne dirai pas tout. La loi, le devoir de réserve, la solidarité envers les collègues et mon serment d'ex-ministre ne me permettent pas de raconter ce qui s'est produit dans le secret des discussions ministérielles.

Ce sont donc *mes* secrets que je divulgue ici. Évidemment, ce faisant, mon enthousiasme pour des projets gouvernementaux en sera confirmé. Mais je gage que mes réserves pour d'autres décisions seront davantage notées.

C'est Lionel Jospin, dirigeant les socialistes français après les années de François Mitterrand, qui avait trouvé l'expression juste. Le président avait, globalement, fait de l'excellent travail. Mais, a dit Jospin, ses successeurs ont un « droit d'inventaire » sur son héritage.

Je retiens le terme. Vous verrez, chers lecteurs, en quelle estime je tiens Pauline Marois, ses réalisations, son gouvernement et tous les collègues de l'extraordinaire équipe qu'elle a su réunir autour d'elle.

Mais ce serait manquer d'honnêteté envers Pauline, de respect envers les lecteurs et de lucidité envers le Parti québécois que d'affirmer que ce gouvernement n'a rien fait de travers pour mériter la raclée électorale du 7 avril.

Les autres candidats potentiels feront leurs choix — tous respectables. Je réclame pour ma part ce « droit d'inventaire ». Il nécessite, donc, certains retours en arrière. Non pour critiquer l'un ou l'autre — chacun a fait le maximum dans des circonstances parfois extrêmement difficiles. Mais pour faire preuve de recul critique, d'abord, et pour corriger le tir, ensuite. On ne peut pas construire l'avenir en faisant semblant qu'il ne résulte pas, pour une grande part, du passé.

J'ai surtout le droit de dire ce que j'ai voulu et ce que j'ai pensé. J'ai le droit de raconter des événements qui se sont produits hors des cercles confidentiels.

J'ai le droit de raconter pourquoi j'ai plongé.

CHAPITRE 1

Plonger

Vous allez rire, mais une des premières personnes à avoir tenté de me convaincre de faire de la politique est Denis Coderre. Ça devait être en 1992. Denis avait déjà intégré la famille politique libérale fédérale, mais animait une émission de radio en tandem avec le souverainiste Jean-Pierre Charbonneau, en attendant de faire son entrée au Parlement.

J'étais journaliste à *L'actualité*. J'avais déjà écrit mon livre *Dans l'œil de l'aigle,* sur les rapports entre Washington et les indépendantistes québécois. (Et il me semblait qu'une lecture attentive du bouquin révélait que je penchais davantage vers René Lévesque que vers Pierre Trudeau.)

« Jean Chrétien cherche des jeunes dynamiques, comme toi », m'avait dit Denis, avec ce ton bonhomme qui ne le quittera jamais. J'étais resté vague. Pendant l'année qui a suivi, j'étais complètement plongé dans les entrevues qui allaient mener à la publication, en 1994, du *Tricheur*. Comme journaliste, j'avais fait un débat remarqué avec l'excellent auteur — mais médiocre essayiste — Mordecai Richler, publié un petit ouvrage sur les candidats potentiels à la succession de Robert Bourassa (*Les prétendants*), signé quelques grands dossiers dans *L'actualité,* dont « Qui nous sommes », sur le caractère distinct du Québec, et « Le Canada dans la peau », sur l'ambivalence identitaire québécoise.

On m'entendait suffisamment souvent à la radio pour qu'en 1993 un haut dirigeant du Parti libéral du Québec (PLQ) me demande si je ne souhaitais pas être un de leurs candidats aux élections suivantes. Je restai encore plus vague. Au PQ, il y avait Louise Beaudoin, que j'avais connue comme déléguée générale à Paris lorsque j'avais séjourné là-bas pour mes études de journalisme, puis comme pigiste, de 1981 à 1985. Elle m'invita à déjeuner, début 1994. Elle m'avisa que si, comme les sondages le martelaient depuis trois ans, le PQ était élu plus tard dans l'année et si, comme elle le souhaitait, elle devenait ministre des Relations internationales, elle m'offrirait de faire partie de son cabinet. Je restai vague.

Il n'y a rien de bien original dans ce que je viens de raconter. Au Québec comme ailleurs, les partis politiques sont toujours en quête de têtes nouvelles. Pas une personnalité du monde des affaires, pas un maire, pas un journaliste en vue qui n'ait été pressenti plusieurs fois pour briguer les suffrages. Sur 100 appelés, un ou deux répondent. Et parmi 100 qui répondent, la moitié peut-être se rendront jusqu'à l'assemblée d'investiture. Puis, il y a ceux qui gagnent, et ceux qui perdent.

Mon père, Jean-Claude, entrepreneur à Thetford Mines, avait été sollicité successivement par Jean Lesage et par Daniel Johnson pour être candidat libéral ou de l'Union nationale. Johnson lui avait fait sa demande lorsqu'ils étaient voisins de fauteuil dans une boutique de barbier[1]!

En 1989, il reçut même un appel du Parti québécois, lui demandant s'il voulait être candidat. «Vous voulez sans doute parler à mon fils», répondit-il. Non, non, le PQ voulait recruter mon père. Il resta vague.

La politique faisait donc partie de notre vie dans les années 1960, 1970 et 1980. Des oncles étaient actifs au Parti libéral, des cousins étaient indépendantistes, ce qui provoquait des prises de bec mi-fâchées, mi-humoristiques lors des rencontres familiales. Une influence particulière traversait régulièrement notre quotidien, comme une tornade d'énergie, d'esprit et de drôlerie: Doris Lussier. Le philosophe-comédien ami de René Lévesque et créateur du personnage du Père Gédéon était le cousin de mon père. Il avait grandi à ses côtés et était devenu un de ses proches.

Au bout de notre rue, à Thetford, habitait aussi Gabriel Loubier, qui deviendra ministre du Tourisme, de la Chasse et de la Pêche de l'Union nationale, puis chef du parti pendant son déclin. C'était un ami de la famille, ses enfants étaient mes amis, et on épatait tous les plaisanciers du lac Louise, près de Weedon, dans le Haut-Saint-François, lorsque le

---

[1] Je ne peux m'empêcher de raconter cette blague, probablement inventée, que racontait mon père au sujet de son propre père, Ovila, mécontent de le retrouver à la boutique du barbier alors qu'il était censé travailler au magasin général. «Tu te fais couper les cheveux sur mon temps?» semonça Ovila. «Ils poussent sur ton temps», répondit mon père. «Ils poussent pas tous sur mon temps!» rétorqua Ovila. «Je les fais pas tous couper non plus», conclut mon père.

ministre venait nous rendre visite en hydravion ! (J'ai pris la parole, en mai 2013, lorsqu'on a inauguré à l'Institut de tourisme et d'hôtellerie du Québec, qu'il avait fondé, la salle Gabriel-Loubier. J'ai déploré à la blague que, maintenant que j'étais ministre, personne n'avait encore mis d'hydravion à ma disposition !)

Au référendum de 1980, mon père était du camp du Non. Disons qu'il roulait pour le Non, car il avait une belle Buick et les libéraux lui demandaient de servir de chauffeur à leurs orateurs à Thetford et dans la région. Ma mère, elle, faisait davantage de bruit. Elle était présidente des femmes de Thetford Mines pour le Oui et on pouvait entendre sa voix déterminée dans les pubs souverainistes à la radio locale. Tout cela se faisait dans la bonne humeur.

La politique était donc un fait naturel de notre vie. Importante, proche, voisine, cousine, amicale, accessible. Dédramatisée.

Et moi, voulais-je faire de la politique ? Réponse : j'avais pris ma carte du PQ à 14 ans, en 1972. J'étais « adjoint à l'attaché de presse » à l'exécutif local ! Et en 1974, à 16 ans, j'étais délégué au congrès du parti qui allait voter la tenue d'un référendum comme passage obligé vers la souveraineté. Je n'ai pas changé d'avis depuis.

Pendant mes études de droit à l'UQAM, j'ai fait un détour à gauche, chez les maoïstes, alors en plein essor romantique. (Les maoïstes travaillaient très fort, mais avaient des valeurs assez conservatrices. Pour fumer du *pot* et pratiquer l'amour libre, il fallait plutôt être trotskystes. Ils nous enviaient notre sens de l'organisation. On leur enviait les joies de la désorganisation.)

Heureusement, Mao et moi nous sommes brouillés en 1978, à temps pour que je vote Oui au référendum de 1980, mais sans militer, car j'étais entré dans la profession de journaliste en juin 1979, pour n'en ressortir que 15 ans plus tard.

DEVENIR CONSEILLER

J'avais beaucoup écrit sur les conseillers politiques au début des années 1990 : conseillers politiques américains, pour des articles dans *La Presse* et *L'actualité,* conseillers de Bourassa et de Parizeau pour *Le tricheur.* Je me suis mis en tête que c'était là une fonction que je pourrais occuper.

Le tricheur et *Le naufrageur* avaient été publiés dans les premiers mois de 1994. Puisque ces ouvrages portaient, essentiellement, sur l'honnêteté en politique (et la malhonnêteté), j'avais avisé mes lecteurs, dans la section sur les journalistes et la question nationale, que j'étais indépendantiste. Fin juin 1994, je me rendis voir Jacques Parizeau pour lui proposer mes services. J'étais convaincu que le Québec était aux portes de la souveraineté et je voulais être de l'équipe qui l'aiderait à franchir ce seuil. J'en avais assez d'être spectateur. Je brûlais de devenir actif, acteur, de contribuer à la tâche commune.

J'étais très nerveux, car, comme journaliste de *L'actualité*, j'avais fait avec M. Parizeau deux entrevues où je l'avais un peu bousculé sur la mécanique de l'indépendance. Le PQ avait même dû publier un communiqué pour se plaindre du sous-titre d'une des entrevues[2]. « J'ai besoin d'un bon scotch ! » avait dit Monsieur (tout le monde appelle Jacques Parizeau « Monsieur ») à la sortie d'un de nos entretiens, selon le témoignage d'un de ses adjoints, tant j'avais été intense dans mes questions.

Devant Monsieur, j'étais prêt à défendre ma cause, mais cette fois comme chercheur d'emploi. J'avais préparé un petit résumé des fonctions que je pourrais occuper. Ayant été correspondant à Paris et à Washington, je pourrais être responsable des communications pour la presse internationale et canadienne-anglaise. Ayant beaucoup étudié les tenants et aboutissants de la souveraineté pour la rédaction de mes derniers livres, je proposais de faire partie de l'équipe qui élaborait la stratégie, du moins la stratégie de communication. C'était à peu près tout ce que je pensais pouvoir offrir. N'ayant jamais écrit de discours, je poussai l'outrecuidance jusqu'à indiquer que, peut-être, pourrais-je pondre un brouillon ou deux. Audacieux (un trait de caractère venu de mon père), je me sentais sur la corde raide, susceptible d'être poussé, honteux, vers le vide.

Ce ne fut pas le cas. M. Parizeau fut intéressé par la proposition et dit qu'on me reviendrait. On s'attendait à ce que les élections soient déclenchées très rapidement, au courant de l'été. Des médias me proposèrent de participer aux analyses électorales, ce que j'avais fait comme journaliste, en français et en anglais, au cours des années précédentes.

[2] « La souveraineté-association est morte. Le Québec de Jacques Parizeau serait plus souverain que la France, annonce le chef du Parti québécois dans une entrevue exclusive accordée à Jean-François Lisée. À un an du référendum sur la souveraineté, il affirme : "L'association ? Je n'en parle jamais. Je ne crois pas que ce soit utile." » (« Le scénario Parizeau », 1er novembre 1991).

C'était hors de question. J'avais choisi mon camp, offert mes services, je ne pouvais pas me présenter comme analyste objectif. Je me mis donc en congé sans solde de *L'actualité*, refusai toutes les offres et je partis prendre de longues vacances jusqu'au jour du scrutin, le 12 septembre 1994.

Le 13, je recevais un appel du chef de cabinet de M. Parizeau, Jean Royer. « Monte à Québec ! »

J'arrivai en milieu d'après-midi. Jamais je n'avais vu de vainqueurs à la mine aussi basse. Ils avaient espéré une victoire de plus de 50 %, pour se donner un réel élan référendaire. Ils n'avaient eu que 44,7 %, contre 44,4 % pour le PLQ. Que faire ?

On m'introduisit, au deuxième étage de l'Assemblée nationale, dans une réunion de discussion politique déjà entamée avec le premier ministre désigné, son épouse, Lisette Lapointe, le nouveau secrétaire général, Louis Bernard, l'avocat-conseil Yvon Martineau et Jean Royer. Il était question de la conférence de presse que M. Parizeau tiendrait le lendemain matin. Quels signaux devait-on envoyer ? Comment aborder les choses ? Rien de trop précis ne se dégageait, sauf la décision, déjà prise, de nommer, en plus des ministres, des délégués régionaux.

On venait de quitter la pièce quand Jean Royer dit : « Toi, Lisée, tu sais écrire. Écris donc le texte d'introduction de la conférence de presse. »

Puis, ils disparurent. Tous. Me laissant seul avec mon étonnement. Écrire ? Mais quoi ? Et ça dure combien de temps ? La presse internationale est là, peut-on parler anglais ? Le silence me répondit.

Heureusement, j'avais préparé à tout hasard, quelques jours plus tôt, un mémo stratégique (mon premier) sur le positionnement que je suggérais pour le nouveau gouvernement. J'allais m'en inspirer et, s'ils n'aimaient pas ça, ils n'auraient qu'à me virer ! À bien y penser, ils ne pouvaient pas me virer, je n'étais pas embauché !

J'écrivis ample : les réformes annoncées, la volonté d'indépendance, les droits des minorités, des autochtones, des anglophones — une phrase en anglais pour la presse étrangère. Une volonté d'ouverture.

Le lendemain matin, Parizeau raffole du texte. Ce n'est pas écrit dans le langage péquiste alors habituel, forcément. Je maîtrise mal cette langue. Je n'ai que mon style. Je n'utilise pas les mêmes arguments, la même tonalité, que le candidat Parizeau. J'essaie, à l'instinct, de lui donner de la hauteur. Un peu du général de Gaulle ou, non, dans son cas, plutôt du Churchill.

La prestation fait son effet et, pour la première fois, je vois mes mots repris dans la totalité des médias. En édito, au *Devoir*, Lise Bissonnette encense les «premiers pas adroits» du nouveau premier ministre. La *Gazette* est en émoi: «*OK Boys, Time to Give Us Back The Real Parizeau*» — rendez-nous notre bon vieux Parizeau, celui qu'on aime détester. Le meilleur est dans *Le Journal de Montréal*, où le chroniqueur chevronné Jean-V. Dufresne écrit le bien qu'il pense de la déclaration de Monsieur. C'est quand même triste, ajoute-t-il en fin de chronique, que la journée soit gâchée par une nomination aussi calamiteuse au cabinet Parizeau que celle de ce Lisée, assurément pas à la hauteur.

EN ATTENDANT PAULINE

L'idée de me présenter à des élections, de «mettre [ma] photo sur un poteau», comme le veut l'adage politique, ne m'est venue que lors des préliminaires de la campagne de 1998. Avec Lucien Bouchard, nous étions à la recherche de candidats et avions trouvé François Legault, Diane Lemieux, Linda Goupil, quelques autres. J'ai cru un moment que je pourrais m'insérer dans le groupe. Mais un moment seulement.

J'ai finalement quitté mon poste de conseiller en septembre 1999, parce que j'étais en désaccord sur la stratégie souverainiste à suivre. Il est ensuite fréquemment arrivé que le téléphone sonne.

À chaque élection québécoise, mes amis de l'exécutif du PQ à Thetford Mines (circonscription de Frontenac) testaient mes intentions. À chaque élection fédérale — et il y en eut beaucoup —, Gilles Duceppe tentait sa chance. C'était devenu un gag: il m'appelait à mon bureau de l'Université de Montréal et, pendant son *pitch*, je lui disais que j'entrais dans un tunnel et que la communication allait être coupée.

Devenue chef du PQ en 2007, Pauline Marois, dont je fus toujours admiratif, m'offrit de me présenter comme candidat à la partielle de Bourget, en 2008. Mais je déclinai. Je ne me voyais pas à l'Assemblée.

J'étais satisfait de contribuer aux débats politiques. En 2007, j'ai publié mon essai *Nous,* sur l'identité, et j'ai été conseiller *ad hoc* du Comité identité du Parti québécois. C'est à cette occasion que j'ai travaillé pour la première fois de concert avec Nicole Stafford, Pierre Curzi, Bernard Drainville, Alexandre Cloutier, Daniel Turp. Dans une grande convivia-lité, nous avons élaboré ensemble le projet de loi sur l'identité, qui comportait un projet de Constitution et de citoyenneté. Il y était déjà question de valeurs, mais l'idée d'une Charte de la laïcité restait encore très embryonnaire.

Par la suite, Pauline m'invita à des réunions informelles qui se tenaient tous les deux mois avec des personnalités proches du PQ, mais non impliquées dans son action. Elle testait des idées, présentait des documents, voulait nous entendre. J'étais frappé par son ouverture d'esprit et sa volonté d'écoute. C'est elle qui dirigeait les réunions, donnant les tours de parole, prenant force notes.

Parfois, elle me demandait si je serais de la partie la prochaine fois. Je restais vague.

FAIRE DE LA POLITIQUE, POURQUOI ?

La politique, pour moi, c'est l'art de donner aux citoyens et aux collectivités les moyens de leur épanouissement. Épanouissement personnel, dans leurs études, leur travail, leur vie, leur culture, leur famille. Épanouissement collectif, dans leurs quartiers et villages, dans leur(s) identité(s), dans leur nation.

Dans trois ouvrages, de 2007 à 2010 (*Nous, Pour une gauche efficace* et *Imaginer l'après-crise*), j'ai approfondi ma réflexion sur les réformes identitaires, économiques et sociales qui permettraient au Québec de répondre aux défis de ces épanouissements.

Je savais donc très bien ce que je voudrais y faire, en politique, si je plongeais. Mais pour moi, la question de la souveraineté était — et reste — centrale. C'est parce que je croyais à l'orientation stratégique de Jacques Parizeau, en 1994, que je me suis joint à lui. Lorsque Lucien Bouchard m'a offert de devenir son conseiller, fin 1995, je lui avais proposé une stratégie beaucoup plus active que celle qu'il a adoptée et qui s'est soldée par un échec. Je ne voulais pas revivre cette frustration avec Pauline.

En 2011, puis 2012, je n'avais aucun doute sur la volonté de Pauline de réaliser l'indépendance. Mais allait-elle prendre les bons moyens ? Réussir l'indépendance du Québec nécessite une combinaison de facteurs peu commune, dont une volonté politique ferme, une bonne conscience des obstacles et des moyens de les franchir.

Même si la souveraineté restait minoritaire dans l'opinion à cette époque, et que j'estime impossible de la faire sans connaître d'abord un

« moment de vérité » avec le Canada (j'y reviendrai abondamment plus loin), mon diagnostic demeurait que les tendances lourdes y étaient favorables, si on savait s'y prendre. Ma position était résumée dans une conférence que j'avais donnée devant les Intellectuels pour la souveraineté, en 2010, et dont voici des extraits :

Identité et estime de soi : piliers d'une future majorité souverainiste
(8 mai 2010)
Avez-vous lu le dernier budget de la Colombie-Britannique ? Moi, oui. J'ai eu le choix de la langue de lecture. La province, dont le slogan est « *The Best Place on Earth* », présente ses textes, tableaux et chiffres en trois langues : l'anglais, le mandarin, le pendjabi.

Autant vous dire que le français y est encore moins présent qu'à la cérémonie d'ouverture des Jeux olympiques de Vancouver. Les francophones de Colombie-Britannique sont des gens actifs, dynamiques, attachants. Mais ils sont peu nombreux. En fait, le français n'y est pas la première langue minoritaire. Vous le savez, c'est le mandarin. Il n'est pas la deuxième langue minoritaire, c'est le pendjabi. Il n'est pas la troisième, c'est le coréen. Il n'est pas la quatrième, c'est le tagalog, langue des Philippins. Il n'est pas la cinquième, c'est le vietnamien. Il n'est pas la sixième, c'est le persan. Le français y est la septième langue minoritaire.

Je vous entends objecter : c'est la Colombie-Britannique. Un microclimat linguistique, balayé par les vents du Pacifique. Pourtant. Le recensement de 2006 a confirmé qu'un cap historique avait été franchi dans le *Rest of Canada*. Pour la première fois de son histoire, le français n'y est plus la première langue minoritaire. C'est vrai en moyenne. C'est vrai aussi dans le cœur du pays : l'Ontario.

Le chinois (il est plus précis de dire « les langues chinoises », car il y en a plusieurs) y est désormais la langue maternelle de 18 % des non-anglophones, devant le français, avec 13 %. La marginalisation démographique des francophones hors Québec sonne lentement le glas de la place spéciale dont bénéficiait le français, depuis Pierre Trudeau et Brian Mulroney, dans l'univers canadien. Combiné au reflux démographique du Québec au sein de l'ensemble canadien — hier le tiers du pays, maintenant moins du quart, bientôt un cinquième —, le fait français ne peut simplement plus maintenir la magnifique fiction qu'a représentée l'idée d'un pays bilingue. Ce pays dont l'idéal trudeauiste, hors des bureaux gouvernementaux d'Ottawa et de Toronto, n'existe dans la rue qu'à deux endroits : à Montréal et en Acadie.

Un argument fédéraliste majeur, en déclin

Quel rapport entre cette évolution démographique et l'avenir du mouvement souverainiste québécois ? Il s'agit d'une variable, parmi plusieurs autres, qui lime les fondations de l'idée fédérale au Québec. Une partie de l'électorat nationaliste modéré, notamment parmi les francophones de plus de 50 ans, s'accroche à l'idée d'un Canada bilingue, d'un pays où le français a un statut, voire un avenir. Ce message leur a été transmis avec constance depuis les années 1960 par l'existence, au sommet de l'État canadien, d'un *French Power* réel : Trudeau, Mulroney, Chrétien, Martin. Au tournant du siècle, la majorité des juges de la Cour suprême étaient francophones. Ce temps est révolu.

Outre-Outaouais, on réduit sans état d'âme la proportion de sièges du Québec à la Chambre des communes — légèrement sous son poids démographique réel. On se demande s'il est vraiment indispensable que les membres de la Haute Cour, qui doivent régulièrement décider de l'applicabilité de la loi 101, puissent entendre les plaidoiries dans la langue de Molière. Ce n'est que la pointe de l'iceberg.

Le Canada est au monde le pays qui reçoit, de loin, le plus d'immigrants *per capita*. En 2006, 20 % des résidants étaient nés à l'étranger, proportion qui pourrait passer à 28 % d'ici 20 ans, grâce à un afflux surtout asiatique. Voilà un contexte où les notions de « peuples fondateurs » et les raisons qui font que le français, plutôt que le chinois ou le tagalog, a des droits particuliers se perdent dans le brouillard d'un passé que le multiculturalisme n'a pas pour mandat d'entretenir.

On l'a vu dans les réactions canadiennes-anglaises à la controverse linguistique des Jeux de Vancouver : le pays canadien réel ne réagit plus aujourd'hui à l'idée que le français est un élément important de la réalité canadienne hors Québec. Ce n'est pas de la mauvaise volonté. Moins encore de la méchanceté. Le français est absent de leur vie sociale, économique, politique, culturelle. Pourquoi en deviendraient-ils des promoteurs sereins lorsque vient le temps d'exprimer ce qu'ils sont, dans une grande cérémonie ? C'est trop demander. [...]

L'identité canadienne recule au Québec, à la vitesse du glacier qui fond, peut-être, mais dans un mouvement qui semble inexorable. Le phénomène n'est pas nouveau, mais il est essentiel à la compréhension de la politique québécoise. Le sondeur fédéraliste Maurice Pinard avait le premier révélé l'importance prédictive majeure de ces évolutions. Il a dirigé une série de sondages, repris depuis par d'autres, dont le Bloc québécois, demandant aux Québécois francophones d'indiquer s'ils se considéraient comme « québécois », « canadiens-français » ou « canadiens ».

Quelle importance ? Elle est majeure. Car lorsque tout est dit, on ne peut voter pour un Québec souverain si on ne se juge pas d'abord québécois. Sur 40 ans, on observe essentiellement une consolidation du pôle « québécois », au détriment, jusqu'en 1985 à peu près, du pôle « canadien », puis du pôle « canadien-français ».

Au moment du premier référendum, en 1980, l'identité québécoise était encore faible, y compris chez les francophones, qui ne furent au net que 50 % à voter Oui. Ce qui, reporté sur l'électorat entier, donna 40 % de Oui. Pendant le reste de la décennie, alors que l'intention de vote souverainiste était au plancher, l'identité québécoise a connu une progression importante — le pôle « québécois » de l'identité passant, chez les francophones, à 59 % en avril 1990, juste avant l'échec de Meech. Ce renforcement identitaire a fourni l'assise, à compter de 1989, à la résurgence marquée de l'intention de vote souverainiste — devenu majoritaire jusqu'en 1994.

Au moment du référendum de 1995, le pôle « québécois » était à 62 % des francophones. Ce qui, reporté sur l'électorat entier, donne presque exactement le résultat référendaire. Beaucoup d'autres variables sont en jeu, évidemment. Mais cela nous indique que lorsque toutes les forces politiques sont mobilisées et que la conscience de l'enjeu est à son plus fort dans l'électorat, le résultat s'approche de l'autodéfinition identitaire.

Les fédéralistes le savent, et c'est ce qui explique la grande campagne identitaire fédérale déployée de 1996 à 2005 et connue sous le nom de « commandites », avant que le mot « scandale » y soit accolé. [...]

Le scandale, lui, a choqué les francophones et a détruit, en un an, l'effort fédéral réalisé à grands frais pendant les neuf années précédentes. Ce doit être le plus grand chagrin du couple Stéphane Dion–Jean Chrétien. En 2005, l'année du scandale, l'identité québécoise a atteint un niveau record de 69 %. Cette montée fut accompagnée par des majorités souverainistes dans l'opinion cette année-là. Plus important encore est le niveau enregistré cette année [2010], en période de reflux de l'intention de vote souverainiste : 67 %. C'est significativement plus élevé que le niveau identitaire sur lequel les souverainistes pouvaient compter en 1995. [...]

Ce n'est qu'un avis, mais j'estime que la reconnaissance par le Parlement fédéral de l'existence de leur nation conforte les Québécois dans leur volonté d'être plus autonomes, plus québécois et, demain, plus indépendantistes. Pierre Trudeau et Jean Chrétien avaient compris qu'à force de nier le caractère national du Québec, les nationalistes modérés finiraient par douter eux-mêmes de l'existence de leur nation. Les trudeauistes jouaient d'une part de la fragilité identitaire d'une partie de l'électorat et d'autre part de leur promesse d'un Canada français fort, donc d'une offre identitaire compensatoire.

La reconnaissance de la nation par le Parlement — même si 75 % des Canadiens hors Québec s'y sont opposés — a permis à toute la classe politique québécoise, y compris fédéraliste, de reprendre à son compte le concept de nation et interdit aux chefs fédéraux d'en nier l'existence, ce qui oblitère 20 ans de travail trudeauiste. Le déclin manifeste du statut du français hors Québec est en train de faire disparaître leur promesse d'un Canada accueillant pour le français. Le dispositif identitaire trudeauiste est cassé. Ce n'est pas anodin.

Un autre progrès : l'estime de soi économique

Le sondage CROP/Identité fédérale recelait une autre trouvaille. En pleine crise économique et malgré un long conditionnement quant à leur incurie économique congénitale, les Québécois affirmaient à 55 % qu'un « Québec indépendant » aurait fait mieux (14 %) ou aussi bien (41 %) que le Canada dans la crise économique.

C'est capital, car la crainte quant à l'avenir économique d'un Québec souverain fut *le* facteur de la défaite du Oui en 1995. Cette inquiétude n'opère plus, ou alors beaucoup moins. D'autant qu'un autre cap statistique est franchi : il y a désormais moins de chômage au Québec qu'en Ontario ou aux États-Unis. Et le Québec a effectivement traversé la crise avec moins de reculs économiques et de drames humains que le reste de l'Occident — en particulier ses voisins ontariens et américains.

De même, ce printemps, une identique proportion de 55 % affirme dans le sondage IPSO/Bloc que le Québec a « le capital financier et les ressources pour devenir souverain ». Troisième pièce à conviction, le sondage CROP mené ce printemps pour l'émission *Le verdict,* de Radio-Canada. On a demandé aux Québécois s'ils jugent le Québec, par rapport aux autres pays industrialisés, dans une situation «comparable» (52 %), «avantageuse» (20 %) ou «moins avantageuse» (28 %). Compte tenu du discours ambiant sur les ratés du modèle québécois — et en pleine campagne de presse sur «le Québec dans le rouge» —, il est simplement héroïque que les Québécois soient au total 72 % à juger le Québec en aussi bonne ou meilleure posture.

En un mot: le Québec se détache du sentiment d'infériorité économique qu'il a toujours traîné comme un boulet.

La volonté politique

Ces éléments importants ne sont rien, évidemment, sans l'émergence puis le maintien d'une volonté indépendantiste populaire, dirigée par une intelligence politique, stratégique et tactique.

L'accès du Québec à la souveraineté n'est pas inscrit dans l'histoire. Il sera toujours le fruit d'un effort politique majeur, d'un volontarisme qui, s'il veut limiter le risque de l'échec, n'est pas tétanisé par lui.

Les conditions dans lesquelles se déploiera cet effort sont importantes. L'identité et l'estime de soi économique sont des guides immensément plus sûrs que les variations de l'intention de vote référendaire (variations qui se font depuis 10 ans dans une fourchette nettement plus haute que lors du précédent entre-deux référendums); bien plus encore que la prédiction de souveraineté qu'on demande parfois à l'opinion de faire. Après tout, en 1990, la majorité affirmait la souveraineté imminente. Elle avait tort. Aujourd'hui qu'elle affirme qu'elle n'arrivera pas, pourquoi aurait-elle davantage raison?

L'identité québécoise et l'estime de soi économique sont les deux piliers d'une future majorité indépendantiste. En 1980 et en 1995, ces piliers étaient trop courts pour nous porter au-delà de la barre majoritaire. Ils ont grandi depuis. Ils pointent vers l'avenir. C'est une bonne nouvelle.

Entre la rédaction de ce texte, en 2010, et l'été 2012, ces signaux devenaient encore plus forts, à la fois sur l'identité québécoise et sur l'estime de soi économique. Malgré des sondages sur l'intention de vote souverainiste qui semblaient indiquer que l'indépendance était en panne, j'avais des raisons de penser que les tendances lourdes préparaient, elles, un terrain plus favorable.

En février 2012, Pauline a créé un « comité de la souveraineté », formé de personnalités externes, dont je fus. Les quelques réunions tenues jusqu'à l'été ont fini de me convaincre que Pauline était déterminée à réaliser l'indépendance, qu'elle entendait s'y préparer sérieusement. Je lui envoyai quelques textes d'orientation stratégique. J'estimais, en 2012 comme en 2000 dans mon livre *Sortie de secours,* que dans cette phase historique et malgré les tendances lourdes décrites ci-dessus, il serait impossible de faire la souveraineté en ligne droite. C'est-à-dire de proposer, oui ou non, que le Québec devienne souverain. Il serait impossible de rallier plus de 50 % des électeurs autour de cet enjeu.

De 2000 à 2012, j'ai dû donner 100 fois ma conférence « Pourquoi la souveraineté est probable ». J'y expliquais combien la peur légitime de l'échec, issue des deux défaites référendaires et déjà palpable en 1995, minait à elle seule, y compris chez beaucoup de souverainistes, le chemin vers un troisième rendez-vous. Ce n'est pas qu'ils ne veulent pas faire le voyage vers l'indépendance. C'est qu'ils pensent que l'avion ne décollera pas, ou qu'il va s'écraser en chemin.

Il fallait un préalable. Un moment de vérité. Il fallait que les Québécois définissent ce qu'ils désirent comme autonomie, essentiellement en matière identitaire, linguistique, culturelle, et qu'ils le disent collectivement. En pratique, cela signifie voter par référendum pour changer la Constitution canadienne, afin d'obtenir cette autonomie, une demande parfaitement raisonnable dans une fédération normale. Cela n'a jamais été fait de toute l'histoire du Québec.

Si le Canada acceptait (d'autres fédérations ont accepté ce genre d'autonomie pour leurs minorités), alors le Québec se renforcerait de l'intérieur.

Mais le Canada est une fédération dysfonctionnelle, et il y a fort à parier qu'il refuserait toute demande québécoise, même si elle était appuyée par 60 % de ses électeurs. Pourquoi ? Parce que depuis le référendum de 1995, le Canada anglais est convaincu que le Québec est un chien qui jappe mais qui ne mord jamais. D'ailleurs, il jappe de moins en moins. En tout cas, on ne lui prête plus la moindre attention.

Donc, les Québécois auraient dit ce qu'ils voulaient. Le Canada répondrait : vous ne pouvez pas l'avoir. Un moment de vérité. Deux choses pourraient alors avoir lieu : soit la souveraineté, soit... rien.

Notez, dans les deux cas : deux moments démocratiques. Quels sont les pouvoirs que vous souhaitez pour votre nation au sein du Canada ? Et, puisque vous ne pouvez les avoir au sein du Canada, souhaitez-vous en sortir ? La démocratie en action. Le contraire, donc, de l'imposition d'une Constitution par le Canada. Le contraire du *statu quo*.

Voilà ce que j'exposais régulièrement à Pauline, qui trouvait que j'avais « de la suite dans les idées ». J'ai résumé ma position, après plusieurs réunions du Comité de la souveraineté, dans un mémo que je lui ai acheminé début juillet 2012. En voici des extraits :

Note stratégique en cas d'élection en septembre 2012
Pour Pauline Marois
De Jean-François Lisée
4 juillet 2012
Le but de cette note est d'alimenter votre réflexion stratégique, notamment sur l'importance du facteur temps dans la réalisation de votre objectif principal et sur l'incidence des choix stratégiques sur le positionnement des autres acteurs sur le terrain.

Trois éléments seront principalement soulevés :
I —   LA CONJONCTURE ET LE CALENDRIER
II —   LE RÉFÉRENDUM SECTORIEL
III —   LA PROPOSITION ET LE CALENDRIER

I — LA CONJONCTURE ET LE CALENDRIER
Le mouvement souverainiste a souvent été victime du calendrier. Ce fut notamment le cas en 1990, alors que la crise du lac Meech s'est produite en début de mandat de Robert Bourassa, ou lors de la résurgence de l'élan souverainiste, à nouveau majoritaire au moment du scandale des commandites, en 2005, alors que le PLQ était au pouvoir.

René Lévesque fut lui aussi victime d'un calendrier fédéral imprévisible, déclenchant un processus référendaire alors que le conservateur Joe Clark était au pouvoir, et tenant le référendum alors que le libéral Pierre Trudeau, immensément plus populaire et efficace, était de retour.

Dans l'hypothèse d'une prise de pouvoir en septembre 2012, le PQ jouira pour la première fois de son histoire d'un calendrier favorable. En effet, nous connaissons la date des élections fédérales : octobre 2015.

Cela signifie que trois ans s'écouleront avant un changement de gouvernement à Ottawa. C'est un énorme atout, compte tenu de l'impopularité tenace du gouvernement Harper.

• *La planète Mulcair*

Il faut cependant souligner que, si un certain nombre de planètes se sont alignées en faveur du projet souverainiste depuis quelques années, d'autres ont refusé de coopérer.

C'est notamment le cas du choix judicieux, par les délégués du Nouveau Parti démocratique (NPD), de Thomas Mulcair comme chef. Ce choix a consolidé la position de M. Mulcair et du NPD dans l'opinion québécoise, où il jouit maintenant d'un appui majoritaire, et dans l'électorat canadien, où le NPD est maintenant en mesure de compétitionner avec le Parti conservateur (PC).

Dans le débat souverainiste, et à mesure que le temps passera, la possibilité que le « Canada anti-Québec de Harper » devienne, au lendemain des élections fédérales de 2015, le « Canada pro-Québec de Mulcair », constituera le principal point d'appui fédéraliste et fera, structurellement et politiquement, de Mulcair le meilleur argument fédéraliste. Il représentera ainsi un nouvel espoir canadien.

Il est donc impérieux d'organiser le calendrier et la stratégie de façon à neutraliser, autant que faire se peut, cet atout fédéraliste.

[Ajout : C'était avant l'élection de Justin Trudeau à la tête du Parti libéral du Canada (PLC), en avril 2013. La portée de son élection n'aurait pas changé mes conclusions dans ce mémo. Au contraire.]

• *La planète économique*

La deuxième planète dont l'alignement est problématique est l'économie. On l'a vu depuis un an, la forte embellie économique connue par le Québec de 2008 à 2011 a été, du moins temporairement, remplacée par une grande fragilité sur le plan de l'emploi pendant la seconde moitié de 2011. La création d'emplois s'est rétablie début 2012.

Nous sommes évidemment dans une période de grande incertitude sur le plan de l'économie internationale. L'Europe arrive pour l'instant à surmonter chacune de ses crises, mais rien ne garantit qu'un dérapage ne puisse se produire. L'essoufflement, plusieurs fois annoncé, de la croissance chinoise pourrait également un jour se concrétiser.

Tout ce que nous pouvons dire pour l'instant, en nous appuyant sur les dernières prédictions, généralement assez prudentes, de l'équipe de prospective de Desjardins concernant le Québec, publiées le 20 juin dernier, est ce qui suit :

En somme, les inquiétudes relatives à l'emploi et à la confiance des ménages se sont estompées, de sorte que les perspectives s'annoncent plus favorables pour les consommateurs. Les investissements des entreprises et le secteur résidentiel demeurent toutefois le pilier du cycle actuel. La cure minceur des gouvernements provincial et fédéral ainsi que la lente reprise des exportations seront à l'origine du manque de vigueur de l'économie. Dans ce contexte, la progression du PIB réel devrait se limiter à 1,4 % en 2012, soit un rythme inférieur à celui de l'an dernier. L'économie de la province se raffermira quelque peu en 2013, avec une croissance anticipée de 2,0 %.

De façon plus importante pour l'état d'esprit des électeurs, Desjardins prévoit que le taux de chômage devrait rester sous la barre des 8 % en 2012 et 2013 (sous le taux ontarien), que le revenu disponible réel va augmenter de 1,8 % en 2012 et de 2,2 % en 2013, malgré les nouvelles ponctions fiscales[3].

Pourquoi cela est-il important ? Parce que la sécurité économique personnelle des électeurs est un élément essentiel dans sa décision de prendre, ou non, le risque de la souveraineté. Plus le taux d'emploi est élevé — et il est à des niveaux historiquement élevés —, plus les perspectives économiques sont bonnes, plus les Québécois indécis sur la suite des choses sentiront qu'ils ont les assises assez solides pour prendre une décision aussi importante que la création d'un nouveau pays.

Dans la mesure où ces choses sont prévisibles (et elles le sont peu), on peut en déduire que la période de la bonne tenue de l'économie québécoise est probable dans les 18 mois qui viennent, mais que cette probabilité baisse à mesure qu'on se projette plus loin dans le temps.

• *Les planètes habituelles*

Évidemment, d'autres éléments, plus connus, ont des répercussions sur le calendrier. Plus un gouvernement gouverne, plus il se fait d'adversaires.

---

[3] Desjardins études économiques, *Prévisions économiques et financières,* été 2012.

La période où il ouvre ses chantiers est parfois génératrice d'appuis, la période où il les met en œuvre suscite un doute nouveau sur la pertinence même des réformes entreprises.

Bref, plusieurs éléments concourent à l'élaboration d'un calendrier d'action rapide pour l'objectif stratégique du gouvernement.

II — LE RÉFÉRENDUM SECTORIEL

Je ne reviens pas ici sur la question de savoir s'il faut tabler sur la question identitaire ou sur une autre question pour tracer une voie vers un référendum sur la souveraineté. Les niveaux d'appui de la population en faveur de chacun des éléments centraux du programme identitaire du PQ sont connus.

[À la fois sur le renforcement de la loi 101, sur l'adoption d'une citoyenneté québécoise ou sur l'adoption d'une Charte de la laïcité, l'opinion était très favorable aux positions du parti.]

La question qui reste, et qui restera, en débat est la pertinence de tenir un référendum sectoriel sur ce thème pour mieux préparer, dans la foulée, une victoire référendaire sur la souveraineté.

• *Comment passer le cap des 50 %*

La première chose qui milite en faveur de cette thèse est évidemment le taux d'appui à la souveraineté. Lors de sa présentation au Comité de la souveraineté, le sondeur invité a montré combien la bonne nouvelle d'une persistance d'une volonté souverainiste au-delà de 40 % était contrebalancée par la très grande difficulté à franchir la barre des 50 %, y compris lorsqu'on met en opposition la souveraineté et l'adoption de la Constitution de 1982 (50 % contre 50 %).

Un autre témoin, lors des rencontres, a déclaré que c'était à son avis « trop demander » à un peuple moderne et non opprimé de se mobiliser à plus de 62 % en faveur d'une cause collective ; 62 % étant la proportion de francophones ayant voté Oui en 1995, il concluait donc que, pour lui, une majorité souverainiste était impossible à obtenir.

Le texte essentiel qui résume le dilemme de l'opinion publique est « Faire tomber les masques », préparé par Pierre-Alain Cotnoir en 2006, sur la base des travaux de l'équipe Repère communication recherche[4].

---

[4] Pierre-Alain Cotnoir, « Faire tomber les masques », circulation restreinte, 2006.

Il démontre qu'au-delà de la base d'appui à la souveraineté (40 %), les 20 % à 30 % d'électeurs nationalistes modérés ne sont pas directement mobilisables sur la question frontale de l'indépendance.

Ils n'y sont pas réfractaires, mais leur processus de décision, et c'est normal dans une société occidentale avancée et à l'aise, n'est pas déterminé par le seul binôme oui/non au Canada ou à un Québec souverain. Entre les crises, ils restent loin du sujet.

Cette composante, qu'il désigne comme « centriste », écrit-il, est assurément la plus déterminante pour l'issue de tout enjeu lié à la question nationale. Elle est formée d'électeurs francophones qui, s'ils s'identifient majoritairement comme québécois, accordent généralement peu d'importance à cette identification. Ils se montrent peu intéressés par l'actualité politique [...].

Ce n'est que lors d'événements majeurs, où les masques tombent, que les électeurs centristes basculent vers l'un ou l'autre camp. En fait, ils suivent généralement leur sentiment d'appartenance. Or, celui-ci demeure majoritairement québécois.

Ainsi, en 1990, ils ont basculé vers le camp souverainiste à la suite de l'échec de Meech. En 1992, ils ont rejoint le camp souverainiste dans leur rejet de Charlottetown.

J'ajouterais ici qu'ils se sont montrés favorables à la souveraineté, en 1996, après avoir constaté que le Oui l'avait presque emporté en 1995. Après, donc, un événement majeur.

Bref, pour que ces « centristes » se mobilisent en faveur de la souveraineté, il faut d'abord qu'ils aient un sentiment identitaire québécois — c'est le cas —, ensuite qu'ils estiment que des différences existent entre eux et le Canada, puis :

La troisième condition essentielle pour qu'un bilan soit tiré de notre appartenance au Canada, c'est de faire le constat de l'impossibilité pour le peuple québécois d'exercer sa liberté de vivre différemment dans le cadre du régime fédéral. Une fois qu'un tel bilan est tiré, la réponse s'impose d'elle-même. Or, le problème vient en grande partie du fait qu'un grand nombre d'électeurs estiment encore qu'il est possible de réformer le régime fédéral de manière à satisfaire à la fois le Québec et le reste du Canada.

Un sondage Léger d'avril 2012 indiquait ainsi qu'un nombre étonnant de francophones du Québec (74 %) estimaient que le Québec devrait

« reprendre l'initiative » de discussions constitutionnelles (seulement 16 % étaient contre). Cette donnée est à la fois importante pour mesurer le blocage que constitue encore « l'espoir » canadien et pour nous indiquer la soif d'une tentative. Dans la question suivante, 57 % des francos estimaient cependant qu'« aucun changement constitutionnel ne pourra satisfaire le Québec » (34 % pensaient le contraire)[5].

Il y a donc soif de tentative et conscience de la possibilité de l'échec, sauf chez le tiers des francos, donc une part de nos « centristes ».

Cotnoir et son équipe (et c'est la conclusion que je tirais pour ma part dès 1999) estiment que :

La seule approche susceptible d'avoir l'effet escompté, c'est-à-dire faire tomber les masques et révéler le vrai visage du Canada, passe par des actions politiques débouchant sur un affrontement avec Ottawa, par un moment de vérité, par une crise politique dont nous aurions commandé les tenants et les aboutissants.

Il ne suffit cependant pas que se déroule au-dessus de leur tête un combat politique entre les deux États. Il faut, ajoute-t-il, engager personnellement les centristes, en les faisant participer à un référendum sectoriel sur l'enjeu choisi par le gouvernement.

Le résultat aurait pour effet de lier la réponse du gouvernement fédéral au vote de chaque électeur. Si celui-ci [Ottawa] persistait dans son refus, c'est à chaque électeur qui aurait voté en faveur qu'Ottawa dirait non, avec les conséquences politiques que cela entraînerait. Devant un tel refus, illustrant on ne peut mieux l'impossibilité de réformer le fédéralisme canadien de manière à satisfaire les revendications du Québec — bref, un Québec fort dans un Canada uni s'avérant impossible —, un référendum portant alors sur la souveraineté du Québec serait tenu dans les semaines suivant ce refus.

Notons cette nuance importante qui nous ramène au facteur temps : le peu de mémoire politique des centristes.

La mémoire politique des centristes reste très courte, ceux-ci étant très peu politisés. En fait, six mois, un an après, et c'est oublié pour la majorité d'entre eux.

---

[5] François Rocher, *La mémoire de 1982: amnésie, confusion, acceptation, désillusion ou contestation?* Communication fondée sur un sondage Léger présentée au colloque « 30 ans après le rapatriement: l'état des lieux », Université d'Ottawa, avril 2012.

C'est pourquoi la démarche du référendum sectoriel, poursuit-il, s'apparente à de la pédagogie active, menée non pas par la parole, mais par l'action. Elle a le mérite de rejoindre la portion de l'électorat qui manque pour sortir de l'ornière politique : les centristes.

L'usage du référendum sectoriel comme phase transitoire vers la souveraineté est évidemment un instrument lourd. Mais je n'en connais aucun autre qui permette de casser l'embâcle posé sur le chemin d'une majorité souverainiste.

• *Référendum sectoriel et autres partis*

On ne peut songer qu'à une élection du Parti québécois avec un score réduit — 35 %, 36 % des voix [ajout : le PQ allait en obtenir 32 %] —, donc historiquement bas. L'obtention d'une majorité de Oui au référendum sectoriel assoirait donc de manière majeure la légitimité populaire dont jouirait le gouvernement pour l'étape suivante.

Mais si on revient à l'hypothèse d'un référendum sectoriel sur l'identité (plus précisément sur un amendement constitutionnel qui donnerait au Québec la maîtrise de ses leviers linguistiques et culturels au sens large), il est intéressant de noter que la disposition des autres forces politiques au Québec donne une légitimité supplémentaire aux 35 % pour l'organisation de cette consultation, donc en amont du processus.

En effet, la Coalition Avenir Québec (CAQ), qui devrait obtenir au moins 20 % du vote [ajout : elle allait en obtenir 27 %], a inscrit dans son programme la chose suivante :

Proposition. Un gouvernement de la Coalition Avenir Québec interdira la pratique des « écoles passerelles » *en demandant formellement d'amender l'article 23(2) de la Charte canadienne des droits et libertés* afin de prévoir que le droit à l'enseignement subventionné en anglais ne peut dépendre de la fréquentation d'une école anglophone privée non subventionnée. Cet amendement permettra de revenir à la situation établie par la loi 104, adoptée à l'unanimité par l'Assemblée nationale en juin 2002[6].

Nous sommes donc en présence d'un parti qui a, de lui-même, formulé une demande d'amendement constitutionnel lié à la question linguistique.

[6] CAQ, *Cahier des propositions adoptées au congrès de fondation de la Coalition Avenir Québec, 20 et 21 avril 2012.*

La CAQ pourra s'opposer au moyen référendaire pour faire valoir une revendication identitaire plus large, mais elle n'aura d'autre choix que d'être dans le camp du Oui et d'envoyer ainsi un signal important à la partie des électeurs « centristes » qui sont au centre du jeu.

De même, Québec solidaire (QS) rétorquera probablement que la méthode n'est pas la bonne, mais n'aura, au final, d'autre choix que de se ranger du côté du Oui.

L'essentiel ici est le désarroi dans lequel cette action plongera le Parti libéral du Québec, ses députés francophones et ses militants. La direction du PLQ dénoncera évidemment « l'astuce » à qui mieux mieux, mais puisque le PQ réclamera, en principe, la « souveraineté culturelle », qui fut la revendication historique des libéraux, comment le PLQ pourrait-il justifier de faire campagne contre une proposition aussi rassembleuse ?

Devront-ils affirmer qu'il est « certain » que le Canada va dire non à une revendication aussi sensée du Québec ? Iront-ils jusqu'à appeler les électeurs à voter Non ? Ce sera, pour eux, un calvaire.

• *Le gouvernement péquiste, l'astuce et la souveraineté*

L'attitude du gouvernement doit, elle, être empreinte d'une grande transparence. Pensons-nous que le Canada va dire non, l'espérons-nous, n'avons-nous pas « provoqué une crise » ?

Notre réponse — qui sera l'objet de nombreuses discussions préalables, c'est l'évidence — doit à mon avis viser à désamorcer tous ces débats à l'avance.

• *Crise ?* Oui. Le Québec et le Canada sont en crise depuis 30 ans. Même quand 100 % de l'Assemblée nationale veut quelque chose sur la langue (écoles passerelles), le Canada dit non. C'est ça, la crise. De plus, le français est en crise et le Québec a besoin d'agir résolument pour faire face à cette crise. Et, oui, nous avons décidé qu'il était urgent d'avoir un « moment de vérité » avec le Canada sur cette question essentielle, pour régler la crise. La crise existe, nous agissons. (Bref, il faut légitimer la notion de crise, et non tenter de s'en défendre. Nous voulons régler la crise en organisant un « moment de vérité ».)

• *Le Canada va dire non ?* L'histoire récente du Canada nous fait penser, nous, souverainistes, que le Canada dira probablement non. Il serait ridicule de le nier. Mais nous ne le saurons jamais avec certitude si nous ne posons pas la question, avec l'appui des Québécois. Nous faisons quelque chose de nouveau, qui n'a jamais eu lieu.

• *Nous espérons que cette astuce va nous mener à la souveraineté?* Si le Canada dit non, ce sera un «moment de vérité» et la question de la souveraineté va se présenter de nouveau, c'est certain. Elle va s'imposer d'elle-même. Mais le Canada n'a qu'à dire oui. Il n'a qu'à dire oui.

• *Et s'il dit oui, vous signez la Constitution?* Non. Nous allons agir dans le cadre de l'amendement que nous aurons gagné. Cette victoire fera que la question de la souveraineté ne se reposera pas immédiatement, mais nous allons continuer à la vouloir et à la préparer.

Bref, dès le déclenchement du processus, il faut à mon avis n'être pas une seule seconde sur la défensive. Il faut admettre toutes les évidences et les affirmer, et ne pas laisser à l'opposition la joie de nous torturer avec ces questions. Admettant tout cela, en toute transparence, et en voulant notre «moment de vérité», on reporte le débat sur le fond des choses, pas sur la forme.

Il est probable qu'il faille compter, du côté péquiste, avec des défections de taille. Des gens qui affirmeront que le PQ fait le jeu du fédéralisme et ne devrait que proposer la souveraineté. [...] Rien n'est plus important et utile que l'unité, évidemment. Mais si ces défections ne peuvent être évitées, leur existence fera la démonstration du caractère «raisonnable» de la demande gouvernementale auprès des centristes.

Toute la famille souverainiste se retrouvera, bien sûr, pour la seconde étape.

• *Un rodage important*

L'organisation d'un référendum sectoriel gagnant sera importante politiquement, mais également sur les plans légal et organisationnel.

Sur le plan légal, une décision importante doit être prise au sujet des modifications à apporter à la loi sur les consultations populaires en début de mandat, de façon à contenir les interventions fédérales dans les campagnes québécoises. La présence, dans le programme, de la proposition de référendum d'initiative populaire nous oblige à rouvrir la Loi sur les consultations. Autant en profiter pour introduire de nouvelles dispositions qui permettront:

— d'interdire aux entreprises québécoises d'obtempérer aux commandes de futurs Chuck Guité fédéraux en période référendaire en interdisant toute publicité gouvernementale, quelle qu'elle soit (sauf en santé publique) pendant la campagne ;

— d'introduire un délai supplémentaire pour les nouveaux citoyens spécialement pour ces votes, de façon à contourner l'utilisation politique fédérale de la citoyenneté ;

— d'organiser, dans les établissements d'enseignement, pour les 15 à 18 ans, un vote simulé une semaine avant le référendum, à des fins d'apprentissage à la citoyenneté et probablement avec le résultat de votes positifs précurseurs.

L'application de ces réformes dans un premier référendum qui n'a pas pour objectif la souveraineté permet d'en introduire et d'en banaliser l'application pour le référendum suivant.

Le rodage organisationnel du référendum sectoriel est également important pour mobiliser nos troupes, les partenaires, et engager dans le processus une coalition plus large, dont certains éléments se détacheront au moment du référendum sur la souveraineté, mais dont d'autres, notamment des leaders locaux, des militants, resteront dans la coalition, ce qu'ils n'auraient pas fait s'ils n'avaient pas eu cette expérience.

Le référendum sectoriel sert donc de sas à un certain nombre de non-souverainistes, de façon qu'ils puissent travailler avec des souverainistes sur un projet commun, puis se lier à eux pour la suite.

• *L'effet référendaire sur Thomas Mulcair*

Si un référendum sectoriel sur l'identité serait un calvaire pour le PLQ, c'en serait un aussi pour le NPD et Thomas Mulcair. Le supplice serait imposé par l'opinion publique canadienne contre la volonté des députés québécois du NPD d'appliquer la « déclaration de Sherbrooke », qui cadre la position néodémocrate sur la question du Québec :

« Le Nouveau Parti démocratique croit qu'un fédéralisme asymétrique est la meilleure façon de conjuguer l'État fédéral canadien avec la réalité du caractère national du Québec. Cela veut dire que le Québec doit avoir des pouvoirs spécifiques et une marge de manœuvre particulière. Cette asymétrie est nécessaire pour que le Québec puisse relever les défis qui lui sont propres, notamment dans le maintien du fait français en Amérique.

« Nous croyons qu'une société égalitaire et coopérative doit accommoder les différences et non pas les aplanir. L'unité n'est pas nécessairement l'uniformité. La diversité canadienne, qui inclut autant la réalité autochtone, québécoise que multiculturelle, n'est pas une menace au Canada: au contraire, elle fait partie de sa nature même[7].»

Le NPD devra concilier cette position avec l'expression de l'opinion publique canadienne, qui, selon un sondage Drouilly mené pour les Intellectuels pour la souveraineté (IPSO) en 2010, montre que 69 % des habitants du *ROC* s'opposent à ce que le Québec obtiennent davantage de pouvoir en matière de langue et de culture française, que 74 % s'opposent à l'application de la loi 101 dans les entreprises fédérales au Québec, que 77 % s'opposent au contrôle par Québec de son immigration, etc. Et on ne leur avait pas dit que c'est un gouvernement du PQ qui proposerait la chose[8].

Il sera impossible pour la plupart des députés québécois du NPD de s'opposer à la proposition référendaire. Il sera inacceptable pour l'opinion canadienne que des députés du NPD appuient une proposition formulée par les séparatistes.

Le chef du NPD, s'il appuie le Oui, sera accusé de faire le lit des séparatistes. S'il refuse d'appuyer le Oui, il sera accusé de renier ses engagements envers le Québec.

La crise que provoquera le référendum sectoriel québécois pour le NPD dans l'opinion canadienne et pour les députés québécois du NPD au sein du caucus pourrait se traduire de deux façons:

1.   Une chute des appuis du NPD dans le reste du Canada, ce qui réduira l'espoir d'un Canada-pro-Québec-avec-Mulcair.

2.   Des démissions au sein du caucus du NPD du Québec, peut-être au profit du Bloc québécois.

Quoi qu'il en soit, cette tension émoussera de façon importante la «carte Mulcair» pour l'étape suivante, donc la meilleure carte du jeu fédéral.

• *Et qui sera dans le comité du Non?*

Il sera également intéressant de voir qui sera dans le comité du Non contre la «souveraineté culturelle». Ces personnes, qui seront dans le

---

[7] Déclaration adoptée par le Congrès fédéral du NPD, 9 septembre 2006, dite «déclaration de Sherbrooke».

[8] *Opinion publique Québec-Canada: 20 ans après Meech,* sondage réalisé par Repère communication recherche (Pierre Drouilly et Pierre-Alain Cotnoir) pour le Bloc québécois et les Intellectuels pour la souveraineté en avril 2010.

camp des vaincus le soir du référendum, auront dépensé leur « capital politique » dans cette cause perdue et se présenteront avec une crédibilité amochée pour l'étape suivante.

On pourra dire d'eux qu'évidemment ils sont contre la souveraineté, ils étaient même contre le fait que le Québec ait tout pouvoir sur sa langue et sa culture !

III — LA PROPOSITION ET LE CALENDRIER

Je terminais avec une proposition de calendrier qui permettait de comprimer dans le temps, dans la première partie du mandat, l'ensemble de l'opération.

Évidemment, cette proposition n'était que la mienne, pas celle du parti. Si elle avait été adoptée, j'aurais plaidé pour qu'elle soit présentée ainsi dans la campagne électorale. Que les Québécois sachent quelle était la trajectoire proposée sur l'identité, trajectoire qui pourrait déboucher, ou non, sur un référendum sur la souveraineté.

Ce positionnement aurait évidemment nécessité une discussion préalable au sein du parti, une préparation des esprits. Elle pouvait difficilement arriver comme un cheveu sur la soupe en pleine campagne.

Pauline adhérait-elle à cette trajectoire ? Elle a toujours été très jalouse de sa responsabilité de chef indépendantiste et n'a jamais indiqué, devant nous, sa préférence, ni avant les élections de 2012 ni avant celles de 2014. Cette position n'a jamais été adoptée ou même débattue par quelque instance que ce soit, sauf lors d'une rencontre du comité de personnalités externes au parti. Cela dit, elle n'est pas secrète et elle a fait l'objet d'un grand nombre de discussions bilatérales avec des collègues souverainistes, avant et après les élections de 2012.

Bref, je n'avais pas de certitude. Mais contrairement à la situation que j'avais vécue avec Lucien Bouchard, qui avait sa propre trajectoire indépendantiste (rétablir les finances du Québec, relancer l'économie, puis faire un référendum), je ne trouvais chez Pauline aucune proposition concurrente. Et c'est parce qu'elle ne rejetait pas ma proposition, lorsque je lui en parlais, et parce que j'estimais que c'était le seul point de passage crédible vers l'indépendance, que j'allais finalement accepter de me joindre à elle lorsque Jean Charest se déciderait à déclencher des élections.

UN ÉTÉ COMPLIQUÉ

Mais on ne savait pas quand Jean Charest déclencherait ses élections. Été 2012? Été 2013? Ses sondages étaient mauvais, il pouvait gouverner encore jusqu'à l'automne 2013.

Au printemps 2012, alors que je terminais ma huitième année comme directeur exécutif du CERIUM (le Centre d'études et de recherches internationales de l'Université de Montréal, que j'ai cofondé), j'étais prêt pour un nouveau défi. Il faut dire que mes activités parascolaires devenaient plus visibles — j'écrivais un blogue quotidien sur le site Web de *L'actualité*, j'intervenais plus fréquemment que jamais dans les débats politiques.

Québecor m'offrait de devenir à la fois chroniqueur au *Journal de Montréal* et à TVA, et d'animer une émission littéraire sur ce qui deviendra Ma Télé. Je préparais simultanément un projet de fiction télé et j'avais finalement trouvé un bon sujet de livre de journalisme d'enquête sur lequel mordre à belles dents.

J'avais donc devant moi une vie bien remplie, loin de la politique active. D'autant que, simultanément, il était convenu que je passe la moitié de l'année 2012-2013 en France, car ma conjointe, Sandrine, devait être en contact plus constant avec son employeur, Sciences Po Paris. (Elle est chercheuse, spécialiste des conflits en Afrique.)

Ma conjointe et moi souhaitions donc que Charest tienne des élections le plus tard possible. Je comprenais (et avais indiqué à Québecor) que je ne prendrais ma décision de me lancer, ou non, en politique qu'au moment de leur déclenchement. L'exécutif de la circonscription de Rosemont, où Louise Beaudoin terminait son mandat sans se représenter, avait sollicité ma candidature et avait accepté de m'attendre — ce qui est un rare et considérable privilège. J'avais rencontré plusieurs fois ces militants, dévoués, attentifs, optimistes, résilients. Ils voulaient que je sois des leurs. Je le voulais aussi.

Il avait aussi été question que je sois simple conseiller de Pauline. On y avait songé. Mais j'estimais que, la dernière fois, certains élus trouvaient que j'en menais déjà trop large, comme conseiller de Parizeau et de Bouchard. Ç'aurait pu être encore pire cette fois-ci. Il me semblait essentiel d'obtenir un vrai mandat des électeurs. J'évoquai avec Pauline une hypothèse où je pourrais être un genre de ministre-conseiller, une formule à élaborer ensemble. Mais elle aurait d'autres plans.

Ce qui me fit vraiment basculer, ce qui me décida, dans mes tripes, à plonger, fut l'odieux montage politique échafaudé par Jean Charest pour garder le pouvoir : il misait sur la violence qu'il provoquerait entre étudiants et policiers en choisissant pour date de rentrée en classe le milieu de la campagne. Il espérait du grabuge.

Plus tôt pendant l'année, alors que les coups se multipliaient, je l'avais interpellé dans une lettre ouverte :

Monsieur le premier ministre : arrêtez les matraques !
(20 avril 2012)

Monsieur le premier ministre,

Je sais que nous divergeons d'opinion sur un grand nombre de sujets. Mais je vous écris, après avoir écouté les journaux télévisés de jeudi soir, pour vous implorer de mettre immédiatement un terme aux affrontements qui ont cours entre les policiers et une partie de la jeunesse du Québec.

Rien, monsieur le premier ministre, ne peut justifier que de manière répétitive, sur plusieurs campus, depuis plusieurs jours, une force policière considérable soit déployée, causant des dommages physiques et psychologiques immédiats et creusant un fossé durable entre les forces de l'ordre et une partie de la relève québécoise.

Les policiers exécutent, du mieux qu'ils peuvent, les effets de la judiciarisation du conflit étudiant que votre ministre de l'Éducation a encouragée. Des injonctions ont été prononcées pour interdire les manifestations aux abords des établissements, pour permettre aux étudiants qui le désirent de suivre leurs cours alors même que des votes de reconduction de la grève — en plusieurs cas très serrés, ce qui atteste du bon fonctionnement de la démocratie étudiante — sont tenus.

Les désaccords entre votre gouvernement et les associations étudiantes ne peuvent en aucun cas justifier un climat où la violence devient la norme.

Monsieur le premier ministre, il vous est possible, sans vous dédire sur le fond, de mettre fin au climat délétère qui est en train de s'installer.

Mon université d'attache, l'Université de Montréal, après avoir d'abord suivi la piste de la judiciarisation, s'est rendue en 48 heures à l'évidence que ce chemin pourrissait la situation. Elle a fait marche arrière. Lisez cet extrait du communiqué émis ce mercredi :

« L'Université de Montréal est très soucieuse de maintenir les meilleures relations entre toutes les composantes de sa communauté. À la suite de discussions avec les instances syndicales des professeurs et des chargés de cours, il nous est apparu essentiel, devant l'état de la situation, de faire des gestes qui, non seulement assureront la sécurité de tous, mais nous permettront également de trouver une issue à la situation dans les plus brefs délais.

« Dans cet esprit, l'Université annonce un moment de réflexion afin de déterminer, en collaboration avec ses enseignants et les directions d'unités, les conditions pédagogiques requises pour la reprise des cours soumis au boycottage.

« En conséquence, jusqu'à nouvel ordre, les cours visés par le boycottage ne seront pas donnés. »

Un moment de réflexion

Je vous conjure, monsieur le premier ministre, d'annoncer vous aussi, de toute urgence, un « moment de réflexion ». D'inciter ainsi tous les établissements qui ont suivi la voie de la judiciarisation à suivre l'exemple de l'Université de Montréal, afin que les forces policières ne soient plus tenues de les appliquer et de procéder aux arrestations, aux matraquages et à l'aspersion de gaz irritants qui, ces derniers jours, ont dépassé les bornes.

Autorisez également les établissements à affirmer qu'ils ne sont pas en mesure de respecter les injonctions réclamées individuellement par des étudiants, car ils se voient incapables de faire régner la sécurité de tous.

Le conflit étudiant doit trouver une issue, c'est certain. Le conflit peut se solder par une défaite des étudiants sur leur revendication centrale. Par la perte d'une session pour des dizaines de milliers d'entre eux. Il peut se solder par l'ouverture d'une conversation sur l'amélioration du régime de prêts et bourses ou sur des modalités de remboursement des prêts selon le revenu, une voie que votre gouvernement a déjà envisagée dans le passé. La question peut être tranchée aussi à l'occasion d'un rendez-vous électoral que vous pourriez décider de convoquer.

Mais vous avez la responsabilité, monsieur le premier ministre, de faire en sorte que le conflit étudiant ne se solde pas en milliers d'arrestations, en centaines d'affrontements, en d'innombrables blessures. Vous avez la responsabilité de faire en sorte que ce mouvement étudiant laisse la trace d'une grande mobilisation, certes, d'une défaite étudiante, peut-être, mais pas d'un bris de confiance permanent entre la jeunesse et l'État, entre la jeunesse et les forces de l'ordre.

Vous seul avez la capacité et l'autorité de faire un tel geste.

Bien cordialement,
Un citoyen inquiet

Cet appel n'avait évidemment pas été entendu. Le premier ministre comptait sur la violence. Il la voulait et il l'organisait. Être spectateur ou commentateur ne suffirait pas. Contre une politique aussi révoltante, il fallait agir au service d'une cause essentielle : empêcher Jean Charest d'être réélu.

MON PREMIER DISCOURS DE CANDIDAT

Lorsqu'il déclencha l'élection, le 1er août, la prédiction de plusieurs de mes amis se réalisa. « Tu es le seul à ne pas savoir encore que tu vas te présenter », disaient-ils les mois précédents. Au moment du déclenchement, le choix s'imposa à moi. Il n'y avait plus de doute. Il fallait plonger.

Et il fut facile d'expliquer ce choix aux militants venus m'entendre me commettre, dans Rosemont, le 4 août. Voici comment j'ai présenté mon choix lors de l'assemblée de début de campagne.

Aujourd'hui, je vais vous parler d'engagement. Et ça ne peut pas mieux tomber, parce que Louise Beaudoin — mon amie Louise — est un modèle d'engagement. Énergique, audacieuse, efficace, elle aurait pu faire de grandes carrières dans nombre de domaines.

Mais elle a choisi de s'engager, au début de sa vie adulte, pour une cause qui est, certes, collective, mais qui ne peut avancer sans l'adjonction de centaines de milliers d'individus : la cause du Québec.

Pour des générations de Québécois et de militants, à Rosemont comme ailleurs, celle que les médias français aiment appeler la « pasionaria du Québec » incarne, par sa personnalité même, par l'intensité de son regard et de son propos, par sa force de caractère, l'image même de l'engagement politique.

À la Culture, aux Affaires internationales et sur la question centrale de la souveraineté, Louise a été une arme de persuasion massive. Je me souviens d'un dossier délicat où le premier ministre tentait de convaincre le gouvernement français de nous donner gain de cause. Pour y arriver, il a suffi qu'on menace d'envoyer Louise en mission à Paris. Ça, c'est une réputation.

Louise, au nom de tous les Québécois et de tous ceux qui sont ici, merci, merci mille fois.

En invitant aujourd'hui ses électeurs de Rosemont à donner sa chance au jeune journaliste qu'elle a connu il y a 30 ans, Louise nous lance tous un défi. Saurons-nous être à la hauteur de l'exemple qu'elle nous donne ? À la hauteur de l'exemple d'engagement, pour le bien commun.

Et c'est, à mon avis, la question centrale de ces élections et une des raisons qui expliquent ma présence avec vous ce matin.

Les élections du 4 septembre seront un référendum. Un référendum sur le cynisme. Car s'il fallait que Jean Charest soit réélu, le Québec s'enfoncerait davantage dans le cynisme pour quatre longues années.

Le choix même du 4 septembre comme date du scrutin est le comble du cynisme. M. Charest a choisi cette date pour deux raisons.

D'abord, parce qu'il espère qu'en pleine rentrée, le moins de gens possible vont aller voter. Moins il y aura de gens qui s'engageront dans le processus démocratique, plus Jean Charest aura de chances de triompher, lui avec son cynisme.

En particulier, il espère que le moins de jeunes possible iront voter, lui qui a même refusé la proposition du Directeur général des élections d'installer des bureaux de scrutin dans les maisons d'enseignement.

La deuxième raison du choix du 4 septembre est pire encore. M. Charest veut empêcher à tout prix les Québécois d'entendre des vérités, sur la corruption et sur son parti, qui seront dites à la commission Charbonneau.

Bref, après neuf ans de cynisme et de manipulations, Jean Charest espère réussir le plus grand exploit de sa carrière, décourager les Québécois d'aller voter et s'assurer qu'ils ont le moins d'information possible sur les scandales à venir.

Alors j'ai eu à me poser, ces dernières semaines, une question difficile. Et je voudrais que tous les électeurs québécois se la posent aussi. S'il fallait qu'on décide de ne pas s'engager dans le combat politique, chacun à son niveau, du candidat, au bénévole, à l'électeur —, s'il fallait qu'on passe notre tour et qu'on se désintéresse de ces élections, comment nous sentirions-nous, le 4 septembre prochain, si le parti du cynisme était réélu?

Comment nous sentirions-nous, à écouter un autre discours de victoire de Jean Charest? Et comment nous sentirions-nous, quelques semaines plus tard, lorsque les témoins viendront dévoiler devant la commission Charbonneau les dessous du financement libéral et de la distribution de contrats, de places en garderie, de subventions?

Ça nous ferait trop mal. Ça ferait trop mal au Québec. Je ne veux pas vivre ça. Le Québec ne mérite pas ça, il mérite beaucoup mieux.

Que s'est-il passé depuis deux ans au Québec? Quelque chose qu'on croyait assoupi s'est réveillé. Il y a deux ans, on disait: tout est pourri, il n'y a rien à faire.

Cette année, on dit: tout est pourri, il faut faire quelque chose.

Il faut s'engager. Et je me suis dit que si je peux contribuer à la première grande tâche collective qui est devant nous — se débarrasser de Jean Charest —, je dois répondre présent. Et j'appelle les Québécois à une mobilisation générale, pas cette fois-ci dans la rue ou avec des casseroles, mais avec le crayon et le bulletin de vote, dans l'action politique.

Je les appelle à désobéir à Jean Charest en faisant de ces élections celles du réveil du Québec et de la fin du cynisme.

Ça signifie prendre sa carte de membre, comme je l'ai fait hier, devenir bénévole, convaincre ses voisins et ses parents, contribuer de mille façons à la défaite du cynisme et à la victoire de l'engagement le 4 septembre.

Pourquoi le faire avec le Parti québécois plutôt qu'avec la CAQ ou avec Québec solidaire? D'abord, au nom de l'efficacité. Le Parti québécois est la plus grande force politique au Québec et le plus grand véhicule de changement social et national. Il l'a prouvé dans le passé et il démontre, avec Pauline Marois, une remarquable capacité de renouvellement.

Vous le savez peut-être, je suis social-démocrate et je me réclame de la «gauche efficace» — j'y ai consacré un livre. Mais je crois aussi à la nécessité des coalitions.

Et le Parti québécois est, historiquement et aujourd'hui encore, malgré tous les remous et rebondissements, le parti qui réussit le mieux à mettre ensemble, autour de la question nationale, des personnalités de gauche, des centristes et des figures plus conservatrices.

Le Parti québécois est celui de l'équité salariale, des garderies à peu de frais et de la protection du consommateur. Et c'est le seul parti qui a, en 50 ans, équilibré les finances publiques, fait faire au Québec un virage majeur dans l'économie du savoir, attiré l'investissement étranger — et l'investissement étranger payant pour le Québec.

Nous avons aussi dans cette salle le seul ministre des Finances à avoir réduit la dette du Québec : Pauline Marois.

Je salue tous ceux qui choisissent de s'engager dans d'autres partis, bien sûr. Québec solidaire reflète une volonté de transformation politique et l'exprime dans une perspective de gauche d'opposition qui ne peut prendre le pouvoir et, en certains cas — pas tous —, peut même diviser le vote et favoriser des victoires libérales. La CAQ a une approche de comptable qui semble penser que « les vraies affaires » se limitent à ce qu'on peut chiffrer ou administrer.

Le Parti québécois, lui, offre cet avantage de refléter en son sein le débat collectif québécois, de pouvoir écouter et entendre les propositions des uns et des autres.

Les électeurs tentés par la CAQ retrouveront dans le programme du PQ la ferme volonté d'alléger les structures de l'État et d'augmenter la qualité des services, mais dans le respect des artisans du secteur public. Des électeurs tentés par Québec solidaire trouveront au PQ une ferme volonté de justice sociale et économique, d'appui au logement et à l'économie sociale.

Et l'abolition immédiate de la taxe santé, qui juge que 400 dollars par famille, c'est la même chose que l'on vive à Sagard ou dans le Vieux-Rosemont. Nous, on sait que ce n'est pas la même chose. Et on va faire en sorte qu'on paie un peu plus à Sagard pour les frais de santé du Vieux-Rosemont.

Les grands thèmes de cette campagne : s'enrichir, s'affirmer, s'entraider, reflètent parfaitement, à mon avis, la capacité de rassemblement du Parti québécois.

Et lorsqu'on parle de redonner au Québec sa « colonne vertébrale » en matière de langue et d'identité, de laïcité et de citoyenneté, on n'est ni de gauche ni de droite.

Lorsqu'on veut que le développement des mines et des ressources naturelles enrichisse tous les Québécois, pas seulement les investisseurs et les amis du régime, on n'est ni de droite ni de gauche. Lorsqu'on veut mettre un terme à la collusion, à la corruption et au copinage, on se retrouve tous.

Et on se retrouve plus encore lorsqu'on veut que le Québec se donne, enfin, un pays.

Pour franchir cette étape, il faudra bien sûr la plus large coalition que le Québec ait connue. Plus vaste encore que celle de 1995. Et cet esprit de rassemblement doit commencer ici, maintenant, dans la campagne de 2012, autour du parti de René Lévesque, du parti de la souveraineté, du Parti québécois.

J'aurai réussi, je pense, à marcher dans les traces de Louise Beaudoin si j'arrive à convaincre un certain nombre de Québécois de s'engager contre le cynisme, de se rassembler dans ce grand parti, puis de se rassembler plus encore pour faire du Québec un grand pays.

Un mot, encore, avant de vous présenter quelqu'un que j'admire beaucoup.

Un mot pour dire aux militants de Rosemont, et aux membres de l'exécutif du Parti québécois en particulier, combien je suis conscient de la confiance que vous avez manifestée en sollicitant ma candidature, puis en patientant pendant plusieurs mois avant que ma décision soit prise.

Du fond du cœur, je vous remercie et je tenterai d'être à la hauteur de cette confiance.

Et maintenant, le moment que vous attendiez tous. L'arrivée de la dame de béton. Je l'ai vue tout à l'heure et laissez-moi vous dire qu'elle est en pleine forme. Je l'ai connue lorsqu'elle était ministre dans les gouvernements Parizeau et Bouchard et il ne faisait aucun doute qu'elle allait un jour faire une excellente première ministre.

Mais il était légitime de se poser une question, qu'elle se posait sans doute elle-même. Gouverner le Québec, c'est déjà tout un programme. Mais avoir, en plus, la carrure, le cran, la couenne, pour porter le Québec jusqu'à la souveraineté, c'est un programme double.

Comment savoir à l'avance si un chef du PQ possède les qualités requises ? Le Parti québécois, ce grand innovateur politique, a trouvé la réponse. Faire subir au chef un parcours initiatique qui teste sa solidité mentale et physique.

J'ai eu le privilège de parler avec Pauline à de nombreux moments au cours de cette épreuve, et moi qui ai quand même côtoyé quotidiennement Jacques Parizeau et Lucien Bouchard, bien, j'ai été époustouflé par la ténacité et la résilience de Pauline Marois.

On ne reconnaît les véritables leaders que dans l'adversité. Ces derniers mois, on a reconnu en elle le leader qu'il nous faut, le leader dont le Québec a besoin, l'antidote au cynisme, Mme Pauline Marois!

Voilà, c'était fait. J'étais candidat.

○ ○ ○

CHAPITRE 2

Dans la mêlée

J'avais ma photo sur le poteau. Et il ne faudrait que quelques minutes avant qu'on la prenne pour cible. Jean Charest allait dégainer le premier et montrer que j'avais bien raison de le décrire comme le roi du cynisme. J'avais décidé de maintenir mon blogue pendant la campagne, et le premier ministre sortant m'offrait mon premier sujet.

Jean Charest (et François Legault) en flagrant délit de cynisme
(6 août 2012)
Tenez-vous bien, pour ce premier billet de campagne, j'innove. Je vais remercier le chef du camp adverse, Jean Charest. Puis, je vais prendre un engagement.

D'abord, Jean Charest. Vous avez peut-être lu dans les gazettes et sur Internet que je suis très monté contre le cynisme ambiant.

Quelques quarts d'heure à peine après que j'eus terminé mon discours de lancement de campagne sur ce thème, samedi, Jean Charest est vaillamment venu illustrer la justesse de ma démonstration en s'adonnant immédiatement au cynisme dont je l'accuse.

Il a affirmé : « J'ai de la difficulté à m'expliquer pourquoi une personne comme M. Lisée ou toute autre personne aborderait un exercice démocratique en disant aux gens de désobéir et de prendre la rue. »

Or, voilà précisément ce que je venais de dire dans mon discours : « Et j'appelle les Québécois à une mobilisation générale, pas, cette fois-ci, dans la rue ou avec des casseroles, mais avec le militantisme, le crayon et le bulletin de vote, dans l'action politique. Je les appelle à désobéir à Jean Charest en faisant de cette élection celle du réveil du Québec et celle de la fin du cynisme. »

Donc, oui, merci à Jean Charest de démontrer sur-le-champ que son mode d'opération est le cynisme. Merci de justifier la colère des Québécois envers cette forme de politique faite de manipulation et de malhonnêteté intellectuelle.

Je veux être clair : je ne me plains pas personnellement que M. Charest déforme mes propos. Je sais qu'il le fait abondamment, avec beaucoup de gens. J'utilise cet exemple pour montrer combien le cynisme est maintenant la carte de visite du chef du gouvernement.

Toi aussi, François ?

Je suis en désaccord avec François Legault sur un certain nombre de questions. Mais j'ai pour lui plus d'estime que j'en ai pour Jean Charest. Et des attentes plus élevées.

C'est donc avec une certaine tristesse que j'ai constaté qu'il commençait à utiliser ce même cynisme, qu'il veut pourtant remplacer.

Il y a quelques jours, il a demandé sur Twitter si j'étais toujours favorable à « une fusion entre le PQ et QS ». Des membres de la gazouillosphère lui ont immédiatement signalé qu'il faisait erreur et que je n'avais jamais proposé de fusion, seulement une alliance tactique.

Il a pourtant réitéré cette « ligne », qu'il sait factuellement fausse, sur son fil Twitter samedi, puis en point de presse dans la journée : « J'ai vraiment hâte de voir si M. Lisée est toujours en faveur d'une fusion avec Québec solidaire. Est-il en faveur d'une fusion avec Amir Khadir ou non ? »

Moi qui pensais qu'il voulait rétablir l'intégrité dans la politique québécoise. Allez, François, ressaisis-toi, tu peux faire mieux.

Un engagement

Je suis venu en politique pour défendre des idées, des projets, une vision de ce que le Québec est et devrait être. Et j'estime que le débat politique québécois devrait être nettement distinct de ce qu'il est devenu aux États-Unis et de ce qu'il est en train de devenir au Canada anglais : un espace où les mensonges sur les uns et les autres sont la norme, plutôt que l'exception.

Il m'arrivera d'être terrible, cassant, direct, brutal. De vouloir mettre K.-O. tel argument ou telle proposition que je crois nuisible au bien commun.

Mais je prends aujourd'hui l'engagement de ne pas sciemment déformer les propos de mes adversaires, de ne pas dire blanc lorsque je sais que c'est noir.

Je sais qu'en politique on force le trait, on généralise, on montre son adversaire sous la pire lumière possible. Mais il y a une frontière que je me refuse à franchir : celle du mensonge et du cynisme. La rigueur et la vérité doivent retrouver toute leur place dans le débat politique. Par respect pour les électeurs, les médias et même — oui, absolument — pour les adversaires.

Les lecteurs attentifs de mon blogue savent que je suis prompt à corriger des erreurs factuelles lorsqu'elles me sont communiquées. C'est le respect des faits, et le respect des lecteurs. C'est essentiel, il me semble, en journalisme, même pour une chronique d'opinion. C'est encore plus important, j'en suis sûr, en politique.

LES DISCUSSIONS AVEC QUÉBEC SOLIDAIRE

Dans l'exemple cité plus haut, François Legault faisait allusion aux discussions préliminaires qui avaient eu lieu fin 2011, début 2012, entre le Parti québécois et Québec solidaire.

Dans la perspective d'un front commun contre Jean Charest, il me semblait que le jeu en valait la chandelle. Ayant toujours eu des relations cordiales avec Françoise David (nous avions notre *lunch* annuel depuis quelques années), j'étais très inquiet du fait que les deux formations n'avaient pas le moindre contact.

Je n'étais pas encore descendu dans l'arène politique, mais j'ai convaincu Pauline Marois de me permettre de procéder à un échange d'information avec QS. J'indiquerais à ses têtes dirigeantes comment la discussion sur une alliance tactique avec QS progressait au sein du PQ et je leur demanderais quel était leur point de vue. Au moins, on saurait à quoi s'en tenir. Au mieux, on pourrait progresser sur cette base. Pauline m'a donc désigné comme émissaire à la fin 2011, et la discussion a pu s'engager.

Voici comment, sur mon blogue, je résumais les choses, en deux temps. D'abord en janvier 2012, alors que les discussions étaient en cours, puis en juin 2012, après qu'elles eurent cessé.

PQ-QS : avant l'alliance (janvier 2012)

Nous assistons ces jours-ci au sein du mouvement souverainiste à un intéressant retour de balancier. L'année 2011 fut celle de la division. Démissions, récriminations, création de mouvements et de partis dissidents.

En ce début 2012 a surgi un tout autre réflexe : rassemblement, coalition, regroupement !

Personnellement, je préfère la nouvelle chanson à l'ancienne. Depuis quelques jours, des députés péquistes et des militants de QS poussent ouvertement leurs directions respectives à envisager des alliances.

Mais au-delà des enthousiasmes, les deux partis doivent, il me semble, se poser quelques questions de fond.

J'ai évidemment — on ne peut m'en empêcher — ma propre opinion sur ce sujet, que j'ai communiquée à chacun et que je suis content de vous faire partager. Elle n'engage évidemment que moi.

Québec solidaire : un choix stratégique majeur

Les militants et les cadres de Québec solidaire doivent prendre une décision de fond. Jusqu'ici, la progression électorale de QS s'est faite en débauchant des voix péquistes et en les additionnant de voix d'électeurs autrement abstentionnistes. Une stratégie solidaire serait d'espérer le naufrage du PQ — et d'y contribuer activement —, puis d'en récolter des lambeaux.

L'inconvénient de cette approche (présente dans les rangs solidaires) est qu'elle assure, à moyen terme, la victoire électorale de la droite : soit de la Coalition Avenir Québec (CAQ), soit du Parti libéral du Québec (PLQ). Donc, la victoire de politiques diamétralement opposées à celles que prône QS.

L'autre approche est de s'inspirer plutôt de l'expérience de la gauche plurielle française. Les Verts français ont connu leur première progression en chassant sur les terres socialistes, c'est certain, et en allant chercher des voix autrement abstentionnistes.

Forts de ces premiers gains, les écologistes ont ensuite pesé sur les socialistes pour : 1) s'assurer que certaines de leurs revendications étaient intégrées par le Parti socialiste ou, lorsqu'elles étaient déjà présentes, deviennent des priorités ; et 2) que cette entente sur des objectifs précis s'incarne ensuite, sur le terrain, par des ententes électorales dans des circonscriptions ciblées.

Si QS appliquait ce principe, il pourrait aspirer (car rien n'est jamais certain) à un gain programmatique et électoral, puis, en cas d'élection du PQ, tirer le mérite de l'adoption de certaines réformes qui lui tiennent à cœur. Il n'aurait pas l'odieux d'avoir ouvert la voie à une longue période de domination de la droite.

Au PQ, c'est encore plus compliqué

La question qu'a à résoudre le Parti québécois est plus difficile. Car il doit déterminer si une alliance avec QS l'aide ou lui nuit. En effet, s'il est vrai qu'une alliance tactique avec QS pourrait, dans plusieurs circonscriptions, faire la différence entre une victoire ou une défaite, il faut savoir que le report des voix n'est pas systématique.

Le sondage Léger [de janvier 2012] indiquait que le PQ était le deuxième choix de 33 % des électeurs solidaires. Puisque l'intention de vote QS est de 9 %, cela signifie un report possible de 3 points, inégalement répartis. Cela, avant que les électeurs aient entendu une consigne de vote de leurs chefs. Dans une lutte à trois, ce n'est pas négligeable.

Mais il faut, d'autre part, calculer le nombre d'électeurs qui seraient repoussés par une telle alliance. Une partie du travail du PQ est de retrouver certains de ses électeurs attirés par François Legault.

Et on peut penser que le genre d'électeurs attirés par la figure de François Legault est plutôt réfractaire à la figure d'Amir Khadir. On n'est pas dans le même registre. Ce serait vrai à la case départ d'une alliance et ce serait vrai pendant la campagne.

On voit facilement Jean Charest et François Legault réclamer de Pauline Marois qu'elle réagisse à chaque déclaration un peu épicée d'Amir, son « allié ». Cela mettrait du sable dans l'engrenage de la communication péquiste et pourrait contribuer à effrayer des électeurs centristes.

Il faut être conscient de ces variables, sans être assommé par elles.

Un effet d'entraînement ?

Le PQ affirme être en train de faire cette analyse. Très bien. Cela lui donnera une idée de la disposition des forces électorales et de leur réaménagement possible.

Mais ce serait une erreur de fonder la décision de contacter, ou non, Québec solidaire sur cette seule base. Mme Marois et son équipe doivent considérer la dynamique qui pourrait être créée et dont les résultats sont, à proprement parler, incalculables.

Transcender le calcul électoral

S'il doit y avoir des discussions avec QS, elles ne peuvent pas, à mon avis, se limiter à des calculs électoraux. Elles doivent être fondées sur le désir partagé de faire bouger le Québec dans le bon sens.

Les deux partis devraient s'entendre sur un petit nombre de propositions communes — notamment, sur la reprise de contrôle des ressources naturelles — qui ont du mérite en soi, et qui ont le mérite supplémentaire d'être appuyées par une large portion de la population, y compris parmi l'électorat caquiste.

Avec une entente très ciblée sur quatre ou cinq revendications phares, les deux partis pourraient ainsi s'approprier ces revendications et les incarner. Fait intelligemment, cela permettrait d'attirer vers les candidats des deux partis et vers ces revendications consensuelles davantage d'électeurs que le nombre de ceux qui sont, par ailleurs, allergiques à Amir ou à Pauline. C'est le pari. Il n'y a pas de garantie.

C'est sur la base de cette entente pour le bien commun et pour en assurer l'application que les deux partis décideraient de maximiser le nombre de leurs candidats qui peuvent être élus, donc de faire des alliances dans un certain nombre de circonscriptions. Et comme ils sont souverainistes, un de leurs objectifs serait de maximiser le nombre d'élus souverainistes à l'Assemblée nationale. Ce serait une entente ponctuelle, pour les élections [de 2012].

Et parce que l'objectif est le bien commun — pas les élections —, il serait plus facile d'expliquer aux membres des partis et aux candidats potentiels qui se voyaient déjà en campagne de mettre leur ambition personnelle en veilleuse au nom d'une alliance de principe. (Il n'est évidemment pas question de demander à des députés élus de céder leur place.)

Union des souverainistes, la fenêtre est-elle fermée ? (*juin 2012*)

Pauline Marois et Amir Khadir ont chacun fermé la porte, début juin, aux appels venus ces derniers jours en faveur d'une union électorale des forces souverainistes. Cela doit signifier que la fenêtre, entrouverte en début d'année, pour avoir des discussions de ce genre est fermée pour un avenir prévisible.

Cela semble incompréhensible à un grand nombre de souverainistes, qui craignent, de bon droit, que Jean Charest ne réussisse à se faufiler entre les mailles de l'insatisfaction qu'il soulève pourtant chez 70 % des Québécois et qu'il ne reconduise au pouvoir un gouvernement pourtant usé au-delà de ce qu'on croyait humainement et politiquement possible.

Personne mieux qu'Amir Khadir n'a expliqué les difficultés posées à Québec solidaire par une éventuelle alliance. Dans un courriel envoyé en février à un certain nombre de partisans de cette alliance, y compris Pierre Curzi, Amir fait des constats lucides et de bonne foi. Je la rends publique avec son approbation. [...]

« Un accord avec le PQ rencontre beaucoup de résistance dans nos rangs. Une telle décision requiert de part et d'autre de laborieuses consultations et l'approbation de la base des partis. Vous devez sans doute savoir que notre congrès a repoussé une telle hypothèse en mars 2011. Donc on ne peut rouvrir le débat que devant des circonstances exceptionnelles. [...]

« Les objections sont un mélange varié des éléments suivants : tout accord même ponctuel et tactique est perçu comme un rapprochement politique et une espèce de caution que ces militants de QS ne veulent pas accorder au PQ. Ils estiment qu'ils seraient ainsi incohérents avec leur propre rupture passée avec le PQ, qui les a si souvent et si douloureusement déçus. [...] Il y a aussi la confusion et l'atmosphère délétère causées par les transfuges de tous bords — au Québec comme à Ottawa ! [...]

« En conclusion, la pente me paraît difficile à remonter. Je ne dis pas que j'y suis fermé ou que je m'y opposerai. Mais la fenêtre semble se refermer en vitesse. [...] »

Amir Khadir, 12 février 2012

Ce courriel a le mérite de la franchise. En début d'année, Amir et Françoise n'étaient pas réfractaires à une discussion sérieuse avec le PQ. Au PQ, le caucus était divisé, mais avait donné à Pauline Marois le mandat de prendre les décisions qui s'imposaient. Une première évaluation des gains et des pertes électorales potentielles en cas d'alliance donnait un résultat dans la marge d'erreur (+ 2 %). On pouvait faire le pari qu'une dynamique d'alliance allait magnifier les gains et réduire les pertes. Mais le courriel d'Amir, ajouté au degré de difficulté constaté au sein du PQ, a fait que la fenêtre s'est refermée sans que jamais une offre soit formulée par le PQ.

Aujourd'hui, plusieurs mois plus tard, les partis ont choisi leurs candidats presque partout, les programmes sont établis et, de toute évidence, les chefs des deux partis rejettent fermement cette possibilité.

On peut le déplorer. Mais le principe de réalité, exprimé ici par Amir, fait que les risques d'échec de l'entreprise étaient très élevés lorsque la fenêtre était entrouverte, en début d'année. Je ne vois pas très bien comment, aujourd'hui, il pourrait en être autrement.

Mais ma fenêtre à moi est toujours ouverte...

LA DYNAMIQUE DE LA DIVISION PENDANT LA CAMPAGNE

S'il n'y avait pas eu ce courriel d'Amir, en février, nous annonçant que la fenêtre était refermée, la direction du PQ aurait-elle fait des pas supplémentaires ? Nous étions quelques-uns à penser que le jeu en valait la chandelle. Mais j'ai l'impression que, à la tête du parti, il aurait été difficile de passer de l'ouverture d'esprit à l'ouverture de vraies négociations.

On ne peut jamais réécrire l'histoire. Quelle aurait été la campagne si, dans une dizaine de circonscriptions, péquistes et solidaires avaient fait une alliance tactique ? La force de cette combinaison pour le changement aurait-elle été supérieure au ressac antigauche qu'auraient nourri avec énergie Jean Charest, François Legault et les commentateurs de droite ?

Reste que les indépendantistes se sont présentés à la campagne de 2012 en rangs dispersés. PQ, QS et Option nationale se sont partagé les voix. Le thème du vote stratégique fut important, y compris à Montréal, où se déroule le champ de bataille QS-PQ, les candidats de QS concentrant leurs efforts contre des candidats péquistes sortants.

Québec solidaire distribua un dépliant surréaliste tentant de démontrer qu'un vote pour QS allait aider le PQ à obtenir une majorité grâce à la « balance du pouvoir » que détiendraient les solidaires. Au moins, Françoise David a souhaité l'élection du PQ. Jean-Martin Aussant, d'Option nationale, non.

La bataille dans Gouin, opposant le péquiste sortant Nicolas Girard à Françoise David, fut épique. L'intensité de l'action militante déployée par les deux partis dans cette circonscription fut hors norme. À la station de métro Rosemont, on croisait en fin de campagne des électrices qui pleuraient de devoir choisir entre Nicolas et Françoise, tant la pression était forte. C'est dire combien on aurait eu à gagner si cette action militante s'était déployée, ailleurs, en commun, au service de candidats souverainistes et contre des fédéralistes.

Lorsque Françoise a brillé au débat des chefs, le phénomène a provoqué une bizarre jonction entre le militantisme romantique des solidaires et le cynisme des libéraux, que je décrivais comme suit.

Les (involontaires) mauvaises fréquentations de Françoise David
(22 août 2012)

Ce n'est pas sa faute. Mais depuis sa très bonne prestation au débat des chefs de dimanche dernier, Françoise David est une star... chez les libéraux.

Du premier ministre Jean Charest à la ministre sortante Michelle Courchesne en passant par les conseillers du chef, les libéraux ont découvert les vertus de Françoise et vantent ses qualités à tout va.

Françoise accueille avec plus qu'un brin de scepticisme ces appuis, qui sentent l'opportunisme politique à plein nez. Elle s'est officiellement dissociée de ces mauvaises fréquentations involontaires, et je l'en félicite.

L'empressement des Charest et Courchesne à son égard envoie un signal opposé. Les champions du cynisme et de la manipulation que sont les libéraux agissent comme s'ils savaient quelque chose que Françoise feint d'ignorer. Qu'une montée de QS pourrait permettre une victoire libérale, quoi qu'en pensent les statisticiens en herbe de la jeune formation politique.

Évidemment, le problème ne se poserait pas si QS avait ciblé seulement ou principalement des circonscriptions libérales. Mais comme la clé du succès de QS réside dans le nombre de députés péquistes que les solidaires réussiront à faire tomber, comment reprocher à Jean Charest de calculer que chaque succès de Françoise sera une défaite pour Pauline, donc un point de plus pour lui ?

D'autant que le succès de QS dans des circonscriptions où le PQ tente de battre les libéraux (ou les caquistes) pourrait aussi ravir à l'équipe Marois la marge de victoire nécessaire dans des luttes serrées.

DES ÉTUDIANTS QUI NE JOUENT PAS LEUR RÔLE

Toute la stratégie électorale de Jean Charest était fondée, je l'ai dit, sur l'espoir d'un affrontement et d'un ressac. L'affrontement entre étudiants grévistes et policiers, puis le ressac d'une population voulant l'ordre public, et son héraut: Jean Charest.

Mais pour que le scénario fonctionne, il fallait que les étudiants tombent dans le piège. Ils ne le feraient pas.

Exit GND: le rêve brisé de Jean Charest *(10 août 2012)*

Parlons net: nous sommes en campagne électorale exactement pour que des étudiants et des policiers se castagnent réciproquement la semaine prochaine et que Gabriel Nadeau-Dubois soit vu le plus souvent possible à la télé, haranguant les foules avec ses carrés et drapeaux rouges.

C'est le plan de campagne de Jean Charest. Sa seule planche de salut. Le conflit étudiant, que le premier ministre a sciemment prolongé en ordonnant l'interruption des négociations, offre à un PLQ exsangue sa seule embellie potentielle.

Tout était prévu: des dates de rentrée obligatoire à la mi-août, une loi spéciale aux sanctions délirantes pour les associations étudiantes, les professeurs, les directeurs d'établissement qui refuseraient de se plier aux directives, même au risque de subir matraques et gaz irritants.

Et une date d'élection, bien sûr, soigneusement choisie pour que ces scènes de violence se déroulent en plein milieu de la campagne, juste avant les débats où Jean Charest, tel un Richard Nixon des temps modernes face aux hippies, se poserait comme le vengeur de la majorité silencieuse, de la loi, de l'ordre et des visages bien rasés, contre tous ces anarchistes violents arborant carrés rouges et barbes de trois jours.

Reste un détail: que les étudiants jouent bien sagement la partition prévue pour eux dans ce drame annoncé.

Or, voilà que certains d'entre eux font preuve d'une maturité que les stratèges libéraux n'anticipaient pas: ils rentrent en classe. Ils votent une trêve électorale. Il y en a un — le plus populaire d'entre eux —, Léo Bureau-Blouin, qui se présente sous les couleurs péquistes. Il pousse au vote, plutôt que de pousser au crime. Mais, bon, on le savait modéré.

Mais il y en a un autre, l'épouvantail favori des libéraux, celui qu'ils adorent détester, Gabriel Nadeau-Dubois, qui annonce candidement qu'il se retire de la scène. Il s'en va, dit-il avec sagesse, « pour enlever une cible à Jean Charest ».

Cela va-t-il contrarier le scénario que Jean Charest présentait au printemps comme « grotesque et ignoble » : une tentative de réélection sur fond de crise savamment entretenue ? Il faut espérer que oui. La partie n'est pas encore tout à fait perdue pour le plus cynique de nos premiers ministres. Le pire, pour lui, n'est pas certain.

Mais voilà, il n'est pas certain pour nous non plus. Pour nous qui voulons lui dire adieu, définitivement, le 4 septembre. Nous souhaitons ardemment le retirer de notre cible. Pour que toute l'énergie déployée à l'extraire de notre avenir puisse être redirigée vers un but plus noble : relancer le Québec, enfin, sur des bases saines.

L'ARRIVÉE DE JACQUES DUCHESNEAU

François Legault avait connu une année en dents de scie. Dans un premier temps, son nouveau parti avait séduit les foules. Les sondages au cours de cette lune de miel, sur fond de détestation de Jean Charest et de divisions internes au PQ, en 2011, lui promettaient une majorité et, sur un plateau, le poste de premier ministre.

Mais la réalité de 2012 ne lui avait pas souri. Il n'avait pas grand-chose à dire sur le mouvement étudiant (sauf d'affirmer qu'on fumait trop de *pot* au cégep) et presque rien sur l'autre thème dominant l'actualité : la corruption.

Il s'engageait dans la campagne en position précaire, lorsqu'il réussit un coup de maître : recruter Jacques Duchesneau, l'homme qui avait écrit puis laissé filer un rapport explosif sur la corruption et le financement des partis, l'homme qui symbolisait la lutte pour l'intégrité.

Duchesneau allait changer la nature de la campagne et donner à la CAQ un nouveau souffle. Cela était d'autant plus surprenant que Legault avait été muet sur le thème de la corruption pendant deux longues années. En fait, François avait déserté le PQ parce qu'il rechignait à poser des questions à ce sujet, qu'il trouvait trop « négatif » à son goût. Lorsque le Québec avait besoin de limiers résilients et têtus, il faisait l'école buissonnière. Lorsque toute la société réclamait une commission d'enquête sur la corruption, il restait muet. Il ne s'est rangé au sentiment général que neuf mois plus tard... après que la FTQ-Construction elle-même eut réclamé la commission.

Son candidat Duchesneau changerait tout. En une nomination, Legault volait au PQ le thème de l'intégrité et trois ans de dur labeur. Cette candidature-surprise allait rester à l'esprit de Pauline Marois quand viendrait le temps, 18 mois plus tard, de frapper un grand coup dans sa campagne de réélection. Mais j'anticipe.

MA CONTRIBUTION À LA CAMPAGNE

J'avais beau avoir assuré la couverture de la politique pendant de nombreuses années, avoir écrit sur les politiciens et sur les campagnes, avoir été conseiller de premiers ministres, on n'est jamais entièrement préparé à être candidat.

Je me souviens que, lors d'une conférence de presse, nous attendions un ascenseur, Pauline, d'autres et moi, et nous avions constaté que nous serions trop nombreux pour pouvoir tous y monter. « Je vais prendre les escaliers », lançais-je avant de me diriger vers les marches. C'était un réflexe de conseiller. J'ai été intercepté par un des organisateurs : « Voyons, tu es un candidat ! » Ah bon, pensais-je, les candidats ne prennent pas les escaliers ?

Il faut aussi savoir doser ses interventions. On ne peut présumer de l'ampleur, médiatique et politique, qu'une déclaration aura. On ne le sait qu'à l'usage. Ainsi, nouvellement élu candidat dans Rosemont, il m'importait de montrer à mes électeurs que je connaissais leurs priorités et que je me battais pour eux.

Lorsque j'ai su que François Legault allait être conférencier à la Chambre de commerce de l'Est de Montréal, qui englobe Rosemont, et sachant que celui-ci n'avait pris aucun engagement concret pour l'est de Montréal, je me suis dit que ce serait une bonne idée de me rendre à ce petit-déjeuner. J'ai donc acheté mon billet, serré toutes les mains qui se présentaient à moi, et écouté sagement le discours.

Comme je le pensais, Legault n'aborda aucune des priorités locales. Je me présentai donc au micro pour lui poser une question, sur le métro de l'Est et sur les priorités locales. Sa réponse fut pour le moins vaseuse. Après quoi, nous avons eu un échange, bref et vif, dont ont raffolé les journalistes nationaux qui suivaient Legault.

J'aurais cru faire la nouvelle du midi, puis que l'affaire resterait montréalaise. Mais Jacques Duchesneau, ce jour-là, fit une autre déclaration en porte-à-faux avec celles de son chef, ce qui donnait à la presse nationale le bon thème de deux candidats qui détonnaient chacun dans leur camp.

S'ensuivit une série de caricatures, où je m'invitais là où on ne m'attendait pas, y compris au *show* de Madonna, alors présente à Montréal. Mais jamais on n'avait tant parlé des dossiers de l'est de Montréal dans la presse nationale. Mon objectif était atteint. Les électeurs de Rosemont savaient que je monterais aux barricades pour eux.

Sur le fond, je me suis aussi beaucoup battu pour qu'on prenne, comme parti, l'engagement de préserver une majorité francophone dans l'île de Montréal, grâce à une meilleure sélection linguistique des futurs immigrants et à la rétention des familles.

Pour le reste, je répondais aux appels du « national » lorsqu'on voulait que je débatte avec d'autres candidats sur les plateaux de télé ou que je sois présent lors de conférences de presse de Pauline.

Mais essentiellement, ma campagne se déroulait dans Rosemont, à faire du porte-à-porte, des appels, des rencontres, deux débats avec les candidats locaux. Je n'avais pas fait de militantisme de terrain depuis mes années étudiantes. J'ai retrouvé la camaraderie des bénévoles regroupés dans le local électoral, partant distribuer des affiches, organisant le pointage, l'incitation à aller voter, dans les odeurs de café, de chips barbecue mais... sans le nuage de fumée qui nous enveloppait naguère. Le nuage de bonne humeur, d'idéal partagé, lui, est toujours là. Et la jubilation d'engager en une journée 100 conversations avec 100 électeurs qu'on ne connaît pas, mais qu'on veut convaincre en deux minutes de voter pour son parti.

Le chroniqueur Patrick Lagacé, de *La Presse,* m'a suivi dans mon porte-à-porte. Il décrit la chose mieux que moi :

« Depuis que Jean-François Lisée a finalement annoncé qu'il acceptait l'invitation du PQ de se présenter dans Rosemont, j'ai souvent entendu plusieurs variantes d'une observation étonnée et parfois malveillante : "Lisée qui fait du porte-à-porte ? Je paierais pour voir ça !"

« Sous-entendu : Jean-François Lisée qui va à la rencontre du "vrai monde" ? Ça va être le désastre !

« Pas du tout. Blagueur, affable, Jean-François Lisée, avec le proverbial "vrai monde", est très à l'aise. On est loin du professeur Tournesol.

« Il est étonné qu'on puisse être étonné de cette facilité avec les gens. "Être journaliste, c'est parler à des gens que tu ne connais pas. C'est gagner leur confiance, leur faire dire des choses qu'ils ne pensaient pas te dire. [...] Le porte-à-porte, c'est le prolongement du métier de journaliste. Ça me vient naturellement."

« Au gouvernement, quand il travaillait pour Parizeau puis pour Bouchard, il avait soif de l'entendre, le "vrai monde". "À l'époque, je me faisais un devoir d'aller assister aux groupes-tests. Tu entends toutes sortes de choses utiles. Là, dans Rosemont, en campagne, l'échantillon est juste plus grand. Mais ça prend ça, en politique : le réel."

« Transparence totale : Lisée est devenu un *chum* au cours des dernières années. Ça va être dur d'écrire sur lui, s'il est élu : je n'ai pas de recul. Mais je suis étonné qu'on lui prête une personnalité déconnectée du "vrai monde". Le JFL que je connais, c'est celui qui me traîne au cinéma pour aller voir des films hollywoodiens de type niaiseux, comme *2012* ou *The Tourist*.

« Ici et là, des citoyens du bunker engagent la conversation avec lui. Plusieurs promettent de voter PQ, ce qui n'a rien d'étonnant : Rosemont est un château fort péquiste (50 % des voix pour Louise Beaudoin en 2008).

« D'étage en étage, l'enthousiasme de Lisée n'est pas entamé malgré la monotonie de la tâche. Selon le degré d'attention de la personne qui répond, il module son message. La limite de 100 dollars pour les dons aux partis politiques ! La corruption endémique sous le régime libéral ! L'abolition de la taxe santé de 200 dollars ! La première première ministre de l'histoire ! Mettre Charest à la retraite !

« Je le regarde aller et je me dis, comme chaque fois que j'accompagne un candidat qui "fait du terrain", qu'une campagne électorale et la vente de plats Tupperware ont quelques cousinages troublants.

« Au deuxième étage, un jeune homme dit à Lisée qu'il n'est pas sûr qu'un référendum soit une bonne idée. Le candidat-vedette évoque alors les changements profonds que Stephen Harper est en train d'orchestrer partout au Canada. Avec la CAQ, avec le PLQ, martèle-t-il, vous n'aurez pas le choix : vous allez rester dans le Canada. "Mais avec le PQ, vous allez l'avoir, le choix de rester ou pas !" "Ben, je vous souhaite un référendum, alors !" lance le citoyen en souriant.

« Guilleret, il file vers une autre porte. Il s'arrête devant moi, montre mon calepin et lâche une boutade qui explique tout son engagement politique : "Et c'est ainsi qu'on crée des séparatistes !"

« JFL est un indécrottable optimiste. »

J'étais régulièrement en contact avec les conseillers de Pauline, notamment ceux qui la préparaient pour les débats. TVA avait décidé de créer des face-à-face entre les trois candidats principaux : Jean Charest, François Legault et Pauline Marois.

J'avais avisé au moins trois fois les conseillers de Pauline que Legault allait attaquer sur la question des référendums d'initiative populaire. Introduite lors du dernier congrès du parti, cette proposition avait pour conséquence qu'une consultation pouvait être tenue, y compris sur la souveraineté, si une proportion très nette de citoyens signaient une pétition à cet effet.

Mais j'avais compris que Legault utiliserait cet argument pour tenter de démontrer que le PQ voulait imposer un référendum par l'intermédiaire de ses militants, plutôt que directement. Qu'il y avait quelque chose de répréhensible dans cette approche. Selon moi, Pauline n'avait pas de réponse adéquate contre cette attaque.

Le soir du débat, elle n'en avait toujours pas. Et Legault en fit son argument principal. Alors que Pauline était sortie ragaillardie de son débat avec Charest, celui avec Legault la montra moins sûre d'elle, ce qui contribua à une remontée de Legault en fin de campagne.

Comme ce serait le cas aux élections de 2014, nous présentions la souveraineté par le siège, plutôt que par la tête ou par le cœur. Comme une possibilité, non une probabilité, certainement pas un engagement.

Ce n'était pas nouveau. Jacques Parizeau avait agi ainsi aux élections de 1989 (proposant des « référendums sectoriels »), puis Lucien Bouchard en 1998 (les « conditions gagnantes »), et Bernard Landry en 2003 (un référendum s'il avait « l'intime conviction » de le remporter).

Ces positions n'étaient pas défendues pour le plaisir de faire traîner les choses. Ceux qui les soutenaient espéraient tous faire l'indépendance le plus tôt possible. Elles découlaient d'une lecture lucide d'une opinion réfractaire à un calendrier accéléré à chacune de ces étapes. Il est évidemment plus simple de proposer d'organiser un référendum rapidement lorsque cela correspond à la volonté exprimée par l'électorat, comme en 1994.

L'introduction dans le débat, en 2012, de la proposition de référendum d'initiative populaire amplifiait la difficulté et donnait l'impression que l'équipe Marois voulait accomplir par la bande — au moyen d'une pétition — ce qu'elle ne souhaitait pas proposer de front. Une vulnérabilité qui reviendra, plus tard, sous une autre forme.

Pour la campagne de 2012, le sort en était jeté. Il ne restait plus qu'à compter les votes.

○ ○ ○

CHAPITRE 3

Encaisser la victoire

Le premier indice que quelque chose clochait fut olfactif. Une forte odeur d'essence. J'étais, comme les autres candidats, au Metropolis le soir de la victoire, le 4 septembre. Sur le parterre, à un mètre de la scène.

Pauline venait de faire son entrée. Radieuse. Heureuse. C'était son moment. Enfin première ministre. Minoritaire, sans doute. Mais à voir le chemin parcouru depuis que, il y a un an à peine, les commentateurs gageaient sur la date de sa démission, elle avait de bonnes raisons de sourire.

Des membres clés de l'équipe avaient été élus ou réélus. Jean Charest, battu dans sa circonscription. Réjean Hébert, élu de justesse dans la sienne, voisine. Diane De Courcy, gardant Crémazie.

Aussi, le Québec avait élu la première première ministre de son histoire. Le plafond de verre enfin éclaté.

Mais cette odeur d'essence, très forte, ça venait d'où?

Pauline commença son discours, tout en joie et en détermination. Puis, un garde du corps et le majordome de Pauline, Jean-Marc Huot, foncèrent sur elle, l'emmenèrent à l'écart. Pourquoi? On ne sait rien, on ne comprend rien.

J'étais assez proche pour la voir discuter avec les deux hommes. «Qui décide?» puis-je lire sur ses lèvres. Je compris qu'elle voulait décider de rester, malgré les admonestations de ses protecteurs. La réponse du garde du corps me sembla incertaine. Comme s'il était étonné que la question lui soit posée. Que son autorité soit mise en doute. Alors, Pauline décida. Elle restait. Elle terminerait son discours. Ferait monter sa famille, ensuite les candidats sur la scène. Puis ordonnerait un départ dans le calme.

Nous ne comprendrions qu'en sortant du lieu, en écoutant la radio dans nos voitures, qu'il y avait eu un attentat, un mort. Qu'il aurait pu y en avoir plus. Et nous avons compris que Pauline était visée. Que nous l'étions tous. Coupables d'être péquistes. Indépendantistes. Élus. C'est seulement alors que nous nous rendîmes compte que Pauline avait pris un risque pour sa vie, mais qu'elle avait aussi prévenu une panique qui aurait pu être coûteuse. Elle avait agi avec un remarquable sang-froid.

Mais la soirée était en plusieurs sens prémonitoire. Cette victoire, il fallait l'encaisser autant que la savourer. Car elle n'était pas nette. Elle portait les scories de temps à venir.

L'auteur de l'attentat, Richard Bain, avait beau être dérangé, c'est le contexte politique qui l'avait dérangé au point de devenir meurtrier. En appelant les Anglais à « se réveiller », après son attentat en robe de chambre, il répercutait un niveau de critique très dur de la presse anglophone envers le PQ pendant la campagne.

Parce que le Parti voulait mieux soutenir la langue française, qu'il proposait une Charte des valeurs, qu'il espérait faire démocratiquement l'indépendance, la *Gazette,* le *Globe and Mail* et le *National Post* nous décrivaient comme des racistes, xénophobes, rétrogrades de la pire espèce. Des vampires, même, écrira une chroniqueuse torontoise. C'est un vieux refrain, entendu lors de chaque élection du PQ, de chaque référendum. Mais il semblait cette fois-ci avoir un réel effet sur un homme qui avait accès à un fusil et à un cocktail Molotov (d'où l'odeur d'essence).

L'attentat préfigurait aussi l'ahurissant niveau de mépris envers le Québec que nous allions subir lors du débat, à venir, sur la Charte des valeurs.

La fête était aussi gâchée par la force surprenante, dans l'électorat, d'un Parti libéral qu'on aurait dû voir s'effondrer, à bout de souffle, après neuf ans d'usure et de scandales, un parti victime d'un taux d'insatisfaction historiquement élevé, dirigé par un chef déconsidéré, un parti dont une forte majorité de Québécois estimaient qu'il était corrompu.

Mais il gardait 31,2 % du vote et un énorme bloc de 50 députés, contre nos 32 % et nos 54 élus. François Legault n'était pas si loin derrière, avec 27 %. QS obtenait 6 % et doublait sa députation, Françoise s'ajoutant à Amir.

Nos inquiétudes sur la division du vote souverainiste s'étaient réalisées. Sans elle, nous aurions obtenu au moins 11 circonscriptions de plus et aurions franchi le cap de la majorité. Le calcul est de Bryan Breguet, du site *Too Close to Call.* Voici ce qu'il écrivait après l'élection :

« Dans ce billet, je regarde le nombre de comtés où le PQ a perdu et l'écart a été moindre que 50 % des votes QS + ON [Option nationale]. J'y vais à 50 % car c'est une bonne approximation des deuxièmes choix des électeurs de ces partis. Il serait faux d'aller à 100 % car si QS et ON n'existaient pas, ce n'est pas vrai que le PQ récupérerait 100 % de leurs votes.

« Alors, combien ? La réponse est 11 ! C'est très proche des simulations que j'avais faites durant la campagne. Eh oui, si QS et ON n'existaient pas (sauf dans Mercier et Gouin), il est vraisemblable que le Parti québécois aurait remporté 65 sièges, le PLQ seulement 42 et la CAQ 16. On pourrait même ajouter 4 comtés où bien que l'avance soit supérieure à 50 % des votes QS + ON, cela aurait été proche (Groulx, Mégantic, Nicolet-Bécancour et Montarville).

« Les 11 comtés en question sont : Jean-Lesage, La Prairie, L'Assomption, Laurier-Dorion, Maskinongé, Papineau, Richmond, Saint-Henri–Saint-Anne, Saint-Jérôme, Trois-Rivières et Verdun.

« La division du vote a donc bel et bien nui au PQ davantage qu'en 2008. »

PENSER AUTREMENT ?

Avec cette élection, nous étions manifestement entrés dans le multipartisme. Ou, du moins, dans un multipartisme bipolaire. Un pôle était représenté par le PLQ, avec une base solide, quoi qu'il arrive. On venait de tester son plancher.

L'autre pôle était celui des non-libéraux, divisés idéologiquement (droite-gauche, indépendantistes–pas prêts pour l'indépendance).

Notre position de minoritaire nous permettrait, certes, d'avancer sur plusieurs plans. Mais le temps de vie moyen d'un gouvernement minoritaire était de 18 mois — Charest n'était resté qu'un an minoritaire en 2007-2008. Alors, était-ce assez long pour rétablir l'intégrité de l'État ? Remettre le Québec sur des bases financières saines ? Établir un socle identitaire plus solide ? Il me semblait que non.

J'estimais aussi que, si notre objectif était de faire l'indépendance, ce statut de minoritaire ne nous permettait évidemment pas d'avancer. Ni sur l'indépendance en soi ni sur un référendum à propos des pouvoirs identitaires pour le Québec, qui pourrait nous mener vers un moment de vérité.

Avec l'autorisation de la chef de cabinet de Pauline, Nicole Stafford, je réunis chez moi quatre conseillers pour évaluer les options. L'idée dominante était la voie classique : gouverner en minoritaire, faire des gains dans l'opinion, attendre son moment, puis devenir majoritaire. C'était ce qu'avaient fait auparavant, et avec succès, Jean Charest et, au fédéral, Pierre Trudeau et Stephen Harper.

Je défendais l'opinion inverse. Rien ne garantissait que nous allions grimper dans l'opinion. Nous entamions notre mandat avec 69 % des électeurs ayant voté contre nous. Les libéraux, dans une forme surprenante, allaient se donner un nouveau chef et gagner, cela semblait certain, un peu de terrain. Or, il leur en fallait très peu pour nous battre au prochain scrutin.

Il me semblait qu'on devait tenter autre chose. Un gouvernement de coalition.

Chacun avait noté que l'équipe économique du PQ était encore peu connue. Elle ne s'imposerait qu'à l'usage. Mais François Legault présentait un profil fort en ce domaine. Ses propositions de développement de l'économie n'étaient pas si éloignées des nôtres. Ses projets de réforme et de réduction de l'État, oui.

Ma proposition était la suivante : offrons-lui d'entrer au gouvernement. Il serait ministre de l'Économie (il demanderait aussi les Finances, on négocierait), Jacques Duchesneau prendrait un poste de ministre de l'Intégrité, à définir, avec un ou deux autres ministères pour d'autres députés caquistes.

L'entente couvrirait deux budgets, donc deux ans, et serait renouvelable. Ainsi, la CAQ aurait pu reprendre son indépendance partisane à temps pour les élections suivantes. Hormis les membres caquistes du gouvernement, les députés de la CAQ ne seraient pas tenus de voter pour chaque projet de loi du PQ — sauf ceux entraînant la confiance du gouvernement —, mais on ferait un effort raisonnable pour nous entendre dans chaque cas.

Les idées controversées de la CAQ, comme l'abolition des commissions scolaires ou la réduction du nombre d'employés d'Hydro-Québec, pourraient être mises à l'étude. Legault avait naguère accepté d'appuyer Bernard Landry dans la course au leadership de 2000, à condition qu'on réalise une étude sur son concept de déséquilibre fiscal entre le Canada et le Québec. L'étude lui avait donné raison.

En échange de cette entrée au pouvoir, la CAQ s'engagerait à nous laisser l'initiative référendaire. Elle pourrait se prononcer contre et s'abstenir, elle pourrait même faire campagne pour le Non, mais ne pourrait peser de ses voix à l'Assemblée pour en empêcher la tenue. Le gouvernement garderait donc sa capacité d'action en matière référendaire.

Par ailleurs, on offrirait à Françoise David de se joindre au gouvernement comme ministre des Affaires sociales. Je la savais non complètement fermée à cette idée, qu'elle aurait eu cependant beaucoup de difficultés à faire accepter à son parti.

Cela aurait donné un gouvernement dirigé par Pauline Marois, à prédominance péquiste, mais avec un important contingent de la CAQ et, si elle avait accepté, la chef de QS. Un gouvernement représentant non plus 32 % de la population, mais, avec la CAQ, 59 % de l'électorat et, avec QS, 65 %. Une tout autre légitimité, une tout autre dynamique.

Legault aurait-il accepté ? (S'il est interrogé après la publication de ce livre, il dira non. C'est le jeu politique.) Difficile à dire. Cependant, je plaidais qu'il ne pourrait pas ne pas y penser. Si on lui donnait la possibilité de mettre en œuvre une bonne part de son programme et qu'il refusait, ce refus de celui qui voulait de toute urgence « faire le ménage » serait difficile à expliquer à l'opinion publique. Aussi, on sait que François déteste l'opposition. Mettre en balance des années d'opposition stériles à venir et le poste qu'il convoitait depuis 10 ans — ministre de l'Économie — l'aurait conduit à une réelle réflexion. Je pariais aussi que Duchesneau serait très favorable à un accès rapide au pouvoir.

Pour nous, le gain serait important. Le temps, d'abord : au moins deux ans à ne pas gouverner dans l'urgence, à ne pas craindre d'être renversé, à ne pas être constamment en tension préélectorale. La capacité de bien installer nos politiques économiques et identitaires, d'en voir des bénéfices. La capacité, surtout, de pouvoir décider de consulter la population, soit sur la souveraineté, soit sur l'obtention de pouvoirs supplémentaires. Un gouvernement de coalition démontrerait, évidemment, que nous voulions et que nous savions rassembler.

La proposition fut présentée à Pauline Marois. Elle ne fut pas retenue. À mon grand regret.

UNE TAXE SANTÉ QUI NOUS A BEAUCOUP TAXÉS

On trouve de tout en faisant du porte-à-porte. Des gens qui ne votent jamais, par principe. Ceux qui «votent québécois», voulant dire PQ. Ceux qui ont toujours voté libéral, même s'ils n'aiment pas Charest. Ceux qui ont aimé Françoise au débat des chefs. Ceux qui ne sont absolument informés de rien. Ceux qui passent leur journée à regarder RDI et LCN.

Selon que je frappais aux portes de HLM ou à celles d'un quartier plus huppé de Rosemont, on me parlait de la taxe santé ou des gains en capital.

C'était notre proposition phare : abolir la taxe santé, une taxe régressive introduite l'année précédente par les libéraux et qui coûterait 200 dollars par famille, quel que soit son statut économique.

On réussirait à abolir cette taxe en rétablissant l'équité fiscale. En ce moment, le salarié qui gagne 50 000 dollars par an doit payer son impôt, progressif, sur la totalité de la somme. Mais s'il a des actions en Bourse et qu'il empoche 50 000 dollars de gains en capital dans l'année, il ne sera taxé que sur la moitié de cette somme. C'est ainsi que le travail est davantage taxé que le capital. Nous proposions d'augmenter de 50 % à 75 % la part des gains en capital imposés. La CAQ, elle, proposait de l'augmenter à 100 %. Il s'agit là d'une tendance mondiale récente.

De plus, on proposait de hausser les taux d'imposition des Québécois les plus nantis, les faisant passer de 24 % à 28 % pour les revenus de plus de 130 000 dollars par an et à 31 % pour ceux de plus de 250 000 dollars.

Dans les HLM, l'abolition de la taxe santé était sur toutes les lèvres. Quoique je ne me souvienne pas qu'on ait jamais indiqué si on allait l'abolir immédiatement ou après notre premier budget. Nous étions après tout dans une année financière libérale, entamée depuis le 1er avril, cinq mois auparavant. Normalement, les budgets se présentent en février, donc, en ce cas, 10 mois après le début de l'année financière. Il ne m'était jamais venu à l'esprit que nous voulions abolir la taxe santé rétroactivement. Mais j'anticipe.

Notre élection comme gouvernement minoritaire créait cependant un problème épineux. Tout changement à la fiscalité nécessitait un vote majoritaire à l'Assemblée.

Quelques jours après les élections, j'avais eu une conversation avec Lucien Bouchard. «Vos propositions fiscales, là, sur les gains de capitaux et tout, ça ne marche pas, c'est mal pensé », me dit-il. Celles de la CAQ lui paraissaient encore pires. Très intégré au cénacle des fortunes québécoises, l'ex-premier ministre me fit part du climat ambiant, tel qu'il le percevait : « On le sait qu'on va payer plus, c'est sûr ; on est prêt à en discuter. Mais vous devriez faire une consultation ouverte sur les changements à la fiscalité pour trouver un terrain d'entente. »

Cela me paraissait sensé. Je transmis l'information à un proche conseiller. Il me répondit, parlant de Bouchard : « Il a parfaitement raison. » Je nous croyais sur la bonne voie. Jusqu'à ce qu'on déraille.

« On a eu un départ canon », affirma quelques jours plus tard devant moi un collègue député. « Oui, commentai-je à mon voisin de table, on s'est tiré dans le pied, mais on a eu un départ canon. »

Pauline avait décidé de frapper un grand coup, après la première rencontre du Conseil des ministres, en annonçant publiquement la fermeture de la centrale nucléaire de Gentilly, le retrait du gouvernement dans le financement de la mine d'amiante d'Asbestos et l'abolition de la hausse de 82 % des droits de scolarité annoncée par les libéraux. « Pauline Marois commence en lion », titrait Le Devoir le lendemain. C'était l'idée. Mais, un instant. Qu'est-ce qu'elle ajoute ? Que la taxe santé sera abolie « dès cette année » ?

Ma première réaction fut : tant mieux ! Mais comme on venait d'annoncer que les dépassements de dépenses des libéraux pour l'année fiscale en cours avaient bondi, depuis les 800 millions de dollars (annoncés en juin par le ministre des Finances sortant, Raymond Bachand) à 1,6 milliard (calculé par les Finances en septembre), j'étais curieux de voir où on prendrait le 1,2 milliard nécessaire pour abolir immédiatement la taxe santé.

J'allais apprendre par la voie des médias, comme tout le monde, qu'on allait combler ce trou par une taxe rétroactive au 1er avril 2012, y compris en augmentant rétroactivement l'imposition des gains en capital. Le tollé fut immédiat et général. L'idée d'une taxe rétroactive, même s'il y avait eu un précédent lors d'un gouvernement libéral antérieur, semblait proprement intolérable. De même pour le caractère rétroactif de l'augmentation des tables d'imposition. Les millionnaires jouant à la Bourse ne seraient pas les seuls touchés. Qu'en était-il de celui qui avait investi toute sa vie dans un duplex, qu'il venait de vendre pour alimenter sa retraite ? Il apprenait que le taux d'imposition du fruit de sa vente allait bondir d'un coup, rétroactivement ?

C'était invendable. Ce fut invendu. Fraîchement nommé ministre des Finances, Nicolas Marceau réussit admirablement à corriger le tir en n'abolissant la taxe santé que pour un million de Québécois, les moins nantis, et à la réduire pour trois millions d'autres personnes. C'était déjà beaucoup, pour une première année.

Mais ce recul nous a malheureusement conduits à renoncer à toute réforme de l'imposition des gains en capital dans un avenir prévisible — la notion étant pour l'instant toxique dans l'opinion.

Nous avions le pire des deux mondes. Tous ceux qui avaient voté pour la CAQ ou les libéraux en se méfiant de nos politiques économiques venaient d'être confortés dans leur choix. Et ceux qui avaient voté pour nous afin qu'on abolisse la taxe santé se faisaient dire que, finalement, on ne le ferait pas. Du moins pas au complet.

Je n'ai d'ailleurs jamais compris pourquoi nous n'avons pas, dans la foulée, annoncé que cette mesure de réduction partielle de la taxe santé n'était qu'un premier pas, et que nous allions graduellement la réduire au cours des années à venir, dans la mesure de nos moyens, jusqu'à la faire disparaître. Que ce serait, donc, notre priorité dans la réduction du fardeau fiscal.

L'élection d'un gouvernement du Parti québécois provoque toujours un malaise dans les milieux d'affaires. Nous y sommes vus comme un corps étranger, ou du moins un peu étrange. Pourtant, c'est le PQ de René Lévesque et de Jacques Parizeau qui est à l'origine des Régimes d'épargne action (REA) et de la garde montante de l'économie francophone. Pourtant, c'est le PQ de Lucien Bouchard et de Bernard Landry qui a créé la nouvelle économie montréalaise. Pourtant, c'est le PQ des deux époques qui a remis les finances publiques en ordre.

Mais c'est un invariant de la politique québécoise. Chaque nouveau gouvernement péquiste doit amadouer la classe des affaires, démontrer qu'on peut être sociaux-démocrates, indépendantistes, écologistes et simultanément promouvoir l'économie, créer de la richesse.

Nous allions finir par y arriver, à l'automne 2013, en publiant notre Politique économique. La Politique industrielle, d'Élaine Zakaïb, la Politique nationale de la recherche et de l'innovation, de Pierre Duchesne, la Stratégie d'électrification des transports, portée par la première ministre, et le Plan de développement du commerce extérieur, que je présentais, allaient tous susciter des réactions louangeuses des organisations d'affaires. Normal, nous les avions longuement consultées, elles et tous les partenaires économiques, pour élaborer ces politiques.

Mais en septembre 2012, le choc de la taxe rétroactive alimenterait durablement tous les ressentiments entretenus envers le PQ. Cette seule mesure allait donner un carburant considérable à nos opposants, libéraux et caquistes, à nos détracteurs.

Il faudrait désormais, dans l'opinion, ramer à contre-courant.

○ ○ ○

CHAPITRE 4

Devenir ministre

Je fus appelé, au petit matin, dans une chambre de l'hôtel Laurier, à deux pas du parlement. Pauline pensait-elle que j'allais refuser sa proposition, ce qui l'obligerait à rebrasser ses cartes ?

J'avais envoyé quelques signaux précédemment, au cas où. La question de la souveraineté, évidemment, m'intéressait. Celle de la réforme des institutions démocratiques aussi. Les questions identitaires : langue, accommodements raisonnables, citoyenneté. Il y a deux choses que je n'avais jamais évoquées : les Relations internationales et la Métropole. C'est pourtant ce qu'elle m'a proposé.

J'étais bien préparé pour l'International. Ex-correspondant à Washington et à Paris, puis conseiller aux Affaires étrangères de MM. Parizeau et Bouchard, puis dirigeant d'un centre de recherche international, j'y retrouverais mes repères. Je jugeais que Pauline avait parfaitement raison d'y adjoindre le Commerce extérieur. Le poids politique du Québec à l'étranger est la somme de sa force politique, culturelle, économique. Il faut la représenter en entier.

Mais avec la Métropole, elle me sortait de ma zone de confort. Je ne m'étais intéressé qu'en spectateur aux débats municipaux — bien que je me sois fermement opposé aux fusions sous Lucien Bouchard — et il me semblait que j'aurais tout à y apprendre. Je le pris comme une marque de confiance de Pauline, que je savais très pro-Montréal. Je posai deux conditions : m'entourer de personnes qui avaient une connaissance intime de ces enjeux, soit André Lavallée, un des plus actifs artisans du Montréal moderne et ancien maire de Rosemont, comme sous-ministre, et André Bouthillier, ex-journaliste ayant travaillé comme conseiller stratégique à un grand nombre de dossiers montréalais, à mon cabinet. Ce fut oui tout de suite.

Pauline ajouta qu'elle voulait que je sois désigné responsable des relations avec les anglophones, ce qui constituerait un défi considérable. J'y reviendrai.

Que fait-on lorsqu'on devient ministre, surtout pour la première fois? Chacun aura sa réponse. La mienne était de foncer. Ce que j'ai raconté dans le texte qui suit.

Ministre, 48 heures chrono! (23 septembre 2012)

«Le commencement est la moitié de l'action.» C'est le vieil Aristote qui disait ça, et c'est toujours vrai.

J'ai pensé qu'il serait instructif de consigner pour moi-même, et pour vous, chers internautes, le tourbillon dans lequel un nouveau ministre est plongé pendant ses premières 48 heures.

Ministre, jour 1, le jeudi 20 septembre

Je me réveille donc ministre, le jeudi 20 septembre, à 6 h 30. J'ai ma photo avec Pauline à la une du *Devoir*. Ce doit donc être vrai : je suis ministre. Je connais mes priorités : envoyer rapidement une série de bons signaux, réunir une équipe, parer au plus pressé.

À 7 h 30, petit-déjeuner de travail avec le conseiller diplomatique de Pauline, Marc-André Beaulieu. Il y a des dossiers internationaux qui ne peuvent attendre, quelques décisions à prendre.

Autour de la table : mon chef de cabinet, le vétéran François Ferland, et André Bouthillier.

Avant 9 h, les journalistes nous attendent à l'entrée du Conseil des ministres. C'est toujours un peu la boîte à surprise. Quelles questions poseront-ils? En voici une, sur nos attentes à l'égard des Français au moment de la visite, non encore officiellement confirmée, de Mme Marois en France à la mi-octobre. Allez-vous vous contenter du «ni-ni»?

Je dois donc prononcer mes premiers mots comme chef de la diplomatie, et il ne faut pas se tromper. Il y a deux étages dans la position française envers le Québec. La «non-ingérence et non-indifférence» — le «ni-ni» — dans la question de l'avenir du Québec, introduite par Raymond Barre en 1979. C'est la ligne de base, abandonnée seulement par Nicolas Sarkozy.

Puis, il y a «l'accompagnement du Québec dans ses choix», un peu plus engageant. C'est Louise Beaudoin qui l'avait inventé sous Giscard en 1977, et chaque fois, avec Mitterrand puis Chirac, nous sommes montés à ce deuxième étage.

À la question directe, il ne faut donc pas hésiter et répondre fermement que nous nous attendons à l'accompagnement. Je sais que les diplomates français — et canadiens — sont aux aguets. Comme l'Agence France-Presse, qui en fait une dépêche. (Note mentale d'informer immédiatement la première ministre de ma déclaration.) Puis, sur le reste des rapports France-Québec, j'insiste sur la « continuité » et sur le « remarquable travail de M. Charest » dans le dossier de la reconnaissance mutuelle des diplômes.

Au Conseil

Je suis évidemment tenu au secret sur les délibérations du Conseil des ministres. Mais je me sens autorisé à noter deux choses. Lorsque j'étais conseiller, de 1994 à 1999, le Conseil se réunissait dans la « soucoupe » du « bunker ». Une pièce circulaire sans fenêtre.

Lorsque les choses allaient bien, politiquement, l'endroit clos induisait la convivialité, l'esprit d'équipe. Mais lorsqu'elles allaient mal — ce qui était fréquent —, l'enfermement augmentait le sentiment glauque, la sinistrose.

La nouvelle salle du Conseil des ministres est, au contraire, entourée de grandes fenêtres sur trois côtés, laissant entrer la lumière, donc un peu d'élévation et d'optimisme. Un changement bienvenu.

La première ministre ouvre la séance avec le ton et l'esprit de décision dont elle fera preuve un peu plus tard, en point de presse, pour annoncer la rafale de décisions de ce premier jour de gouvernement péquiste.

On la connaissait chef de parti et chef de l'opposition. On la découvre chef de gouvernement. Sereine et déterminée, enfin en position de faire bouger les choses. Les messages à ses ministres sont clairs, directs, nourris de l'expérience et libérés par la prise du pouvoir.

Nous sommes ensuite réunis dans une autre salle avec nos chefs de cabinet, ce qui nous permet de découvrir le nom des chefs de cabinet de nos collègues. On nous fait une présentation sur l'organisation de l'administration publique, les rapports entre fonction publique et cabinet, les rôles, les écueils, l'attitude à adopter.

Anglo Man

À la sortie, les journalistes nous harponnent encore. Les anglophones, en particulier, veulent savoir pourquoi on devrait me prendre au sérieux dans mon rôle de ministre du dialogue avec la minorité historique québécoise. Sur Twitter, untel m'appelle déjà *Anglo Man*. Dans *The Gazette*, Phil Authier a fait un compte rendu fidèle de ma première intervention sur le sujet au sortir de la cérémonie d'assermentation, la veille.

Le chroniqueur Don Macpherson me traite, lui, de xénophobe. Ayant vu son texte en ligne la veille, je me suis permis le gazouillis suivant : «*Eh Don Macpherson! I'm your new best friend! Get over it! Hugs! — JF*» (Eh, Don Macpherson, je suis ton nouveau meilleur ami! Reviens-en! Câlins! — JF). Retweeté 78 fois, il me vaut le titre de «*Best tweet ever*» par un Anglo.

Devant des journalistes anglophones qui ont soif de controverse, j'avance plutôt mes idées sur Marie-Mai, Leonard Cohen et l'empathie réciproque que les deux communautés devraient avoir pour la sécurité linguistique de l'une et de l'autre.

Bain et la liberté de la presse

Puis, on m'accroche sur le fait que la station de radio anglo CJAD a diffusé une portion de l'entrevue avec Richard Henry Bain, l'auteur de l'attentat du Metropolis, qui a appelé, de sa prison, la station. «Vous me trouverez toujours du côté de la liberté d'expression et de la liberté de la presse», dis-je. J'ajoute qu'il appartient aux médias de prendre leurs propres décisions éthiques.

«Ne contredisez-vous pas ainsi le ministre Bergeron?» me demande-t-on. C'est la difficulté de l'opération. Je n'ai aucune idée de ce qu'a dit mon collègue Stéphane, ministre de la Sécurité publique. Je m'entends improviser : «Chacun a ses sensibilités», en m'éloignant. On me pose une autre question, je réponds à la blague : «Je vais m'en aller avant de contredire quelqu'un d'autre.» C'est le problème de l'ironie. Une fois écrite sur la page de journal, le lendemain matin, on ne comprend pas très bien si c'est une blague ou un aveu de panique.

Finalement, Stéphane avait surtout parlé du droit de Bain, un détenu, de parler à une station de radio. Nos positions sont complémentaires. Mais je dois tout de suite en aviser la directrice des communications de la première ministre, Shirley Bishop, qui prépare Mme Marois pour son propre point de presse.

« *Peuple du MRI* »

Après une salade ingurgitée rue Grande Allée, plusieurs appels. Daniel Breton, ministre de l'Environnement, m'a informé qu'il y aurait, le lendemain midi, cérémonie à l'hôtel de ville de Montréal pour la Journée internationale de la paix. Il y sera et pense que je devrais y être. Ce serait une bonne occasion d'avoir immédiatement une rencontre avec le maire Gérald Tremblay. Je demande de voir si cela peut s'organiser. Je veux indiquer clairement qu'on se met immédiatement au boulot. Le bureau du maire est ravi. Ce sera oui.

À 13 h 30, rencontre avec mon nouveau sous-ministre des Relations internationales (MRI), Michel Audet, ex-universitaire qui fut le premier représentant du Québec à l'UNESCO, puis le responsable de l'organisation du Forum de la francophonie canadienne à Québec cette année. Nommé par les libéraux à ces fonctions, M. Audet a fait l'unanimité pour sa compétence et nous a été chaudement recommandé de toutes parts. Je rencontre aussi mon sous-ministre adjoint pour le Commerce extérieur, Jean Séguin. Audet me présente à une quarantaine de cadres du MRI. Je les salue un à un — j'en connais déjà un bon nombre —, puis leur dis tout le bien que je pense du Ministère, pour avoir beaucoup travaillé avec lui lors de mes années de conseiller et comme directeur du CERIUM.

On se dirige ensuite vers le hall de l'immeuble, où attendent environ 200 membres du personnel. J'arrive par l'étage supérieur et, regardant par-dessus la balustrade, je suis surpris de les voir et ils sont surpris de me voir. Ils applaudissent. Les bras en l'air, je lance : « Peuple du MRI ! » Ils rigolent et applaudissent encore. (Je me retiens de dire : « Vive le MRI libre ! »)

Descendu au rez-de-chaussée, je sais avoir deux messages principaux à communiquer. D'abord, leur réitérer le bien que je pense d'eux et de leur travail. Je le fais en racontant la conversion de Lucien Bouchard. Ex-ambassadeur du Canada à Paris et sherpa de Mulroney pour la Francophonie, M. Bouchard s'était forgé un préjugé défavorable envers la diplomatie québécoise. J'explique comment, de rencontre en sommet, le premier ministre s'était ouvert à la qualité du travail de son Ministère, jusqu'à en devenir un grand partisan.

Me tournant vers les quelques membres du personnel du Commerce extérieur à Québec, j'explique comment, lorsque j'étais conseiller, je travaillais avec eux et le MRI pour organiser des visites à l'étranger et combien leur travail doit s'additionner à celui du MRI. « Il ne faut pas que le politique avale l'économique ni que l'économique avale le politique », dis-je.

Puis, je fais la liste de ce que je n'aime pas : les guerres d'égos ou de territoires, la rétention d'information, une hiérarchie trop formelle, l'inefficacité. Je fais la liste de ce que j'aime : le professionnalisme et la rigueur, la convivialité dans les rapports hiérarchiques, la fluidité de l'information, par-dessus tout l'efficacité et la recherche de résultats.

Je fais lever la main à ceux avec qui j'ai déjà travaillé : une trentaine. Puis, je fais lever la main à ceux qui ont été formés par le CERIUM, par l'UQAM, par les autres universités, jusqu'à nommer Laval, moment où se brandissent une majorité de mains. Je mentionne ensuite l'école secondaire Saint-Georges de Thetford Mines (mon école) et une autre main se lève !

Je les avertis que « Raymond Bachand a eu l'honnêteté intellectuelle de nous dire qu'il manquait 800 millions » dans les revenus de l'État, qu'il faut additionner aux 800 millions à trouver pour atteindre l'équilibre budgétaire au 1er avril.

« Alors, il n'y aura pas d'argent. Cela nous force à continuer de pratiquer l'art de l'impossible. À avoir des idées, de l'ingéniosité, de la créativité. »

La réception est bonne, les sourires nombreux. Alors, je prends le risque, en finale :

— Voulez-vous travailler avec moi ?

— Oui, crient-ils.

— Voulez-vous avoir du *fun* ?

— Oui...

— Voulez-vous gagner des prix ?

— Oui...

— Il n'y en aura pas de prix ! Mais il va y avoir... des réussites !

Rires et applaudissements.

Je vais ensuite saluer un à un les gens du Commerce extérieur, pour continuer à les assurer de mon soutien dans la réorganisation qui s'amorce. Je ne veux pas de perdants dans cette fusion, que des gagnants !

En voiture !

Petite rencontre de travail, ensuite, où on me remet un gros cahier à anneaux qui fait le point sur tous les dossiers en cours.

Puis, hop ! dans la voiture. Passage à mon appartement pour prendre ma valise et demander à mon voisin de palier, Léo Bureau-Blouin, s'il veut monter avec moi pour le retour à Montréal. C'est oui. Un billet d'autocar économisé pour les finances publiques !

Dans la voiture, conduite par mon garde du corps, André, je me mets à lire les documents et multiplie les appels. Je donne des directives pour rencontrer dès lundi, à Montréal, d'anciens ministres de la Métropole, péquistes et libéraux. Je veux des conseils, des avis, des critiques et des trucs. Je veux rencontrer mardi matin des journalistes spécialisés sur Montréal pour pouvoir leur poser des questions et profiter de leur savoir, de leur recul et de leurs intuitions. [...]

À côté de moi, Léo reçoit des appels de ses amis leaders étudiants. Pauline vient d'annoncer l'annulation de la hausse libérale et l'abrogation de la liberticide loi 12, ex-projet de loi 78 (ce n'était pas tant les restrictions à la liberté de manifestation qui me choquaient que le régime des amendes imposées à des tiers en cas de non-respect de la loi). Il a Martine Desjardins en ligne. Je la salue.

Appels, textos, notamment à Nicolas Marceau, des Finances, au sujet des négociations commerciales Canada-Europe, dont il faut discuter rapidement. Des gens m'appellent, m'écrivent, m'envoient des textos pour me féliciter, envoyer un CV, proposer une stratégie.

J'appelle les trois membres du PQ dans Rosemont dont c'est l'anniversaire aujourd'hui. J'essaie de le faire tous les jours. Ils sont surpris de m'entendre. On jase. Ils trouvent qu'on commence bien. Me souhaitent bonne chance.

Des embouteillages nous ont retardés au sortir de Québec. Misère ! J'arrive en retard à la rencontre parents-professeur à l'école de mon fils. Exactement ce que je voulais éviter. Mais j'ai le temps de parler avec le prof et de rattraper l'info perdue.

Je suis vanné au moment d'aller me coucher. Mon corps veut dormir. Pas mon cerveau. C'est un peu comme lorsque je suis en pleine rédaction d'un bouquin. Mon cerveau fait des liens, a des *flashs*. Une seule façon de s'endormir : prendre ces idées en note sur mon iPhone, sinon mon cerveau refusera de me laisser m'endormir.

Ministre, jour 2, le vendredi 21 septembre

Au réveil, un des *flashs* de la nuit s'impose à moi. J'ai avisé tout le monde, à Québec, que je serais un ministre plus « montréalisé » que ce que certains estimeraient optimal. C'est que mes responsabilités montréalaises, multipliées par mon indispensable présence auprès de mes deux ados (les deux petites sont en France avec Sandrine), vont m'ancrer dans la métropole chaque fois que faire se peut.

Mais il ne faut pas que les gens de Québec ou des régions en concluent que je suis ministre des Relations internationales de la Métropole. J'appelle Régis Labeaume pour lui avouer mon malaise, et nous convenons de nous voir dans les jours qui viennent pour discuter des projets internationaux de la capitale, et que ça se sache.

J'ai encore ma binette à la une du *Devoir*. Deux fois en deux jours, il faut que ça s'arrête ! « Anglos : le choix de Lisée fait jaser. » Mélange de scepticisme et de bonne volonté de la part des interlocuteurs interrogés. Le commissaire aux langues officielles, Graham Fraser, se dit « très content » et me lance quelques fleurs. Je les prends pendant qu'elles passent.

En route vers le travail, je rappelle le bureau du ministre fédéral du Commerce international, Ed Fast, qui m'a fait laisser un message et voudrait me parler. Son adjoint est surpris de me trouver au bout du fil, mais pour l'instant je suis ma propre réceptionniste et il n'y a que dans mon iPhone qu'on trouve mon agenda. Rendez-vous téléphonique est pris pour le début de la semaine suivante.

À 9 h, je rencontre l'équipe de la Métropole, tour de la Bourse. Je m'attendais à un petit groupe d'une demi-douzaine de personnes. Ils sont 50, chargés d'une panoplie de dossiers, comme je le découvrirai en feuilletant l'imposant cahier à anneaux qu'ils me remettent.

Je vois d'abord la sous-ministre adjointe, Claire Deronzier, qui dirige cette équipe avec énergie et qui me présente ses adjoints, puis toute l'équipe.

Je les salue un à un, leur demandant de mentionner leurs dossiers, ce qui me permet d'en mesurer la diversité. Un grand gaillard, en chemise bleue, me dit être responsable des « contrats et de l'éthique ». Pause. Je le prends dans mes bras et lui tape gentiment dans le dos !

Devant tout le groupe, je sens que je dois les rassurer sur mon statut de diplomate toujours en mission, alors que la tâche est si lourde à

Montréal. Je leur explique que je serai très présent et que je laisserai volontiers mes collègues, le vice-premier ministre, le ministre de l'Économie, la ministre déléguée à la Politique industrielle, mener quelques missions à l'étranger.

J'insiste sur le fait que je suis conscient de l'ampleur de mon ignorance dans plusieurs dossiers et que j'aurai vivement besoin de leur aide, de leur expertise et de leurs conseils.

Même laïus sur ce que j'aime et n'aime pas. Même accueil. « Voulez-vous travailler avec moi ? »...

De retour à la direction du Secrétariat à la région métropolitaine, je demande à être tout de suite mis au fait du dossier de l'échangeur Turcot. Dans les journaux du matin, le maire de l'arrondissement et l'opposition à l'Hôtel de Ville réclament une réouverture du dossier. Je m'attends à ce que le maire Tremblay et les journalistes me posent la question.

Ce serait évidemment insensé de prendre position si rapidement sur un sujet si sensible — et qui concerne au premier chef le ministère des Transports —, mais je dois savoir de quoi il retourne. « Est-ce seulement théoriquement envisageable, dans le calendrier, d'en rediscuter ? » On me donne des réponses préliminaires.

Le fils d'entrepreneur

On traverse la rue à pied pour se rendre au Centre de commerce mondial, où se trouvent mes bureaux montréalais du MRI et du Commerce extérieur. (Ce sera pratique, mon personnel montréalais est vraiment regroupé à quelques minutes de marche.) Brève rencontre avec la haute direction, puis avec la cinquantaine de membres du personnel qui ne sont pas en mission de vente à l'étranger.

Encore une fois, les saluer un à un. Mais je sais que c'est le moment le plus délicat. Ces personnes, les démarcheurs économiques du Québec, viennent d'apprendre que leurs services, jusqu'ici autonomes, vont se fondre dans le MRI. Ils sont inquiets.

Et puis ils sont sous le choc, je suppose, d'avoir à leur tête un intellectuel universitaire souverainiste qui, pensent-ils peut-être, ne doit rien connaître à l'économie et à sa culture.

« Je vais vous parler de mon père. » Et je commence le récit, qui durera plusieurs minutes, de l'entrepreneur en herbe, fils de boucher dans le micro-village de Fontainebleau, dans le Haut-Saint-François.

Sa première carrière de vendeur de viande, de bière, de voitures et de ciment. Puis l'épicier local, puis régional. Ses aventures dans l'immobilier, l'hôtellerie.

« Je vous dis tout ça parce que je sais ce que c'est qu'être un entrepreneur. Je connais la culture d'entreprise. Je sais que votre travail d'épauler les entrepreneurs québécois, les exportateurs, et d'attirer des investisseurs est différent du travail de conclusion d'ententes entre gouvernements. Je suis ici pour vous dire que je serai le garant de votre travail, de votre culture. Il n'est pas question de perdre votre expertise, je veux au contraire la déployer mieux encore. »

Et voici ce que j'aime et ce que je n'aime pas.

Alors ? « Voulez-vous travailler avec moi ? »...

À la sortie, le sous-ministre adjoint, Jean Séguin, rayonne. « Un coup de circuit », dit-il. Il est vrai qu'il travaille pour moi. Mais il semble sincère. Moi, je pense avoir fait le maximum.

Vers chez Gérald

Il est 11 h 15 et il faut partir pour l'hôtel de ville, où nous attendent le maire et les participants à la Journée internationale de la paix.

Dans la voiture, André Bouthillier me donne une copie du discours préparé pour l'occasion par les services du MRI. Sensation étrange. Je me revois donner des discours à mes anciens premiers ministres. En recevoir ? Jamais. Je le lis en vitesse et suis agréablement surpris par sa qualité. Je biffe ici et ajoute là, mais à peine. Tout à l'heure, j'appellerai directement l'auteur pour le féliciter.

Ils sont environ 150, membres d'organisations favorables à la paix, ONG, fondations (je serre la main de Brian Bronfman, le philanthrope de la famille, qui parle un bon français). Le DG du collège Dawson y est aussi, car cette rencontre est également liée au thème de la non-violence, et de la réponse de Dawson à l'ignoble tuerie dont l'établissement a été victime. La direction a inauguré l'année précédente un « Peace Garden » dans l'enceinte du cégep, et plusieurs étudiants sont dans le « Peace Bus » qui est à l'ONU pour l'occasion.

Le DG de Dawson, Richard Filion, et moi avons le temps d'échanger sur le sujet épineux de l'accès des non-anglophones aux cégeps comme le sien. Échange courtois mais non concluant. Je croise aussi Richard Bergeron, de Projet Montréal, et on convient de se voir bientôt.

Sur l'estrade, le chef algonquin Dominique Rankin bénit l'assistance. Suivent les discours de Gérald Tremblay et de Richard Filion. Ce qui me permet de faire des changements et ajouts à mon texte.

Nous étions convenus que Daniel Breton parlerait avant moi. Mais le message ne s'est pas rendu et on m'invite d'abord. J'annonce que nous sommes un gouvernement de collaborateurs et que je dois préséance à Daniel. Je l'invite à parler.

Il improvise remarquablement sur les liens entre nature et paix, l'homme étant « dénaturé » et devant retrouver son respect pour l'environnement afin de retrouver la paix. [...]

Avec Gérald

Les journalistes nous accrochent, le maire et moi, avant notre rencontre. « Euh, dis-je à Gérald, je pensais qu'on se verrait d'abord et qu'on dirait ensuite aux journalistes que la rencontre s'était bien passée. »

« Ça va bien se passer », répond le maire.

On a le temps de dire aux journalistes qu'on se connaît bien, lui et moi, qu'on a créé une connivence depuis de longues années, car lorsque j'étais journaliste à *L'actualité,* j'avais écrit sa biographie dans le très peu lu *Les prétendants.* Je l'avais appelé, lui, le ministre optimiste de Robert Bourassa, « L'anti-sceptique de Québec ».

Gérald répond à toutes les questions, surtout sur le Bixi, son financement et son rayonnement international. Ne voyant pas venir la fin du point de presse et sentant que le temps presse, je le prends par la taille et lui signifie que nous devons aller travailler. On verra la scène au téléjournal de 18 h à Radio-Canada.

En rencontre privée avec Daniel Breton et des membres de l'équipe du maire, on fait le tour de tous les grands sujets d'actualité, les attentes de la ville, les difficultés financières de Montréal et de Québec, l'importance de sérier et de prioriser les projets.

Gérald avait raison, cela s'est très bien passé.

Adulte et vacciné

De retour au bureau vers 14 h. M'attend mon attachée pour Rosemont, l'increvable Véronique Bergeron, qui déploie devant moi des formulaires à signer, des invitations à accepter ou à décliner. Je bloque la journée du vendredi suivant pour les rencontres dans la circonscription.

On fait le point avec François Ferland sur des infos concernant notre masse salariale (on tente de savoir combien de gens on peut embaucher au cabinet — réponse : moins qu'on pensait !), sur les invitations lancées pour le lundi et le mardi, puis je file me faire vacciner contre la fièvre jaune. Oui, car je dois me rendre, à la mi-octobre, à Kinshasa pour le Sommet de la Francophonie. Je dois aussi remplir de nouveaux formulaires de passeport, faire des photos, toute la gomme...

Le sous-ministre Michel Audet m'informe qu'il a réduit le nombre de personnes prévues pour ce voyage, car il faut faire preuve de rigueur budgétaire. J'en suis ravi.

J'apprends que François Legault a donné à Jacques Duchesneau le poste de critique, entre autres, des Relations internationales. Je dois trouver son numéro pour le féliciter et lui offrir toute ma collaboration (ce que je ferai le lendemain — un ami journaliste me filant son numéro de cell !).

Je continue à travailler sur le dossier anglo, j'ai deux ou trois idées, je parle à des gens. J'ai dit avoir « une crédibilité à construire ». C'est ce que je tente de faire.

En soirée, j'emmène fiston au Parc olympique, car le PDG, David Heurtel [qui deviendra ministre dans le gouvernement Couillard], m'a invité à voir la nouvelle configuration du Stade pour les spectacles, de 12 000 à 15 000 places. C'est le tombeur des *Latinas* Marc Anthony qui inaugure l'endroit. Tout le Montréal latin y est.

« Vous aimez la musique latino ? » me demande l'un d'entre eux. Je réponds dans mon espagnol hésitant que, bien sûr, il faut être éclectique. (En fait, j'aurais de loin préféré entendre l'ex d'Anthony, Jennifer Lopez. Allez savoir pourquoi...)

« *Me parecía que usted fue muy gringo* » (je pensais que vous étiez trop blanc pour être à une soirée latino), répond-il, un peu surpris.

Ce sera la dernière personne que je surprendrai en ce jour, le second de mon nouvel emploi. Je tombe de sommeil. Fiston aussi. On part avant la fin, laissant les *Latinos* et *Latinas* montréalais se déhancher au son du *crooner*, sous le toit suspendu.

Buenas noches...

○ ○ ○

CHAPITRE 5

Au chevet de Montréal

C'était le 27 septembre 2012, devant l'assemblée des maires de la Communauté métropolitaine de Montréal (CMM). Le temps était lourd. L'inquiétude, palpable. À la commission Charbonneau défilaient déjà des corrompus et des corrupteurs, avec des noms d'entreprises s'accumulant dans le box des soupçonnés. Sur le visage des élus se lisait une grande frustration, née de l'impuissance.

Au moment de notre arrivée au pouvoir, les élus municipaux n'avaient aucun moyen d'accepter ou de refuser de donner un contrat à une entreprise soupçonnée de fraude. Au contraire, ces refus les exposaient à des poursuites. L'inaction du précédent gouvernement libéral les plongeait dans un dilemme éthique insoluble. Incapables juridiquement de dire non aux fraudeurs présumés, incapables politiquement d'expliquer à la population, légitimement furieuse, que rien ne changeait.

Nous n'étions nommés ministres que depuis huit jours lorsque je me suis présenté devant la CMM et la presse pour donner un premier signal aux élus de la métropole. 1) Mes collègues du Trésor, du Travail et des Affaires municipales travaillaient en priorité sur un projet de loi qui allait soumettre à un test d'intégrité toutes les entreprises contractant avec les pouvoirs publics. 2) Dans l'intervalle, l'État québécois allait donner une latitude maximale aux municipalités pour qu'elles puissent repousser les décisions les plus indésirables.

« Vous venez de faire ma journée », a commenté un maire présent, visiblement soulagé.

Nous avions tout un programme pour la métropole, et nous le réalisions. Mais la reconquête de l'intégrité qui nous a été imposée allait concentrer notre énergie. La dernière décennie avait plongé les villes dans un marasme éthique politiquement corrosif et économiquement désastreux. Notre priorité serait de les accompagner, le plus vite possible, avec toute la rigueur nécessaire, pour sortir de ce marasme.

MINISTRE DE LA MÉTROPOLE, ET DES MAIRES TEMPORAIRES

En acceptant la charge de ministre responsable de la Métropole, je ne pensais pas qu'une partie de ma tâche consisterait à gérer la pire crise politique de l'histoire de Montréal et de Laval et à accompagner vers la sortie les maires Gérald Tremblay et Gilles Vaillancourt. Je ne pensais pas me réveiller un matin pour apprendre que le maire intérimaire, Michael Applebaum, avait été arrêté ou que le second maire de Laval trempait dans une affaire louche.

La ligne de conduite que la première ministre, mon collègue des Affaires municipales, Sylvain Gaudreault, et moi-même avons constamment suivie fut celle du respect des institutions montréalaises. À ceux qui, comme François Legault, réclamaient des mises sous tutelle immédiates et à répétition, nous répondions que les élus devaient prendre leurs responsabilités et faire fonctionner leurs institutions jusqu'aux élections de novembre 2013, qui allaient renouveler les équipes municipales. La crédibilité de la démocratie municipale nous semblait plus importante que l'arrivée ou le départ de personnes ou que des effets de toge à l'Assemblée nationale. Montréal avait besoin de respect, pas de diktats.

Le cas de Gérald Tremblay était difficile. Je le connaissais depuis longtemps et n'avais personnellement aucun doute sur son intégrité. Mais les enquêtes journalistiques, puis les témoignages de la commission Charbonneau, établissaient que le maire avait nommé autour de lui des personnes qui, c'était maintenant évident, avaient permis, sinon dirigé, un système de collusion et de financement occulte.

La crédibilité du maire de la première ville du Québec était maintenant affaiblie, au point de ne plus permettre une gestion sereine de Montréal. Il nous est vite apparu que, légalement, ni le conseil municipal ni le gouvernement du Québec ne détenaient le pouvoir de pousser un maire à démissionner, y compris en cas de tutelle. Même les juges, jusqu'à ce que nous légiférions sur le retrait des maires accusés de fraude, n'avaient pas le moindre pouvoir.

Nous ne pouvions qu'accompagner Gérald Tremblay dans sa réflexion. C'est ce que nous avons fait. Il aurait pu, légalement, se cramponner. C'est ce que faisait, à Mascouche, un maire accusé, lui, de fraude. Mais en lui retirant notre appui politique, nous signifiions à Gérald que sa position était immensément précaire. Il a tiré la bonne conclusion, celle de se retirer. Dans mon commentaire le jour de sa démission, j'ai pris soin de préciser que je croyais en son intégrité personnelle et que je lui donnais le bénéfice du doute, mais qu'il n'avait plus la capacité politique de diriger la ville.

J'ai reçu l'appel d'élus importants de Montréal qui se demandaient s'il ne fallait pas mettre la Ville sous tutelle. Je répondais qu'au contraire il fallait faire fonctionner ses institutions. Michael Applebaum a alors surpris en proposant un gouvernement municipal de coalition, en annonçant qu'il ne se présenterait pas lui-même à la mairie aux élections à venir et en démissionnant du parti de Gérald Tremblay pour s'extraire de la logique partisane.

Si seulement il n'avait pas eu de squelettes immobiliers dans son placard! Lorsqu'il a été arrêté par l'Unité permanente anticorruption (UPAC), mon collègue Stéphane Bergeron, ministre de la Sécurité publique, fut informé à 6 h du matin et m'appela pour me relayer l'information.

C'était une tuile de plus. Mais Applebaum avait laissé derrière lui un gouvernement montréalais de coalition qui pourrait prendre le relais. L'institution démocratique municipale allait se montrer assez robuste pour traverser deux crises politiques en un an.

Le cas de Laval était plus épineux. La réputation sulfureuse du maire, Gilles Vaillancourt, les témoignages publics de deux élus — un bloquiste et un libéral — affirmant que celui-ci leur avait offert des enveloppes d'argent comptant, le fait qu'il n'y avait aucune opposition au conseil municipal et que la presse locale était moins importante qu'à Montréal, tout cela faisait de Laval une bombe à retardement.

Alors que j'acceptais de rencontrer les maires successifs de Montréal, je refusai toutes les demandes du maire Vaillancourt et de son successeur. Je voulais ne leur donner aucune légitimité politique. Je laissais les contacts se faire au niveau des fonctionnaires et des conseillers.

Le jour où Gilles Vaillancourt annonça sa décision, il m'appela. Me tutoyant gros comme le bras, il me fit la liste des dossiers lavallois qu'il avait à cœur. Puis, il me dit : « J'ai bien noté les bons mots que tu as eus pour Gérald quand il a démissionné. J'espère que tu feras de même avec moi. » Euh... non ! Vaillancourt allait bientôt être accusé de gangstérisme.

J'ai pensé assez tôt que, concernant Laval, la tutelle était la bonne solution. Avec Pauline et Sylvain, on décida plutôt d'adjoindre deux administrateurs pour aller voir ce qui s'y tramait. Puis, après la démission de Vaillancourt, la pression devint trop forte quand la commission Charbonneau a révélé que la plupart des conseillers municipaux avaient participé au système de prête-noms pour le financement illégal du parti du maire et présumé gangster. De plus, le DG de la ville et son adjoint venaient d'être évincés, ce qui décapitait l'administration municipale. Le nouveau maire demandant lui-même la tutelle, cette solution s'imposait.

La gestion des décès politiques municipaux était la facette la plus visible, mais non la seule, de notre action montréalaise.

Il fallait que je me plonge dans les dossiers pour en comprendre les lignes de force. Dès ma nomination, je me mis à faire une série de rencontres avec des acteurs montréalais de l'économie, de la culture, des groupes communautaires. Je réunis les anciens ministres de la Métropole, puis les chroniqueurs montréalais, pour les écouter. Des maires, des conseillers. J'ai dévoré le bouquin, tout juste publié, de Peter Trent, *La folie des grandeurs*, sur la saga des fusions et défusions. Le savoir encyclopédique d'André Lavallée, les cahiers de breffage des fonctionnaires, tout cela allait me permettre de faire une première synthèse. J'ai choisi de la présenter à des jeunes : ceux de la Jeune Chambre de commerce de Montréal et du Regroupement des jeunes chambres de commerce du Québec.

Pourquoi je suis montréalo-optimiste *(11 décembre 2012)*

C'est par choix que j'ai voulu prononcer devant la relève montréalaise mon premier discours en tant que ministre responsable de la Métropole. Nous sommes à un point critique de l'histoire de Montréal. Dans la vie d'une grande ville, ces points d'inflexion arrivent une fois par génération. Il est possible de mal capter les signaux, de rater le rendez-vous, d'avoir la tête ailleurs. Et alors la ville, cet organisme vivant, surnage jusqu'à l'occasion suivante, mais avec moins de force et de souffle.

Il nous échoit donc de bien saisir la situation qui se présente, de lire correctement la nature et l'ampleur des problèmes, mais aussi d'apercevoir les fenêtres ouvertes sur l'avenir et, parfois, s'il le faut, d'en percer de nouvelles.

Je veux définir trois termes.

Montréal. La relève. La volonté.

D'abord, Montréal. Il ne s'agit plus de la vieille ville, ni même de celle des Jeux olympiques, mais de la métropole. La Montréal qui émerge est celle des 82 municipalités de la Communauté métropolitaine. Tous ses résidants, sur l'île et aux confins de ses couronnes, n'en sont pas encore complètement conscients, mais la Montréal du début du XXIe siècle ne sera grande que si elle mobilise toutes les énergies de la métropole, que si elle agit comme une métropole, que si elle se projette comme une métropole.

Ensuite, la relève. Oui, la relève est composée des jeunes Montréalaises et Montréalais qui inventent, chaque jour, la nouvelle économie, la nouvelle culture, le nouvel environnement urbain, qui réinventent les quartiers, l'inclusion sociale, l'art de la table et la chirurgie à distance. Mais la relève, et la relève entrepreneuriale, est un état d'esprit et ne connaît pas de limite d'âge. Dans mes 100 premiers jours à titre de ministre, j'ai rencontré quelques centaines d'acteurs de la vie montréalaise. Peut-être les pessimistes m'ont-ils fait le plaisir de ne pas répondre à mes invitations, mais je peux rendre compte d'un trait distinctif : je n'ai certes pas rencontré que des Montréalais heureux, mais j'ai rencontré, partout, des Montréalais qui souhaitaient se mettre à la tâche et faire de Montréal une ville plus heureuse, une ville relevée, debout, qui marche.

La volonté, finalement. Dans l'histoire de la ville, il s'est trouvé un Jean Drapeau pour saisir l'instant et pousser Montréal bien plus loin qu'elle s'en croyait elle-même capable. Jean Drapeau, c'est un exercice de volonté politique pure. Une audace, une vision, ou plutôt des visions.

Cette volonté est-elle possible aujourd'hui ? Pas dans cette même incarnation. Drapeau, l'expo, le métro tous azimuts, comme les grandes erreurs qu'ont été la cicatrice autoroutière Ville-Marie ou un hyperstade qu'il nous incombe de réinventer, tout cela, le bon, le grandiose et le brutal, n'était possible que dans l'ère « d'avant ». Avant les déficits. Avant la consultation. Avant le pouvoir citoyen. Avant les arrondissements.

Montréal, comme les autres organismes démocratiques, doit certes faire preuve d'autant de volonté, sinon plus, qu'aux heures de Jean Drapeau. Mais cette volonté doit s'incarner différemment. Elle est, comme toujours, tributaire de la force de caractère d'individus. De leur engagement et de leur entêtement.

Mais elle ne peut plus être le fait d'un seul homme, ou d'un groupe restreint d'hommes et de femmes. La volonté politique est le carburant principal du changement. Elle doit exister en ce nouveau siècle en une multitude de lieux, en une multitude de personnes. Cela exige à la fois l'inventivité et le dialogue, l'audace et la concertation.

La métropole, aujourd'hui, a entamé ce virage. Chose impensable il y a 15 ans, tous les maires de la CMM ont élaboré, modifié, puis l'an dernier adopté, leur premier Plan d'aménagement et de développement durable. Pour la première fois, la métropole s'est dotée d'une vision intégrée de son développement urbain, agricole, industriel et écologique.

La concertation culturelle a enfanté le Quartier des spectacles et la Place des festivals. On se bouscule désormais pour se concerter, imaginer et proposer un Quartier de la santé, un Quartier de l'innovation (autour de l'École de technologie supérieure et de l'Université McGill), une cité des métiers, une régénération du Quartier latin, des installations olympiques, du parc Jean-Drapeau, de Griffintown, du quartier Bonaventure, et plein de quartiers de la culture locale vivante.

Nous ne sommes plus dans l'apprentissage de la volonté politique concertée. Nous sommes dans son application. Nous sommes, avec un tout petit peu d'efforts, à l'aube de son âge d'or. Toutes ces interminables réunions, ces litres, que dis-je : ces océans de café tiède sont en train de faire place à des réalisations.

Cela signifie-t-il que les élus doivent s'effacer ? Certes non. [...] Notre rôle est d'élaborer et de présenter à la population une idée de ce que Montréal peut et doit devenir dans un horizon de quelques années, de s'y accrocher avec énergie, et de franchir les obstacles qui nous en séparent. Cette idée est, bien sûr, nourrie par les projets qui poussent dans les têtes et les institutions montréalaises et elle doit être constamment ressourcée dans un processus permanent de consultations et d'échanges. [...]

Montréalo-réaliste

Pour être montréalo-optimiste, il faut d'abord être montréalo-réaliste.

Commençons par des évidences. Montréal souffre, depuis quelques années, de deux maux en « ion ». La corruption et la congestion.

La démonstration est maintenant faite : pendant une décennie au moins, au chapitre des travaux publics, Montréal fut une ville « fermée ». Fermée à la concurrence, donc fermée à la puissance créatrice du libre marché. Des crapules, des criminels, ont vampirisé une partie de ses budgets et de sa santé démocratique. Ils se sont infiltrés dans la fonction publique municipale et ont gangrené le financement de certains partis.

Voilà pour la mauvaise nouvelle. Et elle est très mauvaise. Mais n'est-il pas étonnant que Montréal — ayant, pour ainsi dire, ce sabot de Denver à une roue pendant tout ce temps — ait quand même réussi à traverser, mieux que toute autre en Amérique et en Europe, la crise économique des dernières années ? Imaginez l'énergie qu'il a fallu déployer pour avancer malgré ce boulet ! Imaginez ce que l'on pourra faire maintenant qu'on commence à s'en libérer.

Devant nous, en ce moment, grâce au travail policier et au travail de la commission, et, il faut bien le dire, grâce au travail des journalistes d'enquête, les crapules sont en train de tomber. En couleur et en direct. Et avec elles sont en train de se dissoudre des toiles d'influence et de magouilles construites au fil des ans. Et avec elles sont en train de tomber les coûts des travaux publics.

Vous êtes bien placés pour savoir que le libre marché a horreur du vide. La disparition d'entreprises impliquées dans les magouilles fera place à une nouvelle cuvée d'entrepreneurs en construction, un nouveau millésime. Et nous pourrons enfin tirer de l'industrie de la construction le potentiel d'innovation et d'exportation qui lui a fait défaut.

La vigilance est de mise et il ne faut pas croire que le travail est même à moitié réussi. La résilience des réseaux mafieux est légendaire. La criminalité est le côté obscur de la créativité. Comme New York nous l'a appris sous le maire Giuliani, le Québec doit toujours devoir compter sur une unité permanente de lutte contre la collusion et la corruption. Nous menons aujourd'hui la grande offensive. Nous devrons demain gagner aussi les batailles d'arrière-garde, empêcher que l'ennemi revienne de sa retraite stratégique, tuer dans l'œuf les résurgences.

Le projet de loi n° 1 constitue notre arme principale contre la corruption. Cette loi permettra de s'assurer de la probité des soumissionnaires, québécois ou étrangers. À la demande du nouveau maire de Montréal, nous avons apporté des amendements au projet de loi afin de valider rapidement la probité des entrepreneurs qui font principalement affaire avec la Ville. Les travaux pour l'instant suspendus ou reportés pourront être confiés à des entreprises intègres. [...]

Il faut envisager l'heure où notre action résolue contre la corruption n'aura pas seulement mis les fraudeurs hors jeu, mais nous aura donné un savoir-faire nouveau que l'on pourra exporter à l'étranger. Peut-être même à Toronto, si l'on en croit les premiers témoins experts entendus à la commission [qui affirment que la Ville reine souffre du même mal que Montréal, mais est encore en déni]. Il n'a jamais été démontré que Montréal était la ville la plus corrompue, car on n'a pas de points de comparaison valables. Mais il est à notre portée de démontrer que Montréal est la ville qui combat le mieux la corruption. Une ville qui a eu le courage de regarder sa vérité en face, de faire la lumière et de se relever. C'est de ce Montréal-là qu'il faut parler, demain, sur la planète.

La congestion. Je n'ai pas besoin de vous la décrire. Ni de vous dire ce qu'elle nous coûte sur le plan du développement économique ou en frustration. Nous savons qu'après-demain le nouvel échangeur Turcot et la future ligne bleue du métro, et peut-être d'autres prolongements, aideront à faire baisser cette pression.

Mais nous sommes dans l'urgence et nous voulons des résultats rapides et réels. Le train de l'Est, achevé à plus de 60 %, sera en exploitation en 2014.

Mon collègue des Transports, Sylvain Gaudreault, et moi avons multiplié les rencontres avec l'Agence métropolitaine des transports (AMT) et la Société des transports de Montréal (STM) pour donner un signal clair : nous souhaitons la mise en chantier rapide de plusieurs voies réservées de bus pour quadriller l'île et les couronnes. Je me suis engagé auprès de la STM à faire sauter les obstacles politiques qui pourraient entraver la réalisation de ces plans, depuis certains arrondissements jusqu'à Québec.

Avec mes collègues des Transports et de l'Environnement, j'examine les moyens d'augmenter le covoiturage, y compris dans les améliorations à apporter à Turcot. Notre pratique du covoiturage est très en retard par rapport à celle de plusieurs métropoles.

Les voies réservées et le covoiturage sont nos principaux et nos plus efficaces outils contre la congestion. Aujourd'hui, c'est l'exception ; demain, cela devra devenir la norme.

La démographie

Avant de parler d'économie, il faut parler de démographie. Comme toute grande métropole, Montréal est la ville des allées et venues. Sa population semble stable. Mais sur 10 ans, si un tiers de million de personnes viennent s'y établir, il y en a autant qui la quittent. Montréal est à la fois le lieu où on prend l'ascenseur du savoir et de la mobilité sociale, et le lieu où on installe sa misère et son désespoir.

La métropole sera forte si la Ville de Montréal et l'île de Montréal réussissent à infléchir les forces démographiques pour en tirer une meilleure vitalité.

Certes, Montréal ne retiendra jamais tous ceux qui sont venus ici pour obtenir leur diplôme et leur premier emploi, pour ensuite aller s'installer ailleurs. C'est sa fonction. Mais elle peut et doit en retenir bien davantage. Et la clé réside dans le maintien des familles. Chaque année, 20 000 enfants de 0 à 15 ans traversent les ponts pour s'établir ailleurs. On peut penser qu'ils accompagnent leurs parents, qui ont gravi l'échelle sociale et économique et sont prêts à investir, ailleurs, les économies accumulées sur l'île. Et investir, ailleurs, une partie du savoir acquis sur l'île. Comme la majorité de ces parents sont francophones, leur départ participe à la marginalisation de la population francophone de l'île. Il est impératif d'en retenir un plus grand nombre.

Nous savons que le Québec est le paradis nord-américain des familles. C'est vrai grâce à la fiscalité, à des garderies abordables, à des congés parentaux généreux, à une grande sécurité, à laquelle il faut ajouter ce cadeau saisonnier qu'est la neige. La neige gratuite. Les couronnes sont le paradis des familles, pour des raisons d'espace et de coût d'habitation.

Notre défi est de faire de l'île un paradis urbain des familles. J'ai mis sur pied le comité de pilotage Montréal = Famille, qui me rendra un premier jet de propositions pour au moins permettre aux familles qui désirent rester dans l'île, même en payant un peu plus cher, de trouver l'offre de logement qui répond à leurs besoins.

Il faudra ensuite trouver les moyens, y compris financiers, de réduire l'écart de coût entre la ville et la couronne, pour élargir le réservoir de familles maintenues ici. Et attirer celles qui ont goûté à la vie de banlieue, mais aimeraient éviter, pour les 10 années à venir, les engorgements promis par la reconstruction du pont Champlain. Cela passe par des programmes ciblés d'aide à l'habitation. [...]

Être montréalo-réaliste, c'est voir aussi, toutes visières levées, la réalité de la pauvreté et de la détresse. Les enfants qui arrivent au primaire sans avoir acquis les cinq habiletés nécessaires à la réussite ; les décrocheurs scolaires ; les étudiants des cycles supérieurs qui quittent leur établissement d'enseignement sans être diplômés ; les diplômés qui ne se trouvent pas d'emploi ; les immigrants qui ratent leur intégration ; les chômeurs de longue date et les autres qui n'arrivent pas à leur plein épanouissement, qui s'installent dans diverses formes de dépendance, dans l'itinérance.

Ces groupes sont les captifs de Montréal. Ce serait utopique de croire que Montréal peut atteindre son plein potentiel en laissant derrière un demi-million d'éclopés de la métropole. Et s'il est vrai que la pauvreté coûte en soins de santé et en perte de productivité 14 milliards de dollars par an au Québec, cela représente le tiers, donc près de cinq milliards par an à Montréal. On n'a tout simplement pas les moyens d'avoir autant de pauvres.

Être montréalo-optimiste, sur cette question, c'est être conscient que la diversité de cette misère, concentrée sur un territoire bien circonscrit, rend possibles davantage d'initiatives que celles qui ont cours présentement. C'est savoir qu'avec un peu de volonté, de budgets, et le concours de la Direction de la santé publique de Montréal, la plupart de ces situations sont réversibles.

Pour plusieurs itinérants, il n'y a qu'un logement (et parfois un bon accompagnement médical et social) qui les sépare du travail et de la vie des Montréalais malchanceux.

Pour bon nombre de raccrocheurs, quelques mois de formation suffisent parfois. Dans ma circonscription de Rosemont, la liste d'attente des raccrocheurs potentiels dans une entreprise comme Insertech atteint plusieurs centaines de noms. Vous m'avez entendu, les raccrocheurs attendent la chance de raccrocher. Il faut mettre autant sinon plus d'efforts à réduire ces attentes vers le succès que celles vers une intervention chirurgicale.

Inexplicablement, les zones les plus pauvres de Montréal comptent moins de places en garderie que celles qui sont plus aisées. L'achèvement du plan de développement des garderies à bas prix éliminera cet écart. De même, l'introduction de la maternelle à quatre ans dans les zones défavorisées donnera un coup de pouce de plus à la réussite des bambins qui en ont le plus besoin.

La nouvelle Charte de la langue française participera aussi au recul de la pauvreté à Montréal. Cela vous étonne? Une partie de l'échec de l'intégration de certains immigrants tient à la faiblesse des mesures d'accompagnement à la réussite et à leur connaissance insuffisante du français.

Le travail entamé sur la reconnaissance mutuelle des diplômes avec la France doit maintenant se poursuivre avec d'autres pays, en particulier en Europe et au Maghreb. Il est bien de pouvoir parler architecture, ingénierie et médecine avec son chauffeur de taxi, mais il serait préférable que chacun puisse donner sa pleine mesure à la société d'accueil.

Et pour ceux qui sont déjà au Québec, nous créons, dans la Charte des droits et libertés, un droit à obtenir des services de francisation et d'intégration. Ce droit, nous allons le mettre en pratique. Il est intolérable que le taux de chômage des jeunes immigrants soit aussi élevé. Intolérable et incompréhensible que ce soit le cas, y compris pour ceux qui, venus d'Afrique du Nord par exemple, sont francophones.

Tout ce travail sera facilité par une augmentation de l'emploi sous toutes ses formes et par une montée générale de l'entrepreneuriat. Les travaux entourant la réindustrialisation de l'est de Montréal sont essentiels, comme l'émergence des grappes industrielles. L'économie sociale irrigue la ville d'emplois et de capital social. Une nouvelle loi-cadre sur l'économie sociale permettra de lui donner des ailes, de lui faire faire, j'espère, un bond qualitatif qui en fera un élément essentiel de notre qualité de vie.

Le gouvernement du Parti québécois veut donc voir grand et miser sur les Montréalais eux-mêmes. En gardant davantage ceux qui sont venus y réussir leur vie, en assurant davantage la réussite de tous les autres. Et en faisant de Montréal un pôle d'attraction pour les talents de partout. [...]

Le calendrier

Le calendrier fait parfois bien les choses. Il nous a donné une date: 2017. On dit beaucoup, et c'est vrai, que c'est le 375e anniversaire de fondation de la ville. Mais j'ai un faible pour 2017 en raison d'un autre anniversaire: le 50e anniversaire d'Expo 67. Pour moi, c'est beaucoup plus évocateur.

Vrai, Maisonneuve et Jeanne-Mance ont mis au monde Montréal il y a bientôt 375 ans. Mais les Montréalais *se sont* mis au monde il y a bientôt 50 ans. Ils se sont transformés, se sont équipés. Ils ont fait un effort gigantesque d'imagination, de construction, de dépassement. Que Charles de Gaulle ait choisi ce moment pour annoncer que le Québec pouvait être libre n'est peut-être pas étranger à mon attachement pour cet inoubliable été. Mais pas seulement.

Le monde entier est venu voir ce que les Montréalais avaient réalisé. Et le monde entier fut étonné de la créativité des pavillons thématiques, des îles réinventées, de la biosphère, du monorail, du tout nouveau métro. Dans leurs propres pavillons, les nations invitées se montraient sous leur jour le plus moderne. Mais ils arrivaient à peine à rivaliser avec la modernité que Montréal leur jetait aux yeux.

À un demi-siècle de distance, Expo 67 nous envoie un défi. Montréal 2017 pourra-t-elle épater autant que Montréal 1967? Nous épater, nous, et épater le monde? Je crois que oui. Je crois que tous les ingrédients sont réunis. Que la volonté politique diffuse chez les acteurs de Montréal est palpable. Que les sabots de Denver de la corruption et de la congestion seront bientôt hors d'usage. Que la créativité culturelle, scientifique et économique est en train de se combiner en un cocktail surprenant. [...]

Nous avons une tâche, à partir de ce moment, c'est de mobiliser tous les Montréalais, ceux de la ville, de l'île, eh oui, absolument, de l'ensemble de la Communauté métropolitaine, pour relever ce défi. Cela commence aujourd'hui.

Merci.

○ ○ ○

CHAPITRE 6

Devenir député

Je prends les choses à rebours. J'aurais dû commencer par là. Député avant ministre. En fait, on est député deux fois. Une fois dans sa circonscription. Une fois à Québec. Ce sont deux tâches distinctes.

Dans mon « Journal du député », j'aborde l'une et l'autre.

Pourquoi j'ai des papillons (28 novembre 2012)
Je l'avoue, je suis fébrile. J'ai des papillons dans l'estomac. J'ai une impression de rentrée scolaire. Mardi, je serai assis dans le Salon bleu. Je suis ministre depuis un mois. Je me sais député depuis le 4 septembre, car je suis régulièrement dans les rues de ma circonscription (j'y distribuais des bonbons samedi dernier à la Massonloween !).

Mais j'ai l'impression que ce ne sera vraiment vrai que mardi. Encore plus mercredi, au moment du discours d'ouverture de la session. C'est le lieu qui importe.

J'y suis souvent allé. Dans les gradins, comme étudiant, en 1973, pour voir Robert Burns poser des questions à Robert Bourassa. Chacun déplorait, déjà, l'acrimonie ambiante.

J'y suis parfois retourné comme journaliste. Puis, comme conseiller, j'étais souvent derrière la grande porte à remettre aux pages des petits bouts de papier pour donner un chiffre ou un argument au premier ministre entre la première question posée par le chef de l'opposition et la première ou deuxième question complémentaire. (C'était avant les gadgets électroniques.)

Mais assis sur un des sièges ? Appuyé sur la légitimité démocratique d'un vote populaire ? Investi du devoir de légiférer pour le bien commun ? Jamais.

Faire face, de l'autre côté d'une zone vide beaucoup plus étroite qu'il n'y paraît, à d'autres élus qui ont comme objectif premier de vous faire trébucher pour vous remplacer? Et qui auront le pouvoir, dans les «motions de l'opposition» du mercredi, de faire tomber le gouvernement? Jamais.

La fébrilité est donc double. La responsabilité. L'affrontement. Les papillons dans mon estomac viennent de là. Il y en a des blancs. Il y en a des noirs.

Des cours de député

D'autant que nous avons eu, jeudi et vendredi derniers, à Drummondville, au caucus péquiste, nos «cours de député». Les petits nouveaux, comme moi et bien d'autres, avions droit à un atelier de comportement et stratégie parlementaire, donné de main de maître par Stéphane Bédard, député de Chicoutimi et leader parlementaire.

C'était étrange pour nous qui l'avions vu, au petit écran, vilipender les libéraux pendant des années, de l'entendre prôner la retenue, le calme, les réponses claires et courtes aux questions de l'opposition, la civilité, le respect.

«J'ai aussi un côté plus agressif», s'est-il senti forcé de nous dire (on le savait, Stéphane!). Mais il est vrai que le passage de l'opposition au pouvoir provoque un total changement de perspective. Le poids des mots. L'intérêt collectif. Le besoin de cohésion. (Quoiqu'on ait beaucoup parlé des votes libres, avec davantage de latitude que je ne l'aurais cru.)

Il y a plus. Chacun croit, dans notre famille politique, que la savante agressivité de Jean Charest a entraîné tout le débat parlementaire dans une spirale descendante ces dernières années. Il y aura probablement du Jean Charest dans les questions du leader libéral Jean-Marc Fournier, qui est de cette école (celle des Pierre Paradis et Thomas Mulcair d'antan — «Avec eux, c'était sans foi ni loi», me confiait une de leurs anciennes collègues libérales, encore outrée).

Mais il nous incombera, et au premier chef à la première ministre, d'imposer un autre ton, une autre dynamique. Nous nous y emploierons. Réussirons-nous?

La défense Céline Dion

Dans nos «cours de député», il y avait deux ateliers sur l'éthique. Un, en plénière, avec le Commissaire à l'éthique et à la déontologie. Quels cadeaux peut-on accepter, comment les évaluer, à qui les déclarer? Tout est prévu.

Étrange, aucun de mes collègues ne s'est enquis de la validité de la « défense Céline Dion ». (Si un entrepreneur ou un cabinet d'ingénieurs vous offre des billets dans sa loge au Centre Bell, pouvez-vous accepter en disant, comme l'a fait un jour la ministre libérale Nathalie Normandeau : « C'est Céline Dion, quand même ! » ?) Tous semblent avoir compris que, si on veut voir Céline, il faut acheter ses propres billets (ou être invités par Céline elle-même !). [...]

Nous n'avons pas fini d'apprendre. Mardi, après l'élection du président de l'Assemblée, nous aurons un cours de « répondage » aux questions. Bédard et son équipe sortiront leurs crocs pour nous en poser des « maudites bonnes ».

Je suis rompu à la technique de prévoir les questions de l'opposition. J'en écrivais pour les premiers ministres Parizeau et Bouchard, les plus dures possible, car il était important que rien, sur le fond et sur la forme, ne les désarçonne une fois dans l'arène. (Nous tenions d'ailleurs précieusement nos dossiers de questions, de peur qu'ils ne tombent entre les mains de l'opposition, qui était parfois — pas toujours — moins féroce que nous ne l'avions nous-mêmes imaginé.)

Savoir inventer des questions et suggérer des réponses est une chose. Savoir les poser soi-même en est une autre. Savoir y répondre, une autre encore.

Et le pire, évidemment, est d'être constamment prêt à répondre aux questions, et de ne s'en voir poser aucune pendant plusieurs jours. Comme si on était « benché », non par son propre chef, mais par l'autre équipe.

Si cela arrive, je serai peut-être tenté de laisser traîner quelques questions dures qu'auront imaginées pour moi les conseillers. Ou de les télécopier directement à mes vis-à-vis de l'opposition.

S'ils ne m'en posent toujours pas, je les soudoierai en demandant à Céline de les inviter à un de ses spectacles, mais seulement s'ils me posent des questions...

Les vendredis de circonscription (24 mars 2013)

Il est de coutume pour les députés de tenir le lundi leur « journée de comté ». Je m'y suis essayé, au début, mais j'ai préféré choisir le vendredi. Je me sentais trop préoccupé, le lundi, par les tâches ministérielles que je devais accomplir dans la semaine et ne me sentais pas suffisamment concentré sur mon travail de circonscription.

Une fois ces tâches accomplies pour l'essentiel, je peux, il me semble, davantage me consacrer aux Rosemontois et à des dossiers locaux. C'est mon dessert de la semaine.

Vendredi de cette semaine, par exemple, a commencé par la visite de l'école secondaire publique Joseph-François-Perrault, célèbre pour sa capacité de produire de jeunes musiciens, des virtuoses (l'école a une page complète de ses anciens devenus membres d'orchestres symphoniques, de Trois-Rivières jusqu'à Milan), ou plus simplement des amants de la musique pour la vie.

L'école, très populaire et au taux de décrochage parmi les plus faibles, collabore avec l'Orchestre Métropolitain, et Yannick Nézet-Séguin a dirigé les finissants à la Maison symphonique.

Éric Dionne, le directeur, m'explique que Joseph-François-Perrault tente depuis des années de doter l'établissement d'une salle de concert adéquate. Le projet est accepté, les sommes étaient même trouvées, avant que la moisissure, qui a envahi une partie du parc immobilier scolaire de Montréal, détourne les budgets vers des fins plus urgentes. L'école craint maintenant que certains de ses futurs élèves ne se dirigent plutôt vers des écoles privées. Elles sont mieux équipées, mais moins à même de faire profiter de cet enseignement les enfants de tous les milieux, qui bénéficient du creuset de l'école publique.

L'école a une fondation et cherche des solutions. Je me suis enrôlé dans cette cause.

Au bureau

Ensuite, bref arrêt à mon bureau de circonscription pour rencontrer le directeur d'une troupe de danse, qui connaît des problèmes de financement et pourrait devoir fermer ses portes sous peu. On discute, on prend des notes, on examine les recours, on fera des suivis.

Mon adjointe de circonscription, Véronique Bergeron, et son efficace adjointe, Noémie, font ensuite avec moi le tour d'un certain nombre de cas particulièrement épineux concernant les résidants, qui demandent un suivi avec tel cabinet, un renvoi à tel collègue, une réponse personnelle du député.

On passe en revue les demandes d'aide financière — députés et ministres ont une petite caisse discrétionnaire — et, pour les cas particulièrement nécessiteux, il arrive qu'on sollicite des collègues ministres pour qu'ils fassent leur propre effort, surtout si la cause couvre aussi des résidants de leurs circonscriptions.

DES GROUPES D'INTERVENTION

À midi, on se déplace au Carrefour communautaire de Rosemont l'Entre-Gens, où nous attend un buffet de BIS Traiteur, qui fait l'insertion de jeunes décrocheurs dans le quartier... et d'excellentes salades.

Il y a une dizaine d'invités, représentant chacun un groupe d'intervention sociale, pour briser l'isolement des femmes dans Verdun, promouvoir l'apprentissage d'Internet dans toute l'île, assurer le transfert de connaissances de l'université vers les intervenants sociaux, accueillir des femmes itinérantes en grand besoin d'aide ou remettre des jeunes de la rue sur le bon chemin.

Ils sont là parce que les ministres régionaux, comme moi, sont informés par la première ministre des sommes discrétionnaires qu'elle choisit de verser. Plutôt que de leur envoyer froidement le chèque par la poste, je préfère les inviter à partager le repas, prendre connaissance de leurs actions, de leurs succès et de leurs défis. Cela permet parfois à ces gens de se connaître entre eux et de tisser des liens. Cela permet aussi au ministre de Montréal de rester constamment en contact avec ceux qui travaillent au quotidien à améliorer le sort des plus démunis sur tout le territoire de l'île, en plus de bien connaître les organismes sociaux de ma propre circonscription.

On passe une heure et demie ensemble. C'est trop court.

[Ajout: cela deviendra une habitude. Un vendredi matin par mois, je réunirai de 15 à 20 groupes communautaires pour les entendre et les épauler au besoin. Au total, sur 18 mois, j'en verrai quelques centaines — ils sont 4 000 dans l'ensemble du Québec. Leur défi, toujours, est de s'assurer un financement stable. C'est pourquoi les négociations engagées par Véronique Hivon sur le rehaussement de leur financement de base étaient si importantes. Notre décision, à l'automne 2013, d'augmenter de 54 millions par an leur financement, d'assurer une retraite et des avantages sociaux à leur personnel et de les épauler dans l'achat de leurs locaux a été accueillie avec un grand soulagement. La décision des libéraux d'annuler cette mesure est dramatique.]

À la commission scolaire

Le président de la commission scolaire de Montréal, Daniel Duranleau, et ses adjoints m'attendent pour une rencontre prévue de longue date. Ma collègue Marie Malavoy, de l'Éducation, suit de près ce dossier, mais je veux qu'on m'explique les yeux dans les yeux ce qui se passe, ce qui est prévu.

Le vieillissement du parc d'écoles de l'île est de toute évidence un problème sérieux. On me montre graphiques et tableaux sur ce qui est préoccupant, urgent ou très urgent. Dans certains cas, il n'y a rien à faire. Mieux vaut démolir et construire du neuf.

L'équipe de Duranleau se trouve devant une lourde tâche et, chacun le sait bien, les moyens ne sont pas illimités. Mais loin d'être abattus, tous tentent d'innover, d'utiliser le fait que certaines écoles vétustes se trouvent sur des terrains de grande valeur pour imaginer des transactions qui dégageraient des marges, permettant ici de rénover, là de construire, là encore d'accompagner l'aménagement des nouveaux quartiers : Griffintown, et le secteur de l'ancien hippodrome, dans l'arrondissement de Côte-des-Neiges–Notre-Dame-de-Grâce.

Je voulais discuter de la salle de concert de Joseph-François-Perrault. Ils l'avaient mise à l'ordre du jour. Cela fait partie de leurs cas prioritaires, mais désargentés. On réfléchit ensemble. Ils ont quelques idées. Je leur offre mon aide. On peut imaginer une démarche.

On discute aussi du projet d'école secondaire d'horticulture, sur les terrains du Jardin botanique, qui pourrait accompagner l'extraordinaire essor de l'agriculture urbaine que connaît l'île depuis quelques années. Du projet, aussi, de transfert aux groupes communautaires d'une école inutilisée dans la partie est de Rosemont.

Les nids-de-poule

Entre deux rencontres — la voiture étant un bureau roulant —, on me met à jour sur le problème éthique qui assaille les élus montréalais. Il faut réparer les nids-de-poule, qui, telle une pandémie annuelle, contaminent chaque rue de la ville chaque printemps.

Mais la plupart des entreprises soumissionnaires ont eu leur nom maintes fois associé à des pratiques douteuses. Faut-il leur envoyer encore un chèque ou, au nom de l'éthique politique, garder ses mains propres mais ses rues trouées ?

Depuis notre arrivée au pouvoir, nous avons toujours affirmé que les réparations d'urgence devaient être effectuées. La sécurité de la population est la première préoccupation. Les entreprises coupables de fraude finiront bien par affronter les policiers, les juges et la justice. Pas la peine de massacrer nos essieux en plus !

On parle aussi d'une grande annonce qu'on prépare pour lundi, dans le domaine des transports, à Montréal. Et il faut que je passe chercher du pain, du lait, des céréales et le DVD des *Misérables,* qui vient de sortir et que je veux faire voir à mes enfants. (Un chef-d'œuvre. Ayez des mouchoirs à votre disposition.)

Une ligne bleue pour le dé-centre-ville

Dernier arrêt : le Théâtre Aux Écuries, tout beau, tout agrandi, tout neuf, lieu de rencontre de plusieurs troupes émergentes. La directrice, Mayi-Eder Inchauspé, me conduit dans la visite, y compris de la Loge capitaliste, avec les pièces individuelles de stars, et de la Loge communiste, où chacun a une place égale.

Ensuite, on me met à jour sur une formidable idée : la Ligne Bleue.

Pas le projet de prolongement de la ligne bleue vers l'est de l'île (on y travaille), mais l'apparition d'un concept : mettre en valeur les lieux de théâtre, de cinéma, d'exposition, mais aussi les restos et les commerces qui jalonnent la ligne bleue du métro, qui traverse des quartiers résidentiels où les habitants ne soupçonnent pas la richesse de l'offre qui les attend, à quelques stations à peine.

L'heure tourne. Bientôt 17 h 30. Encore quelques appels dans l'auto, quelques dossiers à lire, lettres à signer, courriels à prendre et réponses à rédiger. Et qu'est-ce qu'on va manger ? Qu'est-ce qui va avec *Les misérables* ? Cosette aime-t-elle la pizza ?

Les journées portes ouvertes (4 septembre 2013)

Mardi, une journée portes ouvertes sans rendez-vous, 43 électeurs de Rosemont sont passés me voir pour me soumettre un problème, une idée, une revendication.

Presque chaque fois, avec mes deux efficaces adjointes de bureau, le député pouvait donner une réponse, assurer un suivi, éclairer un point obscur, trouver l'information recherchée ou, quelquefois, engager le débat sur telle ou telle orientation.

Il y a maintenant un an que j'ai été élu. En 365 jours et dans les innombrables rencontres effectuées dans Rosemont, j'ai découvert cet aspect de la politique que je connaissais trop peu : la proximité du député avec la vie réelle, les problèmes quotidiens de ses électeurs. Aussi et surtout : sa capacité d'aider. Chaque semaine, les « cas de comté » sont autant de coups de pouce donnés à des personnes dont les problèmes semblent insolubles, qui ne se retrouvent plus dans les dédales administratifs, qui ne savent pas vers qui se tourner.

Les réponses sont parfois simples. Les liens du bureau du député avec l'extraordinaire réseau communautaire de Rosemont permettent de diriger rapidement les gens vers la bonne personne, la bonne ressource.

Les « cas de comté »

Certains cas ne nécessitent qu'un coup de téléphone. D'autres, une modification administrative, car telle réforme sur le point d'entrer en vigueur avait un effet secondaire indésirable sur le chèque de telle catégorie de personnes âgées (il s'agissait d'un cas touchant les ministères de la Santé et du Revenu, sur lequel on a travaillé de longs mois, et dont j'ai pu annoncer le règlement à un groupe d'aînés ravis aux Habitations Nouvelles Avenues).

Puis, il y a les dossiers de circonscription qui demandent des décisions gouvernementales. Premier sur ma liste : les salles de dialyse de l'hôpital Maisonneuve-Rosemont, dans des locaux inadaptés, que j'avais visitées dès mon élection. Annoncer, en mai dernier, avec Réjean Hébert, devant des patients et les administrateurs, médecins et infirmières, que les fonds avaient été débloqués pour construire un bâtiment tout neuf pour la dialyse fut un moment important.

Sauver d'une fermeture imminente la Maison Haidar du Projet Refuge (qui accueille des réfugiés) grâce à un montage financier d'urgence est aussi un signe tangible d'action qui a un effet immédiat sur des vies.

Accompagner la croissance des entreprises d'économie sociale du quartier — Insertech, Pousses urbaines et plusieurs autres — en leur ouvrant des portes, en ménageant des rencontres pour lever des obstacles administratifs ou réglementaires et appuyer leurs campagnes de financement, puis constater, un an plus tard, les progrès réalisés, c'est simplement formidable.

Mon expérience politique antérieure était de travailler d'en haut, au bureau de deux premiers ministres. Mon travail de député m'emmène à la réalité du sol, à hauteur d'hommes (et de femmes). Dès mon élection, j'ai insisté pour asseoir autour d'une même table les élus municipaux, québécois et fédéraux qui représentent le quartier. S'en sont suivis une collaboration heureuse et un échange d'information constant dans plusieurs dossiers.

J'ai aussi respecté une tradition inaugurée par l'ancienne députée péquiste Rita Dionne-Marsolais, puis reprise par Louise Beaudoin: la soirée des bénévoles. Chaque année, le député invite à souper tous ceux qui donnent de leur temps et de leur énergie dans les organismes caritatifs de la circonscription et décerne des prix à ceux qui se sont illustrés pendant l'année écoulée. Il y a beaucoup d'ambiance, beaucoup de fous rires, beaucoup de chaleur humaine. Se trouvent là rassemblés des générateurs de qualité de vie. Des distributeurs de petits bonheurs.

De quoi nous parle la population?

Mais je vous ai promis précédemment de vous reparler de ma journée citoyenne. Alors de quoi parlent les gens au bureau du député?

En vrac:
• Une travailleuse sociale malentendante, au statut précaire, veut savoir pourquoi on ne lui rembourse qu'une prothèse auditive sur deux lorsqu'elle est entre deux contrats (bonne question, j'attends la réponse).
• La responsable d'un organisme communautaire d'aide aux devoirs, notamment pour les Québécois d'origine étrangère, demande s'il existe un programme de soutien pour pérenniser son action.
• Une résidante récemment arrivée de Laval m'informe qu'elle a fait une entente de paiement de dettes avec Hydro-Québec à son ancienne adresse, mais n'arrive pas à la faire transférer à sa nouvelle. (Un cas très instructif. Elle n'a pas Internet, donc, va à la bibliothèque pour voir son compte en ligne. Mais la bibliothèque vient de modifier ses ordinateurs pour qu'on ne puisse plus ouvrir de fichiers PDF, sur lesquels s'affichent les factures!)
• Le Comité logement Rosemont veut connaître les orientations du gouvernement en matière de logement social.

• Une Rosemontoise anglophone vient faire autographier son exemplaire d'*In the Eye of the Eagle* (traduction de mon premier livre, *Dans l'œil de l'aigle — Washington face au Québec*).

• Une éducatrice en maternelle quatre ans vient offrir de témoigner sur l'utilité de cette mesure et se renseigne sur les étapes de mise sur pied des futures maternelles.

• Trois résidants viennent expressément pour me dire de « ne pas lâcher » à propos de la Charte des valeurs. Mais un prêtre vient déposer sa contribution : une liste de « valeurs québécoises » au sens large, incluant la spiritualité. Il promet de mettre Bernard Drainville et moi dans ses prières à sa messe du soir.

• Un jeune couple cherche une place en garderie et s'informe sur le remboursement anticipé du crédit d'impôt pour frais de garde.

• Deux retraités avec des CV longs comme le bras veulent offrir leurs services pour siéger à des conseils d'administration.

• Les représentants de l'École d'enseignement supérieur de naturopathie, située dans la circonscription, viennent m'informer de leur démarche pour faire reconnaître leur établissement par le ministère de l'Éducation.

• Un retraité qui a consacré sa vie à la formation professionnelle vient me présenter son autobiographie, avec recommandations à la clé pour améliorer la qualité de la formation et la compétence des travailleurs.

• Un professeur m'explique comment utiliser les gains de Loto-Québec pour financer la gratuité scolaire.

• Les représentants de la Société d'histoire de Rosemont–Petite-Patrie me font savoir que la Fédération des sociétés d'histoire du Québec veut participer aux nouveaux programmes d'histoire nationale et faire des présentations d'histoire locale auprès des plus jeunes.

Mais le clou de ma journée fut cet homme de 53 ans, apte au travail mais prestataire de l'aide sociale depuis trois ans, qui voulait savoir quand on allait introduire le revenu minimum garanti pour augmenter son revenu. Je lui ai dit que ce n'était pas demain la veille et l'ai convaincu, après 10 minutes, de se présenter à son centre local d'emploi pour se trouver du travail.

Lui, il a fait ma journée. J'espère que j'ai fait la sienne...

○ ○ ○

CHAPITRE 7

Tintin et Pauline au Congo

J'étais certain d'avoir vérifié. Certain. Je ne l'aurais jamais fait sinon. Mais avais-je rêvé ? Je me revois pourtant, dans la voiture, à la nuit tombée, demander à un adjoint de bien vérifier avec le Bureau de la première ministre. Je réentends, quelques jours plus tard, l'adjoint me dire que le Bureau de la PM a confirmé.

« T'es fou d'avoir mis Pauline devant le fait accompli », m'apostropha son attachée de presse, Marie Barrette, sur le ton de franchise qui est le nôtre depuis qu'elle a fait son entrée au cabinet Parizeau, en 1994. Quoi ? Fait accompli ? Moi ?

La chose était sur notre table de travail dès notre arrivée en poste : le Sommet de la Francophonie à Kinshasa, en République démocratique du Congo (RDC). Démocratique, c'est vite dit. Entre le moment où la Francophonie avait choisi la RDC pour accueillir le Sommet et le moment de sa tenue, en octobre 2012, il y avait eu une élection présidentielle truquée, des arrestations, des violations des droits de la personne.

Le président François Hollande avait d'ailleurs laissé planer le doute sur sa volonté de participer au Sommet et exigeait du président-non-correctement-élu Joseph Kabila qu'il adopte des lois afin d'assurer le processus démocratique pour la suite. Kabila laissait traîner les choses.

J'avais déjà joué dans le film de la lente progression de la Francophonie vers des normes démocratiques plus fermes. Conseiller de Lucien Bouchard, j'avais écrit avec lui, pour le Sommet de Hanoï, en 1997, des propositions de renforcement des sanctions envers les pays membres qui effectuaient des reculs sur le plan démocratique. Ces propositions avaient été mal reçues par le président de la France, Jacques Chirac, et le premier ministre du Canada, Jean Chrétien. Puis, elles furent pour l'essentiel adoptées, avec notre appui, au Sommet suivant, à Moncton, en 1999.

Il faut le savoir, le Québec est la quatrième puissance en importance dans le club des 70 membres de la Francophonie. Par son apport budgétaire, sa présence dans les structures, son activisme dans les réformes. Ses faits et gestes sont scrutés à la loupe.

Évidemment, lorsqu'on va à un sommet, on rencontre tout le monde. Et, par définition, les représentants du pays organisateur du Sommet. Avant notre arrivée, les excellents fonctionnaires des Relations internationales (MRI) avaient pris des dispositions pour que la première ministre et moi ayons les rencontres de haut niveau habituelles.

Lorsqu'on me présenta la liste des rencontres prévues, j'ai évidemment tiqué sur le nom de celui qui nous accueillerait, Joseph Kabila. Allions-nous rencontrer l'homme qui avait volé l'élection ? Allions-nous lui donner, par notre présence, une quelconque légitimité ?

A contrario, ne pas le rencontrer constituerait un affront visible. Un précédent. Il me semblait que, en démocrates conséquents, c'est le précédent qu'il fallait établir. Notre signal démocratique serait celui-là : on ne verrait pas Kabila. On verrait des ONG, des membres de l'opposition, mais pas l'homme par qui la dictature est arrivée.

Je suis certain d'avoir vérifié, et certain de m'être fait dire oui. À tort.

Lors des Sommets de la Francophonie, on commence par la rencontre des ministres. Puis, les chefs d'État et de gouvernement suivent. Les journalistes québécois étant arrivés avant la première ministre, ils m'ont posé la question prévisible : ne cautionnez-vous pas un régime antidémocratique en rencontrant le président Kabila ?

En voilà une bonne question. J'avais ma réponse. Et en débarquant de l'avion, Pauline a pu lire en ligne la dépêche de Tommy Chouinard, de *La Presse* :

FRANCOPHONIE : MAROIS ET LISÉE REFUSENT DE RENCONTRER KABILA

(KINSHASA, République démocratique du Congo) Le gouvernement Marois refuse de rencontrer l'hôte du 14e Sommet de la Francophonie, le président de la République démocratique du Congo (RDC), Joseph Kabila, qui a un sombre bilan en matière de droits de l'homme. Il veut plutôt « donner un élan » à l'opposition et aux organisations non gouvernementales (ONG) afin de favoriser le « retour à la démocratie ».

Lors d'un point de presse à Kinshasa jeudi, le ministre des Relations internationales, Jean-François Lisée, a reconnu que le lieu du sommet est «problématique». Comme il l'a rappelé, Joseph Kabila a été réélu l'an dernier à la suite d'un scrutin «truffé d'irrégularités».

«Que personne ne se méprenne sur le sens de notre présence ici. On n'est pas là pour légitimer la dernière élection présidentielle, mais pour accompagner la société congolaise vers plus de démocratie», a affirmé Jean-François Lisée.

Certes, la «capacité d'intervention» du Québec est limitée. «Mais sur le discours diplomatique, on est assez raide, assez clair», a-t-il indiqué.

La première ministre Pauline Marois, qui doit arriver à Kinshasa ce soir, rencontrera des représentants de l'opposition et des ONG, mais pas Joseph Kabila. «C'est un choix. On va être poli, civil. On va le croiser, et on remercie le gouvernement de la RDC pour l'organisation du Sommet, mais le signal qu'on veut envoyer, c'est un retour à la démocratie», a dit M. Lisée. Il rencontrera le ministre des Affaires étrangères de la RDC, avec qui il assure qu'il tiendra les mêmes propos que devant les caméras.

Dans un discours devant la Conférence ministérielle de la francophonie, M. Lisée a affirmé que «la barbarie n'a cessé de progresser» dans les dernières années. «La Francophonie, rassemblée en Afrique centrale, doit apporter sa voix à ce combat en faveur des droits de la personne. Face à leurs violations répétées, ne jamais baisser les bras. Ne jamais se résoudre au silence ou à l'impuissance», a-t-il dit. Selon lui, la déclaration de clôture du Sommet sera ferme au sujet du respect des droits de la personne.

~~~~~~~~~~

Dans les discussions au cellulaire entre l'équipe accompagnant Pauline et mes adjoints, j'ai senti comme un léger flottement. Un peu de surprise. Un peu de friture sur la ligne. Avait-on imaginé que cette annonce passerait inaperçue?

J'attendais, un peu fébrile, l'arrivée de la voiture de la première ministre. Les projecteurs des caméras de télé éclairaient cette arrivée, en face du petit hôtel que nous avions choisi pour le Sommet.

Je décidai d'aller au-devant des coups, s'il devait y en avoir. J'étais devant la portière de Pauline lors de son arrivée. Elle sortit, m'embrassa, et me dit: «Tes déclarations, c'est parfait!»

Puis, elle alla le répéter aux journalistes. Nous étions en symbiose. Ouf!

Ce n'est que plus tard que nous avons constaté qu'elle n'avait jamais reçu mon message précédent sur la pertinence de rencontrer, ou non, Kabila. Elle l'a appris à sa descente d'avion. Elle a décidé d'appuyer son ministre. Avait-elle le choix? Faire le contraire aurait créé une division dans la délégation québécoise au début du Sommet. Je me suis évidemment excusé. Elle avait vécu tant de choses, en politique, qu'elle avait présumé que j'avais fait exprès de forcer le jeu. Le pire, c'est qu'elle ne m'en aurait pas voulu outre mesure. J'étais surpris de sa réaction.

Aurait-elle approuvé le refus de rencontrer Kabila si nous en avions discuté, à froid, à Québec, avant le départ? Sur le coup, j'aurais cru que oui. Avec le recul, je n'en suis plus convaincu. Le conservatisme en matière diplomatique est la norme, et j'ai constaté à l'usage que Pauline était spontanément plus réservée qu'audacieuse en ce domaine.

Mais nous avons assumé. Et c'était la bonne décision. Qui nous valut beaucoup d'appuis, dans nos rencontres au Congo, dans les délégations démocratiques, dans les milieux des droits de la personne, dans les communautés africaines du Québec.

Nous étions en début de mandat, et Pauline n'était pas très entichée du fait que je continue à bloguer tout en étant ministre. J'avais trouvé un moment, à la fin de la première journée, pour relater notre itinéraire. En allant au restaurant, nous avions croisé des membres d'Oxfam qui me remerciaient pour ce que je venais d'écrire et qu'ils avaient eu le temps de lire.

Cela piqua la curiosité de Pauline, qui, à table, s'exclama : «Bon! Qu'est-ce que t'as écrit encore?» Je lui passai le iPhone. Elle lit tout haut pour la tablée :

Mon père et la politique internationale (12 octobre 2012)
«Il va régler ça, lui!»

C'était, immanquablement, le commentaire de mon père, Jean-Claude, lorsqu'on voyait à la télé un ministre canadien ou québécois se rendre dans un endroit troublé de la planète. Vous ai-je dit que mon père maniait l'ironie?

Il avait raison, papa, de douter de la capacité de nos élus. Et c'est avec son sain scepticisme en tête que j'ai abordé, avec la première ministre, notre réelle influence sur des événements qui nous dépassent.

Il faut le dire : le Québec a une image de marque dans les pays de la Francophonie. Sur 50 ans, l'engagement, l'énergie, le professionnalisme des artisans québécois ont construit une réelle réputation de probité et d'efficacité.

Mais nous ne sommes pas une grande puissance. Nous n'avons pas les muscles des États-Unis ou de la France. Notre intervention, dans le cas de la confiscation de la démocratie congolaise par le régime Kabila, n'a qu'un poids relatif. Comment en user au mieux ?

Nous avons décidé de le faire en envoyant un signal clair : nous sommes en RDC pour faire avancer des sujets qui nous sont chers dans l'enceinte du Sommet (défense du français, virage économique de la Francophonie, défense des droits de la personne), mais nullement pour légitimer le régime.

Nous avons donc choisi de ne pas rencontrer le président, mais de concentrer l'espace de visibilité qui nous échoit à épauler les forces qui militent pour un retour à la démocratie : les membres de l'opposition parlementaire, les ONG, les groupes de femmes.

Nos contacts avec des membres du gouvernement congolais — car il y en aura — viseront à relayer les messages que ces forces de progrès veulent nous faire porter.

Ce que ça change

Avec Mme Marois, nous avons visité les locaux d'Oxfam à Kinshasa et avons rencontré des Québécois et des Congolais qui, petit à petit, projet par projet, améliorent la qualité de la vie. En creusant un puits, en organisant une coopérative, un marché, en prodiguant de la formation.

Nous avons annoncé un prolongement de notre aide, notamment pour les femmes victimes de violence dans l'est du pays.

Mais la chose qui m'a réjoui, comme citoyen québécois, est de constater que l'aide québécoise aux Congolais, par l'intermédiaire d'Oxfam, de Développement et Paix, de l'Université Laval, n'est pas apparue à la faveur d'une visite ou d'un sommet. Elle est enracinée dans la société congolaise. Elle a une histoire, un présent, un avenir.

Les vrais héros

Nous avons rencontré des héros. Martin Fayulu, leader de l'opposition, qui ne sait pas comment il a survécu au tabassage dont il a été la victime lorsqu'il réclamait simplement d'avoir accès aux listes électorales. Il continue, malgré les menaces, à dénoncer le régime.

Chantal Malamba, du Caucus des femmes, qui tente d'organiser une nouvelle génération de femmes actives dans la structure du pouvoir. L'exploit de son organisation : avoir convaincu 38 chefs de tribus — une fonction héréditaire transmise de père en fils — de s'adjoindre une femme pour partager le pouvoir.

Eve Bazaïba, députée d'opposition, qui rêve de pouvoir poser des questions aux ministres du gouvernement, comme on le fait tous les jours à notre Assemblée nationale.

Et toutes les artisanes d'Oxfam — presque toutes des femmes —, des Québécoises qui s'exposent au danger et à la difficulté pour faire preuve de solidarité avec un peuple qui en a grand besoin.

Ce qui m'a frappé chez toutes ces personnes ? Leur force de caractère. Leur détermination. Leur fierté devant le travail accompli. Leur assurance que demain, ce serait encore mieux, si seulement il n'y avait pas la guerre.

Elles sont, pour moi, l'incarnation du courage et de l'humanisme. C'est un honneur de pouvoir, avec nos faibles moyens et notre maigre influence, leur donner un coup de pouce.

~~~~~~~~~~

Ce doit être la fatigue. L'émotion. La travailleuse sociale qui forme le socle de sa vie. Mais Pauline a les larmes aux yeux en terminant sa lecture. Je la prends dans mes bras. On s'embrasse.

○ ○ ○

CHAPITRE 8

Défendre le français...

Il faut se lever de bonne heure, au Québec, pour sortir du moule linguistique forgé par des décennies de combat entre francophones et anglophones. Les sensibilités sont à fleur de peau. Les habitudes ancrées. Il existe chez les francos et chez les anglos des groupes d'irréductibles, qui se renforcent l'un l'autre.

Et il y a des vérités qui ne sont pas bonnes à dire. Lorsque j'ai participé à la conception, pour *L'actualité,* d'un sondage qui montrait que, malgré le fulgurant progrès de la connaissance du français chez les Anglo-Québécois, ceux-ci ne seraient pas attristés de voir le français devenir une langue marginale au Québec, j'ai révélé un fait que la communauté anglophone ne voulait absolument pas entendre (« Que veulent les Anglo-Québécois? », 15 avril 2012). Ils sont très, très susceptibles.

Lorsque j'ai indiqué, début 2013, que Camille Laurin avait prévu à la Charte de la loi 101 qu'une entreprise, privée ou publique, comme la Société de transport de Montréal, pouvait faire la démonstration qu'un emploi nécessitait la connaissance de l'anglais, et donc qu'un guichetier de métro au centre-ville pouvait légalement être appelé à répondre en anglais à des passagers, touristes ou visiteurs, utilisant la langue de Shakespeare, le président de la Société Saint-Jean-Baptiste (SSJB) me l'a amèrement reproché. Il est très, très réactif.

Pourtant, je persiste. Parce que l'avenir linguistique du Québec est trop important pour être prisonnier de slogans ou de réflexes conditionnés. Parce que nous sommes la génération qui peut inverser la tendance de la marginalisation du français à Montréal. Et parce que ce n'est pas en lançant des roches aux anglos qu'on va y arriver.

« IT'S DEMOGRAPHY, STUPID ! »

Ce sont deux Marc, un Québécois d'origine belge et un Américain passionné du Québec, qui m'ont guidé dans la forêt touffue des statistiques linguistiques. Lorsque j'étais conseiller de MM. Parizeau et Bouchard, je m'étais plongé dans la dernière étude du démolinguiste Marc Termote sur l'avenir du français au Québec et dans l'excellent bouquin *La reconquête de Montréal,* de l'historien et urbaniste américain Marc Levine.

Depuis plus d'un quart de siècle, recensement après recensement, pour ses propres travaux et pour le Conseil de la langue française, Marc Termote démonte les mécanismes qui poussent à la marginalisation des francophones au Québec, et en particulier sur l'île de Montréal. Les tendances lourdes ? Il y en a deux qui dominent toutes les autres : 1) la composition linguistique de l'immigration — sur les 50 000 immigrants qui débarquaient jusqu'en 2013 au Québec, 40 % étaient sans aucune connaissance du français ; 2) le déplacement des familles francophones vers les banlieues, qui rendra bientôt le français minoritaire sur l'île, avec des conséquences néfastes pour le statut du français et sa capacité d'intégration des nouveaux arrivants.

On aura beau agir sur tous les autres leviers : signalisation, langue de travail, cégeps, tant qu'on voudra. Si on continue de se tromper sur la composition linguistique de l'immigration et de pousser à l'étalement urbain métropolitain, la bataille de Montréal sera perdue. Et avec elle, l'actuelle prédominance du français dans la vie québécoise. C'est ce que démontre Termote.

L'historien Marc Levine arrivait à la même conclusion : « La difficile tâche de préserver le caractère français du Québec sur un continent nord-américain anglophone appelle une intervention sans équivoque de l'État. Mais les nouvelles forces qui agissent sur Montréal, tels la mondialisation de l'économie, l'immigration massive et l'étalement urbain, font surgir des enjeux qui débordent le cadre d'application d'instruments traditionnels de la planification linguistique. *Plus que les lois linguistiques, ce seront des mesures concernant entre autres l'immigration et le développement urbain qui influeront sur le caractère linguistique et culturel futur de Montréal.* » [C'est moi qui souligne.]

J'avais tenté de convaincre Lucien Bouchard de l'ampleur du problème dès 1997. On en voit la trace dans les discours linguistiques qu'il a prononcés devant le Conseil national du PQ et lors de son intervention devant des représentants de la communauté anglophone au Centaur Theatre[1]. Ayant quitté mes fonctions de conseiller en 1999, j'élaborai mes positions linguistiques dans un mémoire à la Commission Larose sur la situation et l'avenir du français au Québec, en 2000, et dans mon livre *Sortie de secours*. J'ai peu varié depuis.

Aucune des mesures structurantes, même celles proposées par la Commission, n'eut de suite après l'opération, sauf une loi pour faire cesser la pratique des «écoles passerelles». Elles permettaient à des parents d'«acheter» le droit d'envoyer leurs enfants à l'école publique anglophone. Tous les députés ont voté pour la loi. La Cour suprême l'a invalidée.

Ces dernières années, au sein du PQ, le débat se concentrait non sur les tendances démographiques lourdes, mais sur d'autres questions : le retour à l'unilinguisme français dans l'affichage commercial (je suis contre), l'imposition de la loi 101 au cégep (je dis peut-être, à certaines conditions), la fermeture des écoles passerelles (certes), le fait de fournir aux allophones des services en français seulement (plus facile à dire qu'à faire). Ces débats ont leur importance. Mais l'application de ces mesures n'aurait pas d'effet notable sur l'avenir du français, si on n'intervient pas sur les variables principales que sont l'immigration et l'étalement urbain.

En 2010, Pauline Marois me convoqua pour participer à la discussion, alors en cours au PQ, en vue de définir une stratégie linguistique. Le débat portait principalement sur l'extension de la loi 101 au cégep, donc sur l'abolition du libre choix au cégep pour les francophones et allophones qui avaient fait leur secondaire en français. Je lui préparai ce mémo, qui résume des positions que j'ai prises depuis 2000.

---

[1] Extrait du discours du Centaur, qui était la traduction d'un passage identique présenté au Conseil national du PQ un peu plus tôt : «*Last year, we expressed concern about the decline in the proportion of francophone families living on the island of Montreal. If, as some demographers predict, francophone households become a minority within a few decades, that would seriously hamper Montreal's already limited ability to integrate a clear majority of newcomers into the francophone mainstream. Obviously, having French as the official and common language in Quebec and in the metropolis is essential. But no matter how you slice it, in the end it's not those for whom French is a second language who do the integrating of allophones; it's those whose first language is French. If French were to lose critical mass in Montreal, that would be detrimental to all.*»

La langue, le PQ et le Québec (*mémo à Pauline Marois, 20 mai 2010*)
Compte tenu de l'importance de l'enjeu posé par le déclin linguistique francophone à Montréal, compte tenu de la charge émotive du débat, les décisions qu'annoncera le PQ sur son programme linguistique vont teinter de façon probablement indélébile le positionnement politique du parti, et de son chef, pour une longue période.

Ma réticence sur la proposition «sèche» d'extension de la loi 101 aux cégeps ne porte pas sur le caractère bénéfique de la mesure pour le français.

Elle repose sur le message que cette proposition portera avec elle. J'admets que ce n'est pas parce qu'une recette est vieille qu'elle est mauvaise. Cependant, je suis convaincu que l'apparition de l'extension de la loi 101 aux cégeps comme pièce saillante, sinon principale, du bouquet de mesures sur la langue sera perçue par une importante partie de l'opinion extrapéquiste comme le retour d'une vieille rengaine, d'un vieux débat, d'une vieille solution, sorte de réflexe pavlovien du PQ devant la menace.

Avec cette mesure, le PQ communique sa volonté d'action, certes, mais il ne dit pas qu'il se renouvelle, il ne communique pas son ouverture à des solutions plus englobantes et plus novatrices. C'est le retour du vieux PQ.

Gouverner le PQ et gouverner le Québec

Je vois clairement que la majorité péquiste active a fait le lit pour l'extension sèche de la loi 101. Cependant, il y a une différence entre gouverner le PQ et gouverner le Québec. Et s'il est vrai qu'il y a une majorité de la population qui favorise une action plus vigoureuse sur le français, nous serons jugés autant sur la manière d'aborder le sujet que sur le fond.

On nous veut — et il faut être — déterminés, sérieux, prêts à bousculer des habitudes.

Mais le ferons-nous en étant revanchards, anti-anglais, repliés sur les seuls courants péquistes ou en étant innovateurs, à l'écoute, ouverts et attentifs à tous?

Cela est d'autant plus important que si nous menons, dès l'élection, un important combat sur la langue, ce débat préfigurera, dans l'opinion, notre position en cas de référendum. Or, la clé du succès référendaire réside dans la conviction de l'électorat modéré que nous ferons tout pour obtenir un divorce de velours (représenté par le mot de code «partenariat») plutôt que de prendre plaisir à casser la vaisselle (ce que M. Parizeau semblait représenter). Il ne faut pas se tromper de ton lors de cette répétition générale.

Un des avantages de la figure de Pauline Marois est qu'elle est considérée comme rassembleuse plutôt que comme brutale. Il faut mettre cette image à profit, la renforcer dans le combat linguistique, ne pas la perdre pour la suite.

La difficulté est donc de réunir le PQ derrière une position déterminée tout en gardant la marge de manœuvre du futur gouvernement péquiste pour incarner cette détermination dans une attitude tout aussi déterminée, mais moins cassante.

Et pour ce test, qu'on le veuille ou non, l'attitude affichée envers la minorité anglophone est une clé. Veut-on punir ou inclure ? Se venger ou avancer ? (J'y reviens.)

Insérer la mesure « cégeps » dans un bouquet de mesures aussi fortes qu'elle

N'étant pas informé de l'ensemble des discussions sur la question linguistique — et n'ayant pas à l'être —, je formulerais comme suit une proposition qui répondrait à l'exigence d'insérer celle des cégeps dans un arsenal plus large qui l'inclut et l'absorbe, non comme la réponse première du PQ à une crise plus large, mais comme un des moyens importants mis en œuvre, et pas le principal.

Pour mettre un terme au déclin du français sur l'île de Montréal, un gouvernement du Parti québécois agira sur chacune des principales variables en jeu pour assurer la sécurité linguistique des francophones.

1. L'immigration

La composition linguistique de l'immigration est un facteur essentiel, et actuellement déficient, pour l'avenir linguistique de Montréal et du Québec.

Un gouvernement du Parti québécois agira, dans son premier mandat, de façon que tous les futurs immigrants sélectionnés aient au moins une connaissance de base du français au point d'entrée — ce que font désormais plusieurs nations occidentales. Un meilleur arrimage des besoins en emploi et du tri d'immigrants sera également effectué pour assurer le succès de leur intégration et de leur qualité de vie. Finalement, un effort particulier de recrutement et de maintien d'étudiants étrangers sera lancé.

De plus, la création d'une citoyenneté québécoise, qui suppose pour les nouveaux arrivants une connaissance réelle de la langue française, marquera plus fermement que jamais l'importance du français dans la vie commune de la nation.

2. L'île de Montréal

Les résidants de l'île de Montréal qui ont le français comme principale langue d'usage seront bientôt minoritaires sur l'île. Quels que soient les débats entourant l'importance relative de l'île et de la région plus large, il nous apparaît évident que ce déclin ne peut que fragiliser davantage la position du français et qu'il importe de le renverser.

Beaucoup des quartiers, arrondissements et villes de l'île étant le point de convergence des allophones et des nouveaux arrivants, la chute du nombre de francophones avec lesquels ils cohabitent ne peut qu'affaiblir la capacité d'attraction du français.

Un gouvernement du Parti québécois établira sans inhibition qu'il est d'intérêt national qu'une nette majorité des habitants de l'île soient des francophones de langue d'usage.

Pour y arriver, il compte mettre en œuvre des mesures incitatives d'application générale, non discriminatoires, de nature fiscale, administrative ou autre, mais dont l'effet sera le maintien des francophones sur l'île, ou leur établissement ou rétablissement sur l'île. Par exemple, des mesures visant le maintien des jeunes familles seraient ouvertes à toutes, mais puisque la majorité de celles qui quittent l'île sont francophones, l'effet principal serait le maintien de davantage de francophones.

Un gouvernement du Parti québécois ouvrira un chantier sur ce sujet et procédera à un appel de propositions. Cette sécurisation linguistique du français doit évidemment se faire en parallèle avec le maintien d'une minorité historique anglophone, qui continue à disposer d'une masse critique nécessaire à son dynamisme. Ces deux objectifs n'ont pas à être contradictoires et ne le sont pas.

3. Les cégeps

Le passage par les cégeps anglophones d'un grand nombre d'allophones du Québec est un des facteurs qui poussent à leur anglicisation, donc à la fragilisation de la situation linguistique du français.

Un gouvernement du Parti québécois mettra un terme à cette situation qui fait que le Québec est la seule nation au monde qui finance ainsi un des facteurs du déclin linguistique de sa majorité.

Quelques éventualités seront envisagées, et des plans de transition élaborés, avant qu'une décision soit prise, dans la première année du mandat du gouvernement.

- L'extension de la loi 101 actuelle aux cégeps.

ou

- L'extension de la loi 101 aux cégeps, assortie d'un enseignement partiellement anglophone et, dans certains cas, hispanophone, pour les étudiants qui désirent s'en prévaloir.

ou

- La reconfiguration en français de tous les cégeps, pour en faire le point de passage de tous les étudiants québécois, assortie d'un enseignement partiellement anglophone et, en certains cas, hispanophone, pour les étudiants qui désirent s'en prévaloir.

ou

- D'autres possibilités qui pourraient nous être présentées.

4. La langue de travail

L'insertion d'un grand nombre de Québécois dans des entreprises de petite et de moyenne taille où la langue de travail est principalement l'anglais est également un facteur d'anglicisation.

Le processus de francisation des moyennes entreprises se fera de manière progressive, secteur par secteur, en accompagnant les entrepreneurs, y compris par des mesures d'allégement fiscal pendant la transition pour en assurer les coûts. De la formation en français pour le personnel visé sera organisée et financée.

5. La langue du commerce

Un nombre croissant de francophones ont eu la mauvaise surprise de se faire servir en anglais uniquement, dans certains commerces, notamment à Montréal. Cette situation, dont l'ampleur est difficile à saisir, est tout simplement inacceptable, car les commerçants ont l'obligation de pouvoir servir la clientèle en français en tout temps et en tous lieux.

Un gouvernement du Parti québécois enverra un signal clair aux entreprises de service qui embauchent, pour interagir avec la clientèle, du personnel incapable de s'exprimer en français. Un processus de remise d'infraction rapide, semblable à une contravention, comportant des amendes importantes qui augmenteraient en cas de récidive, sera rapidement établi.

Passer le test péquiste, passer le test de l'opinion

Il me semble qu'une formulation proche de celle-ci pourrait passer le cap du Parti québécois tout en montrant une capacité d'innovation et d'ouverture aux nouvelles idées, et en échappant au simple réflexe pavlovien *problème linguistique = cégeps*.

Le fait d'embrasser avec une acuité égale plusieurs aspects du déclin permet de sortir de l'ornière.

Cependant, au-delà du PQ, la façon dont nous abordons la minorité anglophone dans ce débat fournit un repère essentiel. Il ne s'agit pas de chercher des appuis anglophones à nos projets — ils sont infinitésimaux. Mais une partie de l'opinion francophone modérée, de l'opinion allophone qui ne nous est pas réfractaire, une grande partie du commentariat et des élites intellectuelles et économiques, comme une grande partie de l'appareil diplomatique façonneront leur jugement sur notre position et notre attitude envers notre principale minorité.

La question des cégeps présente un paradoxe. L'opposition de la communauté anglophone au fait qu'on lui retire 40 % de ses étudiants [les allophones] sera massive. Si on fait une réorganisation, intégrant les cégeps anglophones dans un seul réseau commun, l'opposition sera massive, mais au moins, nous enverrons un signal de rassemblement citoyen. Quelques (rares) personnalités, comme l'avocat Julius Grey, seront favorables. Dans mon sondage de novembre 2007, 61 % des non-francophones y étaient favorables (contre 76 % des francophones). (L'échantillon était cependant trop petit pour départager les allophones des anglophones.)

Cette réorganisation des cégeps, offrant, comme je l'indique dans la reformulation ci-dessus, un enseignement partiel en anglais *pour ceux qui le désirent*, participerait d'une volonté de ne pas ghettoïser les anglophones, mais de les réunir dans un tronc commun où tous les jeunes Québécois se côtoient. On peut donc tenir un discours positif, inclusif, avec cette proposition, ce qui n'est pas le cas avec les autres.

De même, l'expression voulant que la politique linguistique du Québec vise la sécurité linguistique de ses trois composantes — la majorité francophone, la minorité anglophone et les nations autochtones — envoie un contre-signal important d'ouverture, au moment où nous faisons avancer la protection du français.

C'est pourquoi il serait utile de relever et d'appuyer des revendications anglophones non contradictoires avec le renforcement du français, pour bien illustrer qu'il ne s'agit pas d'une campagne anti-anglais, mais pro-français. Malgré ce qu'on peut en penser, l'insécurité linguistique des anglophones québécois existe. J'ajoute qu'il ne faut pas oublier que les Anglos-Québécois d'aujourd'hui sont ceux qui ont décidé de rester parmi nous et de participer à la vie québécoise. Ce n'est pas anodin.

De plus, si nous souhaitons faire un référendum réussi, il est dans l'intérêt du Québec de minimiser le nombre d'anglophones qui quitteraient le Québec après un Oui. La façon dont on abordera la minorité sur les questions linguistiques leur donnera le ton : fermeture ou ouverture ? Affirmation ou intolérance ?

Ces signaux sont extrêmement révélateurs et très remarqués — comme j'ai pu personnellement le constater au sein de la diplomatie américaine dans les années pré et postréférendaires.

PENDANT LA CAMPAGNE

Chaque conseiller le sait, les mémos n'ont que le poids du papier sur lequel ils sont écrits si la volonté politique ne les accompagne pas. Le congrès du PQ de 2011 allait adopter l'extension « sèche » de la loi 101 aux cégeps comme mesure phare, malgré l'accueil problématique dans la population. Notre élection comme minoritaires allait cependant écarter toute possibilité de faire voter cette mesure.

Devenu candidat péquiste, le programme du PQ était aussi le mien. Mais rien n'interdisait d'additionner des mesures qui me paraissaient essentielles et qui ne contredisaient pas le programme.

C'est pourquoi j'ai beaucoup insisté pour qu'on prenne un engagement ferme sur l'immigration et le maintien des familles, assez ferme pour que le gouvernement doive agir en ce sens. Ce qui a donné ce communiqué de presse du PQ.

Avec un gouvernement du Parti québécois, le français restera majoritaire à Montréal (29 août 2012)

Montréal — « Nous refusons d'être la génération qui verra Montréal marginaliser le français ! Nous n'accepterons pas que les francophones soient bientôt en minorité sur l'île et nous ne laisserons pas le français perdre sa masse critique dans la métropole du Québec. » C'est un véritable cri du cœur qu'a lancé aujourd'hui le candidat du Parti québécois dans Rosemont, Jean-François Lisée.

Le constat établi en septembre 2011 par l'Office québécois de la langue française (OQLF) est clair. Si on doit se réjouir des progrès du français comme langue seconde à Montréal, le déclin de la proportion de Montréalais pour lesquels le français est la langue principalement parlée est très préoccupant. Alors que ce pourcentage s'élevait à plus de 61 % en 1971, il dépassait à peine 54 % en 2006 et devrait chuter, si rien n'est fait, à 47 % dans moins de 20 ans.

« L'affaiblissement de la majorité francophone met en péril notre capacité collective d'intégrer les nouveaux arrivants au français dans la métropole et fragilise l'avenir du français », a-t-il déclaré, en ajoutant que l'avenir du français au Québec va se jouer sur l'île de Montréal d'ici 20 ans. « Il est plus qu'urgent d'affirmer notre ferme volonté politique de maintenir une majorité francophone sur l'île et d'ouvrir un grand chantier pour y arriver. »

DEUX MESURES POUR REDONNER À MONTRÉAL SON CARACTÈRE FRANCOPHONE

Plusieurs mesures apparaissant déjà dans la plateforme du Parti québécois concourent à l'atteinte de cet objectif, notamment sur la langue de travail et celle de l'éducation. Après avoir fait état des mesures générales d'appui au français et des mesures de relance de la métropole, le Parti québécois propose deux axes d'action visant spécifiquement la préservation d'une majorité francophone sur l'île de Montréal : la composition linguistique de l'immigration et le développement d'un milieu de vie favorable aux jeunes familles francophones.

« Fidèles à la mémoire de René Lévesque et à l'esprit de la loi 101, nous comptons respecter le présent et agir pour l'avenir. Il n'est évidemment pas question de s'ingérer dans la langue utilisée par les citoyens dans leur vie privée ou de les inciter à changer. Nous comptons influencer les tendances démographiques à venir pour assurer la pérennité du français dans la métropole, le lieu principal des rencontres linguistiques et de l'intégration des nouveaux arrivants», a expliqué Jean-François Lisée, en soutenant que le maintien d'un Montréal majoritairement francophone est dans l'intérêt de tous les Québécois qui désirent préserver en Amérique une société francophone en santé pour les générations à venir. [...]

J'y étais arrivé. Après 12 ans d'effort, le Parti québécois affirmait officiellement l'objectif de maintien d'une majorité francophone sur l'île. Ne restait plus qu'à l'accomplir.

MONTRÉAL = FAMILLES

En me nommant ministre de la Métropole, Pauline m'offrait le levier rêvé pour agir concrètement. Dès l'automne 2012, je réunis dans un comité les meilleurs praticiens et experts de la situation de l'habitation familiale à Montréal, y compris des entrepreneurs en construction immobilière, des représentants du milieu financier, des groupes communautaires d'habitation, de la Ville de Montréal, des ministères concernés et de la Société d'habitation du Québec (SHQ). Son rapport fut rendu public en septembre 2013, et une partie des mesures annoncées simultanément par la Ville de Montréal découlait des discussions fécondes qui s'y étaient déroulées.

Ses membres réclamaient d'ailleurs de continuer à se réunir pour assurer le suivi des mesures et continuer à échanger, tant le forum leur paraissait le plus utile jamais réuni sur la question. J'étais favorable à l'idée.

André Lavallée dirigeait pour moi le comité interministériel de hauts fonctionnaires qui a ensuite étudié les recommandations du rapport, et nous étions prêts, début 2014, à introduire le premier volet de mesures. La campagne électorale étant déclenchée, ces propositions sont devenues des engagements électoraux, que je résumais ainsi sur mon blogue. Extraits :

Avec le PQ, un bond qualitatif pour les familles à Montréal
(31 mars 2014)

Pour la première fois, la question du maintien des familles à Montréal est devenue une priorité pour un gouvernement du Québec. [...]

Nous estimons que retenir les familles sur l'île de Montréal — où leur proportion est moindre que dans le reste du Québec — permet de contribuer à l'essor humain, culturel, économique et linguistique de la métropole. Nous savons aussi que la moitié des familles qui décident de quitter l'île pour la banlieue auraient préféré rester à Montréal.

Un nouveau gouvernement du Parti québécois compte agir concrètement sur les deux principales embûches au maintien des familles : le coût des habitations et la disponibilité de logements répondant à leurs besoins.

Six mesures complémentaires seront mises en œuvre.

1. Améliorer le programme ClimatSol pour la protection des sols et la réhabilitation des terrains contaminés

2. Créer une banque de terrains
Des dizaines de terrains publics, propriétés du gouvernement du Québec ou de la Ville de Montréal, sont vacants sur l'île. Un gouvernement du Parti québécois déterminera les façons de faciliter la mise en disponibilité de ces terrains pour la construction de logements et d'habitations pour les familles, notamment par des coopératives et des organismes sans but lucratif (OSBL).

3. Encourager les promoteurs à élaborer des projets domiciliaires répondant aux besoins des familles
Un gouvernement du Parti québécois donnera aux villes le pouvoir d'exiger la construction de logements comprenant plus de deux chambres pour les familles.

4. Endiguer la spéculation immobilière des propriétés indivises

5. Faciliter la propriété collective des immeubles
Une pratique novatrice d'accès à la propriété à moindre coût consiste à permettre à des coopératives et à des OSBL d'acquérir des immeubles

ou des ensembles résidentiels, qui deviennent la propriété collective des occupants. Un gouvernement du Parti québécois proposera de confier, conjointement avec la Ville de Montréal, un mandat particulier aux groupes de ressources techniques (GRT) spécialisés dans ce genre d'opérations afin de les faciliter.

6. Adapter la réglementation québécoise à la réalité montréalaise

Un gouvernement du Parti québécois s'engage à doter le Québec d'une nouvelle politique d'habitation qui élaborera des réponses adaptées aux besoins nouveaux en matière de logement. Cette politique prendra en compte les défis posés par les quartiers centraux et anciens.

Ces six nouveaux engagements s'ajoutent aux annonces faites lors de la publication de la plateforme montréalaise du Parti québécois, qui comporte notamment les mesures suivantes :

- Soutenir, au cours des cinq prochaines années, la construction de 7 500 logements sociaux, communautaires ou pour étudiants à des loyers abordables, et dont au moins 2 500 seront destinés aux familles.
- Améliorer la transparence du processus de fixation du prix des appartements locatifs, en examinant notamment la faisabilité de la mise en place d'un registre des baux.
- Encourager les initiatives de verdissement dans la région métropolitaine.
- Favoriser la mise en place d'une politique d'atténuation du bruit dans les quartiers de Montréal.

~~~~~~~~~~~~~~~~~~~~

C'était la première salve. Après la réélection, on pourrait mettre ces mesures en œuvre rapidement, et travailler sur un deuxième volet.

J'avais commencé à préparer les esprits — auprès du ministre des Finances et de l'Économie, Nicolas Marceau, très ouvert, et du Bureau de la première ministre — en vue d'un effort budgétaire spécial pour Montréal, qui couvrirait les années qui nous séparaient de 2017 et du 375e anniversaire de Montréal. Je proposais un effort supplémentaire cumulé sur quatre ans de 400 millions (j'aurais réglé pour 375 !), qui inclurait un volet familles.

Cette annonce allait se faire au moment d'un grand Rendez-vous montréalais, que j'avais convaincu Mme Marois de tenir à l'automne 2014 et qui allait établir un plan d'action entre Québec et les élus montréalais sur les grands enjeux, et qui nous conduirait à l'année charnière de 2017. J'en avais informé Denis Coderre et les maires membres de la direction de la Communauté métropolitaine de Montréal (CMM) avant la campagne. Ils étaient tous d'accord.

Il aurait aussi fallu travailler sur des mesures fiscales ciblées pour soutenir l'acquisition d'habitations pour les familles après l'arrivée d'un enfant. Les chances de succès de l'opération étaient augmentées du fait que les maires de la région métropolitaine avaient adopté, en 2012, un cran d'arrêt à l'étalement urbain — le Plan métropolitain d'aménagement et de développement (PMAD). En application depuis peu, il favorisait partout la densification, autour des réseaux de transport en commun, et protégeait les zones agricoles. Nous étions au début de l'application du Plan et nous devions faire face aux premières demandes de dérogation. Sylvain Gaudreault, aux Affaires municipales, et moi, avec l'appui de Pauline Marois dans un cas en particulier, avons envoyé un signal de grande fermeté.

Qu'en reste-t-il, fin 2014? On m'informe que le comité interministériel sur Montréal = familles a survécu à notre défaite électorale. Cependant, le gouvernement de Philippe Couillard a fait des gestes qui vont dans le sens inverse de notre démarche, notamment en coupant des sommes affectées à la rénovation. Ces coupes ont été vertement dénoncées à Montréal. Elles n'augurent rien de bon.

AGIR SUR L'IMMIGRATION

C'est à Diane De Courcy que fut confié le dossier de la langue et de l'immigration. Elle comprit tout de suite les enjeux à la fois économiques et linguistiques liés à la composition de l'immigration. Il s'agissait d'un changement qualitatif par rapport à la ministre précédente, la libérale Kathleen Weil.

J'avais critiqué le travail de Mme Weil dans mon blogue. Elle m'avait répondu. J'avais répondu à sa réponse. Je reproduis cet échange ici, car il éclaire bien les enjeux, tels qu'ils se sont présentés à notre arrivée.

Immigration : l'ère de l'inconscience (*2 novembre 2011*)
Je serai peut-être le seul, mais je note officiellement le 1ᵉʳ novembre 2011 comme la date où, en toute connaissance de cause, le gouvernement du Québec a décidé d'adopter une politique d'immigration qui allait mettre en péril l'avenir du français dans la métropole, donc au Québec.

Ce n'est pas d'hier que notre politique d'immigration est imprudente. Je l'écris depuis plus de 10 ans. Mais au cours des 18 derniers mois, trois informations nouvelles auraient dû provoquer une prise de conscience, donc un changement de cap.

1) Le Vérificateur général a démontré dans un rapport cinglant que le contrôle de la connaissance du français des candidats à l'immigration était déficient dans la moitié des dossiers. Et qu'il est donc impossible d'affirmer que le ministère de l'Immigration sélectionne véritablement une majorité de personnes connaissant le français.

2) Une étude de l'Office québécois de la langue française a conclu que la composition linguistique actuelle de l'immigration allait conduire inexorablement à une minorisation du nombre d'habitants de l'île de Montréal qui ont le français comme langue première, et ce, au cours des quelques années qui viennent. Le phénomène déborde aussi sur les banlieues. Cette certitude en entraîne une autre : l'affaiblissement de l'attractivité du français et de la volonté de défendre la langue française. En effet, on peut adorer sa langue seconde, mais elle reste, par définition, secondaire.

3) Le livre *Le remède imaginaire,* de Guillaume Marois et Benoît Dubreuil, a fait la synthèse de la recherche récente sur les répercussions économiques réelles de l'immigration, pour établir que, contrairement aux mythes courants, l'immigration n'entraîne pas un enrichissement de la société d'accueil. Au mieux, elle n'y change rien. Plus probablement, elle réduit légèrement la richesse par habitant.

Elle n'arrive surtout pas à contrer les pénuries de main-d'œuvre, car l'arrivée de 50 000 immigrants par année (la cible actuelle) équivaut à ajouter une petite ville, avec tous ses besoins supplémentaires en main-d'œuvre. Au net, il faut 50 immigrants pour pourvoir un emploi vacant dans la population d'accueil. Il en faudrait donc 35 millions pour les chimériques 740 000 postes à pourvoir dans les prochaines années. Ces démonstrations n'ont suscité aucune réplique crédible de la part du Ministère.

Bref, les décideurs québécois ont été mis devant l'évidence que la poursuite de la politique actuelle d'immigration était, avec certitude,

suite p. 141

PLONGER

D'abord avec Parizeau, en 1994

JEAN-FRANÇOIS LISÉE QUITTE BOUCHARD

CÔTÉ 99

Jusqu'à la fin de ma collaboration avec Lucien Bouchard, en 1999

Puis, avec Pauline

VIA OTTAWA

EN CAMPAGNE

AU POUVOIR

AU CHEVET
DE
MONTRÉAL

Des maires qui tombent comme des mouches

Mon combat pour davantage de voies réservées et de covoiturage

P. 134 : YGRECK ; P. 135 : PERKS, CHAPLEAU

DÉFENDRE LE FRANÇAIS

Pour Aislin, je suis tantôt un dangereux *Language Cop* sadomaso...

ET PARLER AUX ANGLAIS

... tantôt un habile séducteur (mais aussi sadomaso !)

Parizeau, mon maître en anglophonie !

EDITION NOTRE HOME

JEAN-FRANÇOIS LISÉE

LA MÉLODIE DU BONHEUR

DOUBLE DVD

La chanson « Notre home » : un *hit* !

LA CHARTE

LA CAMPAGNE ÉLECTORALE DE 2014

P. 138 : CHAPLEAU, BADO ; P. 139 : FLEG

ET LA SUITE...

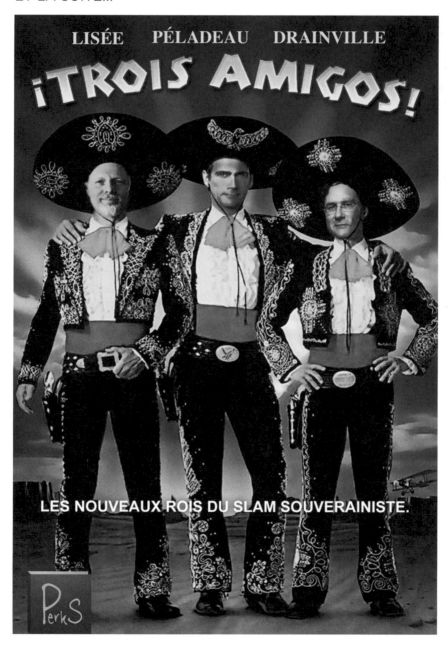

néfaste pour la pérennité du français et probablement inutile pour l'économie québécoise.

Comment empirer les choses

Comparons ce qui aurait été nécessaire pour corriger le tir avec la réponse apportée dans la politique annoncée ce 1er novembre par le gouvernement:
1) S'assurer que l'immense majorité des nouveaux arrivants ont le français comme langue première.

C'est la mesure du bon sens qu'il faudrait adopter pour l'avenir prévisible, tant que l'on observe un déclin de la proportion de résidants qui ont le français comme première langue dans la métropole.

Mais, tenez-vous bien, la politique gouvernementale ne s'en préoccupe aucunement. On ne saura d'ailleurs pas si les 51 000 immigrants par an auront, ou non, le français comme première langue. Cette information, essentielle pour l'avenir du français dans la métropole, n'est même pas sollicitée. Ce qui fait que, dans le savant pointage qui avantage tel ou tel candidat à l'immigration, le fait de vivre en français, plutôt que de connaître plus ou moins bien la langue, ne confère aucun avantage. On croit rêver!
2) S'assurer que l'immense majorité des nouveaux arrivants ont une réelle connaissance du français.

Cela serait déjà imprudent, car insuffisant dans le contexte de précarité linguistique que nous connaissons. Mais, tenez-vous encore mieux, la politique n'essaie même pas. Elle annonce qu'un immigrant sur trois arrivera au Québec sans aucune connaissance du français. Aucune. Il est donc certain que de 15 000 à 20 000 personnes arriveront au Québec chaque année sans pouvoir commander un café en français.

Pour les autres, nous serons toujours dans le noir quant à leur véritable connaissance du français. L'imposition à tous les candidats d'un test standardisé ne réglerait-elle pas ce problème? Certainement, affirme le Ministère, qui se félicitait l'an dernier d'avoir fait passer le nombre de candidats qui font ce test de 953 (1 % de tous les candidats) à 1 616 (2 %)! Le seul chiffre acceptable est évidemment 100 %. À ce rythme, nous y arriverons en l'an... 2109!

Dans quels pays ces tests linguistiques sont-ils obligatoires? L'Australie, la Nouvelle-Zélande, le Royaume-Uni. Trois pays anglophones!
3) S'assurer au moins que les immigrants choisis ont un contrat de travail en poche.

C'est ce que le Vérificateur général, citant les politiques de plusieurs États étrangers, notamment l'Australie, suggérait, mais ce à quoi le gouvernement du Québec se refuse, préférant un modèle «équilibré» — donc moins performant. C'est ainsi que le Québec s'organise sciemment pour faire venir une immigration dont les chances de succès économique sont moindres, ce qui leur fait du tort, à eux, et à tout le Québec.

Qui est responsable?

Qui sera, demain, responsable de la fragilisation du français? Les immigrants? Absolument pas. Ils ont respecté toutes les règles que nos gouvernements ont édictées. Les Québécois allophones qui parlent également le français? Au contraire. Ils ont démontré une grande capacité d'adaptation.

Non, les seuls responsables du déclin du français, de la fragilisation de son pilier essentiel — la proportion d'habitants pour qui le français est la langue première — est le gouvernement du Québec, qui mène cette politique funeste avec enthousiasme.

La ministre de l'Immigration nous écrit. On lui répond.
(7 février 2012)

Le blogue aime le courrier, vous le savez. Cette fois, la ministre québécoise de l'Immigration, Mme Kathleen Weil, a cru bon de prendre la plume, après avoir pris connaissance d'une chronique portant sur son travail.

Je vous l'offre avec mes remarques entrelardées:

Weil: Une chronique de M. Jean-François Lisée, dans laquelle celui-ci exprime ses inquiétudes quant à l'incidence de l'immigration sur l'avenir du français au Québec, me fournit l'occasion de rappeler la politique et les récentes actions du gouvernement à cet égard.

Conscient de l'absolue nécessité d'assurer la pérennité du français au Québec, le gouvernement a placé le maintien de la vitalité de la langue française au cœur de sa politique d'immigration. Nos actions à cet égard se situent sur deux plans. Au chapitre de la sélection, nous nous employons à optimiser le nombre et la proportion des immigrants connaissant le français. Les résultats sont probants: la part des immigrants connaissant le français à leur arrivée au Québec est passée de 47 % en 2001 à 65,1 % en 2010. Dans la catégorie des travailleurs qualifiés, cette proportion atteint 90 % pour ce qui est du requérant principal, c'est-à-dire la personne qui fait l'objet de la sélection. Soulignons par ailleurs que, parmi les immigrants ne connaissant pas le français, plus de deux personnes sur cinq sont des enfants, qui, en vertu de la Charte de la langue française, seront scolarisés en français.

Lisée : Comme vous le savez, madame la ministre, le Vérificateur général a, l'an dernier, mis en doute la totalité de ces chiffres. Ayant tenté de vérifier si les candidats choisis avaient effectivement une connaissance du français, il a dû constater que, dans la moitié des dossiers, il était impossible de tirer cette conclusion. Les chiffres que vous présentez n'ont par conséquent aucune crédibilité.

Weil : Au chapitre de la francisation des immigrants adultes, le Québec a, depuis 2008, considérablement accru et diversifié son offre de services, de manière à franciser plus tôt, davantage et mieux. Cette offre comprend une gamme étendue de cours, à temps plein et à temps partiel, qui sont suivis dans des établissements scolaires francophones, dans des organismes communautaires, dans les milieux de travail ou en ligne. Ces efforts de francisation se déploient dès l'étranger, au moyen notamment du programme de francisation en ligne et grâce aux ententes que nous avons conclues, dans 27 pays, avec 97 partenaires — dont des Alliances françaises —, auprès desquels les candidats sélectionnés peuvent entreprendre leur francisation avant même leur arrivée au Québec.

Lisée : Vous m'en voyez ravi, madame la ministre. Mais vous n'êtes pas sans savoir que cette action est encore nettement en retrait des exigences linguistiques de plusieurs nations européennes qui sont dans une situation linguistique beaucoup moins fragile que le Québec.

Une de nos mères patries, le Royaume-Uni, exige désormais une connaissance de base de l'anglais de chaque candidat ordinaire à l'immigration. Cette condition est éliminatoire. Cela signifie qu'un travailleur immigrant qui ne peut, avant d'arriver au Royaume-Uni, démontrer sa connaissance de l'anglais n'obtiendra pas de visa. Il ne me semble pourtant pas avoir lu que la situation de l'anglais à Londres était plus précaire que celle du français à Montréal.

Weil : En outre, des cours spécialisés, visant à préparer les immigrants au marché du travail, sont offerts dans les domaines de la santé, du génie et de l'administration. Tous ces cours sont gratuits et plusieurs sont assortis d'allocations. En 2010-2011, près de 28 000 immigrants ont eu recours aux services de francisation du ministère de l'Immigration et des Communautés culturelles, ce qui représente une augmentation de plus de 53 % en trois ans.

Lisée: Encore des bonnes nouvelles, madame la ministre. Mais vous taisez les hauts taux d'absentéisme, de décrochage et d'échec, qui sont monnaie courante dans ces cours. Et vous ne pouvez ignorer que plusieurs nations européennes sont beaucoup plus exigeantes (et généreuses) en rendant les cours de langue obligatoires. (Voir notamment l'étude comparative récente du juriste José Woehrling.)

Weil: Au surplus, les tests standardisés de français, qui sont déjà utilisés pour la sélection des immigrants depuis quelques années, ont été rendus obligatoires en décembre 2011.

Lisée: Voilà la grande nouvelle que vous nous annoncez. Jusqu'alors, seulement 2 % des candidats devaient passer ces tests. Maintenant, ce sera le cas de tous les candidats au statut de travailleur qualifié. Nous saurons donc pour la première fois avec certitude, si les données sont rendues publiques, quel est le véritable niveau de connaissance du français de ce segment d'immigration. Ce n'est pas trop tôt et je vous en félicite (et je note au passage qu'il est rétrospectivement ahurissant de constater qu'aucun gouvernement péquiste précédent n'a agi de la sorte).

Cependant, vous n'annoncez pas que l'échec des candidats à ce test conduira à un refus de leur dossier, jusqu'à ce qu'ils le repassent quelques mois plus tard après un nouveau séjour à l'Alliance française. C'est dommage, car la dégradation de la situation du français à Montréal ne nous permet plus un tel laxisme.

Weil: Ces efforts sur le plan de la sélection et sur celui de la francisation, qui se conjuguent aux effets de la Charte de la langue française, portent leurs fruits. Les données du recensement de 2006 révèlent notamment que, parmi les immigrants admis au Québec de 1996 à 2006 dont la langue parlée à la maison est autre que leur langue maternelle, plus de 75 % ont choisi le français. Toujours selon les données de 2006, 78 % des personnes immigrées présentes au Québec connaissaient le français, et 65 % déclaraient le français comme langue le plus souvent utilisée au travail.

Lisée: Tout est vrai dans ce que vous dites, chère ministre. Mais vous n'ignorez pas que les 75 % d'immigrants récents choisissant le français s'obtiennent en soustrayant les non-francophones que nous avons accueillis et qui sont ensuite partis ailleurs. Vous n'ignorez pas que lorsqu'on combine ces 75 % d'immigrants récents ayant choisi le français à tous les immigrants antérieurs, la proportion de ceux qui passent au français tombe à 51 % — alors qu'il en faudrait 88 % pour assurer le maintien de l'équilibre linguistique actuel entre la majorité francophone et la minorité anglophone.

Finalement, vous n'ignorez certainement pas que ces chiffres ont peu d'importance, car si ces transferts linguistiques sont un référendum sur le français et l'anglais, on doit à la vérité d'indiquer que le taux de participation est exécrable. Seulement 38 % des allophones font ce transfert. Donc, 62 % gardent leur langue d'origine à la maison. C'est énorme.

Weil: En novembre 2011, j'ai annoncé les orientations adoptées par le gouvernement à la suite de la récente consultation publique sur la planification de l'immigration pour la période 2012-2015. Ces orientations prévoient notamment que les volumes d'immigration seront ramenés à 50 000 admissions par année et que les exigences relatives au niveau de connaissance du français chez les candidats de la catégorie des travailleurs qualifiés seront augmentées. J'ai bon espoir que ces orientations, qui ont recueilli un large consensus lors de la consultation publique, feront que l'immigration continuera de contribuer non seulement au dynamisme économique et démographique de la société québécoise et à l'enrichissement de son patrimoine socioculturel, mais également à la vitalité du français au Québec.

Lisée: Ô combien j'aimerais, chère ministre Weil, que vous ayez raison. Cependant, peut-être avez-vous entendu parler de cette étude de l'Office de la langue française concluant que la composition linguistique actuelle de l'immigration allait conduire inexorablement à une minorisation du nombre d'habitants de l'île de Montréal qui ont le français comme langue première, au cours des quelques années qui viennent. [...]

Votre politique de forte immigration, dont les retombées économiques et démographiques présumées positives sont fortement contestées par les travaux récents menés un peu partout en Occident sur l'effet de l'immigration, ne font qu'alimenter ce mouvement de fragilisation. La seule politique susceptible de mettre un cran d'arrêt à ce déclin serait la décision de favoriser massivement les candidats à l'immigration qui ont le français comme langue première au point d'entrée, et qui au surplus répondent expressément aux besoins du marché de l'emploi. Cela réduirait, certes, les niveaux d'immigration. Mais cela assurerait à la fois un réel ressourcement de la majorité francophone et un réel succès d'intégration des immigrants choisis.

Réécrivez-moi lorsque vous en serez là.

~~~~~~~~~~

À compter de septembre 2012, ma collègue Diane De Courcy reprit le dossier avec une fougue et une compétence sans pareilles. Elle fit en sorte de renforcer à la fois les exigences de connaissance du français au point d'entrée, pour le requérant et pour sa conjointe, et d'augmenter l'offre de francisation.

Elle a également resserré comme jamais la filière immigration et la filière emploi, pour assurer une meilleure insertion en emploi des nouveaux arrivants. Finalement, elle a déposé un projet de loi de réforme de l'immigration qui allait révolutionner le mode de traitement des dossiers pour prioriser constamment ceux dont les aptitudes étaient les plus susceptibles de répondre à des besoins concrets en emploi, donc de réussir leur vie ici.

Ce virage dans la sélection linguistique des immigrants, s'il est maintenu par le nouveau gouvernement Couillard (qui a donné de premiers signaux en ce sens), sera la mesure de protection du français la plus importante prise par le Québec depuis la loi 101. En quelques années, la proportion des nouveaux arrivants ayant une connaissance réelle (on dit «intermédiaire ou avancée» dans la nouvelle grille) passera à 100 % pour les travailleurs qualifiés et leurs conjoints.

Le critère du français langue d'usage au point d'entrée n'a pas été retenu — la résistance est très forte. Mais la proportion devrait mécaniquement augmenter, compte tenu des exigences de la nouvelle grille.

Début 2014, j'avais demandé à Marc Termote de refaire ses calculs de marginalisation du français à Montréal et au Québec en insérant les données les plus récentes sur la nouvelle composition linguistique de l'immigration et sur des éventualités de meilleur maintien des familles. Je voulais pouvoir estimer quelle devait être l'ampleur de l'effort pour stopper, sinon renverser, la tendance à la marginalisation du français. Malheureusement, les élections ont interrompu ce projet.

○ ○ ○

... et parler aux Anglais

De tous les dossiers que Pauline m'a confiés, le plus casse-pipe était celui-ci : être le ministre responsable des relations avec les Anglo-Québécois.

Lorsqu'elle me l'a proposé, j'ai été très clair. Je savais qu'elle m'avait déjà entendu défendre mes positions, un peu iconoclastes pour un péquiste, sur l'attitude à adopter envers notre minorité historique. Je l'avais résumée à grands traits dans la note linguistique que j'ai reproduite dans le chapitre précédent.

Cependant, on n'est jamais trop prudent en ces matières.

« Si tu me nommes à ce poste, tu sais ce que je vais dire ? Qu'il faut assurer la sécurité linguistique de la majorité francophone, de la minorité anglophone et des Premières Nations. Et que ces trois objectifs sont complémentaires. »

Oui, elle le savait. Oui, elle me faisait confiance. Oui, elle me donnait ce mandat. Elle allait le réitérer dans le discours d'investiture :

« Comme ministre de la Métropole, je vous demande de créer un lien organique entre les décideurs et les citoyens de la région de Montréal, et l'ensemble du gouvernement. Parmi ces citoyens, il y a les Québécois de la communauté anglophone, dont bon nombre résident à Montréal même.

« Je vous demande de tisser avec eux des relations étroites, dans le respect de leurs droits.

« Faites-leur sentir qu'ils constituent une richesse pour nous tous et qu'ils sont membres à part entière de la nation québécoise. »

Comme pour les autres dossiers, je commençai par consulter. Mais je pris une précaution supplémentaire : faire venir Mario Beaulieu, de la Société Saint-Jean-Baptiste (SSJB), et Gilles Grondin, DG du Mouvement national des Québécois, pour les aviser des orientations que j'allais prendre. Dans le contexte plus général de l'action profrancophone du gouvernement, je plaidais pour un peu de latitude. J'en ai eu. Un tout petit peu.

Une grande partie de ma tâche sur ce plan fut consacrée à me battre, dans les cercles les plus nationalistes, pour le droit de l'accomplir, puis à me battre auprès des anglophones pour les convaincre que je voulais vraiment l'accomplir — que ce n'était pas de la frime.

Mes attentes n'étaient pas élevées. Il s'agissait d'établir un dialogue. De devenir un interlocuteur valable. Je n'allais pas convaincre notre principale minorité des bienfaits de la loi 101 ou de l'indépendance. Je le savais.

Mais je voulais montrer qu'on pouvait trouver, ailleurs, des terrains d'entente, éviter les controverses inutiles, dissiper quelques malentendus, réduire de quelques degrés le niveau de méfiance. Et j'estime que le gouvernement du Québec est celui de tous les Québécois, quelles que soient leur allégeance politique, leur langue, leur religion ou leurs convictions.

Je commencerais par ouvrir les oreilles.

My Anglo-listening day (1er octobre 2012)

Aujourd'hui, j'ai beaucoup écouté. Avec ma casquette de ministre de la Métropole et responsable du dialogue avec les Anglos, j'ai fait quatre arrêts importants :

À 7 h 15, à la radio de la CBC, Mike Finnerty voulait savoir ce que je pensais de la commission Charbonneau, de la rétroactivité et des cégeps. « *I'm in listening mode* », ai-je répondu, mais il me voulait vraiment en « *answering mode* ».

Ce qui est bien en politique, contrairement au théâtre, c'est qu'on n'a pas à attendre les journaux du lendemain pour lire la critique. Juste après moi, Bernie St-Laurent a commenté mon intervention en affirmant que c'était « *one of the most humble presentations I've heard from Jean-François Lisée* » (une de mes prestations les plus humbles). Il faut croire que je m'améliore ! Merci, Bernie !

Puis, zip, tout de suite à l'hôtel de ville de Westmount, pour rencontrer le maire, Peter Trent, l'irréductible pourfendeur des fusions municipales (avec raison, à mon avis, pour ce qui était des villes bilingues comme la sienne, porteuse d'une importante charge identitaire pour la communauté anglophone et dont il fallait préserver l'existence).

Son épouse m'avait préparé des *English muffins*. (Délicieux! J'en veux une autre livraison!)

Le plaisir avec Peter, c'est son mélange de courtoisie et de franchise. Comme à tous ceux que je rencontre depuis ma nomination, je demande ce qu'ils feraient à ma place. Ce ne sont pas les réponses qui manquent: se méfier de celui-ci, faire débloquer cette embûche-là, se presser sur tel dossier, ne pas toucher à tel autre...

Sur les questions linguistiques, Peter soulève les objections habituelles, mais il est très favorable à tout projet de retenir les familles sur l'île, y compris pour des raisons de maintien d'une majorité francophone. Il m'en parle d'emblée.

À 14 h, je suis reçu dans les bureaux du Quebec Community Groups Network (QCGN), organisation panquébécoise anglophone. Une dizaine de représentants de Montréal, Sherbrooke, Pontiac et Québec, ainsi que le fondateur du Centaur Theatre, Maurice Podbrey. «On a fait l'histoire ensemble! lui dis-je. Vous voulez la refaire?» Il est partant!

La conversation est immédiatement amicale, informative, même lorsqu'on aborde les sujets qui fâchent. Dans son communiqué publié après la rencontre, le président du QCGN, Dan Lamoureux, écrit ceci:

«Le ministre a démontré avec sincérité son intérêt à travailler avec le QCGN, de même qu'avec ses organismes membres et d'autres membres de la communauté d'expression anglaise pour trouver des terrains de collaboration qui contribueront à soutenir la vitalité de nos communautés.»

Ensuite, hop! vers l'English Montreal School Board (EMSB), où m'attendent les présidentes des deux commissions scolaires anglos de l'île, Angela Mancini et Suanne Stein Day. La réduction de leurs effectifs les préoccupe (une de leurs écoles a été fermée dans ma circonscription de Rosemont, une autre a été épargnée grâce à la mobilisation des parents et à l'appui de Louise Beaudoin).

On discute aussi des problèmes affectant les enfants de familles en difficulté. Elles m'expliquent qu'en certains endroits il faut prévoir des vêtements propres de chaque taille pour les matins où des enfants arrivent en piteux état, leurs parents n'ayant pas pu faire la lessive. Sans parler des petits-déjeuners qu'il faut fournir à plusieurs endroits. Des bottes et des manteaux d'hiver.

On fait un bon premier tour de piste. Les journalistes nous attendent à la sortie. On lit ceci sur le site de CTV:

« *"My fundamental position is that if there is worry for the strength and continuity of the English-speaking community, remedial measures are in order" Lisée said. "That is the basic position and that is the same position for the French majority — and for First Nations. We have to live in an era of common linguistics and identity security for the three groups."*

« *EMSB chair Angela Mancini said that while nothing concrete was set in Monday's meeting, the conversation set the table for cordial relations between both groups.* »

Et Angela dit ceci au *Devoir* :

« *"*Ça fait 14 ans que je suis commissaire, depuis le début des commissions scolaires linguistiques en fait, et je n'ai jamais reçu la visite d'un ministre", a dit Angela Mancini, présidente de la CSEM, se réjouissant de l'effort de ce déplacement. Et le premier ministre à briser ce silence est un péquiste de surcroît. »

J'ai multiplié les rencontres avec des leaders de la communauté anglophone. Ils étaient surpris de me voir. Méfiants. Curieux. Mais très, très volubiles. Ils avaient plein de choses à me dire. J'allais retrouver ces mêmes messages dans mes rencontres avec de plus grands groupes.

Leur message principal est aux antipodes de l'image de l'anglophone arrogant et dominant, méprisant les francophones. Il y en a. J'en ai rencontré. Ce qui frappe plutôt est la demande criante de reconnaissance et d'inclusion dans la société québécoise.

Reconnaissance, car ces Anglos estiment à bon droit avoir investi énormément, individuellement et collectivement, dans l'apprentissage du français. Ils sont devenus massivement bilingues. Ils insistent pour que leurs enfants soient dans des classes d'immersion. Une des raisons de la baisse de fréquentation des écoles secondaires anglo-montréalaises est la suivante : c'est la mode, dans la classe moyenne anglophone, d'envoyer ses enfants dans des écoles secondaires privées francophones.

Il y a plus. Lorsqu'on affirme que les Anglo-Québécois actuels sont ceux qui ont décidé de rester au Québec, alors que quelques centaines de milliers d'autres ont franchi la frontière ontarienne entre 1960 et 1990 pour fuir la montée du pouvoir francophone, on n'a qu'effleuré la surface du phénomène. Les Anglos qui sont restés l'ont fait dans le déchirement familial. Ils vous racontent tous la difficulté d'avoir vu partir des proches et d'avoir décidé de ne pas les suivre. Et en quelques cas, d'être revenus au Québec après un séjour ailleurs.

Ils estiment que la société québécoise majoritaire n'a jamais reconnu leur effort. Ne s'est jamais montrée empathique ni reconnaissante. Qu'on leur en demande toujours plus. Qu'on n'est jamais satisfaits. Et qu'on ne les considère pas vraiment comme des Québécois.

« *You're Quebecers, get over it!* » Cette déclaration (« Vous êtes québécois, revenez-en! »), que j'ai faite très tôt dans le mandat, a eu un retentissement important dans la communauté. Cela semble banal. Mais cela venait d'un ministre péquiste. Connu comme un indépendantiste radical.

Leur autre message était plus politique. Les leaders anglophones étaient très mécontents de la façon dont les libéraux les avaient traités. En électeurs captifs, facilement mobilisables, mais dont il ne fallait pas trop parler ou s'occuper. Le refus constant de Jean Charest de rencontrer les présidents des commissions scolaires anglophones était une cause célèbre. D'où la surprise qu'un ministre péquiste comme moi se rende les rencontrer, chez eux, si tôt dans le mandat.

Le refus du gouvernement Charest (réitéré par le gouvernement Couillard) de désigner un ministre responsable de leur communauté est perçu comme une vexation. Après tout, les autochtones ont bien leur ministre. M. Charest refusait même de désigner une personne, dans son cabinet, chargée de faire le lien avec les organisations anglophones.

J'ai fait tester la chose par sondage à mon arrivée : 55 % des Anglos veulent un ministre (23 % sont contre). Les francophones n'y voient pas d'inconvénient (42 % pour, 33 % contre).

Ma présence était donc, en quelque sorte, un événement. Je faisais les radios, les entrevues télé. J'allai à Westmount prononcer une conférence devant une salle comble. Puis, je participai à un débat houleux, à la CBC, devant une foule difficile.

Les réactions évoluaient. Il y avait ceux qui, évidemment, me détestaient. Ceux qui estimaient que j'étais « un loup déguisé en agneau ». Au début, on ne me croyait pas sincère. Ensuite, on m'a cru sincère, mais on a estimé que j'étais seul au gouvernement à être ouvert aux Anglos. J'étais le « *Good Cop* ». Le reste du gouvernement était le « *Bad Cop* ».

Il y avait, pour cette thèse, du grain à moudre. Lorsqu'un collègue a déclaré que l'anglais était une « langue étrangère », j'ai trouvé la journée longue. Puis, il y eut la plainte hallucinante de l'Office québécois de la langue française (OQLF) contre le restaurant italien Buonanotte pour qu'il traduise le mot «*pasta*» en français. La plainte avait été déposée sous les libéraux, mais nous en avons encaissé l'impact. Même si Diane De Courcy a fait les réformes nécessaires pour empêcher ces dérives contreproductives, le mal était fait.

Nous avions un plan d'action. J'allais multiplier ces approches, puis cibler un groupe d'anglophones que Pauline rencontrerait pour réitérer mon message. Puis, on organiserait une conférence de Pauline devant une assemblée anglophone. Il était convenu que ce ne serait pas au Centaur, où Lucien Bouchard avait fait son fameux discours après le référendum.

Mais le dépôt du projet de loi 14 modifiant la loi 101 provoqua un ressac important dans la communauté anglophone, notamment en raison des mécanismes de retrait du statut bilingue des villes où la proportion d'anglophones avait régressé. Une rencontre avec Pauline ne semblait pas opportune. Nous l'avons reportée. Puis, le débat sur la Charte allait se charger de rendre le projet politiquement plus que périlleux.

Il y eut d'ailleurs un moment où l'intention de vote pour le PQ chez les Anglo-Québécois est tombée à 0 %. C'était probablement une première historique. Et heureusement qu'il s'agissait d'un sondage fait sur Internet, sans marge d'erreur. Car autrement, cela aurait signifié que notre appui variait de + 3 % à − 3 % !

Même dans ces moments de grande difficulté, je continuais à aller au charbon. À donner des entrevues, à défendre le point de vue du gouvernement, à faire des rencontres en petit comité pour maintenir le contact. Le personnel de mon cabinet pouvait faire avancer des dossiers, donner des informations sur des questions mineures, mais qui ont, chacune, leur importance pour les organismes concernés.

Il y avait beaucoup de friture sur la ligne. Mais je tenais à ce que la ligne ne soit jamais coupée.

Deux controverses allaient marquer mon action envers les Anglos. La première était évitable. L'autre, non.

Alliance Quebec, le lobby proanglophone qui fut très agressif pendant les années 1990, n'existe plus. C'est bon signe. Un organisme plus consensuel, le Quebec Community Groups Network, l'a remplacé. Le groupe est évidemment fédéraliste et très critique au sujet de la législation linguistique. Mais il est partant pour le dialogue et le travail commun.

Un de ses projets est de renforcer l'identité québécoise des jeunes anglophones, au moyen d'une tournée de discussions dans les écoles et cégeps anglophones. Pour lancer la discussion, on présente un clip vidéo intitulé *Notre Home*. C'est essentiellement en anglais.

L'organisme a besoin d'une petite subvention — 20 000 dollars — pour boucler le budget de la tournée. Je n'allais pas me faire prier pour soutenir une initiative visant l'enracinement québécois de nos jeunes citoyens anglophones.

J'aurais cependant dû relire le communiqué publié par le groupe pour convoquer la presse à la conférence de lancement et demander des changements. Plutôt que de parler d'une initiative anglophone visant les anglophones, le groupe a, en toute bonne foi et inspiré par une volonté d'ouverture, annoncé qu'il s'agissait de «jeter des ponts entre les Québécois francophones et anglophones à partir de la chanson "Notre Home"».

Jeter des ponts entre communautés, au Québec, cela se fait évidemment par la langue commune, le français. Pas par une chanson essentiellement anglophone[1]. Nous n'allions jamais réussir à corriger cette première, et mauvaise, impression.

J'abordai la chose dans mon blogue:

«*Notre Home*»: *joies et périls du bilinguisme* (19 janvier 2013)

Jeudi soir à Westmount, j'ai eu trois questions — plutôt, trois fois la même — sur le bilinguisme, de la part d'Anglo-Québécois. Vendredi, dans les radios, j'ai eu plusieurs questions de francophones — plusieurs fois la même, mais en sens diamétralement inverse — sur le bilinguisme. J'ai donc traversé le miroir linguistique.

Ces questions sont intéressantes et il vaut la peine de s'y attarder.

Mes interlocuteurs francophones étaient surpris du caractère bilingue, et principalement anglophone, de la chanson «Notre Home», qui part

---

[1] Selon une légende assez répandue, je proposerais de remplacer les principes du «français langue officielle et langue commune» par le concept de «prédominance du français». C'est faux. Je ne veux pas remplacer, mais ajouter. C'est parce que le français est langue officielle et commune que, par la force des choses, il est prédominant. Alors, à quoi bon? Parce qu'il est bon d'indiquer que le français n'est pas seul: il y a les langues des Premières Nations et de notre minorité anglophone. On prédomine, mais on ne vise pas à éliminer les autres. Ce n'est pas sans importance, lorsqu'on est minoritaires.

en tournée dans les écoles anglo-québécoises grâce à une petite subvention gouvernementale.

« Comment, se sont insurgés certains, le PQ finance une chanson bilingue ? C'est du Justin Trudeau ! » La langue commune au Québec n'est-elle pas le français ?

En effet, lorsque les Québécois de divers horizons linguistiques parlent ou travaillent ensemble, la langue commune est le français. C'est entendu.

Mais lorsque les Anglo-Québécois parlent entre eux ?

Les recherchistes de Radio X ont calculé que 78 % des mots de la chanson « Notre Home » étaient anglais. (Et dire qu'ils trouvent l'OQLF tatillonne !) Mais voici, cette chanson commandée par une organisation anglophone à un auteur anglophone est destinée à dire aux jeunes anglophones qu'ils sont chez eux au Québec. La chanson aurait pu être 100 % anglo — ils se parlent, entre eux, de leur identité québécoise. Mais non, ils ont décidé d'y mettre (je n'ai pas vérifié le compte de Radio X, mais disons...) 22 % de français. Un net progrès pour tous ceux qui tentent d'entendre du français aux radios anglaises.

Bref, nous sommes ici en présence d'un groupe d'Anglos qui insère du français dans sa propre chanson parce qu'il estime que cela illustre bien son appartenance au Québec. J'applaudis.

Les Anglo-Montréalais sont massivement devenus bilingues depuis un peu plus d'une génération. Ils voient autour d'eux, notamment à Montréal, une majorité de jeunes francophones bilingues. Pourquoi, disent-ils, ne pas dire que Montréal est une ville bilingue ?

La distinction que nous faisons entre l'enrichissement personnel que constitue le bilinguisme individuel, d'une part, et le risque linguistique qu'entraîne le bilinguisme institutionnel, d'autre part, est très, très difficile à saisir pour nos interlocuteurs.

Notre explication est simple et ancrée dans l'histoire : mettre sur un pied d'égalité la langue de la majorité continentale anglophone et la langue de la minorité francophone, c'est ouvrir la voie à l'affaiblissement de la langue minoritaire. Et comme nous, francophones, sommes 2 % sur le continent, le caractère officiel et commun du français ainsi que son statut de langue première et prédominante sont essentiels à sa vitalité même.

Nos compatriotes anglo-québécois sont peu nombreux à comprendre ce risque, virtuel. En fait, j'ai plus de facilité à expliquer le risque que court le français par la réduction de la proportion de francophones sur l'île qu'à expliquer celui du bilinguisme institutionnel. Sans doute parce que les Anglo-Québécois, ayant vu leur nombre se réduire depuis 50 ans et ayant constaté les répercussions sur certaines de leurs institutions, saisissent le principe.

C'est déjà ça.

～～～～～～

L'autre controverse tient de la quadrature du cercle. La Charte de la langue française a été conçue de façon à promouvoir le français comme langue normale et habituelle du travail et du commerce, entre autres excellentes choses. Mais René Lévesque et Camille Laurin ont tenu à ce que la communauté anglophone ait accès à des services dans sa langue. Leur décision n'a jamais fait l'unanimité dans les cercles nationalistes. Le fait que je sois conséquent avec cette position non plus. Le premier à me harponner à ce sujet fut le président de la SSJB, Mario Beaulieu. (Il est devenu depuis chef du Bloc québécois et nous avons de bons rapports.) Je lui répondis comme suit :

Français : mener les bons combats (*30 janvier 2013*)
Le président de la SSJB, Mario Beaulieu, est mécontent. Dans une lettre ouverte publiée dans *Le Devoir*, il m'accuse de promouvoir « l'anglicisation » des services publics. Mon crime ? Avoir simplement dit tout haut, et en anglais, ce que stipule la loi 101 depuis 30 ans : si un employeur fait la démonstration que la connaissance de l'anglais est requise pour un poste, il peut réclamer la connaissance de l'anglais dans l'embauche pour ce poste.

Il n'aurait pas fallu que je dise qu'au centre-ville de Montréal, où passent des centaines de milliers de touristes anglophones, où on compte des dizaines de milliers d'étudiants de McGill et de Concordia, la STM pourrait facilement faire la démonstration qu'il faut des rudiments d'anglais pour y être guichetier. (Je n'ai évidemment jamais suggéré de bilinguiser tout le réseau.)

Je me permets de rappeler à Mario que, avec mon appui enthousiaste, ma collègue Diane De Courcy a déposé en décembre une mise à jour de la loi 101 qui fera en sorte que les entreprises ne puissent pas réclamer sans raison la connaissance de l'anglais, comme elles le font beaucoup trop aujourd'hui. Le projet forcera également chaque commerce à disposer de personnel francophone en tout temps.

Surtout, l'action linguistique de notre gouvernement se concentre sur des actions essentielles pour enrayer le déclin du français à Montréal. Car pour avoir davantage de français, il faut d'abord davantage de francophones. J'ai mis sur pied un groupe de travail qui rendra bientôt des recommandations propres à retenir les familles sur l'île. Le départ des familles francophones réduit le pouvoir d'attraction du français. Leur rétention renverserait la tendance.

Diane De Courcy travaille aussi à mettre un terme à une politique qui permettait à plus de 40 % des immigrants de s'établir au Québec sans avoir la moindre connaissance du français. Tous les démographes le savent, la composition linguistique de l'immigration est une des clés de l'avenir du français à Montréal. La francisation des néo-Québécois déjà installés va aussi être grandement accrue.

L'extension du français langue de travail est une autre clé de l'intégration au français des néo-Québécois. La nouvelle loi 101 étendra graduellement le français langue de travail aux entreprises de 26 à 50 employés. Plus encore, elle permettra d'étendre les dispositions de la loi 101 aux entreprises à charte fédérale (comme les banques) qui souhaitent faire des affaires avec l'État québécois. Cela représente 10 % de la main-d'œuvre.

Ces mesures vont au cœur de l'évolution linguistique du Québec et de Montréal. Mario Beaulieu estime que les allophones s'intégreraient davantage au français si les guichetiers de la STM aux stations de métro McGill ou Peel faisaient semblant de ne pas comprendre les mots « *one ticket, please* ».

Il a raison de noter qu'ailleurs en Amérique du Nord, les services publics étant unilingues anglais, les allophones reçoivent un signal linguistique fort. Mais il ne s'agit pas que des services publics. Les commerces privés y sont, aussi, tous unilingues.

Au centre-ville de Montréal, par contre, on peut se faire servir en anglais dans tous les commerces. Je ne pense pas que Mario veuille l'interdire. Dans ce contexte, le « signal » envoyé par le guichetier unilingue risque de passer inaperçu, d'autant que, comme l'admet le président de la SSJB, certains services et messages de la STM sont déjà bilingues.

La STM est libre de choisir les moyens de rendre ses services accessibles à sa clientèle anglophone, avec ou sans guichetiers bilingues.

M. Beaulieu me reproche d'avoir fait état de cette liberté et de ne pas me scandaliser de son existence.

C'est que je préfère concentrer mon énergie sur des combats et des réformes qui feront vraiment avancer le français dans la métropole.

~~~~~~~~~~

J'allais cependant avoir affaire à plus forte pointure. Jacques Parizeau en personne allait m'embrocher dans une entrevue.

Monsieur, les Anglos et moi *(19 février 2012)*

Rien de ce que M. Jacques Parizeau ne pourra dire à mon sujet n'entamera l'énorme respect que j'ai pour l'homme et sa remarquable contribution à l'histoire du Québec. Je lui dois aussi d'avoir accepté de faire de moi son conseiller spécial (et non son bras droit, qui était Jean Royer) pendant qu'il était premier ministre. Je lui en serai toujours reconnaissant. Nos relations ont connu des hauts et des bas depuis la fin de notre lien d'emploi. Je préfère les hauts : c'est à lui que j'ai dédié mon ouvrage *Pour une gauche efficace*, car j'ai tenté de m'imprégner de son progressisme pragmatique, et il était présent au lancement.

Il m'a, en retour, fait quelques coups de chapeau dans son ouvrage suivant, *La souveraineté du Québec : Hier, aujourd'hui et demain* (éd. Michel Brûlé), en citant favorablement certains passages. Les points de convergence sont donc majeurs.

Samedi dernier, dans *Le Journal de Montréal*, mon ancien patron m'a grondé.

« "Lisée a toujours été porté sur l'ouverture aux Anglais. C'est lui qui a rédigé le discours de Lucien Bouchard au Centaur. Jean Royer le surnommait le conseiller à l'ouverture. C'est certainement une dérive que ces déclarations. Mais c'est normal qu'on assiste à ces dérives quand on perd l'objectif. Quand on n'a pas une idée claire, tout devient négatif", souligne-t-il. Et il ajoute en souriant : "Dans toutes les sociétés, il y a des apôtres de la bonne entente. Des bon-ententistes." »

Je lui ai répondu :

« On peut être pour l'indépendance du Québec, pour le renforcement du français à Montréal, et faire ça avec de l'ouverture et de la bonne entente. Je ne pense pas que la fermeture et la mauvaise entente soient une bonne pratique envers tous les Québécois, y compris les Anglo-Québécois. »

Et encore :

« Pour freiner le déclin du français à Montréal, il ne faut pas tirer des roches aux Anglais, il faut plus de francophones. C'est ça la différence d'approche. »

Je crois en effet aux vertus de l'offensive : retenir les familles francophones sur l'île, franciser l'immigration au point d'entrée, franciser les petites entreprises pour favoriser l'intégration des allophones au français. C'est ainsi qu'on augmente le nombre de francophones, au centre-ville et ailleurs, et qu'on renverse la tendance. Pas en s'en prenant aux autres.

Voilà pour les effets de toge. Mais les choses sont beaucoup plus nuancées, et intéressantes, que cet échange ne peut le laisser supposer.

PARIZEAU, ANGLOPHILE

Car mon intérêt pour un changement de comportement du PQ envers les anglophones vient de... Jacques Parizeau.

Il faut se souvenir de l'énergie avec laquelle M. Parizeau a bataillé en 1993 pour faire introduire, dans le programme du PQ, la garantie que les droits des anglophones seraient inscrits dans la Constitution d'un Québec souverain. Il a dû, pour y arriver, traverser un barrage de militants, minoritaires, qui ne voulaient rien savoir de cette « bonne entente ». Il a tenu bon.

Une fois au pouvoir, il est allé encore plus loin. Il a pris sur lui d'introduire dans le projet de loi sur la souveraineté une clause conférant à la communauté anglophone un « droit de veto » sur tout changement à ses droits constitutionnels. Ce qui aurait nécessité la constitution d'un « collège constitutionnel » représentant la communauté. (J'étais et je suis toujours d'accord.)

Encore plus fort — et cette phrase nous avait valu des remontrances de la part de militants outrés —, il avait prévu ceci : « La nouvelle constitution garantira à la communauté anglophone la préservation de son identité et de ses institutions. »

Ce qui aurait pu conduire un juge, nous objecta-t-on avec raison, à obliger l'État québécois à financer une école anglaise pour l'éternité dans un village où il n'y aurait plus aucun anglophone. Cela me semblait un peu large, et je m'en étais ouvert au secrétaire général du gouvernement. Mais il y tenait.

Sur la question de la connaissance de l'anglais par les Québécois, M. Parizeau a toujours été tranchant. Il avait promis de « botter le derrière » de ses ministres qui ne connaissaient pas l'anglais. Il est cohérent, car dans son entrevue de samedi dernier, il récidive en affirmant qu'au Québec il est normal de bien connaître l'anglais.

« L'anglais est la *lingua franca* nouvelle. Il faut qu'on en favorise l'acquisition comme on le fait dans les pays européens. Comme je crois que les dirigeants de notre société seraient grandement avantagés s'ils pouvaient s'exprimer en anglais.

« Il ne faut pas se boucher les yeux. On n'a pas le choix. On vit sur un continent anglophone et parler anglais au besoin, tout en vivant en français chez soi, devrait être normal. »

Il n'y a rien à corriger dans ces sages paroles, sauf peut-être ajouter « tout en vivant *et travaillant* en français ».

Bref, je conçois sans difficulté que Monsieur et moi ayons des divergences sur, par exemple, la possibilité pour la STM de se prévaloir de dispositions incluses dans la loi 101 pour décider qu'en certains cas, très minoritaires, des employés peuvent répondre en anglais à des usagers anglophones.

Mais pour l'approche générale, je dois avouer que je tire une partie de mon ouverture aux anglophones des leçons que m'a données mon plus estimé professeur, un anglophile reconnu : Jacques Parizeau.

○ ○ ○

CHAPITRE 10

Notes de la vie ministérielle

Au centre. En représentation. C'est ce qui frappe le plus lorsqu'on devient ministre. Journaliste ou conseiller, on est en périphérie de l'action. Ou plutôt de l'acteur. Directeur d'un centre de recherche (le CERIUM), j'étais en représentation quelques heures par semaine.

Mais ministre, on est constamment au centre. Dans chaque réunion, c'est à vous qu'on parle. C'est de vous qu'on attend des réponses. Ou des questions. Ou des signes de compréhension ou d'incompréhension.

Les groupes qu'on rencontre, de toutes les facettes de la société, les représentants locaux et étrangers, se demandent en entrant dans la salle : a-t-il été informé du sens de la démarche ? Va-t-il nous écouter ? Nous comprendre ? Nous appuyer ?

Toujours, le ministre doit passer le test. Il ne peut regarder ailleurs.

Cela m'a frappé dès les premiers jours. Après, disons, la cinquième rencontre pendant une même matinée. Tout m'intéressait, mais je n'avais plus droit aux petites escales de la vie normale. Se mettre à rêvasser pendant une partie de la réunion. Faire des petits dessins sur son bloc-notes. Regarder ses courriels sur son iPhone.

C'est vrai aussi des rencontres avec les conseillers. Ou avec les sous-ministres et fonctionnaires. Encore plus lors de déplacements à l'étranger, où tout est minuté — sauf le décalage horaire, dont on fait semblant de ne pas subir les effets.

On s'y habitue. Mais c'est une perte de liberté. Ce n'est pas seulement l'impression d'être constamment observé. C'est la réalité d'être constamment jugé. Cela tire vers le haut, évidemment. Il faut être à la hauteur, toujours, sur chaque sujet. Mais je comprends mieux maintenant les petites rébellions qui m'avaient étonné chez Jacques Parizeau et, surtout, chez Lucien Bouchard, qui, de temps en temps, souhaitaient mettre leur ordre du jour de côté pour avoir du temps à eux. Petites libérations d'une heure ici et là. L'agenda s'en remettrait.

Je me souviens d'un matin où Bouchard recevait Bernard Pivot à petit-déjeuner avec des auteurs québécois. Cela devait se terminer à 8 h 30. Il les garda jusqu'à 10 h 30, sourd aux appels des conseillers qui montraient leur montre avec une agitation croissante.

Pivot parti (c'est lui qui avait un rendez-vous), Bouchard se tourna vers nous pour demander : « Quelle est l'étendue des dommages ? »

Et il est vrai que cet agenda bourré au maximum devient un peu une prison, d'où le soin qu'il faut prendre pour faire ses choix, établir ses priorités et son rythme, et ne pas se faire imposer ceux des autres.

Voici les impressions que je mettais sur le blogue, peu après ma prise de poste.

Notes de la vie ministérielle (10 octobre 2012)

Il y a une maxime au sujet du voyageur qui arrive dans un endroit complètement nouveau : après la première semaine, il pourrait remplir un livre de ses impressions et découvertes ; après un mois, un article ; après un an, une note en bas de page. Ce n'est pas le réel qui a rétréci. C'est son aspect nouveauté, étonnement.

Ce ne sera pas un livre, car tout n'est pas nouveau pour moi. Mais un peu plus qu'une note en bas de page.

Le rythme

C'est ce qui m'a le moins désorienté. Le rythme d'enfer de la politique, lorsqu'on est au pouvoir. Les rencontres qui se succèdent, les dossiers qu'il faut assimiler, les décisions qu'il faut prendre, les médias qu'il faut rencontrer.

Mes cinq années au cabinet du premier ministre, sous Jacques Parizeau puis Lucien Bouchard, m'avaient préparé à ce rythme. Préparé à l'accepter, et à le dompter. Rien n'est plus précieux, dans la gestion du quotidien d'un ministre, que le temps. Il faut bien le gérer. Et pour y arriver, il faut déterminer ce qu'on veut en faire, avant que les autres vous remplissent vos journées. Et que vous ne sachiez plus, après un temps, à quoi tout cela rime.

Sans la volonté politique, sans la détermination d'objectifs, le rythme vous engouffre, comme des sables mouvants. Si on ne fait pas du rythme un outil, il sera un tombeau.

Conseiller et ministre

Je me rends compte, à tout prendre, qu'il est plus aisé d'être ministre que conseiller. Bien sûr, contrairement au conseiller, le ministre porte la responsabilité. Il doit être plus mesuré dans ses paroles. Il assumera ses bourdes et ses échecs. L'opposition et les scribes l'attendent à chaque tournant, et les électeurs, à l'étape.

L'élu est sans filet. Exposé. Donc vulnérable.

Mais lorsqu'on a intégré cette condition, le ministre travaille moins que le conseiller.

Pas moins d'heures. Il ne dépense pas moins d'énergie. Et c'est sans doute un tropisme que j'ai moi-même forgé avec les années, mais, pour moi, l'effort, c'est faire de la recherche et écrire. Un article. Un livre. Ensuite, en parler, en faire la promotion, rencontrer des gens, discuter, convaincre, tout cela est facile. Écrire ce journal de ministre, qui ne me demande aucune recherche — que du temps —, ne m'apparaît pas comme un vrai « travail ».

Ministre, je fais travailler les autres. Et comme j'ai une équipe formidable de conseillers et de fonctionnaires, les choses vont rondement. Qu'on me prépare une note sur ceci. Qu'on trouve la réponse à cela. Qu'on réunisse autour d'une table les représentants de tel ou tel secteur.

Avec mes collègues ministres, au Comité ministériel de la métropole, par exemple, on discute des orientations, des contraintes, des budgets. On prépare des décisions. Pour demain les annoncer et faire avancer les choses.

Est-ce du travail ? C'est utile. C'est indispensable. Il faut le faire avec rigueur et professionnalisme. Faire preuve de jugement et, en politique, toujours, d'instinct. Mais cela me paraît beaucoup plus simple que d'écrire un chapitre de mon ouvrage *Pour une gauche efficace*.

Je sais que demain il y aura des déconvenues, des frustrations, des échecs. Des critiques justifiées et d'autres parfaitement démagogiques. Les deuxièmes sont les seules à faire mal, et seulement si les gens les croient fondées.

De la peine, donc, en perspective. Mais du travail ? Je vais demander qu'on me prépare une note là-dessus.

La voiture

Ils disent : « la limousine ». Mon fils était bien déçu. Il s'attendait à ces longues limousines noires ou blanches qu'on loue pour son bal de fin d'études secondaires. Il n'a trouvé qu'une voiture noire comme on en voit passer des centaines tous les jours. Il a bien aimé le téléphone, bien sûr, et le GPS. Le gyrophare, aussi, qu'on n'utilise presque jamais. Et il n'en revient pas que mon agent de sécurité porte sur lui une arme de poing.

Mais c'est quand même extraordinaire, cette voiture de ministre. Libérateur. Évidemment, chaque minute passée sur la banquette arrière est utilisée pour faire des appels, lire des dossiers, envoyer des courriels. Le trajet de deux heures et demie entre Québec et Montréal est une plage, disons... de travail, consacrée à signer, approuver, modifier.

Souvent, un collaborateur vous accompagne pour vider son propre sac de dossiers en cours et obtenir des indications — ou tenter de les infléchir.

Mais voilà de quoi la voiture nous libère : je n'ai pas eu à faire le plein depuis trois semaines. Je n'ai pas la moindre difficulté à me garer. En fait, on me dépose toujours exactement à l'endroit où je dois me rendre. Et on m'y reprend. Le rêve !

Je me demande quand même quand j'aurai le temps de faire poser mes pneus d'hiver sur ma propre voiture. Ou si ça en vaudra même la peine ! Ni quand je pourrai faire faire son traitement antirouille.

Il faut bien admettre, puisque la question des mieux nantis est aujourd'hui sur toutes les lèvres, que la voiture avec chauffeur induit un certain nombre de coûts évités : stationnement, pleins d'essence, contraventions, vidanges d'huile, ajouts de lave-glace, remorquages, billets de train et de métro.

Vous savez, les riches — ceux qui ont une voiture de fonction du haut de leur direction d'entreprise —, ils sont aussi, un peu, riches de tout ce qu'ils ne doivent pas payer.

(Note mentale : augmenter mon budget personnel de dons de charité cette année pour compenser.)

Une personnalité ministérielle

Pour l'instant, les choses me viennent naturellement, mais lorsque j'agis ou que je parle avec de simples citoyens, des acteurs du monde social ou économique, ou avec mes collaborateurs, je reconnais souvent l'origine de certains de mes réflexes.

J'ai des façons de faire attrapées au contact de Jacques Parizeau, des attitudes empruntées à Lucien Bouchard, et beaucoup de méthodes de gestion reprises de leurs deux excellents chefs de cabinet : Jean Royer et Hubert Thibault. Incroyable tout ce qu'ils m'ont appris, en étant efficaces et compétents. Et calmes. Toujours calmes (je parle de Jean et d'Hubert). J'ai l'impression que toutes ces influences, et d'autres, se sont mélangées dans le moule laissé par l'audace de mon père entrepreneur et la force de caractère de ma mère.

C'est souvent à l'un d'entre eux, ou à un mélange toujours changeant, que vous parlez lorsque vous me rencontrez.

Finalement, cher journal, ce sont eux qui font tout le travail.

○ ○ ○

CHAPITRE 11

La saison des épreuves

Il y a eu trois vagues. Comme en cercles concentriques. D'abord, à propos d'un de mes collaborateurs, André Lavallée. Ensuite, au sujet d'une de mes nominations, André Boisclair. Finalement, concernant mon propre cas — mon salaire différé du CERIUM.

Cela fait partie de la politique. On peut être au centre d'une controverse qu'on prend la décision de créer. Ou on peut être au centre d'une controverse qui nous est imposée. On peut même être au centre d'une controverse que l'on a créée, mais à son corps défendant.

L'automne 2012 allait m'imposer tous ces cas de figure.

DÉFENDRE ANDRÉ LAVALLÉE

C'est la libérale Lise Thériault qui a choisi le moment et le thème de la première controverse. Quelques jours après la démission du maire Gérald Tremblay, elle a accusé André Lavallée, que j'avais nommé secrétaire général associé à la région métropolitaine, d'avoir participé à des «contrats truqués». Pourquoi? Parce qu'il était présent, à titre d'élu ou de chef de cabinet, à des réunions du conseil municipal au cours desquelles on avait approuvé des contrats avec des entreprises dont on apprendrait, trois ans plus tard, qu'elles étaient liées à la mafia. C'est tout.

Rien ne pouvait démontrer qu'André savait quoi que ce soit à l'époque, ou même qu'il était en contact avec l'entreprise avant, pendant ou après. Non. Thériault faisait de l'accusation par association *a posteriori*. Se sachant sur une glace très, très mince, elle ne réclamait pas sa démission, seulement «des vérifications».

Sachant qu'André avait été proche de Gérald Tremblay — notamment son chef de cabinet pour l'arrondissement de Ville-Marie —, je lui avais demandé, lors de son embauche, s'il avait quoi que ce soit à se reprocher et quelque information que ce soit à fournir sur des transactions douteuses. Sa réponse fut non. Je lui demandai alors de communiquer immédiatement avec la commission Charbonneau pour se mettre à sa disposition. Ce qu'il fit.

La commission l'a interrogé quatre heures durant lorsqu'elle préparait la phase montréalaise de ses travaux. Jamais il ne fut soupçonné de quoi que ce soit. D'autant qu'il avait été le premier à réclamer l'annulation du fameux contrat des compteurs d'eau, qui lui semblait louche, allant même jusqu'à mettre sa démission sur la table si le maire Tremblay n'obtempérait pas. Il faisait partie des bons, pas des méchants.

Mais le contexte de novembre 2012 était délétère. Puisque André avait travaillé avec Tremblay, puisque Tremblay avait démissionné, ne fallait-il pas éviter toute apparence de rapprochement avec Tremblay et couper les ponts?

Je trouvais la chose absurde et décidai de défendre André, sa probité, sa réputation. Certains me conseillaient de «garder de la distance», au cas où. Je déteste ces petits calculs. Soit on défend, soit on ne défend pas. Et si on défend en «gardant de la distance», la défense est molle.

Je décidai donc de foncer. Je levai le devoir de réserve de mon premier fonctionnaire à la région métropolitaine et l'envoyai faire le tour des radios matinales, en commençant par l'émission de Paul Arcand, le plus efficace et le plus féroce. Il passa le test haut la main.

Je l'embarquai dans la voiture pour Québec pendant qu'il faisait ses autres entrevues téléphoniques et je tentai de convaincre le Bureau de la première ministre de me laisser faire un point de presse avec André à mes côtés, pour répondre à toutes les questions.

C'était inhabituel. Un fonctionnaire? Avec son ministre? Répondre aux questions?

Justement, c'est ce qu'il fallait. Montrer, en chair et en os, la solidarité, la transparence. Et répondre jusqu'à épuisement des questions. C'est ce que nous fîmes. À la satisfaction des journalistes.

Puis, vint le tour de la période des questions. Lise Thériault était toujours à l'attaque. Extraits:

Mme Thériault: La semaine dernière, j'ai questionné le ministre responsable de la métropole après qu'il a été démontré à la commission Charbonneau par Lino Zambito que plusieurs contrats truqués avaient été accordés par les membres du comité exécutif, dont M. André Lavallée, maintenant secrétaire général à la métropole, faisait partie. Après avoir énuméré au ministre une série de contrats truqués qui apparaissaient dans les procès-verbaux, je lui ai demandé s'il était toujours satisfait des réponses obtenues de M. Lavallée, et le ministre a répondu qu'il avait, lui, déjà posé les questions, qu'il était satisfait de ses réponses.

Hier, à TVA, on apprend que le comité exécutif était au courant des prix gonflés pour des travaux et que M. Lavallée était au conseil la journée où le contrat de Macogep n'a pas été reconduit. Force est de constater qu'encore une fois le ministre n'a pas posé les bonnes questions.

Est-ce que le ministre peut nous dire s'il est retourné voir son secrétaire général ? Quelles questions a-t-il posées ? Quelles réponses a-t-il obtenues ? Et a-t-il fait des vérifications supplémentaires ?

M. Lisée : Je remercie l'ancienne ministre du Travail pour sa question et je tiens à lui dire et à dire à la Chambre pourquoi le choix d'André Lavallée est si important. Ce n'est pas seulement parce qu'il a été le premier à se lever au comité exécutif de la Ville de Montréal et à aller voir le maire de Montréal pour lui dire que le contrat des compteurs d'eau était inacceptable et qu'il fallait l'annuler, bien avant que le vérificateur général de Montréal le demande.

C'est aussi parce que, dans sa carrière, André Lavallée a d'abord fait le premier plan d'urbanisme de Montréal ; il n'y en avait pas. Ensuite, il a fait le premier plan de transport de Montréal ; il n'y en avait pas. C'est parce que c'est lui qui a fait en sorte qu'il y ait le Bixi à Montréal ; ça n'existait pas.

Comme maire de Rosemont, c'est le premier à avoir proposé un plan famille-enfant, une idée qui a été reprise par toute l'agglomération ; 50 % de pistes cyclables de plus à Montréal, c'est lui ; 40 km/h maximum dans les rues de Montréal, c'est lui. La sécurité autour des écoles de Montréal, c'est lui.

La deuxième phase du Quartier des spectacles, c'est lui. Des André Lavallée, il en faudrait mille.

Mme Thériault : Monsieur le président, pas un mot sur l'intégrité. Manifestement, le ministre pédale. En entrevue avec Paul Arcand ce matin, M. Lavallée affirmait n'avoir rien vu, n'avoir rien su.

Est-ce que le ministre refuse de poser des questions supplémentaires pour qu'il puisse dire, lui aussi : « Je n'ai rien vu, je n'ai rien su » ?

M. Lisée: Monsieur le président, ce gouvernement a décidé d'être extrêmement ferme sur l'intégrité, contrairement à ce qui s'est passé auparavant. Être extrêmement ferme sur l'intégrité, monsieur le président, ça veut dire s'attaquer aux corrompus, s'attaquer aux crapules, s'attaquer aux mécanismes qui ont permis aux corrompus d'avancer alors qu'ils auraient dû reculer. Mais l'intégrité, c'est aussi défendre en cette Chambre les gens compétents et honnêtes qui ont travaillé pendant toute leur carrière pour le bien public et pour le bien des gens de Montréal. Et ce n'est pas à succomber à des allégations fondées sur absolument rien que nous allons mettre en cause l'intégrité de gens qui ont été les premiers à se lever pour dénoncer des choses qui se passaient autour d'eux.

Et le lendemain, Thériault fit une dernière tentative:

Mᵐᵉ Thériault: Monsieur le président, lorsque j'ai questionné le ministre au sujet de M. Lavallée, secrétaire général de la métropole, et son implication dans les contrats truqués à Montréal, le ministre m'a répondu qu'il avait demandé à M. Lavallée de se mettre à la disposition de la commission Charbonneau pour l'aider à répondre à toute question, donner des contextes, des informations, des recoupements qui pourraient être utiles. En entrevue, il a même dit: «M. Lavallée n'a été témoin d'aucune "irrégularité directe"...» Il a déjà rencontré, à deux occasions, des enquêteurs de la commission pour leur transmettre des informations de contexte.

Ma question est simple: M. Lavallée a-t-il rencontré les enquêteurs avant ou après qu'on a posé des questions au ministre? Et que voulait dire le ministre par des «irrégularités directes»?

M. Lisée: La députée parle de l'implication d'une personne dans des contrats truqués. Alors, elle veut dire qu'en 2009, de façon régulière, cette personne a approuvé des contrats dont on sait en 2012 qu'ils sont probablement truqués, exactement de la même façon que les membres du Conseil des ministres libéraux ont, en 2009, approuvé des infrastructures, des crédits dont on sait en 2012 qu'ils étaient probablement truqués.

Alors, ma question à l'ancienne ministre du Travail: a-t-elle été témoin d'irrégularités directes? Quelles vérifications est-ce que le chef de l'opposition a faites avant de donner à la députée le rôle important de critique de l'intégrité? C'est exactement l'absurdité des questions qui nous sont posées aujourd'hui. Puisque vous semblez... mes collègues semblent un peu surpris, on a entendu un entrepreneur de Montréal dire qu'au ministère des Transports du Québec, sous l'administration libérale, il y avait des contrats truqués et de la collusion. Alors, devons-nous en conclure qu'en 2009 les membres du gouvernement libéral étaient coupables ?

Mme Thériault : Monsieur le président, est-ce que le ministre peut nous expliquer pourquoi son secrétaire général a passé huit heures avec les enquêteurs, il les a rencontrés deux fois pendant quatre heures, puisque, selon ses dires, M. Lavallée n'a rien vu et rien su ? Et les questions, on les pose ici. Et les réponses, c'est de l'autre côté qu'on les donne.

M. Lisée : Oui, monsieur le président, c'est sûr qu'on aimerait poser des questions sur Catania, sur l'îlot Balmoral et tout ça, mais on va répondre à la question, on va répondre à la question. Alors, le secrétaire général adjoint du gouvernement, comme énormément d'honnêtes gens, aide la commission Charbonneau à trouver les coupables, à trouver les crapules, c'est ce qu'il fait. Il les a rencontrés deux fois pendant un total de quatre heures. C'est : deux fois deux égale quatre. Il les a rencontrés avant que l'ancienne ministre du Travail, membre du Conseil des ministres du gouvernement libéral, qui a donné en 2009 des contrats dont on sait maintenant qu'ils sont truqués, ait posé quelque question que ce soit.

Mme Thériault : Merci, monsieur le président. Ce que j'aimerais savoir aujourd'hui, ce n'est pas compliqué, là, c'est à quel moment les irrégularités indirectes ont été portées à la connaissance de M. Lavallée. Et, puisque le ministre ne répond pas à mes questions, monsieur le président, je vais l'aider un peu, je vais lui donner des choix de réponses : à titre de secrétaire général, comme membre du comité exécutif, ou comme maire d'arrondissement de Rosemont–La Petite-Patrie, ou encore comme chef de cabinet de l'ancien maire de Montréal ? J'attends des réponses, monsieur le président.

M. Lisée : Écoutez, je comprends que des gens qui, pendant deux ans et demi, monsieur le président, ont dit qu'une commission d'enquête sur la construction serait nuisible, serait nuisible à la recherche de la vérité, voudraient maintenant savoir ce qui se passe derrière les portes closes de la commission, parce que peut-être pensent-ils que des choses négatives à leur endroit vont finir par se dire. Alors, nous qui avons réclamé pendant deux ans...

(Des voix se font entendre)

Le président : S'il vous plaît ! Trop bruyant à ma gauche. Trop bruyant à ma gauche. Monsieur le ministre.

M. Lisée : Monsieur le président, nous qui avons demandé pendant deux ans, avec 80 % des Québécois, avec la députée d'Arthabaska, mais en l'absence du chef de la deuxième opposition, qui a demandé la commission neuf mois après la FTQ-Construction, nous voulons que la commission travaille, on la laisse travailler.

~~~~~~~~

Ce fut la fin de l'affaire Lavallée. André fit un travail remarquable au Secrétariat à la région métropolitaine. Tellement que le gouvernement libéral qui nous a succédé, et dont Lise Thériault est vice-première ministre, l'a maintenu à son poste !

L'AUTRE ANDRÉ

« J'étais contre depuis le début. » C'est Pauline qui m'apprenait ça, en conciliabule, en pleine crise sur la nomination d'André Boisclair comme délégué général à New York. « Moi aussi j'étais contre », ajoutait Nicole Stafford, la chef de cabinet. « Moi aussi », ajoutai-je. Alors qui était pour ? « C'est une décision dans laquelle on s'est laissé embarquer », conclut Pauline.

Contre. Pas contre la désignation d'André comme délégué à New York. Ça, ça nous semblait parfait. Contre le fait qu'il soit simultanément désigné sous-ministre, donc haut fonctionnaire permanent de la fonction publique.

Ce n'est pas une excuse. Seulement une explication. Et une illustration du télescopage, de la pression, du manque de temps qui peut pousser à la faute.

C'est au retour de Kinshasa, à la mi-octobre, que Pauline m'avait fait part de son idée de nommer André Boisclair comme délégué général du Québec à New York. Le poste était vacant depuis le départ, bien avant l'élection, de John Parisella.

Ma réaction fut très positive. André avait le bon profil : jeune, dynamique, ancien ministre de l'Environnement, de la Solidarité sociale, des

Affaires municipales, sa compétence était reconnue. Il allait se fondre dans les réseaux new-yorkais en un tour de main. Politiquement, la décision de la chef du PQ d'offrir un poste prestigieux à son ancien rival de la course de 2005 m'apparaissait comme le genre de signal de rassemblement trop rare en politique.

En théorie, les ministres des Relations internationales sont consultés pour la nomination des délégués, qui est du ressort de l'exécutif, donc du Bureau de la première ministre. La négociation contractuelle se fait à ce niveau. J'attendais donc sagement que la chose se règle. D'autant que nous avions prévu une mission de la première ministre à New York pour décembre. Il nous fallait un délégué en poste pour la recevoir.

Le temps passait. Ne voyant pas la nomination d'André atterrir au Conseil des ministres, je m'enquis des raisons du retard. « Il veut qu'on le nomme permanent dans la fonction publique », me dit un fonctionnaire chargé de l'affaire. « Quoi ? Il n'en est pas question ! » m'entendis-je répondre.

Le temps continuait à passer. Je me disais que l'affaire allait se régler, d'une façon ou d'une autre. Si la négociation était rompue, il faudrait trouver quelqu'un d'autre.

Or, nous voilà début novembre, à un mois de la visite new-yorkaise. « Que se passe-t-il ? » redemandai-je au fonctionnaire. « C'est la permanence, madame ne veut pas », répondit-il. Mais il me faut un délégué !

Lorsque la nomination est finalement apparue dans les décisions du Conseil, la mention de la permanence y était. Ah bon ! J'ai compris que madame avait finalement cédé. Poussée par le temps, la visite à New York qui était déjà en voie de planification et — surtout — l'absence de candidat de substitution. Mon erreur à moi ? J'aurais dû, là, sur-le-champ, soulever la difficulté politique posée par cette permanence. Je ne l'ai pas fait. En un sens, je me disais que le débat avait eu lieu ailleurs. Et je voulais un délégué.

Sorti du Conseil, j'appelai André pour lui dire que la décision allait être annoncée et que je devrais expliquer pourquoi il obtenait la permanence. Son argument était simple. Il n'avait pas demandé à être nommé délégué. Il avait monté de peine et de misère une petite boîte de consultation. Il devrait perdre tous ses clients sans savoir — puisque nous étions minoritaires — combien de temps il aurait son poste de délégué.

Nous sommes donc convenus de donner cette réponse, tout simplement.

Mais aucun journaliste ne me posa la question. Ni l'opposition le lendemain à l'Assemblée. La nomination d'André était bien reçue par tous. C'est que le communiqué de nomination avait omis d'indiquer la permanence. Un oubli qui reviendrait nous hanter.

Le détail apparaîtrait, comme c'est normal, à la publication du décret de nomination dans la *Gazette officielle*. La tradition médiatique veut maintenant que toute information publiée dans ce document régulier et public (et dont le Courrier parlementaire nous informe par courriel) soit considérée comme annoncée « en catimini ». La *Gazette* est officielle et accessible à tous, et scrutée par les recherchistes de l'opposition pour alimenter les journalistes, mais on fait comme s'il s'agissait d'une revue secrète, cachée.

Quoi qu'il en soit, l'annonce de la permanence d'André fit l'effet d'une bombe. Libéraux et caquistes faisaient semblant de dire qu'il aurait « un double salaire » (alors qu'il n'en avait qu'un).

Mais cette affaire allait nous révéler ce que nous aurions dû savoir. Dans l'ère post-Charest, dans l'ère du soupçon et du cynisme, la tolérance de l'opinion pour tout ce qui apparaît comme un privilège accordé à un ami politique est proche du zéro absolu. Début décembre, le choc fut violent. Je l'ai relaté dans mon blogue.

Ma mère me l'avait dit! (8 décembre 2012)

Pendant quelques années, quand on me demandait pourquoi je ne me présentais pas en politique, je répondais: « Ma mère ne veut pas. » Et c'était vrai. Et elle avait un argument massue: « Tu vas te faire critiquer, tu ne le supporteras pas. »

Je savais que j'allais me faire critiquer. C'est pour ainsi dire une condition d'embauche, en politique, comme pour tous ceux qui occupent une fonction publique, culturelle, économique ou autre. Je l'ai déjà dit: ceux qui ne veulent pas se faire critiquer publiquement devraient se limiter à rénover leur sous-sol.

Allais-je le supporter? J'avais de l'entraînement. Jacques Parizeau avait critiqué mon « idéalisme charmant » à la sortie de *Dans l'œil de l'aigle,* en 1990 (parce que je dénonçais les écoutes électroniques américaines sur René Lévesque, pratique que Parizeau jugeait inévitable). Robert Bourassa avait publiquement affirmé que les documents confidentiels que j'avais publiés pendant la campagne référendaire de Charlottetown, en 1992, étaient « des faux » (un mensonge éhonté).

Daniel Johnson était allé plus loin, pendant la campagne référendaire sur la souveraineté du Québec, en 1995, en m'accusant devant une assemblée partisane d'avoir écrit un faux : le programme constitutionnel confidentiel du Parti libéral (PLQ), qui proposait de faire du Québec une province officiellement bilingue. L'ombudsman de Radio-Canada allait démontrer que le document était vrai, écrit par un vrai comité du PLQ, dont Johnson était le chef. (Je suis toujours disposé à accepter les excuses de M. Johnson, si jamais il veut en faire.)

Journaliste, je fus également critiqué en privé. Un Bernard Landry outré m'a réveillé un matin parce que j'avais écrit que Bourassa avait eu un rôle important à jouer dans la création du Bloc québécois. Je ne prétends pas ici à l'originalité : beaucoup de membres de la tribu des scribes ont eu droit à ces appels, qui ne manquaient ni de verve ni de vocabulaire châtié. (Répondant que j'allais détailler le rôle du PQ, et de Landry, dans la création du Bloc dans un livre à venir, je l'entendis me dire que ce serait ainsi « à la cloche de bois ». Jolie expression qui signifie que personne ne l'entendra.)

Savoir encaisser

On s'habitue à la critique. On se forme une couenne. On encaisse. Mais on sent le coup quand même.

Je me souviendrai toujours de l'épouvantable livre écrit par le journaliste Lawrence Martin sur Lucien Bouchard, *The Antagonist*. Le bouquin, qui aurait dû faire de Martin un millionnaire sur un marché canadien-anglais preneur de tirades antiséparatistes, fut complètement discrédité, car l'auteur avait inclus une analyse psychologique du premier ministre absolument loufoque, faite à distance par un docteur de Toronto, pour lequel le séparatisme n'était pas une position politique, mais un désordre mental. M. Bouchard l'avait lu et n'avait pas aimé que le journaliste ait utilisé des témoignages de membres de sa famille pour tenter d'étayer sa thèse folle.

Le livre avait été publié en début de session. On en avait peu parlé. Quelques jours. Puis, plus rien. Il était tombé dans les poubelles de l'édition, donc à sa place. En fin de session, plusieurs mois plus tard, avec quelques conseillers, on faisait le point sur une année intense. On croyait avoir fait un bon bilan, exhaustif. Puis, Lucien a ajouté : « C'est pas tout, ça. Moi, il a fallu que je digère le livre ! »

Il a dû nous rappeler de quel livre il s'agissait. Et on a compris que ça l'avait travaillé tout ce temps, en sourdine, dans ses tripes, et qu'il en restait des traces.

Rien à voir avec mon cas, évidemment. Bouchard était la victime d'une attaque sans fondement.

La critique justifiée : dure, dure

Cette semaine, j'ai fait l'expérience de l'une des deux formes de critiques les plus difficiles à prendre : la critique justifiée. (L'autre, pire, c'est la critique injustifiée mais crédible.)

Dans la double nomination d'André Boisclair, le plus pénible, pendant 48 heures, a été de se faire comparer aux libéraux. Alors que toute notre action est fondée sur la rupture avec le régime précédent, que nous avons déposé et fait voter plusieurs lois pour faire reculer la corruption et la collusion, pour assainir le financement des partis politiques, pour extirper des chantiers les influences de l'intimidation, cette nomination d'un seul homme faisait figure de contre-symbole.

Dans un lapsus révélateur, le chef du PLQ lui-même, Jean-Marc Fournier, attestait cette continuité supposée en affirmant dans un tweet :

« Depuis que le PQ forme le gouvernement, les manigances sont toujours là, et cela n'augure rien de bon pour les Québécois. » — JM Fournier

Donc, pour Fournier, PLQ et PQ, c'est blanche manigance et manigance blanche !

Même le très critique Benoît Dutrizac, entre autres, m'envoyait dans les gencives en entrevue, ce mardi, un : « On attend mieux de vous. » Vlan ! Cela venait de partout. Et avec raison.

L'argument selon lequel le PLQ avait fait bien pire, juste avant, sans en assumer de coût politique ? Irrecevable, nous disait-on.

Eux, c'est eux. Vous, c'est vous.

Le reproche était à la hauteur du compliment.

J'avais participé à cette autopeluredebananisation. (Et en avais rajouté en me trompant sur le statut de l'ambassadeur du Canada à Paris, Lawrence Cannon, que je croyais sous-ministre permanent, ayant mal lu un courriel envoyé par un informateur. C'était l'ambassadeur en Inde, sur la ligne du dessous, qui avait la permanence. J'ai dû m'excuser devant l'Assemblée.)

Il fallait que j'œuvre activement à corriger le tir. Nous sommes le parti de René Lévesque, nous mettons les bouchées doubles depuis 100 jours pour remettre le Québec sur le chemin de la probité, nous devons être aussi à la hauteur des attentes en matière de nomination, *a fortiori* lorsqu'il s'agit d'un ancien chef du parti, comme André.

La journée de mercredi fut donc consacrée à se mettre, tous, au diapason de la réputation qu'a, et que doit avoir, le Parti québécois en ces matières.

[Ajout : J'ai pris l'initiative d'intervenir auprès d'André pour qu'il renonce à sa permanence. C'était extrêmement injuste pour lui. Il avait posé clairement ses conditions. Nous les avions acceptées. Ce n'était pas sa faute si nous avions sous-estimé la difficulté que cela poserait. Il aurait pu refuser. Mais il fut admirable dans l'épreuve et a accepté. C'est en informant Pauline de sa décision qu'a eu lieu le dialogue, cité en début de chapitre, sur l'opposition générale initiale à cette permanence.]

« Nous n'accepterons pas, a dit la première ministre, que le Parti québécois soit attaqué en matière d'intégrité. » Nous sommes tous avec elle et il fallait sentir, au caucus, au Conseil des ministres, chez les militants, le soulagement provoqué par cette correction de tir. [...]

Il est préférable, évidemment, de ne commettre aucune erreur. Mais l'entêtement dans l'erreur est la pire des politiques. Et la sagesse est, pour une part, la somme des erreurs non commises deux fois.

Quant à moi, oui, j'ai connu une semaine difficile, que j'ai essayé de gérer au mieux. Ma mère m'avait averti. Ma conjointe, Sandrine, aussi.

« C'est la pire », lui ai-je dit.

« Pour l'instant », a-t-elle répondu.

Je ne suis pas certain que ça me rassure...

VOUS AVEZ DIT « DOUBLE SALAIRE » ?

C'était à la une du *Journal de Montréal*. Le « double salaire » du ministre Lisée. Quelques jours seulement après l'affaire Boisclair, le 12 décembre. Et comme cela tombait bien... Le 12 décembre, j'enfilais une série de rencontres à Washington aux départements d'État du Commerce et de la Sécurité intérieure, avec deux groupes de réflexion, puis avec des investisseurs, avec l'ambassadeur du Canada, avec des journalistes locaux, avec des membres du Congrès, avec le directeur de l'Organisation des

États américains, avec une centaine d'invités du Bureau du Québec. Toujours en représentation. Toujours concentré.

Excellente journée pour gérer une crise personnelle.

J'avais pourtant fait ce qu'il fallait. Dans les premières semaines après ma nomination, j'avais communiqué avec le Commissaire à l'éthique et à la déontologie. Mon problème ? Après huit ans au CERIUM, l'Université me devait un an de salaire, cumulé pendant ces années, et me le versait jusqu'en février. Ensuite, une retraite accumulée de 18 000 dollars par an me serait versée.

L'Université est un organisme public, le gouvernement aussi. Avais-je le droit de toucher ces deux rétributions simultanément ? Le Commissaire à l'éthique me donna une réponse verbale. C'était oui. Étrangement, si j'avais été haut fonctionnaire, je n'aurais pas pu. Mais le code ne prévoyait pas cette interdiction pour les élus.

Je lui demandai de me produire un avis écrit, pour que je puisse bien saisir l'aspect légal et l'aspect moral de la chose. Il me le remit le 28 novembre, confirmant son avis verbal. Cela me turlupinait. Pourquoi ce qui était interdit à un haut fonctionnaire serait-il permis à un élu ?

Entre-temps, des journalistes avaient obtenu des documents de l'Université, en vertu de la Loi sur l'accès à l'information. À chaque appel, je répondais exactement ce que je viens de dire. Avant le 28 novembre, j'attendais l'avis écrit du Commissaire. Après ? Ben après, j'étais un peu embêté. Je n'avais pas décidé. Cela continuait à me turlupiner. Mais disons que j'avais autre chose sur le feu. Si je voulais faire des dons, j'avais jusqu'à la fin décembre.

La une du *Journal de Montréal* allait changer tout ça. Sur fond de « double salaire » d'André, le « double salaire » du ministre faisait un peu beaucoup. Si je devais trancher, il fallait que je tranche tout de suite. Et ma décision était prise, j'allais faire don de cet argent.

Les demandes d'entrevues s'empilaient comme une tour de Pise. Les libéraux étaient lâchés, Pauline m'avait défendu.

Je savais qu'il y avait une délicatesse derrière mon cas personnel. Des députés libéraux et caquistes recevaient une pension publique, en plus de leur salaire. Y avait-il d'autres cas chez nous ? Allais-je créer un précédent en renonçant à mon revenu de l'Université ? Pauline approuverait-elle ?

Mais il s'agissait de mon cas, de mon intégrité, de mon argent, de mon choix.

Arrivé un tantinet à l'avance à une des rencontres à Washington, je demandai qu'on me désigne un bureau et un ordinateur. Il était vers midi. J'écrivis ceci :

Que faire lorsqu'on est un privilégié de gauche ?
(12 décembre 2012)

Il n'y a de secret pour personne : j'ai eu une carrière professionnelle intense, j'ai négocié des contrats avec mes employeurs, j'ai écrit et publié des livres, j'en ai vendu un bon nombre et, n'étant pas très dépensier, j'ai accumulé de l'épargne. Avoir eu un père entrepreneur, l'avoir vu négocier sans arrêt a dû, à la longue, avoir un peu d'influence sur moi.

Je reçois donc, maintenant, une partie du salaire que je m'étais négocié pendant mes huit ans et demi au CERIUM. Si, plutôt que d'être un élu, j'étais aujourd'hui un employé de Québecor (contrat que j'avais négocié en juin, mais j'ai ensuite préféré me présenter aux élections et quitter le journalisme), personne ne dirait quoi que ce soit, surtout pas à la une du vaisseau amiral de… Québecor.

Mais je suis un élu. Et je suis privilégié. Et je touche mon salaire actuel, et, pour plusieurs mois, le salaire différé que j'ai gagné pendant plus de huit ans. Et je toucherai, à compter de mars prochain, la retraite accumulée pendant mes années à l'Université. Qu'est-ce qu'un élu privilégié, et qui a le cœur à gauche, devrait faire ?

Je me suis posé la question dès septembre, et je l'ai posée au Commissaire à l'éthique. Il m'a répondu qu'il n'y avait rien d'illégal ou de contraire aux règles éthiques dans ma situation. J'étais prêt à entendre une autre réponse et à agir en conséquence.

Cela me renvoie donc à ma propre conscience, et à ma propre conscience sociale. Cela me renvoie au principe d'exemplarité.

En attendant la décision du Commissaire à l'éthique, je m'étais interrogé sur ce que je ferais de cette somme s'il me demandait de m'en défaire. Ayant rencontré les organisations de ma circonscription de Rosemont, je m'étais fait ma petite idée.

Je vais donc la mettre en pratique, de mon propre chef.

Je vais remettre la somme qui m'est versée par l'Université de Montréal depuis le 1er septembre, puis, tant que je serai un élu, la somme de la pension qui commencera en mars, à ceux qui en ont beaucoup, beaucoup plus besoin que moi : aux décrocheurs qui veulent réussir sur le marché du travail.

Je verserai ces sommes, de façon régulière, aux entreprises d'insertion de Rosemont, qui font des miracles pour donner une deuxième chance — et parfois une troisième — à des jeunes qui ont besoin d'un coup de main pour réussir leur vie.

La mienne est (relativement) bien partie. La leur a besoin de nous. Si d'autres privilégiés veulent me suivre sur ce chemin, ils sont les bienvenus...

~~~~~~~~~~

Pauline m'a appelé pour me reprocher mon geste. « Je ne suis vraiment pas de bonne humeur ! » C'était mon argent, j'aurais dû le garder, disait-elle.

Nous nous sommes revus le soir même, à New York, où commençait la fameuse visite. C'était déjà derrière nous.

Pauline n'était pas la seule à me trouver trop généreux. Des chroniqueurs, de droite et de gauche, ont critiqué ma décision. D'autres l'ont applaudie.

Pour moi, l'essentiel était d'être bien dans ma peau. J'avais pris la bonne décision. Dans des entreprises d'insertion de Rosemont, on allait m'expliquer que tel programme supplémentaire, tels raccrocheurs de plus, allaient recevoir de l'aide grâce à mes sous.

De retour à Montréal, j'ai préparé, de concert avec le Collectif des entreprises d'insertion du Québec, le lancement de la campagne Doublez Lisée, pour amasser des fonds supplémentaires pour la cause des décrocheurs. Nous n'avons pas exactement doublé les sommes, mais nous avons poussé la roue dans la bonne direction.

○ ○ ○

CHAPITRE 12

Des ambitions mondiales

J'étais depuis plusieurs mois ministre des Relations internationales et du Commerce extérieur. J'avais fait quelques missions à l'étranger, fait le tour du Ministère, lu les notes. Cela s'ajoutait à quelques décennies d'intérêt pour la présence du Québec à l'étranger.

Quelle synthèse moderne pouvait-on faire de la politique étrangère du Québec en 2013 ? Comment à la fois témoigner de l'empreinte internationale des Québécois, sérier leurs intérêts, dégager des priorités ? Avec des moyens limités.

Nous avions commencé, au sein du Ministère, à travailler sur plusieurs plans : l'Europe, notamment avec la négociation de l'accord de libre-échange, l'Afrique, les pays du BRIC (Brésil, Russie, Inde, Chine), la relance du Commerce extérieur et une réflexion sur l'humanitaire.

Début 2013, je me sentais prêt à présenter une première synthèse. Et c'est ce qu'il y a de bien avec les discours. La date est retenue avant que le discours soit écrit. Puis, à mesure qu'approche le jour J, il faut y penser, le concevoir, demander des infos, des extraits. Puis, se réserver une soirée pour tout refaire, mettre à sa main.

Faire relire, commenter. Et apporter les dernières modifications. Ce qui se poursuit encore dans la voiture, jusqu'à l'arrivée. Voilà ce que ça donne.

Québec : des ambitions mondiales, discours prononcé devant le Conseil des relations internationales de Montréal le 11 février 2013
Imaginez un chercheur étranger qui devrait décrire le Québec, mais sans y mettre les pieds et sans rien connaître de son économie ou de sa démographie. Il devrait décrire le Québec à partir de sa présence internationale. Il devrait, en fait, le déduire.

Suivant l'actualité cinématographique, il constaterait que chaque année depuis trois ans, un film québécois est en nomination aux Oscars pour le meilleur film étranger. Poursuivant ses recherches culturelles, il noterait que des Québécois sont chargés de créer les plus grandes productions du temps dans le temple new-yorkais de l'opéra, qu'ils occupent la place de choix à Las Vegas, que certains de leurs chanteurs dominent les marchés francophones et anglophones des ventes, que leurs troupes de danse sont reconnues de Philadelphie à Berlin. Il constaterait aussi que les meilleurs jazzmans, humoristes et contorsionnistes convergent, chaque année, vers la métropole québécoise pour partager leur art en au moins quatre langues : la musique, le fou rire, l'anglais et, par-dessus tout, le français.

Notre chercheur saurait, car il a des points de comparaison, que le Québec n'est pas une *superpuissance* culturelle, car il n'est ni Hollywood, ni Bollywood, ni Paris. Mais il conclurait que le Québec est une *puissance* culturelle.

Il devrait aussi remplir son calepin de notations économiques. Il apprendrait que dans les tunnels de métro de 40 villes et sur les chemins de fer de 21 pays, du Chili à l'Ouzbékistan, roulent pas moins de 100 000 véhicules portant un logo québécois : Bombardier.

Il apprendrait qu'en aérospatiale, la métropole québécoise est sur le podium des trois grandes places mondiales et que des avions québécois sillonnent le ciel de 100 pays. Ils atterrissent dans des aéroports américains, russes ou africains. Des aéroports parfois conçus et construits par des ingénieurs québécois.

Il noterait aussi que le Québec est une référence en matière de coopératives. On lui dirait que 2 800 coopératives du monde entier sont venues fêter à Lévis, en 2012, leur Année internationale. Et elles en sont revenues avec cette information étonnante que le premier employeur privé au Québec n'était pas Walmart, comme ailleurs en Amérique, mais une force financière majeure, sans but lucratif : le Mouvement Desjardins. On lui dirait aussi que le Chantier de l'économie sociale du Québec est également un phare en la matière et accueillait, en 2011, ses collègues de 65 –pays.

Continuant ses investigations, notre chercheur s'intéresserait au poids politique du Québec. À Washington, il apprendrait qu'un des plus grands accords de libre-échange de l'histoire récente, l'ALENA, n'existerait tout simplement pas sans le poids politique mis dans la balance par les électeurs du Québec, il y a bientôt 30 ans.

À Bruxelles, on lui expliquerait qu'un autre accord historique, en voie de négociation, entre toute l'Europe et le Canada, n'existe qu'à cause de la volonté du Québec de le voir émerger.

À Paris, on lui dirait que la force de caractère du Québec, incarnée par une certaine Louise Beaudoin, fut déterminante dans la conception d'une convention internationale protégeant la capacité des États à soutenir leurs cultures nationales. Convention d'abord portée par le Québec, la France et le Canada, puis par la Francophonie, puis par tous les pays du monde, sauf deux.

Dans plusieurs capitales africaines, il apprendrait que le Québec est un des gouvernements les plus influents d'une organisation qui en compte 77, l'Organisation internationale de la Francophonie. L'OIF, dirigée magistralement par un grand Sénégalais, Abdou Diouf, et secondé admirablement par un grand Québécois, Clément Duhaime.

À Haïti, au Maghreb, en Afrique subsaharienne, on lui dirait que les Québécois de 65 organisations de coopération humanitaire membres de l'Association québécoise des organismes de coopération internationale (AQOCI) aident des populations locales à devenir plus autonomes, sur tous les plans. Il apprendrait que l'an dernier seulement — l'an dernier seulement —, le Directeur général des élections du Québec a accompagné la transition démocratique au Bénin, au Maroc, à Madagascar, au Mexique, au Gabon et au Burkina Faso, et a aussi conseillé les Catalans, les Américains et les Français.

À Boston, la grande ville intellectuelle américaine, on lui dirait qu'elle ne connaît qu'une rivale, au chapitre du nombre d'universités, d'étudiants locaux et étrangers : Montréal.

S'intéressant à la science, on lui expliquerait qu'un Québécois, Pierre Dansereau, est le père de l'écologie, qu'un autre, Hans Seyle, a le premier décrit le stress, que le rachitisme a été battu en brèche parce que des chercheurs québécois ont su comment enrichir le lait. Il apprendrait qu'on a su dépister l'hypothyroïdie congénitale chez 150 millions de nouveau-nés grâce aux travaux de Jean-H. Dussault. Ou encore que Bernard Belleau a conçu le 3TC, premier médicament mondialement utilisé contre le sida. Au cours des 30 dernières années, grâce aux chercheurs québécois :

• on comprend mieux les mécanismes de la douleur et la maladie d'Alzheimer ;

• on connaît des gènes prédisposant au cancer du sein;

• on a découvert la capacité des neurones de se régénérer dans le système nerveux central;

• on sait diagnostiquer précocement la scoliose et des infections bactériennes fulgurantes.

Et on invente, pour les voitures électriques, les piles les plus performantes.

C'est la liste courte.

De retour dans son bureau, avec toutes ses notes, qu'en retiendrait notre chercheur? Difficile à dire. Mais il est facile d'imaginer ce qu'il ne déduirait pas. Il ne croirait pas qu'un peuple de seulement huit millions de personnes est à l'origine de tout ce rayonnement. Il ne croirait pas que le PIB de ce peuple ne le hisserait pas, au moins, dans le G20. Il aurait beaucoup de difficulté à comprendre que ce peuple ne soit pas membre des Nations unies et qu'il ne puisse presque jamais voter dans les forums où se décident des grands enjeux où il a pourtant tant à dire et à offrir.

Il y a certainement une chose qu'il ne demanderait pas, et c'est la suivante: à quoi sert la politique internationale du Québec? Il verrait qu'elle est au service d'un remarquable foisonnement de création, d'une contribution significative à la vie internationale.

Les enjeux du Québec en politique internationale

La politique internationale du Québec sert, comme celle de toutes les autres nations, ses intérêts et ses valeurs.

L'intérêt premier du Québec est de constamment créer les conditions de son propre épanouissement. Pour une nation francophone qui forme 2 % de la population nord-américaine, cela signifie contribuer sans relâche, dans tous les forums, avec inventivité et combativité, à un monde qui valorise la diversité culturelle et linguistique, plutôt que l'uniformité; un monde qui reconnaît aux nations la capacité de faire des choix linguistiques et culturels qui ne soient pas minés par la logique commerciale.

Il y a la Convention de l'UNESCO sur la protection et la promotion de la diversité des expressions culturelles, mais on doit savoir aussi que la loi 101 a servi d'inspiration pour défendre les langues nationales en Arménie, au Brésil, en Catalogne, en Estonie, Lettonie et Lituanie, au Pays Basque, en Pologne, au Nunavut et en Chine. Autant de victoires du multilinguisme, autant de recrues dans le combat de la diversité.

L'autre intérêt premier du Québec est de préserver sa propre capacité de déterminer son destin national. Nous sommes une nation non indépendante. Le choix de le devenir nous appartient. La lucidité — d'autres diraient la *realpolitik* — nous impose un constat : plus le Québec sera fort, plus il aura les moyens d'exercer ce choix sans entraves.

Qu'est-ce que la force québécoise ? L'addition de tous ses atouts. Sur le plan intérieur : sa santé démocratique et la robustesse de ses institutions, le niveau de formation de ses citoyens, son poids économique, ses ressources naturelles, la qualité de ses produits et services, de sa recherche, de son inventivité. À l'étranger : sa projection politique, économique et culturelle.

Politiquement, les alliances tissées avec les régions phares de l'Europe — Bavière, Catalogne, Rhône-Alpes, Flandres, Wallonie — et autour de la grande table de la Francophonie politique sont autant de pierres posées à l'édifice de notre crédibilité internationale.

Aux États-Unis, le patient travail de présence active au sein de la Conférence des gouverneurs de la Nouvelle-Angleterre, du Conseil des gouverneurs des Grands Lacs, puis dans l'alliance des États engagés dans le marché du carbone, fait de nous un interlocuteur de premier plan. Wall Street est depuis longtemps apprivoisé par les emprunteurs du ministère des Finances et d'Hydro-Québec, dont la clientèle est appréciée et convoitée.

Certains nous reprochent d'avoir voulu que la France réitère sa position historique de « non-ingérence et non-indifférence » envers le Québec. Ils présentent la chose comme un caprice de souverainistes. Jean Charest, fédéraliste, avait pourtant bien compris que le mépris affiché naguère par Nicolas Sarkozy envers cette tradition réduisait le rapport de force du Québec. Sitôt sorti de la cérémonie où le président venait de commettre cet écart, M. Charest s'empressait d'indiquer aux journalistes que la France « n'aurait d'autre choix » que d'appuyer le Québec en cas de référendum positif.

Quelle importance pour lui, pro-canadien ? La même que pour le ministre John Baird, qui s'est invité à Paris une semaine avant notre venue l'automne dernier pour tenter d'influencer la décision, et la même que pour l'ambassade du Canada, qui fut assez insistante, nous disent nos amis français, pour prévenir en vain l'Élysée et Matignon que cette formule n'était pas opportune.

Cette formule du « ni-ni » augmente le rapport de force du Québec, référendum ou pas. Que l'on sache, à Ottawa, à Washington et ailleurs, que la France, quatrième puissance mondiale, se tiendra aux côtés du Québec quoi qu'il arrive confère à la nation québécoise, immédiatement et en permanence, un intangible mais significatif supplément de tonus.

Tout cela s'additionne. Tout cela concourt au rapport de force du Québec. Il y en a que cela inquiète. C'est probablement bon signe...

Enjeux commerciaux

Voilà pour les intérêts existentiels du Québec. Notre politique internationale sert également nos intérêts plus prosaïques. Économiques, commerciaux, culturels, d'immigration, d'éducation, de coopération scientifique et sportive, de tourisme, pour ne nommer que les principaux.

Parlons d'abord commerce et politique commerciale ainsi que de l'accord commercial Canada-Europe en voie de négociation.

Devant le CORIM, en avril dernier, Mme Pauline Marois avait évoqué à la fois son appui au principe de l'entente, mais son inquiétude sur plusieurs de ses modalités. Elle dénonçait le manque de transparence jusqu'alors affiché par les gouvernements canadien et québécois dans la négociation.

Depuis notre élection, mon collègue Nicolas Marceau, ministre des Finances et de l'Économie, et moi avons innové en donnant aux membres de la société civile un accès direct à l'équipe québécoise de négociation. Deux séances d'information ont eu lieu, une première en octobre et une seconde le mois dernier, lors d'une longue conférence téléphonique ouverte à une cinquantaine de groupes intéressés. Le négociateur, Pierre Marc Johnson, et son équipe ont aussi rencontré plusieurs des acteurs principaux au cours des mois et, en décembre, les porte-paroles de l'opposition, pour répondre à toutes les questions.

Plus généralement, nous avons fait en sorte que la négociation respecte les balises strictes que nous avons posées. Notre objectif, dans les négociations commerciales, est certes de rendre nos entreprises plus actives dans le monde, et ainsi créer davantage d'emplois au Québec. L'accord en voie de négociation avec l'Europe éliminerait des tarifs douaniers allant de 6 % à 14 % sur plusieurs de nos produits exportés en direction d'un demi-milliard de consommateurs. Cela donnerait à notre économie un avantage concurrentiel considérable.

Mais notre intérêt pour l'ouverture réciproque des marchés s'arrête lorsque les ententes menacent notre capacité, en tant que démocratie, de faire nos propres choix de politiques publiques. Ce n'est pas négociable.

L'éducation, la santé, l'eau, la gestion de l'offre, rien de cela n'est négociable ou en voie de négociation. Rien dans l'accord n'incite nos gouvernements ou nos villes à privatiser quelque service que ce soit. Rien n'entame notre capacité de favoriser des choix sociaux ou environnementaux. Il s'agit tout au plus de permettre à des entreprises européennes d'entrer en concurrence avec des entreprises québécoises et canadiennes pour un plus grand nombre de contrats qu'auparavant, mais dans le cadre légal québécois d'aujourd'hui et de demain. Et, oui, les entreprises européennes, comme toutes les autres, seront soumises à la loi 1 sur l'intégrité dans les contrats publics. [...]

Nous avons également établi avec force que nous ne pourrions signer un accord si nous n'étions pas satisfaits des clauses qui protègent la culture. C'est pourquoi nous avons travaillé de concert avec la Coalition pour la diversité culturelle. Nous nous sommes assurés que leurs experts et les nôtres soient pleinement convaincus que le libellé adopté offrait à notre action culturelle une solide protection.

Des coureurs des bois modernes

Les Québécois, vous le savez, ont pour tradition d'ouvrir des sentiers et des routes là où il n'y en avait pas. Le continent nord-américain est couvert de noms français parce que nos ancêtres découvreurs et coureurs des bois, depuis l'incomparable Champlain, n'ont pas eu peur de l'inconnu. Ils ont transigé avec les populations locales avec respect et équité.

Il y a encore aujourd'hui une manière québécoise d'être au monde. Non encombré de bagage colonialiste ou de visées impérialistes, traitant d'égal à égal, projetant une image de leadership efficace mais convivial.

Notre approche commerciale est empreinte de cet ADN québécois. Nous restons nous-mêmes et défendons jalousement notre capacité à définir nos politiques et nos façons d'être, tout en voulant nous déployer sur tous les continents. Nous exportons la moitié de tout ce que nous produisons. Notre économie dépend de notre succès à faire apprécier à l'étranger ce qui nous rend distincts ici.

Voyons quelques chiffres

Le déficit commercial est un enjeu majeur de notre politique étrangère et intérieure. Il est largement tributaire, vous le savez, de nos importations de pétrole. Le gouvernement Marois a la ferme volonté de réduire cette dépendance de deux façons. D'abord, en électrifiant le transport — 25 % des voitures d'ici 2020, 75 % des transports publics d'ici 2030. Ensuite, en produisant notre propre pétrole, de manière responsable.

Mais nous voulons aussi résoudre ce problème en augmentant nos exportations.

La diversification de nos importations et de nos exportations est un signe d'une plus grande robustesse de notre économie. Nous ne sommes pas à la merci des fluctuations économiques d'un seul partenaire. Nous y gagnons en résilience.

Les entreprises québécoises sont évidemment les premières responsables de ces succès étrangers. Mais le gouvernement québécois offre un accompagnement très actif. L'an dernier, nos services commerciaux ont épaulé 3 000 entreprises dans leurs démarches d'exportation.

Nous avons ajouté un nouvel outil à notre trousse de présence à l'étranger : les bureaux d'Expansion Québec, dont le premier fut ouvert à New York en décembre 2012 par la première ministre.

Il s'agit d'inciter des entreprises québécoises à faire le saut à l'étranger en diminuant leurs coûts et leurs risques. Plutôt que de se jeter, seules, sur un nouveau marché, nous les invitons à utiliser un espace de bureau, déjà équipé, pour une période 3 à 18 mois, à se prévaloir des services de consultation d'un chef de bureau qui connaît les entreprises québécoises et le marché local et de cohabiter avec d'autres entreprises québécoises et françaises dont elles peuvent partager l'expérience.

L'idée n'est pas de nous, mais de nos partenaires de Rhône-Alpes International, qui disposent déjà de 27 bureaux dans le monde. Ils sont maintenant à la disposition de nos entreprises. D'ici cinq ans, le Québec en ajoutera 15, pour un réseau total de 42. Ces services sont tarifés, mais extrêmement concurrentiels. Et cela permet au gouvernement québécois d'autofinancer toute cette opération.

Canada et Québec : des chemins qui divergent

L'action internationale du Québec, sa présence, sa pertinence, prennent ces années-ci plus d'importance encore, car les Québécois se retrouvent de moins en moins dans les orientations prises par le gouvernement canadien.

Ce n'est pas nous qui changeons. Nous sommes fidèles à nous-mêmes. C'est le Canada qui s'éloigne.

L'engagement du Canada dans des opérations de maintien de la paix a longtemps été le point de convergence, en matière de défense, entre l'opinion québécoise et l'opinion canadienne. Mais Ottawa n'a plus que dédain pour les opérations de paix, et notre ami Jocelyn Coulon nous apprenait le mois dernier dans *La Presse* qu'Ottawa a récemment refusé en plusieurs occasions de prendre la direction d'opérations de paix. Cela ne l'intéresse plus.

La tradition canadienne de modération au Proche-Orient, qui faisait consensus au Québec, a été remplacée par un appui univoque aux positions israéliennes, même lorsqu'elles font débat chez nos amis israéliens eux-mêmes.

Cet automne, j'étais heureux d'avoir obtenu de l'Assemblée nationale un appui unanime pour enjoindre à Ottawa de ne pas mettre un terme à l'aide précieuse prodiguée pour la construction d'un État de droit en Palestine, qui est indubitablement une condition d'une paix durable entre les deux futurs États.

Nous, Québécois, sommes pour l'instant à l'intérieur d'un pays qui agit de façon tellement contraire à nos valeurs que nous devons déployer une énergie considérable pour informer le reste de la planète que nous ne sommes pas d'accord.

Aujourd'hui, dans les réseaux internationaux consacrés à l'environnement, il est généralement admis que le Québec est la province verte dans un pays brun. Mais savez-vous le travail de représentation qu'il a fallu fournir, ces dernières années, pour arriver à ce résultat? Nos parlementaires et nos environnementalistes ont dû être présents à chaque rencontre internationale pour dire: «Oui, le Canada a encore eu le prix du dinosaure environnemental aujourd'hui, mais nous, nous sommes différents!»

Imaginez si cette énergie avait plutôt été utilisée, par un pays souverain appelé Québec, à faire avancer la cause environnementale, comme membre actif de la coalition des nations pro-Kyoto.

Des décisions prises par Ottawa sans consultation en matière d'immigration nuisent parfois sérieusement à nos efforts. L'imposition de visas aux touristes mexicains fut néfaste pour notre tourisme et pour le développement de nos relations économiques.

Indépendants, nous pourrions doubler en quelques mois le nombre de jeunes Français qui viennent découvrir le Québec pour y séjourner et y travailler temporairement, puis s'installer durablement. Simple province, nous ne pouvons qu'attendre le bon vouloir des autres. Cette main-d'œuvre qualifiée et francophone nous fait pourtant cruellement défaut.

Sachez que lorsque le Québec a sélectionné un travailleur qualifié, Ottawa fait encore attendre celui-ci de 9 à 51 mois avant de lui permettre d'atterrir chez nous. Pour les immigrants investisseurs, il faut de 14 à 43 mois. Ce sont des délais qu'on pourrait réduire considérablement, si on en avait le pouvoir.

Un paradoxe

C'est le grand paradoxe de la personnalité du Québec. Nous sommes davantage présents sur la scène internationale que plusieurs autres pays déjà souverains. Et s'il est vrai que nous travaillons la plupart du temps de concert avec des membres de la diplomatie canadienne coopératifs et amicaux, il reste qu'on doit de façon routinière demander la permission pour rencontrer tel ministre, signer tel accord, faire venir tel diplomate. Nous sommes à la merci de la bonne volonté canadienne sur de nombreux plans et, même dans le meilleur des cas, cette étape supplémentaire obligée grève notre efficacité.

Et lorsque cette bonne volonté disparaît, comme ce fut le cas lorsque les libéraux de Jean Chrétien étaient au pouvoir, notre action internationale s'apparente à une course d'obstacles.

Voyez aujourd'hui, le gouvernement canadien se félicite de la participation québécoise dans la négociation de l'accord Canada-Europe. Nous aussi. Jamais nous n'avons été si engagés dans une négociation commerciale internationale. Pourtant, le Canada refuse d'utiliser ce précédent pour nous donner une place semblable dans d'autres négociations en cours, avec l'Inde ou le Japon, par exemple.

Nous sommes condamnés à exceller en matière internationale, malgré les embûches que notre statut nous impose. Du moins pour l'instant.

Notre carte de visite

Heureusement, nous avons une formidable carte de visite : la créativité québécoise. Avec les Montréalais et tous les Québécois, nous voulons donner au Québec une réputation. Nous voulons que l'on sache, partout sur la planète, que le Québec est un des lieux où se construit le XXIᵉ siècle.

Avec la conférence C2-MTL, nous voulons faire de Montréal, en mai de chaque année, le Davos de la créativité.

Dans les années qui nous séparent du grand rendez-vous de Montréal 2017, l'année, entre autres, de l'anniversaire de l'Expo 67, qui avait épaté le monde par sa modernité et son inventivité, nous devons faire converger nos efforts et nos messages internationaux pour que le Québec soit perçu à la fois comme une terre de création et de récréation.

Nous voulons que, un peu partout, se pose la question: que vont-ils encore inventer au Québec cette année? Que vont-ils *encore* inventer?

Nous voulons que les jeunes innovateurs de partout rêvent de venir participer, ici, au creuset québécois de la créativité. Parce que nous sommes un des lieux les plus intéressants, les plus stimulants du globe, en plus d'être un des plus accueillants.

Une nouvelle génération de Québécois est prête à relever ce défi. Ici et ailleurs. [...]

Mesdames, messieurs, chers amis. Le Québec n'a plus, désormais, à faire sa place dans le monde. À force de volonté et d'acharnement, il a déjà sa place. Le Québec doit désormais se déployer encore davantage, faire connaître son originalité, élargir son assise, tirer profit de ses réseaux et de ses investissements, et faire profiter les autres de sa contribution politique et culturelle, de sa solidarité.

Le Québec a un rôle à jouer dans le monde. Il joue, déjà, un rôle significatif. Mais ce n'est encore que le premier acte. Tous ensemble, si nous travaillons bien, si nous sommes exemplaires, nous pouvons lui faire jouer un grand rôle.

Merci.

On peut voir la vidéo du discours à bit.ly/mondiales

○ ○ ○

CHAPITRE 13

Une équipe hyperactive

Début 2013, le climat était mauvais, dans l'opinion et dans le commentariat, au sujet de notre gouvernement. Hésitations, reculs, improvisations, déceptions. Ces mots revenaient sans cesse.

Nous avions certes commis notre lot de bourdes, mais avions aussi fait avancer en un temps record un grand nombre de dossiers.

Le gouvernement allait reprendre pied, à compter de mai, puis avec l'exemplaire intervention de Mme Marois pendant et après la catastrophe de Lac-Mégantic à l'été, puis avec la publication en rafale de nos politiques économiques et de solidarité à l'automne.

Mais au printemps, nous ne voyions pas encore le bout du tunnel. Il fallait éclairer nous-mêmes notre action, à contre-courant du flot de critiques.

Je m'y essayai, sur mon blogue, car on m'avait envoyé une lettre ouverte qui me permettait de faire une synthèse et une défense de notre action en cours.

Bilan du PQ : ma réponse à Jules Falardeau (29 avril 2013)

Il y a quelques jours, le cinéaste Jules Falardeau m'a écrit une lettre ouverte dans le *Huffington Post*. J'ai le plaisir de lui répondre.

Salut, Jules,

Je ne te connais pas personnellement, mais comme tu m'as écrit et que tu poses des questions qui méritent des réponses, je me lance.

Tu résumes ton propos dans ces deux paragraphes :

« Moi, j'aimais bien votre idée d'augmenter les impôts pour les plus riches. L'idée a duré quatre jours ? À la place, vous indexez les frais de scolarité. Vous trahissez les gens qui ont passé des mois dans la rue à se faire brasser par la police et qui ont causé la chute du précédent gouvernement. Et je ne parlerai pas de madame Maltais avec ses histoires d'aide sociale. [...]

« Il me semble que je répète continuellement les mêmes choses à votre sujet. Et je ne suis pas le seul. Beaucoup de militants que je connais — de la première heure, des nouveaux, des gens motivés par des questions sociales et par l'indépendance — ne se retrouvent plus dans le PQ. Comment leur donner tort ? Vous perdez des votes sur votre point n° 1 au profit d'Option nationale, sur votre gauche au profit de Québec solidaire et sur votre droite au profit de la CAQ. Pendant ce temps, vous courtisez la communauté anglophone, qui vote contre vous depuis toujours. C'est là que j'ai besoin d'explications. »

Bon. C'est tout un programme. Comme je te sais progressiste, je vais commencer par là. En sept mois, le gouvernement du Parti québécois : 1) a aboli la taxe santé pour le million de Québécois les plus pauvres ; 2) l'a réduite pour deux autres millions de personnes ; 3) a augmenté les impôts payés par les plus riches ; 4) a aboli l'augmentation des droits de scolarité de 82 % pour la ramener à une indexation qui suit le niveau de revenu des ménages (l'indexation, c'était notre position pendant la campagne électorale) ; 5) a aboli la hausse de 20 % des tarifs d'Hydro-Québec programmée par les libéraux pour la remplacer par une simple indexation ; 6) a augmenté le salaire minimum au-delà des 10 dollars le 1er mai ; 7) a investi 110 millions de dollars dans les soins à domicile pour les aînés et propose une « assurance autonomie ».

C'est tout ? Non. On a annoncé deux mesures extrêmement importantes pour sortir de la pauvreté les enfants les plus démunis : l'ouverture de maternelles à quatre ans dans les quartiers défavorisés et l'extension des places en garderie pour que chaque enfant en ait une. Ah, à ce sujet, tu as entendu dire qu'on avait fait des coupes dans les budgets des garderies ? C'est vrai qu'on tente de faire plus avec moins. Mais as-tu entendu dire que [la ministre responsable] Nicole Léger a négocié avec les garderies [les CPE] et en est arrivée à une entente à ce sujet ? Non ? C'est pourtant le cas.

C'est tout ? Non. Je sais que tu es préoccupé par les mesures annoncées par Agnès Maltais concernant l'aide sociale. Sur le fond, il s'agit d'arrêter de dire que toute personne de 55 ans et plus est, automatiquement, inapte au travail, et d'arrêter de dire que les deux membres d'un couple qui a des enfants de moins de cinq ans sont, tous les deux, inaptes au travail.

Pour ceux qui bénéficient depuis longtemps de l'aide sociale, chaque cas est particulier. C'est pourquoi Agnès s'est engagée à ce que chaque personne soit suivie et que ceux qui ne peuvent retourner sur le marché du travail ne soient nullement pénalisés. Surtout, elle annoncera sous peu un relèvement des sommes versées aux personnes les plus pauvres du Québec : les personnes assistées sociales vivant seules. Et je suis certain que tu n'as pas vu passer l'autre annonce d'Agnès : 70 millions de plus qu'avant pour aider l'insertion en emploi d'un plus grand nombre de Québécois démunis. Au total, l'action du gouvernement fait reculer la pauvreté. Et c'est bien le but de l'opération.

C'est tout ? Non. On va donner une impulsion nouvelle à l'économie sociale — on a déposé une loi-cadre qui va mettre une fois de plus le Québec à l'avant-garde du développement de ce type d'entreprises et d'emplois. Cela t'avait échappé ? Et, oui, côté revenus, on est sur le point de déposer un régime de redevances minières qui va donner une plus grande part de richesse aux Québécois.

Et l'environnement ?

T'ai-je dit que nous ne sommes là que depuis sept mois ?

Tu dis que certains ne se reconnaissent plus dans le PQ. Le PQ, qui avait promis de sortir le Québec du nucléaire... et qui l'a fait ? Le PQ, qui avait promis un moratoire et une consultation du BAPE [Bureau d'audiences publiques sur l'environnement] sur le gaz de schiste... et qui l'a fait ? Le PQ, qui avait promis de sortir de l'amiante... et qui l'a fait ?

On a annoncé un SLR [système léger sur rail] électrique sur le pont Champlain, on travaille à une politique industrielle d'électrification des transports et à un rehaussement des investissements en transport en commun, en plus de voies réservées dans l'échangeur Turcot et du covoiturage. On met en route un marché du carbone avec la Californie. Plusieurs autres annonces de ce type sont en préparation. C'est ce qu'on avait promis. C'est ce qu'on fait. Moi, je me reconnais dans ce parti et dans son action.

Faire le ménage

Tu m'écris : « Vous aviez l'air d'aimer ça, l'expression "faire le ménage". » Oui, Jules, c'est une expression essentielle. Et il y avait énormément de ménage urgent à faire.

On a adopté la loi la plus sévère de notre histoire pour assurer l'intégrité des entreprises qui font affaire avec les institutions publiques. On a passé des lois pour mettre fin au système des prête-noms en réduisant le financement individuel des partis au Québec et dans les villes, et en permettant de retirer de leurs fonctions des maires sous accusation. On a étendu le vote dans les établissements d'enseignement, fixé des élections à date fixe et proposé de retirer leur indemnité de départ aux députés qui démissionnent en cours de mandat. On propose de créer un bureau des enquêtes indépendantes pour que des civils puissent enquêter sur des incidents impliquant des policiers. Et on n'a pas fini. Mais le rendement me semble quand même bon, pour sept mois, non?

La gouvernance souverainiste

Indépendantiste, tu t'interroges sur la pertinence de la gouvernance souverainiste. Comme toi, je préférerais qu'on soit souverain. Ou encore qu'on soit sur le point de faire la souveraineté. Mais, tu l'auras remarqué, les Québécois ont décidé en septembre dernier d'élire un gouvernement minoritaire, mais un gouvernement souverainiste. (Et si la moitié des électeurs qui ont voté Québec solidaire et Option nationale avaient voté PQ, nous serions majoritaires. Soupirs...)

Nous n'avons pas l'intention de nous en tenir à une gouvernance provinciale. Notre action, responsable, illustre clairement notre détermination à définir les intérêts du Québec comme nation, et de les défendre, y compris lorsque ces intérêts sont en contradiction avec l'action fédérale.

Lorsque le gouvernement fédéral adopte une réforme néfaste — comme dans le cas de l'assurance-emploi —, nous ne nous croisons pas les bras. Pour la première fois, nous avons mis sur pied une commission nationale d'examen portant sur une décision fédérale. Ce ne sera pas la dernière.

Ottawa veut détruire le registre des armes à feu; on a annoncé qu'on allait avoir le nôtre. Ottawa effectue des coupes sombres dans l'ACDI? On aura notre propre agence de solidarité internationale. C'est la souveraineté qui prend forme dans chacun de ces gestes.

Tu m'interroges finalement sur mon dialogue avec les membres de la communauté anglophone, affirmant «qu'ils ne voteront jamais pour nous». D'abord, il y a toujours des exceptions. Mais dialoguer avec la principale minorité du Québec ne doit pas avoir un objectif partisan. C'est comme si tu me disais qu'il ne fallait pas dialoguer avec les Premières Nations, car elles ne sont pas indépendantistes. La question n'est pas là.

Nous voulons faire du Québec un pays pour tous les Québécois, y compris ceux qui auront voté Non, comme c'est leur droit. Et nous voulons gouverner pour tous les Québécois, y compris ceux qui n'ont pas voté pour nous et qui ne le feront probablement pas.

Finalement, tu m'invites à réfléchir à «la vraie raison d'être de ce parti». Il faut y réfléchir sans arrêt, bien sûr. Tu m'écris aussi qu'il ne faut pas attendre les conditions gagnantes, mais les créer. Que du vrai là-dedans.

Le PQ vient de lancer la plus grande campagne de promotion de l'idée d'indépendance en dehors d'une campagne référendaire. Faire progresser l'idée même d'indépendance est indispensable. Il faut y ajouter aussi, chemin faisant, pour atteindre une majorité de Oui, et sans en faire des conditions préalables, un retour de la confiance des électeurs envers l'intégrité de leurs dirigeants, l'efficacité de leur État, son sens de la justice, la solidité de ses finances, toutes conditions mises à mal par les années libérales.

Je ne prétendrai pas que notre gouvernement est parfait ni que mes réponses satisferont chacune de tes questions et aplaniront chacune de tes inquiétudes. Mais le scepticisme dont tu es porteur a peut-être beaucoup à voir avec le fait que les problèmes dont nous avons hérité étaient immenses et que les attentes envers nous étaient peut-être démesurément élevées.

En regardant notre bilan de sept mois, avec un peu de recul, j'estime qu'on est à la hauteur des promesses faites aux Québécois pendant la campagne électorale, qu'on est en train de remettre le Québec sur les rails. Si tu voulais nous donner encore un peu le bénéfice du doute pour la suite, et un coup de main par-ci, par-là, ce serait bienvenu.

Allez, salut

Jean-François

~~~~~~~~~~

Je continue de penser que, pour sept mois, il s'agissait là d'un bilan déjà exceptionnel. Et il nous restait encore un an...

○ ○ ○

CHAPITRE 14

Une valeur québécoise :
l'humanisme

J'avais bien lu la plateforme électorale. Elle disait : « Élaborer une Charte québécoise de la laïcité. » Excellent. Mais je n'avais pas lu le programme. Il précisait : « doivent s'abstenir, dans l'exercice de leurs fonctions officielles, du port de tout signe religieux ostensible » les « agents de la fonction publique *et... parapublique* ».

Cet élément du programme me fut présenté en pleine campagne électorale, le 14 août 2012, en début d'après-midi. Par un journaliste. Anglophone. Il voulait savoir comment on appliquerait la chose au Jewish General Hospital de Montréal. Y aurait-il des agents aux quelque 57 portes d'entrée pour faire enlever les kippas et les foulards aux médecins, infirmières, concierges ? Il me posait cette question, car quelques heures plus tôt avait eu lieu un des plus grands ratages de communication de l'histoire politique du Québec.

La question des accommodements religieux était, depuis près de 10 ans, un sujet important, délicat, compliqué, que les libéraux avaient décidé de ne rien faire pour régler. Le Parti québécois, lui, allait faire front. Le programme, comme la plateforme, comportait trois éléments identitaires structurants : une Constitution québécoise, une citoyenneté, une Charte de la laïcité.

Il était normal de mettre l'accent sur la laïcité — le sujet était plus brûlant, plus urgent, et il distinguait nettement le PQ de ses adversaires. Mais quelqu'un (je ne veux pas savoir qui) a eu l'idée de choisir d'en faire l'annonce à la scierie des Frères de l'instruction chrétienne, en Mauricie, et d'envoyer au casse-pipe comme porte-parole de la Charte de la laïcité une Québécoise d'origine... algérienne.

Djemila Benhabib est une femme admirable. Et elle est victime, et non coupable, dans cette opération.

Proposer aux Québécois de faire un grand bond en avant dans la laïcité de l'État était essentiel. Faire présenter la chose par une femme d'origine maghrébine rendait le message incompréhensible. Puisque Djemila avait beaucoup écrit sur la laïcité, et qu'elle était opposée à la présence du crucifix à l'Assemblée nationale, la question lui fut posée, et elle répondit franchement qu'elle était contre cette présence.

Cela donna cet extraordinaire papier dans *La Presse,* l'annonce sur la laïcité s'ouvrant par ces mots :

« En conférence de presse à la scierie des Frères de l'instruction chrétienne, la candidate péquiste Djemila Benhabib s'est prononcée ce matin contre le crucifix à l'Assemblée nationale. »

Ça ne s'invente pas.

Bien plus loin dans le texte vient l'annonce par Pauline Marois que les agents de la fonction publique et parapublique devront dire adieu à leurs signes religieux. Sans indication de calendrier ou de gradation ou de souplesse.

Misère !

QUAND LES DÉTAILS SONT PLUS IMPORTANTS QUE LE PRINCIPE

Je suis, comme vous sans doute, las de l'expression « le diable est dans les détails ». En l'espèce, c'est Dieu qui est dans les détails. Ou plutôt, le bon sens, la bonne politique, l'humanisme.

On juge une politique à son application dans le quotidien des gens. À son réalisme.

Je me souviens d'un jour de 2011 où on m'a montré un projet de texte indiquant : « L'État québécois ne répondra qu'en français aux demandes de renseignement, sauf des membres de la communauté anglophone. »

What ? Au téléphone ? « Comment saurez-vous que celui qui appelle est membre de la communauté anglophone ? »

Silence.

« Allez-vous demander, au téléphone, un certificat montrant qu'un des parents de la personne a fréquenté l'école primaire en anglais (critère de sélection pour avoir accès à l'école publique anglophone) ? Et si oui, en quelle langue allez-vous le demander ? »

Silence. La phrase fut biffée.

Je savais aussi que si on disait d'emblée que tous les agents de la fonction publique et parapublique se voyaient interdire le port de signes religieux, cela soulèverait la question de l'applicabilité de la mesure dans les hôpitaux. Immédiatement. Ce fut le cas.

J'avais beaucoup cheminé sur cette question au cours des dernières années, comme le reste de la société québécoise — et mondiale.

Dans mon livre *Nous*, publié en 2007, je m'étais montré tolérant envers le voile. La question des agents de l'État ne se posait pas. Paradoxalement, c'est le rapport Bouchard-Taylor, paru en mai 2008, qui a introduit officiellement la question en proposant que les juges, policiers et gardiens de prison soient interdits de signes religieux, car ils sont les représentants de l'autorité de l'État.

En novembre 2010, je signais, avec une centaine de personnalités et sous la direction de Guy Rocher, la « Déclaration des Intellectuels pour la laïcité », qui établissait que l'État est représenté par ses agents et que la neutralité ne peut pas être désincarnée de ses représentants. Il n'y avait pas de détails.

Cela me préoccupait énormément. Si on devait s'engager dans cette voie, comment le faire en respectant les personnes pour qui ces signes étaient liés à leur foi ? Il m'apparaissait que la réforme était nécessaire, mais qu'il fallait s'adjoindre un allié : le temps. Avancer, sans brusquer.

En mars 2011, je publiai dans mon blogue un texte en trois parties intitulé : « Laïcité, mode d'emploi ». J'avais pensé, un temps, le présenter à une commission parlementaire alors en cours sur un projet libéral beaucoup plus timide. Mais le temps a manqué. Le voici.

Laïcité, mode d'emploi (27, 28 février et 1er mars 2011)

La prière à Saguenay, le crucifix au conseil municipal et au parlement, le kirpan à l'Assemblée nationale, la burqa dans les cours de français : la question de notre rapport au fait religieux n'arrête pas de s'inviter, s'imposer et s'accrocher au débat public.

De toute évidence, rien de ce qui a été proposé aux Québécois par le gouvernement Charest ne parvient à apaiser, simplement parce qu'il refuse de baliser clairement le chemin sur lequel il entend nous conduire.

Dans le texte qui suit, j'ai voulu mettre en forme ma pensée sur cette question à la fois essentielle et délicate.

Déminer le champ des possibles
Beaucoup a été dit et écrit, depuis trois ans, sur la question des accommodements raisonnables, et plus largement sur la gestion de la relation entre la société québécoise et le fait religieux. Rapports, textes, analyses, manifestes ont témoigné de l'importance, au moins symbolique, des enjeux et de l'intensité du débat.

Que puis-je ajouter de plus ?

Il me semble qu'à ce moment de la discussion publique, il devient essentiel de traduire les principes en propositions. Les partisans d'une Charte de la laïcité ont une volonté d'affirmer à la fois le caractère unique du fait québécois en Amérique du Nord et le respect des minorités. Ils ne souhaitent pas être enfermés — ou que la société québécoise le soit — dans des carcans, qu'ils soient légaux, idéologiques ou de rectitude.

Il apparaît utile d'établir d'entrée de jeu que plusieurs sociétés démocratiques avancées répondent de façon différente, et en parfait respect du droit local et international, au défi posé par le fait religieux.

L'Europe et la Charte
Ainsi, la Cour de justice de l'Union européenne (UE) a établi que les pays membres de l'UE pouvaient s'appuyer sur les principes de laïcité et d'égalité des sexes pour : interdire tout signe religieux dans la fonction publique et dans les services publics, y compris l'éducation, interdire même le hidjab (le voile), perçu comme contraire à ces valeurs.

Certains grands pays, comme la Grande-Bretagne, estiment qu'il faut reconnaître un droit particulier aux personnes qui ont une foi religieuse ou un attachement philosophique important — un tribunal a récemment inclus l'engagement écologique dans cette catégorie. D'autres, comme la France, récusent tout statut particulier aux convictions religieuses, philosophiques ou politiques. Ce que les Belges appellent les opinions « religieuses et convictionnelles ». Une expression utile.

Je n'affirme pas ici être en accord ou en désaccord avec les tribunaux et l'expérience européenne sur ces questions ouvertes à plusieurs lectures. Mais je veux simplement indiquer qu'à la lumière de ces précédents, une société démocratique, comme le Québec, possède la marge de manœuvre voulue pour définir son propre code de conduite en ces matières, sans se croire coupable d'enfreindre ainsi quelque règle internationale, naturelle ou immuable.

On objectera que le Québec est contraint par la Charte canadienne des droits et libertés et par l'interprétation que peut en faire la Cour suprême. Outre le fait, majeur, que la démocratie québécoise n'a jamais entériné cette Charte, le fait est qu'elle permet à l'Assemblée nationale d'adopter des lois en invoquant la clause dérogatoire qui rétablit le primat des décisions des législateurs sur ceux des juges en plusieurs cas. L'utilisation de cette clause oblige l'Assemblée à revoter la loi ainsi protégée tous les cinq ans, ce qui représente un intervalle raisonnable pour reconsidérer les progrès, ou les échecs, du dispositif législatif sur un sujet aussi sensible et potentiellement évolutif.

J'estime que les Québécois, et en définitive l'Assemblée nationale, devraient définir tel qu'ils l'entendent leur volonté en matière de rapport au fait religieux et invoquer la clause dérogatoire si leurs décisions semblent en contradiction avec la jurisprudence courante.

À ce stade du débat, les Québécois souhaitent des décisions rapides et immédiatement applicables. Il m'apparaît donc préférable d'adopter la clause dérogatoire de façon préventive pour assurer l'application des décisions de l'Assemblée, plutôt que d'attendre des années que la Cour suprême statue sur leur constitutionnalité. Cela affaiblirait dans l'intervalle la volonté québécoise d'établir ses balises et d'assainir le climat.

Quel fait religieux ?

Le rapport du Québec au fait religieux est inscrit dans son histoire. La présence catholique, plus largement chrétienne, fut un trait dominant de la société québécoise jusqu'aux années 1960. Le parcours du Québec vers une sécularisation de ses organisations et établissements — principalement scolaires et hospitaliers — fut rapide, mais graduel, s'échelonnant sur plus de 40 ans. Songeons que si la déconfessionnalisation de l'école s'est amorcée au début des années 1960, ce n'est qu'à la fin des années 1990 que les commissions scolaires confessionnelles furent transformées en commissions linguistiques.

De même, depuis Vatican II, les nombreux religieux qui ont offert une contribution inestimable à l'effort d'éducation et de santé des Québécois ont d'eux-mêmes retiré leurs habits religieux, dont la coiffe des religieuses, dans leurs activités au sein des services publics.

Il faut dire le vrai : la question du religieux posée depuis une douzaine d'années aux corps politique et social est à la convergence de deux phénomènes.

D'abord, la graduelle sécularisation de la vie québécoise rend plus saillants, plus visibles, plus discutés et plus discutables qu'auparavant les compromis demandés aux autorités publiques pour s'adapter aux besoins de pratiques religieuses minoritaires — Témoins de Jéhovah et juifs hassidiques, en particulier — qui ont depuis longtemps pignon sur rue au Québec. Les premiers sont très minoritaires dans la communauté chrétienne, les seconds très minoritaires dans la communauté juive.

Ensuite, l'émergence au sein de la communauté musulmane d'un segment orthodoxe, très minoritaire, qui souhaite, c'est normal, faire sa place dans la société québécoise, constitue une réintroduction du fait religieux, et certainement de son exposition, dans une société où il s'estompait.

Sur la question des orthodoxes musulmans, il est bien sûr impossible de démêler, dans les comportements dévots, la conviction individuelle, des femmes en particulier, de vivre librement une situation de ségrégation des sexes ou de s'y soumettre du fait d'une obligation conjugale ou d'une exigence de l'imam. Mais on ne peut, de plus, taire la difficulté supplémentaire issue du fait que certains comportements intégristes sont promus et encouragés par des groupuscules internationaux — largement dénoncés par la quasi-totalité des leaders religieux musulmans — qui souhaitent un recul général des valeurs occidentales, dont celle de l'égalité des sexes. Cette variable ne doit pas déterminer notre comportement, mais elle ne doit pas non plus être traitée comme inexistante.

Bref, la sécularisation de la société québécoise doit composer à la fois avec la permanence de situations anciennes devenues relativement plus marginales au fil du temps et avec la montée d'un phénomène nouveau qui a des filiations internationales. Cela oblige la société québécoise à actualiser et à préciser la direction qu'elle souhaite emprunter.

Les droits, la majorité et la marge

Je suis sensible aux réactions que ces questions suscitent parmi la population. Chez les membres des minorités, notamment musulmanes et juives, qui se sentent à bon droit stigmatisés par certains de ces débats. Chez les membres de la majorité québécoise, qui estiment que leur malaise n'est pas suffisamment pris en compte dans les réponses apportées jusqu'ici.

Je sais qu'il est impossible de trouver une solution qui plaise à tous, mais qu'il est encore pire de reporter constamment la définition de lignes de conduite compréhensibles et applicables. Chaque cas est bien sûr unique et provoquera le débat. Mais il est préférable que ce débat se fonde sur de nouvelles règles qui ont suscité une adhésion assez large et dont l'application est lisible et prévisible. Sinon, chacun de ces cas suscite à répétition une insatisfaction générale chez les uns et une crainte de stigmatisation supplémentaire chez les autres.

Chacun a des droits, évidemment, y compris la liberté de conscience, même lorsque cette liberté signifie l'adhésion à une variante de la foi que l'on peut qualifier d'orthodoxe. Dans ces cas, il s'agit en quelque sorte du droit de vivre en marge des valeurs plus généralement acceptées — notamment l'égalité des sexes et la volonté de vivre ensemble.

La société doit, c'est certain, admettre et protéger ces choix religieux orthodoxes. Elle n'est cependant pas tenue de s'y montrer favorable ou d'agir pour qu'un mode de vie marginal puisse se déployer dans l'espace public sans entraîner un certain nombre d'inconvénients pour ses adhérents. C'est ma conviction que, règle générale, il appartient aux personnes qui adoptent des croyances ou un comportement marginaux de s'accommoder des pratiques communes, plutôt que l'inverse.

J'estime de plus qu'il est tout à fait légitime que la société québécoise prenne consciemment la décision d'envoyer le signal que ces choix de vie ne sont pas ceux qu'elle valorise, notamment lorsqu'ils impliquent une vision inégale des sexes ou le refus de l'interaction avec les autres membres de la société.

La majorité québécoise a une obligation de tolérance et de respect des droits envers les minorités, même envers la marge. Cependant, le fait majoritaire, me semble-t-il, porte avec lui des droits, rarement codifiés, mais qui tombent sous le sens. Le droit d'avoir façonné le paysage et de continuer de s'y reconnaître, le droit d'avoir façonné le calendrier, les usages, et de continuer de s'y reconnaître. Le respect de l'autre ne doit pas conduire à la négation du fait majoritaire. Il y a bien sûr un dialogue constant entre les nouveaux arrivants et la société d'accueil — ou entre les nouvelles habitudes de groupes de citoyens déjà présents sur le territoire et le reste de la société. Graduellement, ce dialogue entraîne des modifications dans les usages, le paysage, le calendrier, même.

Cependant, il y a une différence entre cette évolution lente et fructueuse et l'imposition par la loi et par des jugements d'un nivellement de ce que la majorité estime être une juste représentation de ses valeurs.

Une direction claire, une application graduelle

La sécularisation de la société québécoise s'est faite graduellement. De même, la quête d'égalité des femmes québécoises, qui fait du Québec une des sociétés les plus exemplaires au monde, résulte du travail de plusieurs générations.

L'immense majorité des Québécois souhaitent une poursuite de ces deux grands élans historiques. L'Assemblée nationale devrait clairement établir que telle est la direction, le cadre général dans lequel elle inscrit et inscrira sa gestion du fait religieux, notamment du fait religieux marginal.

Une fois ce cadre établi, il est cependant, à mon avis, contraire à la méthode québécoise d'imposer immédiatement et d'un seul tenant une série de changements, qui sont, par nature, intrusifs dans la vie de dizaines de milliers de personnes. Même la loi 101, pour prendre cet exemple transformateur de notre vie collective, s'est appliquée sur un échéancier de plus de cinq ans et a été assortie d'exceptions et d'assouplissements nombreux.

[Ajout : En fait, la loi 101 est, en matière de choix linguistique de l'éducation, une énorme clause des droits acquis. Elle permet à tous ceux qui ont fait leur primaire en anglais au Québec avant 1977 d'y envoyer leurs descendants pour l'éternité, et l'interdit à tous ceux qui arrivent au Québec depuis cette année-là.]

L'égalité des sexes

S'il y a cependant un domaine où un cran d'arrêt général peut être immédiatement établi et appliqué, c'est celui du primat absolu que doit avoir l'égalité des sexes dans les demandes d'accommodements raisonnables.

À mon avis, le seul cas dans lequel une personne peut réclamer de n'être servie que par quelqu'un du même sexe — à l'extérieur, bien sûr, du temple — est celui du contexte médical intime. C'est vrai pour les tenants d'une foi qui le prescrit, c'est vrai aussi pour tous les hommes et les femmes qui ressentent un malaise, une gêne, à se dévoiler à un inconnu de l'autre sexe. L'appareil médical québécois, dans la mesure où ses ressources permettent de se plier à cette demande sans risque pour la santé des patients, accorde déjà, et doit continuer d'accorder, ce respect de la dignité humaine.

Hors de ces cas particuliers, toutefois, l'État doit envoyer un signal très clair : personne ne peut se présenter à l'un de ses guichets et services et refuser d'être servi par un préposé en raison de son sexe, de sa race, de son accent, de son origine ou de son orientation sexuelle. Le préposé a été jugé compétent par l'État, il le représente, c'est le seul critère qui compte.

Que les membres de communautés de foi marginales en éprouvent un malaise est le fardeau qu'ils ont choisi de porter en adhérant à ces communautés.

La législation québécoise doit être modifiée pour que ce primat soit clairement établi et traduit dans la réglementation.

Le port des signes religieux

La neutralité de l'État à l'égard des convictions — religieuses, politiques, sociales, syndicales — de ses citoyens m'apparaît être le principe qui doit guider notre action pour l'avenir.

On l'a dit, l'importance du fait religieux dans l'histoire encore récente du Québec a permis de conférer un statut particulier à l'expression de l'adhésion religieuse, alors qu'elle n'est pas accordée, dans la Loi sur la fonction publique par exemple, à l'expression de l'adhésion politique ou sociale. En clair : on peut porter la croix, la kippa ou le hidjab lorsqu'on est fonctionnaire, mais pas un macaron indépendantiste, fédéraliste ou syndical.

L'heure est venue, là comme ailleurs, d'estomper, puis d'éteindre ce statut particulier, dans le prolongement de la sécularisation de l'État québécois.

Je propose cependant une approche graduelle, respectueuse des personnes qui ont déjà fait des choix différents.

• **Le premier cercle concentrique.** Dans un premier temps, l'Assemblée nationale devrait immédiatement affirmer, comme le lui a recommandé la commission Bouchard-Taylor, que les juges, les policiers, les procureurs de la Couronne et les gardiens de prison ne doivent porter aucun signe religieux — ou, devrions-nous ajouter, convictionnel —, ostentatoire ou non.

Cette première décision, qui changerait très peu de choses dans la réalité, indiquerait légalement et clairement le chemin sur lequel l'État et la société québécoise s'engagent.

Définissons tout de suite les termes. Une petite croix, croissant ou étoile de David dans le cou, une épinglette de Greenpeace ou du Parti conservateur ne sont pas des signes ostentatoires. Un t-shirt de Greenpeace ou une casquette du PQ, le hidjab, le turban, la cornette ou de grandes croix sont des signes ostentatoires. [Donc, pour les personnes en autorité, ni signes ostentatoires ni signes non ostentatoires.]

• **Le deuxième cercle concentrique** concerne les employés de l'État qui, dans la fonction publique, sont en contact avec les citoyens.

Deux options sont généralement avancées. Celle de l'interdiction des signes religieux, ou celle des signes ostentatoires seulement. Des pays d'Europe ont déjà établi une distinction entre les deux. D'ailleurs, l'application de la deuxième option est moins difficile qu'il n'y paraît. Cependant, je suis d'avis qu'il faut mettre sur le même pied tous les signes convictionnels. Si nous devions donc, demain, admettre les signes non ostentatoires, cela signifie que les épinglettes politiques ou syndicales, actuellement interdites, deviendraient autorisées. Ce n'est pas une bonne idée.

La seconde difficulté tient à la pratique des employés actuels de l'État qui portent des signes religieux non ostentatoires, lesquels n'ont provoqué aucune objection dans le passé. Il paraît excessif de les interdire d'un coup.

C'est pourquoi je propose, dans ce cas et dans d'autres à venir, l'usage de la clause de droits acquis. [...]

• **Le troisième cercle concentrique** concerne ces employés de la fonction publique qui n'ont pas de contacts avec le public. Je crois, là aussi, à une approche graduelle et humaniste. [...]

Qu'en est-il du service public municipal ? Une souplesse supplémentaire doit être respectée à ce niveau, car bien des villes et villages sont plus marqués que d'autres par leur patrimoine historique religieux.

Je propose de permettre aux conseils municipaux qui le désirent d'appliquer chez eux la politique québécoise. Après cinq ans, un nouveau débat pourra avoir lieu pour en tirer un bilan et voir s'il faut aller plus loin, en appliquant par exemple la politique de laïcité comme règle générale et en permettant aux villes et villages qui le souhaitent de s'en retirer, sur demande.

• **Le quatrième cercle concentrique** concerne le monde de l'éducation. Nous connaissons les débats, pour l'essentiel non concluants, concernant l'influence du port de signes religieux par les enseignants sur la prise de conscience religieuse des enfants. Le principe de précaution doit s'appliquer.

Le signal général envoyé par l'État aux enseignants (incluant le personnel scolaire) doit être qu'il décourage le port de signes religieux ou convictionnels.

Je propose le même principe général que pour les employés de l'État qui ont des contacts avec le public, cette fois avec une exception pour le hidjab ou autre couvre-chef religieux pour les enseignants qui le portent déjà : clause de droits acquis pour les enseignants actuels, interdiction comme condition d'embauche pour les nouveaux enseignants et signal général pour décourager le port de ces signes.

Cette politique devrait être appliquée dans les garderies subventionnées, au primaire, au secondaire et au cégep. Après une période de cinq ans, une discussion nouvelle pourrait être faite au sujet des universités, où, pour l'instant, les signes ostentatoires, religieux ou autres, devraient être découragés mais non interdits chez les salariés.

• **Le cinquième cercle concentrique** concerne les élèves et les étudiants. J'approuve la proposition du gouvernement [de Jean Charest, alors au pouvoir] de ne pas permettre le port du voile intégral par les gens qui font appel aux services publics, et ce principe doit évidemment s'appliquer aux élèves et aux étudiants.

En ce qui concerne le hidjab, le kirpan et le turban sikh, la question du consentement des jeunes garçons et filles qui le portent est insoluble. Nous avons été frappés par l'expérience française d'interdiction de ces vêtements et signes dans l'éducation. Elle a suscité beaucoup moins de remous que prévu et a, dans bien des cas, soulagé les enfants et les familles de la pression paternelle ou des autorités religieuses les poussant à porter ces signes.

Je ne propose cependant pas, comme en France, une interdiction immédiate. Je privilégie une approche graduelle, dont l'application sera générale en 11 ans. Que le port de ces vêtements et signes ostentatoires soient interdits à la maternelle 5 ans et à la 1ʳᵉ année du primaire à compter de la rentrée scolaire qui suivra l'adoption de la mesure. Ainsi, cette cohorte et les suivantes peupleront graduellement l'ensemble du réseau primaire et secondaire. (Je reviendrai sur les écoles religieuses plus loin.)

Cette interdiction doit-elle aussi s'appliquer aux signes non ostentatoires, religieux et autres, pour les élèves, en éducation ? Je crois que non. J'estime au contraire qu'une expression discrète, par l'élève, de ses préférences sociales, politiques ou religieuses, notamment au secondaire, fait partie de son apprentissage de citoyen.

• **Le sixième cercle concentrique** concerne le milieu de la santé. Il est différent de celui de la fonction publique dans la mesure où il ne représente pas directement l'État, mais qu'il fournit un de ses services. Il est aussi différent de celui de l'éducation, en ce sens qu'il n'a pas pour objectif de transmettre des valeurs.

Plus qu'ailleurs, le caractère religieux à l'origine de l'existence de beaucoup de ces établissements, notamment à Montréal, est une expression du patrimoine culturel et historique québécois. Nous sommes donc ici à la jonction de deux principes importants de notre politique : le respect du patrimoine historique et la volonté de laïcisation des services de l'État.

Un grand nombre de membres du personnel de la santé, surtout dans les établissements anglophones, ont pris l'habitude de se présenter au travail avec des signes religieux, le hidjab et la kippa en particulier. De même, des hôpitaux francophones et italiens ont une personnalité catholique très forte.

Les établissements publics de santé représentent cependant un des services essentiels de l'État, et le prosélytisme, qu'il soit religieux ou non, y est et doit y être proscrit. Je juge souhaitable qu'à terme les services médicaux publics deviennent, comme les autres services de l'État, des zones laïques dans lesquelles chacun laisse ses convictions à l'entrée. J'estime cependant qu'il doit s'agir là d'un objectif à beaucoup plus long terme.

Il est probablement préférable, dans ce cas, d'aviser le personnel, en particulier le nouveau personnel, de la préférence exprimée par l'État de décourager — par la seule persuasion — le port de signes, religieux ou autres. Puis de permettre à chaque établissement de décider de son action et de son calendrier pour y parvenir, si tel est son choix. Une revue de cette approche pourrait intervenir cinq ans après son introduction.

• **Le septième cercle concentrique** concerne le port de la burqa ou du niqab dans l'espace public. Plusieurs pays européens estiment que ce symbole de la sujétion de la femme et du refus d'interaction sociale devrait être proscrit dans l'espace public. En France, cette interdiction a été fondée sur l'obligation d'être à visage découvert dans l'espace public — ce qui s'applique également aux personnes qui se présentent masquées lors de manifestations. Un argument intéressant concernant l'interdiction générale, existante depuis longtemps, de la nudité dans l'espace public est avancé comme un précédent de la possibilité, pour une société, d'imposer des limites vestimentaires aux extrêmes (tout vêtu ou tout dévêtu).

Je ne pense pas qu'une mesure aussi générale doive s'appliquer au Québec en ce moment. Je propose cependant de permettre immédiatement aux établissements, privés ou publics, de se prévaloir d'un droit de faire affaire avec toute personne à visage découvert. En particulier, les forces policières et de sécurité devraient avoir le droit de réclamer que toutes leurs interactions avec des citoyens se fassent à visage découvert. Cela s'ajouterait à la loi, en cours de discussion, sur les interactions avec les services publics.

Cette politique pourrait être revue cinq ans après son introduction.

La question des écoles religieuses

Le Québec vit aujourd'hui une situation paradoxale. Par l'introduction du cours «Éthique et culture religieuse», l'État a mis fin à la pratique antérieure où il finançait, à l'intérieur des écoles, des cours d'instruction religieuse catholique et protestante, donc la religion de la majorité québécoise.

De même, la plupart des écoles privées subventionnées qui ont une origine catholique ou protestante (Notre-Dame, Saint-Nom-de-Marie, etc.) suivent à la lettre le régime pédagogique et n'offrent aucune instruction religieuse aux élèves dans le cadre normal des cours.

De plus, le gouvernement [libéral de Jean Charest] a récemment décidé que les garderies québécoises ne pourraient dorénavant transmettre d'enseignement religieux.

Cependant, l'État continue à financer un petit nombre d'écoles privées dans lesquelles est prodigué un enseignement religieux très conséquent. C'est le cas, en particulier, mais pas seulement, d'écoles hassidiques.

Les Québécois estiment à bon droit qu'il y a là une inégalité. Si l'État ne finance plus l'enseignement religieux de la majorité, pourquoi le ferait-il pour une minorité, quelle qu'elle soit?

Ce double régime paraît incongru à un grand nombre d'intervenants dans le débat en cours, autant de la part des porte-paroles laïques que de personnalités favorables au régime actuel d'accommodements raisonnables, tels le philosophe Daniel Weinstock ou l'avocat Julius Grey.

Cependant, là comme ailleurs, une solution abrupte n'est ni nécessaire ni souhaitable. Une orientation claire doit être donnée — la fin progressive de ce financement —, puis une transition raisonnable doit être aménagée. Permettons aux familles très croyantes de ces communautés et à leurs institutions d'avoir le temps nécessaire pour s'adapter au retrait de leur financement par l'État. Affirmons que dans cinq ans (le temps que les enfants déjà nés atteignent la maternelle), l'État cessera de financer les classes de maternelle des écoles religieuses. L'année suivante, le financement de la 1re année cessera. Ainsi de suite, jusqu'à ce que, dans 17 ans, le financement ait complètement cessé.

Le droit aux écoles religieuses privées *non subventionnées* est, lui, protégé par des traités internationaux. Il faut le respecter, l'encadrer sérieusement, s'assurer que la liberté de conscience des enfants y est protégée, mais il n'est en aucun cas du ressort de l'État de les encourager.

Les signes et pratiques religieux dans les lieux de pouvoir

Nous l'avons dit, l'histoire religieuse du Québec a imprimé sa marque dans le paysage québécois et ces signes font partie du patrimoine historique du Québec. Il n'est pas question de gommer du paysage québécois son héritage religieux ou, d'ailleurs, toute autre marque de son passé éloigné ou récent, qu'il soit social, économique ou architectural, qu'il exprime le labeur et le vécu de la majorité ou de ses minorités — linguistiques, ethniques ou religieuses.

Cependant, les signes et pratiques religieux présents dans les lieux où s'exerce le pouvoir civil — tribunaux, postes de police, salles de conseils municipaux — ont été proscrits par la jurisprudence récente. La prière, par exemple, est remplacée par un moment de recueillement. [Ajout : ces décisions ont cependant été portées en appel.]

Se pose avec davantage d'acuité la question du dernier, mais du plus visible, signe religieux dans un lieu de pouvoir : le crucifix de l'Assemblée nationale, placé là par Maurice Duplessis en 1936. Devrait-il rester, comme un signe du patrimoine historique québécois, ou devrait-il être retiré du lieu le plus important, donc en principe le plus rassembleur, de la souveraineté politique de la nation ?

Il m'apparaît que le refus, révélé par les enquêtes d'opinion, d'une majorité (58 %) de Québécois de tous âges, francophones et non francophones, de retirer ce crucifix exprime une réaction à la réintroduction du fait religieux minoritaire dans l'espace public ces dernières années plutôt qu'une réelle volonté de montrer un attachement religieux chrétien qui, dans les faits, s'étiole dans la vie quotidienne.

Mon hypothèse est donc qu'à mesure que la majorité québécoise, de tradition chrétienne, sera satisfaite de l'application générale d'une politique de la laïcité, elle sera plus disposée à afficher sa propre laïcité dans le principal lieu de l'exercice du pouvoir.

Puisque mon approche n'impose pas de changement immédiat aux gens qui tiennent à leurs signes religieux, puisque je propose une période de transition qui s'étend, au total, sur une vingtaine d'années pour achever la sécularisation du secteur public québécois, rien n'oblige les législateurs à déterminer immédiatement le statut du crucifix.

Il me paraît préférable de demander aux législateurs de voter en conscience, donc hors des lignes de parti, dans cinq ans, sur le statut du crucifix, puis de reprendre ce vote tous les cinq ans jusqu'à ce qu'une majorité se dégage en faveur de son retrait, ce qui symboliserait le chemin parcouru par la société dans son ensemble. [...]

Conclusion

La plupart des grands changements qu'a connus le Québec se sont étalés dans le temps. Pour le français comme pour la sécurité routière ou le tabagisme, la population fut invitée à modifier des comportements par la persuasion, puis par l'introduction graduelle de balises légales ou réglementaires. Dans chaque cas, cependant, les gens connaissaient l'orientation générale que l'Assemblée nationale avait décidé de donner à son action.

Cette approche, qui allie volonté politique et souplesse dans la mise en œuvre, est encore davantage de mise pour des comportements qui touchent à la foi et aux convictions.

J'estime aussi que les réticences exprimées relativement à l'introduction d'une plus grande sécularisation du secteur public québécois sont parfois ancrées dans la crainte que ce changement soit imposé au pas de course, en bousculant les institutions et les personnes.

L'approche proposée ici ne dissipera pas toutes les oppositions et toutes les appréhensions, loin s'en faut. Mais je suis convaincu qu'elle maximisera les chances de succès de nouveaux progrès de la sécularisation et de l'égalité des sexes, tout en minimisant les occasions de conflit et de refus du changement.

~~~~~~~~~~~

Vous comprenez maintenant dans quel état d'esprit j'étais lorsque le journaliste anglophone m'a posé la question sur le Jewish General Hospital. J'ai répondu que notre objectif général était la laïcisation du système public et parapublic, mais que, bien sûr, il y aurait des débats sur le calendrier, la transition, et tout et tout.

J'en informai immédiatement le Bureau de Pauline, et je republiai dans mon blogue une partie de ce que vous venez de lire. Pour moi, l'approche graduelle était la seule possible. La seule envisageable. La seule humaine.

On ne réentendrait pas parler du dossier de la laïcité avant février ou mars 2013. Au gouvernement, notre priorité absolue était le retour à l'intégrité, et Bernard Drainville était occupé à concevoir et à faire adopter une série de projets de loi sur la réforme démocratique : réduction de la contribution individuelle aux partis à 100 dollars, pour casser les reins une fois pour toutes au système des prête-noms ; ouverture du vote dans les établissements scolaires pour potentiellement 450 000 jeunes Québécois ; tenue des élections à date fixe. Il a même tenté de retirer leur indemnité de départ aux députés qui quittaient leurs fonctions sans raison avant la fin de leur mandat. Ce que j'aime appeler les « lois Drainville » sont un élément essentiel du retour à l'intégrité que le gouvernement Marois a effectué pendant ses 18 mois. Cette contribution est remarquable et durable.

VOUS AVEZ DIT « GRADUEL » ?

Je ne puis évidemment pas révéler ici les discussions entourant le projet de Charte des valeurs, depuis son dépôt en comité interministériel, où je siégeais au printemps 2013, jusqu'à son dépôt public, en août, puis à sa transformation en projet de loi, en novembre.

Je peux dire cependant que, comme dans tout débat important lors d'une délibération sérieuse, tous les arguments entendus ensuite en public ont d'abord été évoqués entre ministres. La configuration de la Charte, sa portée, les institutions touchées, les écoles, le crucifix, les élèves, les garderies, l'hôpital juif, les municipalités, les écoles confessionnelles, etc. Chaque pierre a été examinée, retournée, débattue.

Ma position de départ était celle que vous avez lue plus haut. Elle n'était pas immuable. Le projet de Charte est le fruit d'un consensus raisonnable entre ses proposeurs — le bureau de la PM et le porteur du dossier, Bernard — et les discussions entre collègues. La discussion a été libre, ample, répétée.

Il me semblait que la première grande question à trancher portait sur les objectifs de l'opération. Nous voulions régler durablement la crise des accommodements religieux — cela faisait consensus dans les partis et au Québec — et nous voulions étendre la laïcité au sein de l'État. C'est sur la question du port des signes par les employés de l'État que l'on pouvait additionner les appuis ou les soustraire.

Puisque j'ai de la suite dans les idées, il pouvait aussi y avoir un objectif politique supplémentaire : faire la démonstration que des choix considérés comme essentiels par les Québécois étaient irréalisables dans le cadre canadien. Et soulever cette question dès le départ. (C'est d'ailleurs ce que Pauline avait fait pendant la campagne de 2012, évoquant la possibilité d'invoquer, pour protéger la future Charte, la clause dérogatoire de la Constitution. J'avais renchéri en déclarant que nous allions définir nos lois en fonction des intérêts du Québec, pas des préférences des juges de la Cour suprême.)

Si cet objectif politique était important pour nous, raison de plus pour retenir la proposition la plus consensuelle disponible sur les signes religieux, dans le but d'obtenir la plus forte majorité possible. Même la proposition de la CAQ (interdiction pour les juges, policiers et gardiens de prison et pour les enseignants du primaire et du secondaire), même assortie d'une clause de droits acquis protégeant tous les employés actuels, allait être contestée juridiquement dans les cours fédérales et politiquement par les partis fédéraux.

Nous pourrions faire ce consensus (auquel nous ont rapidement appelés MM. Parizeau, Landry, Bouchard et plusieurs autres), voter le projet de Charte avec l'appui de la CAQ, constater la réelle difficulté de l'appliquer dans le cadre canadien, demander, dans une élection ou un référendum, le mandat de réclamer un changement à la Constitution pour avoir le droit d'appliquer le vœu consensuel du Québec, puis voir si la réaction canadienne était négative, ce qui reposerait la question de la souveraineté. Cela en toute transparence.

J'ai cependant rapidement compris que Pauline concevait le projet de Charte en soi comme un grand geste de laïcisation du Québec, comme un de ses legs importants. Mes arguments stratégiques n'avaient aucune portée.

Ce débat clos, je me suis concentré sur le contenu de la proposition. Et puisque la chose a été rendue publique par les journalistes au lendemain de l'élection, je puis signaler qu'il y avait un point sur lequel j'allais insister avec véhémence auprès de mes collègues, depuis le jour un jusqu'à aujourd'hui : le respect des salariés actuels. La clause de droits acquis.

Par un pur hasard du calendrier, le projet initial de Charte fut rendu public début septembre 2013, pendant que j'effectuais une mission en Afrique. Bernard Drainville l'avait présenté avec Pauline, puis avait été sur toutes les tribunes pendant une semaine. Le Bureau de la PM avait décidé qu'il y aurait des lanceurs de relève, dans l'ordre : moi, dès mon retour, puis Diane De Courcy et Léo Bureau-Blouin.

Comme j'étais ministre de la Métropole et responsable des Anglos, et que tous les candidats à la mairie et tous les maires anglophones s'étaient prononcés contre le projet de Charte, on m'attendait avec une impatience particulière.

Il y avait aussi quelques cas d'intimidation de musulmans (et musulmanes), qu'on imputait à la Charte. Je trouvais essentiel d'envoyer clairement un message d'apaisement et de respect envers nos concitoyens musulmans. Je convoquai les journalistes à mon bureau le mardi matin 17 septembre.

Extraits de ma déclaration et du point de presse
(17 septembre 2013)

J'ai senti le besoin de vous voir ce matin parce que le débat enclenché sur la question de la Charte des valeurs est un débat dans lequel il y a beaucoup d'énergie, d'émotion, beaucoup d'arguments, de contre-arguments. [...]

Évidemment, je suis très sensible à toute la réalité montréalaise, à ce qui se passe à Montréal, à la sensibilité montréalaise qui s'exprime des deux côtés du débat avec énergie et, parfois, avec émotion. Et c'est normal, car c'est un sujet important, c'est un sujet de changement, c'est un sujet structurant, et ça rappelle les débats qu'on a eus autour de la loi 101, en 1977, souvent avec les mêmes acteurs ayant les mêmes positions, avec les mêmes malaises, la même volonté de prudence, la même volonté de changement et la même nécessité de courage.

Ce serait beaucoup plus facile, pour un gouvernement, de laisser traîner les choses, d'éviter les sujets qui fâchent, de ne pas avoir le cran et le courage de mettre un problème devant la population et de dire que c'est le temps de décider.

Ce serait plus facile, et c'est ce que le gouvernement précédent a fait pendant neuf ans.

Il est extrêmement important de dire à ceux qui se sentent légitimement visés par le débat, c'est-à-dire nos concitoyens de toutes les religions qui font le choix parfaitement légitime de porter des signes religieux dans leur vie privée, leur vie publique, leurs emplois et leurs emplois de la fonction publique, qu'ils sont ici chez eux, qu'ils ont ce droit et qu'il est inacceptable de leur reprocher ce choix.

La liberté de religion et la liberté d'exprimer sa religion sont parmi les droits fondamentaux que nous appuyons, que nous défendons et qui font partie de notre vie démocratique. Et tous nos concitoyens sont ici, dans une société qui s'est engagée, il y a presque 50 ans, dans un processus qui va vers la neutralité de l'État. [...]

Au cours de la dernière décennie, il y a eu un jour où l'État a dit à tous les parents protestants et à tous les parents catholiques qu'il n'y avait plus de pastorale à l'école. Au nom de quoi ? Au nom de la neutralité des écoles, que ces activités devaient avoir lieu à l'église et non à l'école.

C'était un droit acquis, de plusieurs générations, et on a accepté collectivement que la neutralité de l'État était plus importante que ce droit individuel de chacun des parents du Québec. Et ça s'est très bien passé.

Aujourd'hui, on fait un pas de plus. On dit que la neutralité de l'État, c'est aussi la neutralité des gens qui représentent l'État, qui représentent l'État auprès de tous les citoyens. On a déjà établi cette neutralité pour les autres convictions. La liberté individuelle de porter un macaron du Parti libéral ou du Parti québécois s'arrête à la porte de l'emploi de la fonction publique.

La liberté individuelle de dire au monde qu'on est pacifiste ou écologiste ou végétarien ou favorable aux sables bitumineux s'arrête à la porte de la fonction publique québécoise. En ce sens, on est dans une situation où les seules convictions que l'on peut afficher aujourd'hui sont les convictions religieuses. Et on le sait, il y a des gens qui ont des convictions sociales, des convictions environnementales, qui sont extrêmement importantes dans leur vie, extrêmement importantes, plus que pour certaines personnes qui ont des convictions religieuses. [...]

Et c'est ainsi que la proposition est un pas de plus dans ce grand chemin québécois de la neutralité de l'État et de ses institutions, un chemin, je le répète, de progrès, de modernité et d'égalité. Mais, il faut aussi avoir conscience des difficultés particulières et du patrimoine particulier, et donc, s'adapter à ces particularismes.

Les consensus et les signes religieux

Je constate que, sur l'essentiel, le consensus est en train de se faire. Baliser les accommodements religieux, interdire le port d'un voile cachant complètement le visage dans les interactions avec l'État, introduire dans la Charte québécoise des droits des balises claires, indiquer ce qui est prioritaire ou ce qui n'est pas admis comme accommodements religieux.

Évidemment, la question qui se pose et qui concentre les discussions est celle du port de signes religieux dans la fonction publique et dans les emplois des établissements parapublics.

Je suis de ceux qui pensent que plusieurs positions sont défendables là-dessus. Nous pensons que notre position est la meilleure, parce que, lorsqu'on commence à dire «qui est en position d'autorité?», certains disent que les enseignants sont en position d'autorité, certains disent que tous ceux qui ont délivré un permis sont en position d'autorité, les médecins sont en position d'autorité, jusqu'où s'arrête, jusqu'où va l'autorité?

Évidemment, la question qui se pose à partir de ce moment-là, c'est «comment faire en sorte que cette transition-là se fasse de la façon la plus harmonieuse possible»? Et c'est la question qui, me semble-t-il, est posée et doit être posée.

Mme Marois nous dit constamment qu'il faut être ferme sur l'objectif et souple sur les moyens. Mon ami Bernard Drainville, avec qui je me suis encore entretenu ce matin, a insisté ces derniers jours sur le fait que la question du droit de retrait, cette question de transition, c'est celle sur laquelle, en particulier, on est à l'écoute des citoyens. Et les citoyens répondent, 80 000 personnes ont participé individuellement, des visites uniques sur le site Internet qui a été lancé par le gouvernement. [...]

~~~~~~~~~

Voilà. Le mot « transition ». C'était mon mot de passe. Mon code. Tout ce que je pouvais dire en public sur la position que je défendais en privé. Il fallait travailler sur la transition. Donc, sur la clause de droits acquis. Et j'espérais que, de plusieurs parts, viendrait cette proposition, pour que nous puissions l'intégrer au projet. Nous (car nous étions nombreux à le souhaiter) n'avons pas été déçus.

Voici le texte du mémo que je fis parvenir au Bureau de la première ministre début octobre, alors que se tenaient les débats sur la formulation du projet de loi.

Charte des valeurs en phase finale (octobre 2013)
Le gouvernement québécois a fait des gains considérables en ayant le cran de déposer une proposition ambitieuse de balisage du fait religieux et s'est montré réceptif aux débats et aux avis.

La phase suivante, celle du dépôt du projet de loi, sera cruciale pour illustrer la capacité du gouvernement de rester, comme le veut la formule maintenant consacrée, «ferme sur les objectifs, souple sur les moyens».

Nous sommes quelques-uns à avoir insisté, dès le début de nos discussions, sur l'importance d'introduire cette grande réforme dans le respect des personnes et selon un calendrier et un échéancier qui permettent l'adaptation de la société à sa proposition à la fois la plus difficile et la plus structurante: l'interdiction des signes religieux dans l'ensemble de la fonction publique et parapublique.

Nous avons constamment soutenu qu'il était inapproprié d'introduire un tel changement d'un seul tenant et, surtout, de l'imposer aux personnes qui sont déjà en service, qui ont acquis ces emplois selon des normes antérieures plus permissives et qui ont accompli avec sérieux et dévouement les tâches qui leur ont été demandées par l'État au service des citoyens.

Nous aurions préféré que l'hypothèse de la clause de droits acquis soit mise au jeu dans le processus de consultation, avec l'option de retrait qui posait, nous le disions, de graves problèmes de cohérence [ajout : l'idée d'un retrait indéfini de villes ou d'hôpitaux], mais avons accepté le pari de laisser la discussion publique suivre son cours.

Nous avons écouté avec intérêt plusieurs personnalités exprimer publiquement leur soutien à la clause de droits acquis : Camil Bouchard, Joseph Facal, Josée Boileau, Bernard Descôteaux. À ceux-là s'ajoute un des pères de la loi 101, donc un des promoteurs du plus grand changement de valeurs jamais avancé au Québec : Guy Rocher.

Ces avis doivent être entendus. (En privé, les Yves Martin, Louise Beaudoin, Bernard Landry et Jean-Roch Boivin tiennent le même discours.)

Une opinion publique schizophrène

Un sondage commandé par le gouvernement pour nous éclairer sur l'état de l'opinion publique à propos de la clause de droits acquis semble nous indiquer que les Québécois y sont massivement opposés, à 76 %, dont 56 % sont « très défavorables ». Un mur de refus, donc.

Cependant, lorsqu'on pose la question différemment et plus concrètement, en demandant si les Québécois sont favorables ou opposés au congédiement d'un employé de l'État qui refuserait de retirer son signe religieux, on obtient une tout autre réponse.

C'est net : de 52 % à 72 % des Québécois sont opposés à ces congédiements, selon le signe choisi, et le refus est de 62 % dans tous les cas dans la région métropolitaine.

Or, c'est précisément au chapitre des congédiements individuels que la question se pose déjà et se posera, la majorité estimant à bon droit qu'il est excessif de priver de travail une personne déjà en fonction. [...]

Un autre argument politique doit être considéré. La sortie de MM. Parizeau, Bouchard et Landry (bientôt suivie de celle de M. Duceppe) est un appel à la modération extrêmement audible. Ce n'est pas, à notre avis, le bon appel — réduire de façon aussi importante le périmètre d'application de l'interdiction des signes religieux serait une abdication devant l'effort historique à accomplir.

Cependant, cet appel doit trouver sa réponse dans notre propre proposition, majeure, de modération, qui s'incarne dans la clause de droits acquis.

La proposition doit venir du gouvernement Marois, qui « prend soin de son monde ». [...]

SE TIRER DANS LE PIED AVEC UNE MITRAILLETTE

C'était le plaidoyer raisonné. Puis, il y avait le plaidoyer passionné. Dans les débats, j'y allais comme ceci, selon les notes que j'avais préparées pour ces discussions, au cours d'octobre 2013 :

« Je vais vous parler d'humanisme. Je vais vous parler de, disons, Fatima. Elle est infirmière depuis 15 ans. Fait un remarquable travail. Elle porte le hidjab. Depuis septembre dernier, tout le monde la regarde. Elle est au centre de notre débat. Des gens l'appuient, d'autres la fustigent du regard, sinon plus. Et là, on va lui dire qu'elle aura cinq ans pour enlever son hidjab. Donc, pendant cinq ans, sa famille, son imam, ses coreligionnaires à la mosquée vont faire pression sur elle pour qu'elle garde son hidjab, qu'elle défende sa foi, qu'elle devienne une cause célèbre ! De l'autre côté, à l'hôpital, des collègues, des patients vont lui reprocher de le garder. Et on va la mettre, elle, cette pauvre infirmière, au centre de toute cette pression. On dit qu'on va la faire "cheminer", pendant cinq ans, sous peine de mutation ou de congédiement. J'appelle ça du harcèlement.

« Il y en aura combien, des Fatima ? Mille ? Cent ? Rien qu'une ? Il n'y en aurait qu'une, ça me fait mal au ventre de penser qu'on va lui faire ça ! »

Ma solution était d'appliquer la clause de droits acquis partout, mais d'introduire l'interdiction pour les nouveaux employés très rapidement. Le projet de loi, lui, allait forcer un débat, établissement par établissement, pour prolonger à cinq ans la période de transition, sans clause de droits acquis à la fin.

« On propose d'obliger les institutions montréalaises à tenir une à une un débat interne déchirant qui va résulter, dans la majorité des cas, par un retrait de cinq ans qui sera chaque fois un geste de défiance envers le gouvernement. C'est une machine à se faire gifler à répétition. Une occasion de mobilisation dans chaque institution pour ceux qui nous détestent et qui va mobiliser contre nous une partie des progressistes, qui, sur d'autres sujets, nous sont plutôt favorables.

« Je vais vous donner le scénario à l'Université de Montréal, notre grande université francophone. En science po seulement, Mme XXX (je tairai son nom, mais c'est un cas réel) est une athée d'origine chrétienne (étrangère). Elle a décidé de porter la grande croix que lui a donnée sa mère. Je vous prédis qu'elle va la porter jusqu'à ce qu'elle se fasse virer. Son collègue, M. YYY (autre cas réel), est un juif modéré qui n'a jamais porté sa kippa au travail. Il envisage de la porter jusqu'à ce qu'il se fasse virer. Ces gens-là veulent devenir des causes célèbres. Et lorsqu'on les virera, il y aura un mouvement d'appui à l'université de la part des profs et de beaucoup d'étudiants.

« Et ça, c'est dans notre université francophone. Imaginez maintenant ce qui se passera dans les autres universités et cégeps anglophones et dans les hôpitaux. Il y aura des griefs, des manifs, des reportages dans le *New York Times*.

« Pendant la campagne électorale, nos adversaires — qui ne sont pas des idiots — vont concentrer leurs tirs sur cette question du congédiement. On sera constamment sur la défensive sur notre propre terrain de l'identité.

« Cet aspect de la proposition, ça équivaut à se tirer dans le pied avec une mitraillette.

« La moins mauvaise solution, c'est de procéder avec la date d'embauche. On annonce que quelques semaines après la mise en vigueur de la loi — disons le 15 août 2014 —, le nouveau code vestimentaire s'applique à tous les nouveaux employés dans le secteur public au sens large, pour l'éternité. Point à la ligne. [Ajout : avec une exception pour le Jewish, seul établissement hospitalier intrinsèquement religieux. On en a cherché d'autres, en vain.] Pas de droit de retrait. Pas de gifle au gouvernement. Pas de griefs syndicaux. Pas de cause célèbre.

« Difficile à gérer ? Entre les nouveaux et les anciens employés ? Peut-être. Des gens vont se faufiler entre les mailles du filet ? Peut-être.

« Mais on laisse Fatima respirer — en réalité, on lui fait la même courtoisie que pour les religieuses et les prêtres des années 1960 qui ont enlevé leurs signes religieux volontairement. À leur rythme. Sans jamais y être forcés par l'État. On traiterait Fatima comme on a traité les catholiques dans les années 1960 et 1970. On la traiterait comme les autres Québécois avant elle. On susciterait son adhésion.

« Notre objectif de neutralité sera atteint. Plus lentement. Mais plus sûrement et plus humainement. L'humanisme est une valeur québécoise. »

Évidemment, il y avait des contre-arguments. Toutes les nuances étaient représentées. C'était à la première ministre de décider. Les journalistes tentaient de nous départager, de percer le secret de nos débats. Mais leurs résultats étaient très mauvais, tant la solidarité gouvernementale était forte. Un texte tentant de décrire les positions respectives avait raté la cible et nous avait affublés, Bernard et moi, respectivement des termes « impulsif » et « dogmatique ». Ce matin-là, je communique avec lui par texto :

« Hé ! L'impulsif ! Ici Dogmatix ! A-t-on une rencontre aujourd'hui ? »

Il y a bien eu un vendredi où j'ai cru qu'il faudrait gérer publiquement les débats internes. Sans citer de source, Denise Bombardier présenta ce récit, au micro de Radio-Canada, le 15 novembre 2013 :

« Le cabinet est presque divisé moitié-moitié entre les tenants de la position actuelle du gouvernement et les gens qui sont prêts à faire des accommodements. C'est madame qui a tranché dans le sens d'une position dure. Le chef, d'une certaine façon, de l'opposition, c'était M. Lisée. [...] Dans le cas de la Charte, M. Lisée est quelqu'un qui est plus modéré que son parti et il est appuyé par une partie, presque la moitié du cabinet. Mais madame a tranché. Or, on peut penser que, quand un premier ministre a un cabinet qui est séparé moitié-moitié, normalement il ne devrait pas trancher. Normalement, il devrait reculer et proposer autre chose. Mais madame a tranché. »

Je m'attendais à ce que cette évaluation soit reprise par d'autres médias. D'autant que je me suis toujours demandé pourquoi les journalistes ne tapaient pas simplement « Lisée laïcité » dans Google pour trouver *illico* ma position sur l'application graduelle de la Charte citée précédemment. Mais il y a, parfois, en politique, des parties gratuites.

Les propos de Mme Bombardier n'ont été repris par personne. Google n'a pas été inquiété. On pouvait dormir tranquille.

UNE LOURDE CARTE À JOUER

Ce qui est certain, c'est que la clause de droits acquis n'apparaissait pas dans le projet de loi, déposé le 7 novembre. Mais la grande consultation en commission parlementaire commençait. On pouvait encore espérer que, de là, émergerait la nécessité d'introduire cette clause. Et elle fut proposée par beaucoup, notamment du côté syndical — les syndicats auraient l'obligation légale de défendre chaque employé muté ou viré en raison de la Charte — et, avec brio, par Guy Rocher.

Pendant les vacances de Noël 2013, mon sommeil fut interrompu par une question qui me pesait. D'une part, je voyais bien que la proposition de réforme de la Charte des valeurs, qui prenait lentement du galon dans l'opinion, pouvait offrir le point de passage nécessaire vers la réélection. Je revenais à la charge, parfois, auprès de Pauline, pour lui indiquer qu'on pourrait, par la suite, revenir sur le scénario du référendum sectoriel. Pour les élections, c'était « pas de PQ, pas de Charte », comme le voulait le mot d'ordre en début de campagne 2014. Et ensuite, je suggérais de passer au « pas de pays, pas de Charte ». Elle m'écoutait, sans jamais s'engager.

Quelques constitutionnalistes, et l'ex-juge de la Cour suprême Claire L'Heureux-Dubé, affirmaient que la Cour suprême pourrait en valider la constitutionnalité, mais la plupart étaient d'avis contraire. Plus importante encore était la position des trois partis fédéraux : conservateurs, libéraux et néo-démocrates s'étaient prononcés contre la Charte et promettaient de tout mettre en œuvre pour la contester, peu importe sa configuration.

On avait là un moment de vérité important pour l'avenir du Québec. Et ce moment aurait pu avoir lieu autour des élections fédérales de 2015, les trois grands partis fédéraux refusant la volonté québécoise d'adopter une Charte à laquelle les Québécois tiennent. Ce serait clair.

Mais pas à n'importe quel prix. Exercer une pression constante sur des femmes musulmanes, bonnes employées de l'État pendant des années, pour qu'elles modifient leur comportement, sous peine de mutation ou de renvoi, me paraissait simplement intolérable. Je suis humaniste avant d'être indépendantiste.

Je m'étonnais que, compte tenu de l'intensité de mon opposition, personne au bureau de la PM ne se soit enquis de ma capacité d'appuyer la loi telle quelle.

Je me demandais à quel moment j'allais le dire à Pauline. J'avais bien avisé que, pour moi, le débat sur la clause des droits acquis n'était pas clos et que j'allais y revenir au cours des discussions qui suivraient la fin de la commission parlementaire, en mai ou juin 2014. Si le refus d'inscrire la clause était maintenu, j'allais, en privé, indiquer à Pauline ma ferme opposition.

Je savais que c'était la carte ultime que je pourrais jouer. Lui annoncer que, sans clause de droits acquis, je ne pourrais voter pour la Charte. Et que je ne serais peut-être pas le seul. Elle aurait alors le choix. Me virer du Conseil des ministres et déclencher une crise politique qui allait miner la crédibilité de la Charte. Ou modifier la Charte pour éviter la crise. Elle aurait ensuite le loisir de me punir en me rétrogradant ou en me lâchant au prochain remaniement. Il y aurait des conséquences, immédiates ou tardives.

Je dormais mal, non parce que je m'interrogeais sur ma décision de rester ferme sur mon principe. Ma décision avait été facile à prendre. Elle coulait de source. Non. Je redoutais le moment, le conflit avec Pauline, la difficulté que cela créerait, pour elle, politiquement, et pour notre relation. J'espérais ne pas avoir à me rendre jusque-là, mais je n'avais aucun doute sur la nécessité d'y aller. Il y a des parts de soi qui ne souffrent aucun compromis.

○ ○ ○

CHAPITRE 15

Métropole : éviter le cauchemar

On part souvent du bureau avec de gros dossiers. Lectures. Courrier. Commentaires. Et c'est fou le nombre de notes qu'on reçoit pour les comités ministériels, le Conseil des ministres, le caucus. Et les notes que produisent nos ministères pour l'ensemble des affaires courantes.

Il arrive qu'on tombe sur quelque chose qu'on ne cherchait pas. Lorsque la première ministre fait une tournée quelque part, le Conseil exécutif (son ministère) lui prépare un gros cahier à anneaux faisant le tour de tous les dossiers. Chaque ministère met donc à jour ses données.

À titre de ministre responsable de la Métropole, je reçois copie, en décembre 2012, du cahier sur la métropole. J'y trouve quantité de notes que j'ai déjà vues, sur des dossiers que je connais maintenant assez bien. Je vois des mises à jour intéressantes. Puisque la métropole, au sens large, comprend la moitié de la population et représente la moitié du PIB du Québec, tous les ministères y agissent d'une façon ou d'une autre.

C'est pourquoi le Comité ministériel de la région métropolitaine, que je préside, regroupe la moitié du Conseil des ministres. Mon rôle est de donner de la cohérence à l'action gouvernementale à Montréal ; c'est donc un rôle de relation constante avec mes collègues, qui ont chacun leurs mandats, leurs priorités, leurs styles.

Mais revenons au cahier à anneaux de la première ministre. Dans la section Transports, je vois dérouler les grands chantiers routiers et autoroutiers prévus au cours des 10 années à venir, avec les échéanciers et une évaluation des désagréments que cela causera à la circulation. Après une dizaine de fiches sur les chantiers, je reviens au début. Je sors une carte de l'île. J'inscris au marqueur rouge les endroits où il y aura des travaux majeurs d'ici 3, 5, 10 ans. Et leurs chevauchements dans le temps. C'est une vision cauchemardesque qui s'impose au regard.

Aucun de ces chantiers n'est superflu. Et cela n'inclut pas les imprévus, qui sont nombreux. Et si le pont Champlain devait être complètement fermé ? Ce serait le cauchemar au cube. Des plans d'action sont d'ailleurs en préparation aux Transports.

Il me semble évident qu'il faille de toute urgence introduire des mesures de réduction de la congestion. Des projets à moyen terme, comme le prolongement de la ligne bleue du métro vers l'est et de la ligne jaune à Longueuil sont nécessaires, mais les nouvelles stations ne seront pas ouvertes avant 2020. Même chose pour le système léger sur rail sur le futur pont Champlain.

Le remède le plus rapide et le moins coûteux consiste à quadriller l'île et les couronnes de voies réservées pour augmenter le transport par bus et réduire l'utilisation des voitures. Dès l'automne 2012, les sociétés de transport nous ont présenté des projets, presque clé en main, mais leur réalisation avance à pas de tortue.

À compter de décembre 2012, je me donne la mission de faire comprendre l'ampleur de l'urgence et je propose un échéancier court pour faire bouger les choses. Qui est d'accord pour accélérer le mouvement ? Mon collègue ministre des Transports, Sylvain Gaudreault, bien sûr. Mon chef de cabinet convainc le Conseil du Trésor de dénicher une enveloppe budgétaire. J'embarque le secrétaire général du gouvernement dans la démarche. On convainc le Bureau de la première ministre.

Et pourtant, pendant de longs mois, rien ne bouge. Il faut tous tirer très fort sur la machine du ministère des Transports — submergé de demandes de toutes parts et qui a son propre échéancier, sa propre démarche, sa propre culture — pour qu'on y comprenne que ce dossier est prioritaire et qu'il doit déboucher sur une action rapide.

Nous y arrivons. Sylvain trouve une source de financement imprévue (une partie de l'enveloppe des transports en commun non dépensée par les libéraux) et on peut faire, en septembre 2013, une annonce majeure, qui va bien au-delà de ce que nous avions envisagé au début : doubler en deux ans le réseau de voies réservées dans la métropole. Il a fallu 30 ans pour faire les 200 km existants. On ajoutera 200 km en deux ans.

De toute mon action pour la métropole, c'est le résultat le plus important, car le plus structurant, celui sur lequel j'ai fait preuve d'un entêtement sans relâche. Mais il y a plus. Regardant la carte des travaux de Montréal, j'estime qu'il faut préparer une étape supplémentaire. Ces voies réservées, elles le sont aux autobus et aux taxis. Mais elles doivent l'être aussi au covoiturage.

C'est l'autre chantier, tangible, de réduction de la congestion. Le temps nous aura manqué, à Sylvain et à moi, pour le mener à terme avant les élections.

COMME UNE LISTE À COCHER

Devenir responsable de la métropole, après les années libérales, c'était recevoir une liste de tâches à accomplir. Les choses brisées, qu'il fallait réparer. Les dossiers laissés à l'abandon.

Sur le plan immobilier, le symbole de l'incompétence s'appelait îlot Voyageur, cette carcasse vide, ouverte au vent, laissée inerte à côté de l'UQAM et de la Grande Bibliothèque.

J'allais piloter ce dossier, négociant avec le soumissionnaire pour intégrer une initiative étudiante et déboucher, à compter de 2015, sur 700 logements. Nous allions aussi revitaliser le quartier en déplaçant vers l'îlot, dans une tour toute neuve faisant face à la place Émilie-Gamelin, 2 500 salariés du ministère du Revenu. Ce déplacement de fonctionnaires, qui avaient leurs bureaux au Complexe Desjardins, nous permettait d'économiser 30 millions de dollars. On appuyait également les projets de l'UQAM pour ouvrir le campus — très fermé sur lui-même — en aménageant des ouvertures et une meilleure intégration aux rues avoisinantes.

Sur la liste de réparations à effectuer, il y avait aussi l'échangeur Dorval : victime de mauvaise planification sous les libéraux, l'interminable chantier donnait à chaque visiteur l'impression d'arriver en zone de bombardements. On nous annonçait des travaux jusqu'à 2018 ou plus tard encore.

Après une visite sur le chantier, j'ai sensibilisé Sylvain Gaudreault à une autre solution pour revoir les priorités et raccourcir le calendrier. Nous étions prêts à annoncer en avril, à temps pour les élections, que l'échangeur serait achevé avant le 375e anniversaire de Montréal, en 2017, peut-être même en 2016.

À la Santé, Réjean Hébert héritait des désastres du CHUM et du CUSM. Dans le premier cas, l'administration laissée par les libéraux était contestée, il fallait la remplacer. Dans le second cas, on était dans des affaires criminelles, en plus de la mauvaise gestion. Réjean a mis de l'ordre dans tout ça.

Cependant, les libéraux avaient eu neuf ans pour prévoir ce qui allait advenir des anciens hôpitaux laissés libres par la fusion des services dans le CHUM et le CUSM. Neuf ans. Ils n'avaient pas bougé le petit doigt. Pas la moindre étude, pas le moindre processus d'utilisation future des géants que sont l'hôpital Royal Victoria, sur la montagne, et l'Hôtel-Dieu, en contrebas, ainsi que des autres immeubles devenus excédentaires.

Il a fallu tout reprendre, créer un comité interministériel, insister sur l'importance de l'acceptabilité sociale, du patrimoine, de la consultation publique, recenser les innombrables entraves juridiques, réglementaires et culturelles incontournables (des comptables voulaient tout simplement mettre une affiche « À vendre » et s'en délester au plus coupant). J'ai désigné un comité de trois sages pour faire des recommandations sur le fond et sur la forme : l'urbaniste Marie Lessard, le président de la Table de concertation du Mont-Royal et ex-recteur de l'UQAM, Claude Corbo, et l'architecte et gestionnaire Cameron Charlebois. Leur rapport, que j'ai reçu juste avant les élections, propose une excellente démarche pour transformer ces immeubles en atouts pour la métropole, et ce, dans un processus le plus inclusif possible.

Réparer, mais aussi construire. Mme Marois, Pierre Duchesne et moi avons donné le signal du départ de la construction du nouveau campus des sciences de l'Université de Montréal sur l'ancienne gare de triage d'Outremont. Lancé le Quartier de l'innovation, qui allie l'Université McGill et l'École de technologie supérieure, dans Griffintown. Débloqué les sommes pour la remise à neuf du Biodôme et de l'Insectarium dans l'Espace pour la vie, qui jouxte le Parc olympique.

Et le toit du Stade ? J'y ai beaucoup travaillé, avec mon collègue du Tourisme, Pascal Bérubé. Tout tournait autour du niveau d'autofinancement qui serait rendu possible par la construction d'un nouveau toit, à cause de l'ajout d'activités. Les comptables s'obstinaient sur la validité des chiffres. Trois grandes familles montréalaises étaient prêtes à investir des millions dans la fondation du pôle Maisonneuve (Espace pour la vie et Stade olympique) si on s'engageait à reconstruire le toit. Ils multipliaient les pressions.

À la fin, nous avions convaincu Pauline que l'annonce de la construction du toit était inéluctable. Elle avait choisi de n'en parler qu'après les élections, redoutant l'effet négatif, en région, d'un tel investissement. Pendant la campagne, Philippe Couillard avait tonné : « On s'en occupera dès qu'on sera au gouvernement. » On attend toujours.

Parmi les imprévus, il y eut la bataille de l'Organisation de l'aviation civile internationale (OACI). Une bataille éclair, en fait, ouverte au printemps 2013, lorsque nous avons appris que le Qatar se proposait de s'emparer du joyau que constitue le siège social de l'OACI, de ses 700 salariés et de la centaine de millions de dollars de retombées économiques annuelles. Le Qatar, ce petit émirat aux poches profondes, ayant récemment réussi à obtenir la Coupe du monde de football et une exposition internationale, nous avons pris cette menace au sérieux.

Notre mobilisation avec Montréal et le ministre fédéral John Baird fut immédiate et totale. Tous les réseaux de la diplomatie québécoise et canadienne furent mis en branle (avec des rencontres conjointes de nos représentants de Paris à Pékin). Les réseaux de l'importante grappe aérospatiale de Montréal furent aussi mis à contribution. L'offensive fut victorieuse, le Qatar retirant sa proposition en moins d'un mois, avant même qu'elle puisse être soumise au vote. En prime, cette campagne a permis une mise en valeur, locale et mondiale, de Montréal comme capitale internationale de l'aviation civile, et la réputation enviable d'avoir remporté la mise contre un redoutable concurrent.

VOIR PLUS LOIN QUE LA CRISE

J'ai senti que mon rôle était de voir plus loin que la crise en cours, plus loin que la morosité ambiante et le pessimisme, pour contribuer à donner une perspective d'avenir aux Montréalais et aux acteurs du milieu. En organisant notamment, avec la Chambre de commerce, le premier Forum des grappes industrielles : Aérospatiale, Aluminium, Cinéma et télévision, Logistique et transport, Sciences de la vie, Services financiers, Technologies de l'information, Technologies propres et trois nouvelles en gestation.

Ces grappes regroupent les entreprises et établissements actifs dans leur domaine, concertent leurs efforts pour augmenter leur chiffre d'affaires, le nombre de leurs emplois, leur niveau technologique. Elles sont de puissants outils de développement. Ayant rencontré tour à tour les représentants de chacune d'elles, j'étais frappé par le nombre et la qualité des projets. Il fallait que ça se sache. D'autant qu'à mon arrivée les grappes étaient incertaines de leur avenir, les signaux parvenus du Conseil du Trésor libéral ayant été déprimants : on invoquait la fin prochaine de leur financement public.

J'envoyai le signal inverse. Oui, les grappes devaient s'autofinancer davantage, mais que ces sous servent à augmenter leur action, pas à la rapetisser. Et que les grappes se parlent entre elles, échangent sur leurs meilleures pratiques, rendent leur dynamisme contagieux. En mai 2013, plus de 600 participants venaient assister au premier forum, et en sont ressortis plus résolus et plus optimistes.

J'ai multiplié mes interventions, à l'assemblée annuelle de Montréal International (meilleure agence de recrutement d'investissement, selon une publication économique internationale), devant les invités de la Fédération des chambres de commerce du Québec, devant ceux de l'Agora métropolitaine, dans des réunions avec des groupes d'entrepreneurs francophones et anglophones, dans des rencontres régulières avec des organisations communautaires agissant sur tout le territoire.

Mon message : la métropole regorge de projets, d'énergie, de création, de bonne volonté, qu'il faut conjuguer pour lui redonner son élan, malgré ses difficultés et au-delà de celles-ci.

D'ailleurs, ces 18 mois de pouvoir péquiste ont été ponctués de bonnes nouvelles économiques pour Montréal. Presque chaque semaine, nous avons annoncé des investissements privés nouveaux : expansion d'Aldo, de Van Houtte, d'Ubisoft, de Warner Bros, implantation de nombreuses entreprises étrangères, dont Ericsson et Technicolor. Au point que Montréal International a annoncé pour 2013 une année record de l'investissement étranger à Montréal : 1,3 milliard de dollars, le double du niveau habituel.

Au chapitre de l'emploi, il s'est créé dans la métropole 53 000 emplois en 2013, le double de l'année précédente, ce qui a porté le chômage à son plus bas niveau depuis cinq ans. Un appui financier renouvelé aux groupes communautaires et une politique de l'itinérance ont également montré notre attention envers les plus démunis.

DENIS CODERRE ARRIVE !

L'élection de Denis Coderre, en novembre 2013, a insufflé une nouvelle impulsion aux rapports entre Montréal et le gouvernement du Québec. Sa venue a donné à la ville une forte personnalité. Avec davantage de tonus. Il a, en quelques jours, établi qu'il allait être aussi présent que Régis Labeaume dans l'univers québécois, et c'est bien ainsi.

Denis et moi avons abordé nos rapports sous le signe de la franchise. Au-delà des divergences partisanes, lui et moi n'avions qu'un objectif : relancer la ville, et toute la métropole, d'ici 2017. On se parlait plusieurs fois par semaine, échangeant nos idées sur les dossiers, les difficultés, les priorités. On se croisait souvent, partageant la même voiture pour aller d'une activité à l'autre tout en faisant le point. Nos chefs de cabinet, nos attachés de presse travaillaient de concert.

Sa première promesse électorale était de doter la ville d'un Inspecteur général, dans les 100 premiers jours. C'était une énorme commande. Du droit nouveau. Une délégation de pouvoirs sans précédent de Québec à Montréal en raison d'un sujet brûlant : la corruption. Ce serait un grand test de la force d'inertie mise au défi par la volonté de changement et d'autonomie de Montréal. D'autant que, pendant ces 100 jours, il y avait Noël.

Toujours avec Sylvain Gaudreault, cette fois à titre de ministre des Affaires municipales, et nos collègues de la Justice et de la Sécurité publique, nous réussîmes à trouver des points de passage acceptables pour nos juristes et ceux de la Ville, et à créer un véritable précédent. On a pu déposer le projet de loi juste avant le déclenchement des élections québécoises. Il fut adopté peu après.

C'était une répétition générale pour le vrai grand chantier : donner à Montréal un statut à sa mesure. J'avais défendu cette position, auprès de mes collègues et dans des notes, depuis plusieurs mois. Une fois franchies les élections municipales et l'instauration d'un poste d'inspecteur général, cette position, d'abord minoritaire, devint la position officielle du gouvernement et de la première ministre.

Nous avions décidé d'annoncer un grand « Rendez-vous Montréal Métropole », fin 2014, pour arrimer les actions du gouvernement du Québec et de la métropole sur chacun des grands enjeux. Pauline en a parlé pendant la campagne électorale, mais personne ne l'a noté. Mon objectif était que la première ministre annonce, au Rendez-vous, qu'une enveloppe Métropole serait incluse dans chaque budget qui nous séparait du 375e anniversaire, en 2017 — y compris sur le thème du maintien des familles sur l'île.

J'avais aussi conçu ce Rendez-vous et son mécanisme de suivi trimestriel comme des occasions obligées de collaboration entre Montréal et les ministères à Québec. Comme une immersion dans le respect mutuel. Une occasion de faire reculer l'inertie, encore trop présente dans les rapports entre les deux ordres de gouvernement.

Comme un tremplin pour changer durablement à la fois l'image de la métropole au Québec et à Québec et pour contribuer à donner à Montréal une fierté retrouvée et durable — comme les gens de Québec l'ont vécu autour de leur 400e anniversaire.

Je n'ai pas changé d'avis.

○ ○ ○

CHAPITRE 16

Ouvrir de nouveaux horizons

C'était à Bhopal, dans l'État du Madhya Pradesh. En plein centre du corridor industriel qui va de Bombay, métropole de l'Inde où le Québec a sa délégation et est fermement établi, jusqu'à New Delhi, capitale du pays. Une région en plein boum, à l'épicentre de la croissance indienne, où nos entreprises veulent prendre pied. Devant une centaine de gens d'affaires de la région et du Québec venus participer à la mission, le ministre, M. Jayant Malaiya, donne le ton : « Le Québec est le partenaire stratégique de notre État en Amérique du Nord. »

C'était à Dresde, capitale de la Saxe, en Allemagne. Après la Bavière, où le Québec est connu et respecté, la Saxe est la nouvelle frontière de notre présence au centre de l'Europe. Le ministre-président (équivalent du premier ministre) du land, M. Stanislaw Tillich, que nous avions vu au Québec plus tôt dans l'année, me reçoit dès mon arrivée, fait la liste précise des partenariats, publics et privés, qu'il veut faire avancer avec le Québec et me glisse, comme si c'était une évidence : « Vous êtes notre meilleur allié en Amérique du Nord, c'est avec vous qu'on choisit de travailler. »

C'était à Halifax, lors de la rencontre des États du sud-ouest des États-Unis et de quelques provinces canadiennes. Brian Kemp, secrétaire d'État de Géorgie, où nous avons une délégation, m'annonce que « notre lien avec le Québec est notre relation internationale la plus importante ».

C'était au dernier étage d'un gratte-ciel de New York, avec le numéro deux de Morgan Stanley, Jim Rosenthal. Devant la première ministre et moi, il explique pourquoi son centre de traitement de données de Montréal a une croissance constante, bien au-delà des projets d'origine : la créativité des diplômés qu'il recrute dans la métropole et la qualité de vie de ses cadres, qui ne veulent pas aller ailleurs. Pour lui, la cause est entendue, la réputation de Montréal est faite : créativité, qualité de vie. En plus, bien sûr, du crédit d'impôt.

C'était sur le perron de l'Élysée. Pauline Marois a salué le président et descend les marches vers le micro placé devant les journalistes. Je salue François Hollande à mon tour, mais je sens qu'il hésite. Il reste sur place plus longtemps qu'à l'habitude. Je l'interroge du regard. Il dit : « Je peux dire quelques mots à la presse… »

Cela ne se fait jamais. J'y étais allé avec Jacques Parizeau (et Mitterrand), avec Lucien Bouchard (et Chirac), jamais le président ne descend avec son visiteur devant les médias.

Je m'entends répondre : « Pourquoi pas ? » François Hollande rejoint Pauline Marois, ravie, et affirme devant les journalistes la « continuité » avec la tradition de non-ingérence et de non-indifférence — continuité rompue par Sarkozy — et la « solidarité » de la France avec le Québec.

C'était à Delhi, à la grande conférence annuelle sur le climat regroupant 1 000 délégués du monde entier. L'échec de la rencontre internationale de Copenhague, l'année précédente, n'avait pas fini de déprimer le monde écolo. Je venais d'expliquer comment l'axe Californie-Québec avait réussi, il y a quelques années, à faire adopter à tout le continent une réduction des émissions polluantes des voitures, et que la même alliance entamait une nouvelle bataille, sur le marché du carbone, cette année. Et que si on arrivait, comme pour les voitures, à entraîner plusieurs États et provinces dans ce marché, on pourrait forcer les deux capitales, Washington et Ottawa, à emboîter le pas, ce qui changerait la donne internationale sur la question.

Mon voisin à la table ronde, le dynamique sous-ministre norvégien du Développement international, Arvinn Eikeland Gadgil, qui venait de faire un constat assez gris de la situation, retrouva le sourire : « Le Québec est le rayon de soleil de la journée. »

C'était pendant la bataille de l'OACI, lorsque le Qatar voulait emporter dans sa cour le siège social qui forme, à Montréal, le cœur institutionnel de la grappe aérospatiale, la troisième au monde. En début de campagne pour conserver l'organisation, tous les pays n'ont pas encore pris position. Mais le représentant d'une grande puissance encore officiellement indécise (la Chine) me prend à part pour me donner moult conseils sur la meilleure façon de gagner cette bataille. Pour lui et plusieurs de ses collègues, au-delà des questions politiques ou géopolitiques, il n'était absolument pas question de quitter Montréal, sa qualité de vie, ses saisons.

C'était à Dakar, pour l'ouverture du premier d'une série de restaurants Presse Café. C'était à Pékin, pour l'ouverture de succursales québécoises du fabricant de produits en cuir M0851, de la bijouterie Birks et des créateurs de vêtements Judith & Charles. Puis à Shanghai, pour constater que l'industrie québécoise du bois et de la construction écologique est connue et reconnue par les autorités locales comme exemplaire. Et qu'un architecte montréalais écrit avec les autorités locales le nouveau Code du bâtiment vert.

C'était à Montréal. Je recevais, pour la féliciter, la nouvelle présidente internationale de Médecins sans frontières (MSF) — la plus grande ONG à financement privé au monde. Elle s'appelle Joanne Liu, elle est québécoise, spécialiste en urgence pédiatrique à Sainte-Justine, vétérane de 15 ans de missions pour MSF, du Sri Lanka jusqu'au Congo. Au moment d'écrire ces lignes, elle coordonne les efforts héroïques de l'organisation contre l'Ebola en Afrique de l'Ouest. Au sein de MSF, « les médecins québécois sont très prisés », m'explique-t-elle. Pourquoi ? Parce qu'ils sont compétents, pragmatiques, conviviaux. Et parce qu'ils ne sont pas issus d'une ex-puissance coloniale ou d'une puissance aux visées impériales. Ce « goût du Québec » à l'étranger, je l'ai entendu des dizaines de fois. Il y a une façon québécoise d'être au monde, inimitable et admirable.

Qu'ont en commun ces tranches de la vie internationale du Québec ? Elles dessinent, en quelques traits, l'ampleur de l'empreinte du Québec dans le monde. Son empreinte économique, politique, culturelle.

Moi qui m'intéresse depuis des décennies à la politique internationale du Québec, je dois faire un aveu. Je sous-estimais l'ampleur de nos réseaux, la qualité de notre réputation comme société, le nombre de nos alliés — ce qu'une crise comme celle de l'OACI a immédiatement révélé.

On perçoit, dans des régions d'Europe, d'Afrique, d'Amérique latine (au Brésil et au Mexique, en particulier), d'Inde et de Chine, un goût pour le Québec. Une attente. Un appel.

MON RÔLE : FAIRE CROÎTRE L'EMPREINTE QUÉBÉCOISE

Comme ministre des Relations internationales, je m'y suis quotidiennement frotté. Mon rôle a été de contribuer à faire croître cette empreinte, car aussi étendue soit-elle, elle est encore en deçà de ce qu'elle pourrait être, en deçà de ce que le Québec peut apporter au monde, dire au monde, tirer de son branchement mondial.

Notre statut de nation non souveraine nous handicape lourdement, nous barrant la porte de centaines de lieux où se prennent des décisions cruciales pour notre bien-être actuel et à venir. Seule la souveraineté nous permettra d'étendre toute notre voilure.

Mais c'est déjà un exploit, avec ce handicap et la petitesse de nos moyens, que nous fassions autant parler de nous, qu'on nous accueille avec tant d'empressement. On a bien noté, à l'étranger, que nous avons perdu un maire ou deux pour cause de corruption, et, bien sûr, les médias anglophones rapportent tel *pastagate* ou tel débat sur les valeurs. Mais cela se fond dans une réputation plus durable de compétence et d'inventivité, de production culturelle et aérospatiale, de rôle actif et constructif dans chaque forum dont nous avons réussi à forcer la porte.

Je crois beaucoup à la continuité de l'action internationale du Québec. Chaque gouvernement construit sur les percées du précédent. Tout cela s'additionne. J'ai voulu, en 18 mois, poser quelques pierres supplémentaires dans cinq domaines : l'Afrique, l'intégrité, les droits de la personne, la solidarité et le Printemps international de Montréal.

1. L'AFRIQUE

René Lévesque avait d'abord assuré la présence québécoise en Chine, que Lucien Bouchard avait renforcée. Jean Charest avait visé le reste du BRIC : le Brésil, avec un bureau à São Paulo, la Russie, avec un bureau à Moscou, l'Inde, avec un bureau à Bombay[1].

---

[1] Inexplicablement, le gouvernement Couillard a fermé le bureau de Moscou. Jean Charest avait aussi renforcé la présence québécoise à Washington, y dotant le Québec d'un réel bureau avec huit employés, une avancée majeure pour le Québec. Là, le gouvernement Couillard a détruit en deux mois le travail de décennies, couronné pourtant par le libéral Jean Charest.

L'efficacité de ces représentations est indéniable. L'accompagnement d'institutions et d'entreprises est significatif, avec pour résultat une augmentation sensible de nos exportations.

Il y avait un angle mort dans le réseau international du Québec : l'Afrique. Le Québec y est très présent, politiquement dans la Francophonie, socialement et économiquement avec Desjardins, les universités et les organisations de coopération internationale. Le Directeur général des élections et l'Assemblée nationale y sont actifs pour épauler les nouvelles démocraties.

En économie, des sociétés minières et forestières ainsi que des tas de petites PME s'y sont installées. Pourquoi ? Parce que les taux de croissance actuels en Afrique, y compris en Afrique francophone, sont parmi les meilleurs sur la planète. Et le Québec y détient un avantage comparatif fort. Voici comment je présentais la chose dès mon retour de Kinshasa, en octobre 2012.

Notes francophones (15 octobre 2012)

On se demande souvent si c'est bien la peine d'accueillir, au Québec, autant d'étudiants africains. Ces derniers jours, à Kinshasa, j'ai eu ma réponse.

La ministre de la Famille de la République centrafricaine a étudié au Québec. Le ministre de l'Économie du Gabon y a envoyé son neveu. Le chef de l'opposition du Congo est entouré de diplômés québécois.

Le nouveau président de Tunisie, Moncef Marzouki, est un cas exceptionnel. Il a enseigné au Québec, en santé publique, et y a passé nombre de saisons.

Quel intérêt, au-delà du bonheur de s'être fait des amis partout ? C'est que l'économie africaine décolle. La Côte d'Ivoire enregistre un taux de croissance de 8,6 %, le Congo, de 7 % ; la croissance du continent entier oscille entre 6 % et 8 %.

Un virage économique africain

Pour le Québec, ses entrepreneurs, c'est une excellente nouvelle. Car contrairement aux Chinois, qui ne connaissaient du Québec que Norman Bethune et Pierre Bourque, les Franco-Africains rencontrés ces derniers jours nous vantent tout de go nos universités, nos cégeps, Hydro-Québec, Desjardins et autres Bombardier. [...]

Et on distingue nettement ceux qui connaissent le Québec de ceux qui — comment dire ? — ne sont pas rompus aux nuances de notre complexité. Comme ce ministre hyper-sympathique qui, d'entrée de jeu, me dit la joie qu'il a eue de présider, l'an dernier, dans sa capitale, la fête du Canada ! (Je ne m'en formalise pas et l'en félicite.)

Au total, le Québec se présente en Afrique francophone avec plusieurs avantages : une image de marque, une langue commune, un cadre juridique familier (le Code civil). Et contrairement à la France et à la Belgique, il n'a aucun bagage colonial. [...]

Nous comptons redéployer en Afrique, surtout francophone, une partie de nos efforts de prospection économique, de montage de partenariats, d'incitation à l'établissement d'entreprises.

Nous voulons devenir des participants du décollage économique de l'Afrique, pour notre plus grand bien et pour celui des Africains. Et alors que nos partenaires américains et européens sont condamnés à vivre une longue période de croissance molle, alors que la Chine montre des signes d'essoufflement, l'afro-optimisme semble la bonne carte à jouer.

La douzaine de rencontres bilatérales que Mme Marois et moi avons tenues en 48 heures nous ont permis de tâter le terrain. Ce qui est frappant : la qualité de cette nouvelle génération d'interlocuteurs africains. Pragmatiques, modernes.

Le net « préjugé favorable » envers le Québec dont ils font preuve est l'équivalent d'une invitation au voyage économique commun. À partir de là, tout reste à faire. Nous devons d'abord « faire nos devoirs ». [...]

Nos devoirs ? C'était faire l'inventaire de ce qu'on y faisait déjà, en Afrique. Le Ministère allait s'y astreindre pendant l'hiver 2012-2013 et découvrir que, dans tous les grands enjeux, le Québec était présent : de l'énergie aux musées, de la formation à l'extraction minière. Mieux, dans ce travail de recensement de l'action africaine, les services avaient trouvé dans les ministères, les organismes et auprès de 90 intervenants des enthousiasmes insoupçonnés pour aller de l'avant, à faible coût.

DES AFRO-SCEPTIQUES

C'était notre « Plan Afrique ». J'estimais qu'il y avait — je l'ai dit — une « soif du Québec » en Afrique et je pensais qu'il y avait quelque chose comme une « soif d'Afrique » au Québec. Montréal n'est-il pas le lieu de deux des plus grandes manifestations culturelles africaines hors d'Afrique : Nuits d'Afrique et le festival du cinéma Vues d'Afrique ?

J'allais me heurter à quelques vagues d'afro-scepticisme. Un Plan Afrique avait beau avoir été inscrit dans le discours d'ouverture de la première ministre — donc parmi les priorités du gouvernement —, personne ne semblait jamais se souvenir, au cabinet de la PM, que c'était... une priorité. Et ça ne semblait jamais être le bon moment pour annoncer ce plan.

J'ai eu une aide précieuse de Clément Duhaime. Ce Québécois, administrateur de l'Organisation internationale de la Francophonie, était reçu par Pauline au début de 2013. Il s'informa de l'avancement du Plan Afrique. « C'est vrai, ça ! Où c'en est, le Plan Afrique ? » enchaîna Pauline en se tournant vers le sous-ministre présent, qui se trouvait être celui qui avait coordonné l'élaboration du plan.

C'était un bon signal politique. Encore fallait-il un bon signal budgétaire. Pour mettre en œuvre le plan, il fallait moins de 1,5 million la première année, somme grimpant à 3,5 millions à compter de la troisième année — et il avait un effet d'entraînement sur plusieurs fois cette somme, en cumulant les projets de plusieurs ministères et organismes qui contribueraient à partir de leurs programmes existants. C'était un levier.

Il m'a semblé impossible, dans le contexte budgétaire du gouvernement, de trouver directement cette somme. D'autant qu'on se battait pour maintenir le financement des bureaux du BRIC de Jean Charest. Il les avait ouverts, mais avait omis de rendre leur financement permanent ! Heureusement, au printemps 2013, j'étais à préparer le Plan de développement du commerce extérieur. Je pouvais démontrer que chaque dollar investi annuellement dans la totalité des activités du ministère des Relations internationales et du Commerce extérieur rapportait trois dollars en ventes fermes d'exportations. Un rendement de 300 %. Pas mal. Et encore, je constatais que la comptabilité était partielle et déficiente et que ce rendement était sous-estimé.

Quoi qu'il en soit, si les comptables du gouvernement n'étaient pas convaincus de la nécessité d'un Plan Afrique, ils l'étaient de la nécessité d'augmenter les exportations québécoises. C'est donc dans le Plan général que j'ai introduit les éléments d'une « stratégie multisectorielle d'augmentation des exportations en Afrique ».

Restait à démontrer que la « soif d'Afrique » existait. Au cabinet de la PM comme au Commerce extérieur, on prédisait que quelques dizaines d'entreprises et d'organismes, tout au plus, m'accompagneraient dans une visite économique. J'avais choisi de faire trois pays en une semaine : le Sénégal (exemplaire démocratie africaine et allié historique du Québec), la Côte d'Ivoire (ancien « tigre économique » de l'Afrique, sortant d'une guerre civile qui l'avait fait régresser) et le Burkina Faso (petit État où le nombre d'entreprises québécoises déjà implantées était important).

« C'est la première fois qu'un ministre appelle pour solliciter notre participation », me dit un responsable d'une institution financière, surpris d'entendre mon « *pitch* de vente » sur la mission. Le Commerce extérieur m'avait préparé une liste d'entreprises intéressées, mais non encore décidées. L'appel d'un ministre peut faire infléchir la décision.

Finalement, ils étaient 100 dans la délégation. Environ 70 entreprises, des universités, des cégeps, des organismes communautaires. Détail que je précisais à chaque étape : la délégation s'autofinance. Chacun des délégués a payé son avion, son hôtel et ses frais d'inscription. « Ils veulent des résultats, ils ont des comptes à rendre à leurs actionnaires, à leurs conseils d'administration », disais-je à nos hôtes africains.

À Dakar, à Abidjan et à Ouagadougou, jamais on n'avait vu une délégation aussi nombreuse — sauf pour Barack Obama, mais l'essentiel de sa troupe était constituée de gardes du corps !

Au total, la délégation a signé 44 ententes (auxquelles une vingtaine se sont ajoutées dans les trois mois qui ont suivi), pour un total d'environ 140 millions de dollars. Évidemment, la mission ne crée pas ces ententes à elle seule. L'arrivée du ministre a une incidence : il accélère les processus, met les dossiers sur le haut de la pile des décideurs, valide l'appui du gouvernement, crée un climat propice. Difficile de déterminer la part d'ententes qui se seraient conclues d'elles-mêmes. Mais puisque les entreprises ont le sens des affaires, leur décision de s'inscrire à la mission et de payer leur place, c'est qu'elles en retirent un profit tangible.

J'avais l'impression que notre action était essentielle pour les PME, mais négligeable pour nos géants, comme Bombardier. Erreur. Bombardier voulait, par exemple, vendre des avions régionaux au Sénégal. J'ai pu faire participer son représentant à une rencontre avec un ministre de premier plan, j'ai moi-même abordé la question avec le président du pays, puis fait le suivi avec ses ministres. La vente a eu lieu (69 millions de dollars fermes, potentiel total de 141 millions). Pas grâce à moi, évidemment. Mais Bombardier m'a fait savoir que mon intervention avait compté. Parce que je représentais le gouvernement du Québec.

Mais cela va bien au-delà. Cégep international a signé une entente en vertu de laquelle ses experts seront les maîtres d'œuvre d'un réseau de 14 collèges techniques au Sénégal. Des projets similaires sont en cours dans d'autres pays francophones. La formation des techniciens, c'est le grand défi de l'économie africaine, et le Québec est en train d'en devenir, en Afrique francophone, le grand artisan.

À Dakar et à Ouagadougou, nous avons inauguré des bureaux d'Expansion Québec, ces « incubateurs » qui facilitent l'implantation d'entreprises dans un réseau de 40 villes que nous tissons avec nos partenaires de Rhône-Alpes.

La visite fut donc un succès et elle a établi l'existence de la « soif d'Afrique ». Elle fut suivie de visites de nombreuses délégations économiques africaines au Québec dans l'année qui a suivi.

POUSSER PLUS LOIN

Il fallait maintenant passer à l'étape suivante. Concrétiser ces gains. Pousser plus loin.

L'occasion allait se présenter autour du Sommet de la Francophonie de Dakar, les 29 et 30 novembre 2014. Je proposais que la première ministre dirige une mission, avec des entreprises et des organisations, en Côte d'Ivoire et au Burkina Faso, avant de se rendre à Dakar pour le Sommet. Nous ferions le Sommet, où nous avions insisté sur deux thèmes, le droit des femmes en francophonie et un virage économique francophone, que je souhaitais le plus concret possible. Ensuite, je terminerais par une mission économique et institutionnelle dans trois autres pays africains, deux francophones et l'Afrique du Sud.

Je prévoyais que les répercussions, en visibilité et retombées, seraient sans précédent. Je proposais d'installer deux bureaux du Québec (pas de grandes délégations), un au Maghreb, probablement en Tunisie, et un en Afrique de l'Ouest, probablement en Côte d'Ivoire, dans l'année 2014-2015. L'année suivante, on en établirait un en Afrique anglophone, probablement en Afrique du Sud.

Chacun serait responsable d'une zone plus large, et l'action de ces bureaux serait facilitée par l'existence, dans plusieurs autres pays, de bureaux d'Expansion Québec, qui seraient aussi leurs points d'ancrage.

J'estimais qu'il fallait un délégué général du Québec pour l'Afrique, qui serait en poste au Québec et qui cumulerait les fonctions de sherpa pour la francophonie et de responsable du Plan Afrique. Le coût, là, serait très faible.

Je poussais aussi beaucoup pour l'ouverture d'une liaison aérienne Montréal-Abidjan-Dakar, ce qui donnerait un important essor au commerce et un avantage comparatif au Québec comme interface privilégiée pour les relations du Nord-Est américain avec l'Afrique.

J'avais discuté avec des ministres africains de la possibilité qu'ils nous offrent gratuitement des locaux pour Expansion Québec, en échange de quoi nous pourrions offrir aux entreprises africaines des places à prix réduit dans le réseau des bureaux ailleurs dans le monde et ouvrir à Montréal une Maison de l'économie africaine pour recevoir les entreprises.

2. PROJETER UNE IMAGE D'INTÉGRITÉ

La mission africaine nous posa un problème de taille. Que faire avec les quelques entreprises, surtout de génie-conseil, qui souhaitaient nous accompagner, mais qui étaient soupçonnées, voire accusées, de malversation au Québec ou ailleurs dans le monde ?

Je décidai que les membres de la mission auraient une formation sur les questions d'intégrité dès le début de celle-ci et j'ai voulu être clair dans ma déclaration d'ouverture.

Discours d'ouverture, plénière sur la Responsabilité sociale des entreprises, Dakar (15 septembre 2013)

Vous savez, la première fois qu'on dit oui ou non à un corrupteur est déterminante. Si on commence par dire oui, car on se dit que tout le monde le fait, ensuite on s'habitue, et finalement, on peut être tenté de devenir des champions de la corruption.

Certaines entreprises se sont aussi dit qu'elles pouvaient se le permettre, car les régimes avec qui elles faisaient affaire seraient en place pour des générations. Eh bien ! dans plusieurs endroits au cours des dernières années, le voile s'est levé sur tous ces secrets, et la réputation de grandes entreprises a été souillée pour des années. Elles sont exclues de grands marchés internationaux.

Ce sont les entreprises qui ont dit non au premier corrupteur, quitte à perdre un certain nombre de contrats, qui sont aujourd'hui en position de prendre le relais, alors que certaines de leurs vis-à-vis, les entreprises qui avaient dit oui, se retrouvent pour des années dans des salles d'audience et de procès, devant des juges et des procureurs, et peut-être, espérons-le, pour certains dirigeants, en prison.

L'intégrité, ce n'est pas seulement la bonne chose à faire. C'est la bonne décision d'affaires, à moyen et à long terme. C'est la bonne décision d'affaires dans un environnement où il y a encore des corrupteurs et des corrompus, et où leur date d'expiration est beaucoup plus rapprochée qu'elle ne l'était.

Et être corrompu aujourd'hui, en Afrique comme ailleurs, c'est vivre très, très dangereusement et ne pas pouvoir profiter pendant sa retraite des biens mal acquis.

Le gouvernement du Québec est extraordinairement actif en matière d'accompagnement international, pour aider les entreprises sur les marchés mondiaux, faire des maillages, rencontrer les autorités publiques, ouvrir des portes.

Comment avons-nous décidé de procéder pour le recrutement des entreprises lors de cette mission, dans cette période de transition où nous sommes en train de faire un grand ménage au sein des entreprises québécoises ?

D'abord, si des entreprises avaient tenté d'obtenir leur certificat de l'Autorité des marchés financiers (AMF) et avaient échoué, elles ne pouvaient pas s'inscrire à cette mission, tout simplement. Je précise que ce refus de l'AMF de délivrer un certificat s'applique aussi à toute condamnation pour corruption d'agents publics étrangers au cours des cinq années précédentes. C'est-à-dire que si des gens se sont dit qu'ils seraient intègres au Québec et corrompus à l'étranger, cela a des conséquences au Québec, puisque le certificat ne sera pas délivré.

Évidemment, en ce moment, toutes les entreprises ne sont pas soumises à l'obtention de ce certificat, puisque nous sommes dans un processus graduel où on applique cette nécessité aux contrats de 40 millions et plus, et ensuite ce sera 30, 20, puis 10 millions, jusqu'à 1 dollar. On ne sait pas combien de temps ça demandera, mais on s'y rendra.

La décision que nous avons prise dans l'intervalle, c'est que les entreprises qui sont en processus d'obtenir ce certificat ou qui ne l'ont pas encore demandé pouvaient participer à la mission, mais les entreprises dont les noms ont été associés à des pratiques douteuses ne pourront pas participer à des rencontres ministérielles.

C'est-à-dire que, pendant la mission, je rencontre des ministres sectoriels et j'invite des entreprises qui ont des dossiers importants à participer à ces rencontres. C'est très important, ça ouvre des portes, ça sensibilise. Mais ça ne sera pas le cas pour les entreprises dont le nom est associé à des pratiques douteuses et qui n'ont pas encore obtenu un certificat ou qui n'ont pas encore demandé leur certificat. C'est la pratique que nous appliquons.

Et donc, ça vaut la peine d'avoir un certificat. On sait que pour des entreprises qui ont été fautives dans le passé, l'AMF donne la feuille de route pour retrouver la capacité d'obtenir ce certificat. Nous savons aussi que plusieurs grandes entreprises, notamment en ingénierie, travaillent très fort à l'interne pour faire les changements nécessaires afin de retrouver l'intégrité et de convaincre l'AMF que c'est le cas. Et l'AMF est très pointilleuse.

Dans la prochaine année, nous allons nous pencher aussi sur le niveau d'application de la norme québécoise de Responsabilité sociale des entreprises. Nous allons aviser les entreprises en amont de commencer à l'intégrer dans leur fonctionnement, et notre objectif est qu'à terme les entreprises qui participent avec nous à ces missions à l'étranger soient en processus d'adoption de la norme ou l'aient déjà intégrée.

Voilà, c'est un travail à faire, c'est une culture, que certains d'entre vous connaissent déjà et ont déjà intégrée. Mais le signal que notre gouvernement donne au Québec est le même que celui que nous donnons à l'étranger. L'intégrité fait partie de la réputation que nous voulons projeter. Le gouvernement doit être irréprochable, les entreprises, les institutions, les ONG doivent l'être aussi. C'est ce qui nous permettra de mieux rayonner à l'étranger et d'être très fiers de ce que nous faisons dans tous les secteurs.

~~~~~~~~~~

Lorsque j'étais chercheur, j'avais produit pour le MRI une étude sur les questions de responsabilité sociale des entreprises, fait le point sur la situation au Québec et formulé des recommandations.

Le sujet a continué de m'intéresser par la suite et j'y ai consacré une partie de ma contribution au livre collectif *Imaginer l'après-crise* (Boréal).

Ministre, j'avais l'occasion de mettre la chose en pratique. Le temps m'a manqué, mais mon objectif était de faire en sorte que les entreprises québécoises à l'étranger intègrent formellement le respect des droits du travail et de l'environnement dans leur action (y compris pour les chaînes de sous-traitance) et deviennent des références en la matière.

3. LE PROBLÈME CHINOIS

J'étais sorti en furie du bureau de Lucien Bouchard, ce jour de septembre 1997 où l'ambassadeur du Canada à Pékin, Howard Balloch, était venu lui rendre visite.

« Sans moi », dis-je à Hubert Thibault, chef de cabinet du PM. « S'il veut faire ça, il ira sans moi! »

Balloch, qui avait dirigé pour Jean Chrétien les opérations gouvernementales du camp du Non au référendum de 1995, était venu convaincre M. Bouchard de faire deux choses.

D'abord, de rencontrer le premier ministre de Chine. Bizarre, car le gouvernement canadien nous faisait toutes les misères, ailleurs dans le monde, pour nous empêcher de voir des chefs d'État et de gouvernement. Pas en Chine! Pourquoi? Parce que le premier ministre s'appelait Li Peng. Il avait un surnom: « le boucher de Tian'anmen ». Il était en fin de mandat.

Je ne voulais à aucun prix que le premier ministre du Québec serre la main d'une des personnes les plus abjectes de la planète. D'autant que nous avions demandé de voir son ministre de l'Économie, qui lui succéderait sous peu.

Balloch avait aussi vanté la beauté pharaonique du chantier des Trois-Gorges. Les plus grands travaux hydroélectriques au monde, bénis par le gouvernement canadien, l'ACDI et quelques entreprises québécoises qui y lorgnaient encore de juteux contrats.

« Les Chinois ne comprendraient pas que vous n'y alliez pas », susurra Balloch.

« Ça m'intéresse », répondit Bouchard, qui a toujours eu un faible pour la grandeur, qu'elle soit littéraire, politique ou architecturale.

La pression du MRI et du ministère du Développement économique était très forte pour qu'on se rende aux Trois-Gorges. J'avais contré leurs arguments dans une note expliquant qu'il s'agissait du chantier le plus polluant au monde, qu'aucun gouvernement ne l'appuyait (sauf celui du

Canada), que des financiers comme Merrill Lynch refusaient de garantir les prêts des entreprises qui y participaient, refus relayé par l'agence américaine d'aide aux exportations, l'EXIM Bank. Maurice Strong, alors président d'Hydro-Ontario, interrogé sur la possibilité que son entreprise participe au projet, avait répondu : « *Over my dead body* » (moi vivant, c'est hors de question).

Nous venions de nous sortir de Grande-Baleine (l'hyper-projet hydro-électrique de Robert Bourassa en terres cries et inuites), qui nous avait valu un œil au beurre noir dans les réseaux écologistes mondiaux. Nous n'allions pas faire exprès de nous placer dans la cible d'un autre projet mondialement critiqué.

Mes arguments, et ceux d'Hubert Thibault, ont eu raison des tentatives de Balloch pour nous entraîner dans les pièges canadiens en Chine. Mais restait l'épineuse question des droits de la personne. J'avais consulté des experts québécois de la question sur la meilleure approche à adopter. Il ne fallait se faire aucune illusion : le Québec n'avait aucune influence sur les dirigeants chinois. Tout de même, le silence était-il la seule position possible ? La réponse était non. Et j'avais fait préparer pour le premier ministre une liste de dissidents dont nous espérions la libération pour qu'il la remette en mains propres aux deux ou trois plus importants dirigeants qu'il allait rencontrer. Ce qu'il fit.

Maintenant ministre, 17 ans plus tard, je devais me poser la même question avant ma propre visite en Chine. La situation des droits politiques avait peu évolué. En fait, les Jeux olympiques de Pékin, en 2012, qui devaient ouvrir une époque plus tolérante, s'étaient soldés par l'inverse.

Invité à un colloque à l'UQAM, voici comment j'ai tracé mes orientations sur la question, à la fin d'un discours sur l'ensemble de la relation Québec-Chine.

Le Québec et la Chine (*22 février 2013*)

Évidemment, une des grandes questions est : qu'avons-nous à dire sur les droits de la personne en Chine ?

Est-ce que la Chine sera un jour une démocratie ? Nous le souhaitons.

Mais il faut aborder ces questions avec humilité. La Chine va assumer sa propre transformation, ses transformations économiques et sociales, à son rythme, dans la mesure et dans les marges de manœuvre qu'elle se donnera elle-même.

Il y a des moments où nous souhaiterions, en démocrates, que ça aille plus vite. Il y a des moments où nous souhaiterions qu'il y ait davantage de tolérance pour la dissidence. Et nous le disons. Et nous allons continuer à le dire.

Cependant, nous l'avons vu, en quelques décennies, sur le plan économique, sur le plan des libertés individuelles, dans la gestion de la vie personnelle : la Chine a connu une transformation remarquable. De l'ère maoïste à aujourd'hui, les Chinois ont acquis une liberté individuelle qui leur semblait inimaginable il y a 30 ans.

Alors, la Chine est capable de grands changements économiques et sociaux. Elle est sûrement capable de grands changements politiques.

Que pouvons-nous faire ? Il faut d'abord savoir que nous ne pouvons ni commander, ni forcer, ni menacer, et que quelque gesticulation de notre part aura peu d'effet sur l'avenir politique des libertés en Chine. Il faut avoir l'humilité de nous dire ça.

Et une fois qu'on a dit ça, il ne faut pas arrêter d'agir. Le Québec va être attentif et très intéressé par chaque petit geste qu'il peut faire pour accompagner le développement de l'esprit démocratique en Chine. Cela signifie appuyer le développement de l'État de droit. Les universités québécoises ont participé à des formations de juges chinois, d'avocats chinois. Elles vont continuer à le faire. Nous pouvons appuyer le parcours démocratique qui se voit au niveau local, dans les municipalités, où des élections sont parfois organisées. Notre appui aux ONG — qu'elles soient à l'étranger, à Hongkong, ou celles qui ont l'autorisation de travailler sur place en Chine — va se poursuivre.

L'échange de chercheurs est très important. Je l'ai vu au CERIUM ; chaque année, on recevait un groupe de chercheurs chinois, et le simple contact de chercheurs chinois et de chercheurs québécois, y compris de chercheurs des instituts officiels de recherche chinois, suscitait une ouverture d'esprit, un échange d'attitudes qui ne peut être que bénéfique.

J'ai vu un chercheur chinois me montrer une recherche sur le Tibet dont j'aurais pensé qu'il n'aurait jamais pu la publier. Et pourtant, c'était là. Il y a des périodes, des zones, il y a des ouvertures. Les médias (un certain nombre d'entre eux, du moins) utilisent chaque espace de liberté disponible ; il est parfois à géométrie variable. Mais si nous pouvons les accompagner dans ce sens, nous le ferons. Nous avons ces échanges étudiants dont le recteur [Alain Proulx, de l'UQAM, dans son allocution précédant celle-ci] parlait, ce qui ne peut être qu'un bon signe pour l'avenir, l'ouverture à d'autres façons de faire. Nous avons parfois des campus en Chine, parfois pour nos propres étudiants ou pour les étudiants chinois. Ce sont toutes des mesures qui, à la marge, font que le Québec peut participer à l'évolution des mentalités d'une partie des futurs dirigeants chinois, et ce, d'une manière qui ne peut être que positive. Encore une fois, avec humilité.

Et sur la question des prisonniers politiques, sur la question des gens qui n'ont pas accès aux libertés que nous voudrions qu'ils aient, notre politique est d'aborder ces questions en privé avec les dirigeants chinois et de tenter ainsi de montrer que nous sommes préoccupés, mais respectueux. C'est une façon d'agir. Il y en a d'autres. C'est la nôtre qui, je crois, est à la mesure de notre capacité d'action.

À l'automne 2013, peu avant ma visite, on sentait un resserrement des contrôles et des arrestations. Je réunis au Ministère un groupe d'experts, dont Avocats sans frontières, pour entendre leurs avis. Ils conseillaient la plus grande prudence. Mais j'étais frappé, dans mes lectures, par l'émergence d'organisations non gouvernementales chinoises. Des ONG étrangères ont des bureaux à Hongkong, mais bon nombre d'ONG écologistes ou sociales sont tolérées et actives sur le continent.

Je décidai de faire inscrire à mon horaire de mission des rencontres avec les ONG chinoises de Pékin et de Shanghai. Nous avons aussi ciblé deux universitaires chinois experts des ONG.

Comme d'habitude, il y eut de la résistance. Dans l'appareil, et au cabinet de la PM. On craignait la réaction chinoise. Dans quoi allait-on s'embarquer? Était-ce bien nécessaire? Je trouvais que certains avaient peur d'avoir peur.

C'est avec Pauline que j'ai dédouané la chose, en lui montrant le détail des rencontres, dont le Consulat général chinois à Montréal était déjà informé.

Sur place, avec une soixantaine d'entreprises et organisations, la mission fut extrêmement intéressante, sur tous les plans. Sachant les Chinois très soucieux des traditions et de la persévérance, j'avais décidé de leur offrir une histoire des relations sino-québécoises à ma manière, faisant flèche de tout bois. Cela allait comme suit:

Discours d'ouverture, 30ᵉ anniversaire, Chambre de commerce Canada-Chine, Pékin (16 octobre 2013)

Je suis honoré de participer à cette assemblée générale. C'est une excellente occasion de présenter le Québec comme un lieu où l'économie, l'éducation, la culture et surtout le développement durable jouent un rôle crucial dans la création d'un environnement économique et social prospère.

John Baird [le ministre fédéral des Affaires étrangères, qui avait fait un discours juste avant moi] a parlé de l'histoire de la consolidation des relations sino-canadiennes. Puisque ce sont les citoyens québécois qui m'ont élu, permettez-moi de mettre en valeur la dimension québécoise de ces relations.

C'est un Québécois, Norman Bethune, qui a consacré sa vie à la création de liens étroits entre la Chine et le Québec.

C'est un Québécois, un Montréalais, le premier ministre du Canada Pierre Trudeau, qui a décidé, en 1970, qu'il était temps de reconnaître la Chine comme un des grands décideurs de la planète.

C'est un Québécois, le premier ministre du Québec René Lévesque, qui a été le premier des premiers ministres provinciaux à se rendre en Chine, en 1984.

C'est un Québécois, Pierre Bourque, qui a jeté les bases d'un des jumelages de villes les plus fructueux du monde : celui de Shanghai et de Montréal.

C'est un Québécois, le premier ministre du Québec Lucien Bouchard, qui, en 1997, a donné un nouveau souffle aux relations entre le Québec et la Chine, en venant ici à la tête d'une délégation très nombreuse. Nous étions près de 150. C'est à la fin de son séjour en Chine qu'il a décidé de renforcer le bureau du Québec à Pékin et d'ouvrir celui de Shanghai, dont nous célébrons cette semaine le 15ᵉ anniversaire.

Bien sûr, Paul Desmarais, un Québécois, a ouvert la voie en Chine de façon remarquable aux entreprises québécoises et canadiennes [fondateur de la Chambre Canada-Chine, il s'était éteint la semaine précédente]. Sans oublier Bombardier, fleuron de l'économie québécoise qui se classe parmi les entreprises étrangères les plus présentes en Chine, tant dans le ferroviaire que l'aérospatiale. Je sais que dans les prochains jours seront annoncés de nouveaux contrats entre la Chine et Bombardier. Le nouveau CSeries, à l'avant-garde de l'aérospatiale et de l'aéronautique, est construit à la fois en Chine et au Québec.

Nous prenons les devants en devenant la province canadienne la plus active et la plus présente en Chine. À la faveur d'une entente avec une région de France, nous disposons maintenant de bureaux d'Expansion Québec, pour l'implantation de nos entreprises à Pékin, Shanghai, Shenzhen et Hongkong.

En envisageant l'avenir des relations sino-québécoises, on ne peut que remarquer la grande compatibilité entre, d'une part, l'expérience et l'expertise du Québec et, d'autre part, les priorités mises en avant par le nouveau leadership chinois.

En environnement, la construction verte est un des domaines d'excellence du Québec. Chefs de file dans les technologies vertes, nous privilégions le bois comme matériau à faible consommation d'énergie pour la construction d'immeubles d'habitation comptant jusqu'à six étages. Nous sommes d'avis que le bois n'appartient pas au passé, mais bien à l'avenir du logement. Nous voulons prouver son efficacité, même dans un climat rigoureux. Nous sommes des experts en Amérique du Nord en ce qui concerne les rigueurs du climat.

En matière d'électrification des transports, nous savons que les dirigeants chinois sont très sensibles à la réduction de la pollution en zone urbaine, pour des raisons évidentes.

Le Québec est en passe de devenir un des trois chefs de file mondiaux en électrification des transports, tant publics que privés. Ce mois-ci, la première ministre, Pauline Marois, rend public un programme ambitieux pour mettre en lien les entreprises déjà engagées dans la fabrication de batteries, de moteurs et d'autres composants. L'objectif est de faire du Québec une plaque tournante de la construction de véhicules de l'avenir. Nous sommes d'ailleurs à la recherche d'un constructeur automobile prêt à faire du Québec son ancrage en Amérique du Nord, en utilisant des composants québécois dans la construction des voitures de l'avenir. [...]

En matière de technologie, comme chacun sait, Montréal est un chef de file mondial dans les jeux vidéos. Les Québécois, comme les Chinois, adorent jouer.

Lorsque le *Titanic* coule, qu'un aéronef s'écrase contre l'immeuble Chrysler à New York ou que les Spartiates croisent le fer avec les Perses de l'Antiquité, tout se déroule en fait dans des studios d'effets spéciaux de Montréal.

En matière de biotechnologies, nous acquérons une expertise dans ce qu'on appelle la médecine personnalisée, qui puise dans les connaissances génétiques pour offrir un traitement adapté à chaque patient. Cela permet une réduction des coûts et une augmentation de l'efficacité du traitement. Montréal est un chef de file dans ce domaine.

[...]

Ce n'est pas par hasard que la Chine se classe maintenant au deuxième rang de nos partenaires commerciaux — après les États-Unis, bien sûr, mais devant la France et le Royaume-Uni, qui ont longtemps été nos deuxièmes partenaires commerciaux.

La semaine dernière, nous avons été très heureux d'apprendre que la Banque de Chine ouvrira une succursale à Montréal. En 2011, le gouvernement chinois a eu l'excellente idée d'ouvrir un consulat général à Montréal, où œuvrent pas moins de 25 diplomates.

Il ne manque plus qu'un outil pour garantir le succès des relations entre la Chine et le Québec : un vol direct entre Pékin et Montréal. Au cours des dernières semaines, nous avons rencontré des représentants d'Air China et d'Air Canada. Hier, nous avons discuté avec Air China. Nous savons que nous bénéficions du soutien du gouvernement fédéral ainsi que des autorités chinoises pour obtenir le succès escompté. Nous avons hâte d'embarquer à bord du premier vol Montréal-Pékin ou du premier vol de retour.

En conclusion, je veux rappeler que la relation entre le Québec et la Chine est ancrée dans le passé. J'ai parlé tout à l'heure de Norman Bethune. Au moment de la Révolution, en 1949, la plus nombreuse des délégations étrangères d'expatriés en Chine se composait de Québécois, notamment les jésuites, qui ont fondé 360 écoles. Ils ont éduqué les premières générations de cadres de la république de Chine.

Nous avons donc pris part à la création du grand pays qu'est aujourd'hui la Chine.

Nous voulons maintenant prendre part à son avenir.

Cela donne une idée du discours que je tenais à l'étranger pour vanter le Québec. Mais je reviens aux ONG.

Dans les rencontres avec celles-ci, je m'attendais à ce que le régime chinois nous délègue un chaperon, pour voir ce qui s'y tramait.

Absolument pas. La discussion fut franche, ouverte. La tolérance des autorités envers l'action des ONG dépend complètement du contexte local et de la teneur politique des interventions. Toute promotion directe de la démocratie est sévèrement réprimée. Mais les droits des locataires et des propriétaires en matière d'expulsion, ça peut aller. Les enjeux écologiques, c'est possible. La santé publique, certainement. Le développement du bénévolat, du troc, oui.

Bref, les ONG chinoises sont en train de se tailler une place. En train de faire croître un embryon de société civile. C'est un rayon d'espoir dans la grisaille politique chinoise. J'évoquai la possibilité d'échanges avec les ONG québécoises. Toutes étaient preneuses.

Ma surprise vint lors d'une rencontre avec les dirigeants de la grande école de formation des cadres supérieurs du Parti communiste, à Shanghai. Au détour d'une conversation, et pour tester la température de l'eau, je mentionnai ma rencontre avec une ONG locale. « Ah, je la connais bien, ma belle-sœur y participe », dit l'un des dignitaires !

Et un autre, avec lequel j'avais eu une discussion très franche sur les droits politiques, me prit à part au moment du départ pour me dire à l'oreille : « Pendant la Révolution culturelle, j'étais garde rouge. Pendant Tian'anmen, j'étais un des manifestants ! »

Bigre !

De retour au Québec, j'envisageais de créer, avec les ONG québécoises et peut-être avec les Offices jeunesse, un programme d'échanges et de formation internationale pour les ONG du Sud, notamment chinoises. Ce serait notre façon de donner un coup de pouce, un peu d'air, à l'esprit démocratique. Le temps m'a manqué.

4. SOLIDARITÉ

Ces dernières années ont été éprouvantes pour les organismes de coopération internationale (OCI) québécois. Les budgets fédéraux destinés à l'aide internationale ont subi d'importantes coupes, et les OCI québécois n'ont touché qu'une part réduite de ce budget déjà amaigri.

De 2006 à 2012, les OCI québécois recevaient en moyenne 22 % du budget de l'Agence canadienne de développement international (ACDI) accordé aux ONG. En 2012-2013, ce chiffre est passé à 5 %.

Ce n'est pas tout. Les conservateurs de Stephen Harper ont fait subir tout un virage à l'ACDI. À l'origine, l'Agence avait pour mission d'aider les populations du Sud à devenir plus autonomes sur tous les plans. Aujourd'hui, Ottawa souhaite que les entreprises canadiennes soient les principales bénéficiaires des services de l'ACDI.

Le Québec, évidemment, aide ses entreprises, localement et à l'étranger, de toutes sortes de façons. Mais lorsqu'on parle de solidarité, on ne cherche pas son profit. On cherche le développement de l'autre.

C'est pourquoi a émergé depuis quelques années le projet d'une Agence québécoise de la solidarité internationale (AQSI). Avec ses propres principes, ses propres orientations, ses propres programmes.

Impossible, sans faire la souveraineté, de récupérer la part québécoise du budget de l'ACDI. Le budget d'aide au développement du MRI, mis sur pied par Bernard Landry lorsqu'il était ministre, s'élève à la maigre somme de six millions par an.

L'argent est le nerf de la guerre, évidemment. Mais pas seulement. Avec l'Association québécoise des organismes de coopération internationale (AQOCI), j'ai créé en 2013 un comité mixte pour définir ce que pourrait être une Agence québécoise, aux moyens limités, mais aux retombées démultipliées.

Le rapport m'était remis à Noël 2013, j'ai pu le rendre public en février 2014 — en le faisant dédouaner par Pauline, car les comptables étaient contre. Je m'engageais d'ailleurs à financer à même mon ministère la lente montée budgétaire vers une somme de 12 millions en 2015.

Mais ce serait aussi en mobilisant les mécènes québécois de l'aide internationale, plus nombreux qu'on ne le croit. En organisant avec les jeunes et les volontaires des « journées de solidarité internationale », où l'on donne le fruit de son labeur de 24 heures à l'Agence — comme cela se fait dans plusieurs pays d'Europe. Pourquoi ne pas envisager d'ajouter une ligne à la déclaration de revenus pour ceux qui veulent faire un don?

Au-delà de la question budgétaire, il s'agissait de donner à l'AQSI le rôle de pôle rassembleur de toute l'activité de coopération internationale québécoise. L'Agence, indépendante dans sa direction mais gérée par le MRI, pourrait assurer la reddition de comptes (essentielle en ces matières), organiser des partenariats, lancer des opérations communes entre institutions et organisations québécoises, avec la participation des entreprises volontaires.

Plus encore, l'existence de cette carte de visite québécoise de la solidarité nous aurait permis de frapper à la porte des grands bailleurs de fonds internationaux (Banque mondiale, Clinton Global Initiative, etc.) pour recueillir des fonds et déployer notre action. L'Agence aurait également été présente dans les débats internationaux sur l'efficacité de l'aide et les meilleures pratiques.

J'avais consulté les partis d'opposition tout au long du processus. À la CAQ, le député Stéphane Le Bouyonnec était partant, tout comme Amir Khadir à QS. J'avais tenu informés mes critiques libéraux, d'abord Christine St-Pierre puis Yvon Marcoux, qui n'envoyaient pas de signaux négatifs.

Je visais une adoption unanime à l'Assemblée nationale pour la création de l'Agence. Ce sera pour une autre fois !

LES ÉTUDIANTS INTERNATIONAUX

Une autre grande voie de solidarité internationale québécoise s'incarne dans le nombre d'étudiants internationaux que l'on reçoit, à nos frais, dans nos universités et cégeps. La question n'est pas de savoir s'il faut continuer : il le faut. Mais notre régime est complètement dysfonctionnel et, pour tout dire, injuste.

Début 2014, je me mis à travailler sur une réforme importante de notre aide, puisque le MRI collabore avec le ministère de l'Enseignement supérieur sur ces questions.

J'en étais venu, fin février, à une proposition que je résume ici à grands traits.

Mon objectif était de faire du Québec un pôle d'attraction international majeur pour l'enseignement supérieur en réinventant complètement l'offre québécoise.

Les étudiants étrangers constituent, à plusieurs égards, un atout important pour la société québécoise. À l'automne 2012, ils étaient 30 700.

Selon une étude récente, les revenus issus des dépenses des étudiants étrangers s'élevaient en 2008 à plus d'un milliard de dollars, générant 11 840 emplois et contribuant à hauteur de 72,5 millions de dollars au Trésor public.

Cependant, le poids du Québec dans la capacité canadienne d'attraction est en baisse (de 19,1 % en 2000 à 15,6 % en 2009) et la part du Canada dans l'attraction globale est également en baisse.

Pourquoi cette baisse ? D'abord, l'organisation du recrutement d'étudiants à l'étranger par le gouvernement québécois et ses universités et cégeps manque de coordination, ne dispose pas d'une image de marque suffisamment distinctive et souffre de la volonté du gouvernement du Canada de prendre la place du Québec dans ce champ de compétence québécois.

Ensuite, les droits de scolarité exigés des étudiants de l'extérieur du Québec varient considérablement selon leur origine. Un étudiant francophone de Vancouver paiera davantage qu'un étudiant de Bordeaux. Un étudiant indien venant d'une famille désargentée paiera davantage qu'un fils de chef d'entreprise du Sénégal. Un étudiant haïtien de milieu modeste, même s'il bénéficie d'une exemption, n'aura pas les moyens d'étudier au Québec, quelle que soit la qualité de son dossier scolaire.

Il fallait, à mon avis, tout remettre à plat pour introduire une réforme majeure mais lisible de l'offre québécoise, afin de viser à la fois l'attraction d'étudiants et de chercheurs en provenance de la francophonie ou francophiles et de viser la reconnaissance du Québec comme pôle d'excellence doté d'un système d'enseignement en français et, au surplus, d'établissements anglophones d'excellence.

Comment nous y prendre ? D'abord, en comptant nos sous : ceux investis dans la formation de nos cousins français. Depuis 1978, les étudiants français sont exemptés des droits de scolarité supplémentaires au collégial et à l'université. Au début, le nombre d'étudiants québécois en France était à peu près le même que le nombre d'étudiants français ici. Plus maintenant : de 2006 à 2012, le nombre d'étudiants québécois en France n'a varié que de 300 à 350 par an. Le nombre d'étudiants français au Québec est passé de 6 420 en 2006 à 11 370 en 2012. L'écart ne serait pas problématique si 100 % des étudiants français choisissaient de s'établir au Québec. Mais moins du quart le font. Nous finançons donc les élites d'un pays du G8. C'est un peu fort. Et cela nous coûte, chaque année, près de 100 millions de dollars (30 autres millions servent aux exemptions pour des pays francophones d'Afrique, l'Inde, la Chine, etc.).

RÉINVENTER L'OFFRE

Il est possible d'utiliser cette somme considérable pour créer un régime général beaucoup plus attrayant et beaucoup plus équitable. Le Québec devrait lancer un programme destiné à tous ceux qui veulent étudier en français au Québec, de quelque nation qu'ils soient, de France, du Canada hors Québec, d'Afrique ou d'ailleurs.

Dans un modèle simplifié s'inspirant du régime québécois des prêts et bourses (et d'une grande école française, Sciences Po), le gouvernement du Québec recevrait les demandes d'inscription et accorderait à un étudiant, selon l'excellence de son dossier scolaire et selon son niveau de revenu et celui de ses parents :

1) Soit une bourse ou un prêt couvrant à la fois les droits de scolarité et les frais de séjour.

2) Soit une bourse ou un prêt couvrant en tout ou en partie les droits de scolarité.

3) En fonction de l'excellence du candidat et indépendamment de ses ressources financières, une bourse d'excellence aux 2e et 3e cycles ou une bourse postdoctorale.

Le principe serait simple : l'étudiant a postulé et est accepté en principe dans une université (ou un cégep) qui a fixé les droits de scolarité internationaux selon les modalités, déréglementées, définies par le gouvernement. Sur dossier, l'étudiant se voit accorder une bourse ou un prêt couvrant tout ou partie des droits de scolarité et des frais de séjour, selon ses conditions de ressources.

Ces sommes seraient accordées jusqu'à concurrence du budget total du programme. L'opération ne coûterait donc pas un sou de plus que ce qu'il en coûte actuellement à l'État. Ainsi :

• L'offre québécoise devient plus équitable et plus respectueuse de l'approche sociale-démocrate du gouvernement. Elle évite de financer sans raison un étudiant du Sud qui vient d'une famille fortunée, mais elle permet de payer des frais de séjour à un étudiant haïtien méritant qui, sinon, ne pourrait se prévaloir de l'aide actuelle.

• L'exemption modulée selon les besoins réduira la somme affectée à chaque étudiant et, en fractionnant les sommes, augmentera probablement le nombre d'étudiants bénéficiaires.

• Chaque étudiant reçu saura le montant de l'investissement consacré par le Québec à sa réussite.
• La diversité de la provenance d'étudiants favorisera le mérite plutôt que l'origine nationale.
• L'offre québécoise sera rapidement connue dans toute la francophonie.
• Les étudiants aisés auront toujours le loisir de choisir le Québec pour son coût comparativement plus bas.
• Ainsi outillé d'une offre simple, généreuse et universelle pour le monde francophone et d'une situation comparativement très forte pour les établissements anglophones, le gouvernement du Québec pourrait financer et lancer une offensive internationale importante pour l'attraction à l'étranger de l'excellence au Québec[2].

Ce n'est pas tout. Je ferais en sorte d'inviter ces étudiants à rester au Québec après avoir obtenu leur diplôme en appliquant une formule que j'avance depuis quelques années. Tout étudiant étranger qui a payé davantage qu'un étudiant québécois pour ses études se verrait rembourser graduellement ce supplément, sur une douzaine d'années, par un crédit d'impôt sur son revenu. Une raison de plus de rester parmi nous.

Mon objectif était que Pauline puisse annoncer cette nouvelle vision au Sommet de la Francophonie de novembre 2014, à Dakar.

5. LE PRINTEMPS INTERNATIONAL DE MONTRÉAL

Je tiens à parler d'un dernier chantier, laissé en plan à mon départ, qui faisait la jonction entre mes responsabilités métropolitaines et internationales.

J'avais été associé, sous Lucien Bouchard, aux fameuses Saisons du Québec à l'étranger. Une en France, une au Mexique et une, fantastique, qui devait s'ouvrir à New York, à l'ombre des grandes tours jumelles, le... 12 septembre 2001 !

Nous n'avions plus les moyens de ces saisons coûteuses qui avaient pour objectif d'imprimer notre marque. Mais peut-être pourrions-nous, à moindres frais, procéder autrement pour atteindre le même but.

---

[2] Je vous fais grâce d'une série de détails sur la renégociation avec la France et sur les exemptions actuellement accordées à 37 autres pays, mais j'avais produit une note détaillée couvrant tous ces aspects.

Le printemps montréalais est marqué de nombreuses rencontres internationales importantes. Fin mai, le grand forum de l'innovation C2-MTL invite les grands idéateurs. Début juin, la Conférence de Montréal, les grands décideurs. Le Printemps numérique et le Festival de théâtre des Amériques reçoivent les talents qui montent dans ces domaines.

Pourquoi ne pas désigner à l'avance une ville, une région ou un pays étranger comme «invité» de ce qu'on appellerait le «Printemps international de Montréal»? J'avais convaincu C2-MTL et la Conférence de Montréal de proposer chacun une fenêtre à l'invité éventuel. Culture Montréal se faisait fort d'établir le lien avec les autres grandes manifestations. La Chambre de commerce du Montréal métropolitain était partante pour organiser un grand rendez-vous d'affaires. Denis Coderre était d'accord.

Nous avions même un candidat: la ville de Shanghai, qui célébrerait en 2015 le 30e anniversaire de son jumelage avec Montréal. Le numéro deux du gouvernement de Shanghai (qui est aussi une province) m'avait, en octobre 2013, soumis une liste de sept chantiers communs à réaliser ensemble[3]. Les dirigeants de Shanghai étaient demandeurs.

L'effet serait double. Pendant le printemps montréalais, le Tout-Shanghai serait parmi nous, un secteur à la fois. Pendant les mois précédant et les mois suivant le printemps, le Tout-Shanghai discuterait de sa virée montréalaise. Le délégué désigné du Québec à Shanghai (qui fut commissaire du pavillon de Montréal à l'Exposition universelle de Shanghai), Louis Dussault, s'activait à organiser la chose[4]. L'ensemble des activités seraient montréalaises, mais donneraient un coup d'accélérateur à nos relations.

Ensuite? Ensuite on aurait l'embarras du choix. Et on pourrait planifier deux, trois ans à l'avance. J'aurais beaucoup aimé lancer ce projet.

---

[3] 1) Coopération entre les centres de congrès pour la participation croisée à des rendez-vous internationaux. 2) Échanges de fonctionnaires au sein de ministères sectoriels d'intérêt stratégique. 3) Coopération relativement à la gestion urbaine, notamment pour les espaces souterrains. 4) Échanges concernant la protection environnementale, les bâtiments verts et le transport urbain. 5) Collaboration dans le cadre de la mise sur pied du projet de zone de libre-échange. 6) Création d'une filière d'échanges professoraux et étudiants. 7) Aide à la mise sur pied d'un vol aérien direct Montréal-Shanghai.

[4] À l'heure d'écrire ces lignes, le gouvernement Couillard ne l'a toujours pas envoyé prendre son poste, qui reste vacant.

QUE DIRE POUR CONCLURE CE TROP LONG CHAPITRE ?

Que nos ancêtres étaient coureurs des bois. Que nous sommes aujourd'hui coureurs du monde. Que nous ne nous en sommes pas pleinement rendu compte. Car pour être à la hauteur de notre réputation, de notre empreinte mondiale, il faudrait exister complètement.

Après un an et demi comme diplomate en chef du Québec, je peux témoigner d'une chose. Les interlocuteurs rencontrés, de Washington à Bombay, n'ont pas à se mêler de nos débats existentiels — et ne souhaitent pas le faire. Mais le jour où nous prendrons enfin notre carte de membre de l'ONU, nous connaissant maintenant pour ce que nous sommes, ils jugeront simplement que nous venons de régulariser notre situation. Que nous venons de nous mettre à niveau.

Au niveau de notre empreinte internationale, de notre contribution à la vie mondiale, de notre valeur.

○ ○ ○

CHAPITRE 17

La richesse, c'est bien ; la richesse pour tous, c'est mieux

Ça commençait à me taper un peu sur les nerfs. Je défendais pied à pied mes budgets d'aide à l'exportation, mais chaque fois que je croyais avoir gagné un million, j'apprenais qu'on nous l'enlevait, puis un deuxième, et un troisième.

Pourtant, comme ministre, je voyais passer, juste avant que ce soit dans le journal, des sommes très conséquentes investies par l'État québécois pour créer parfois quelques dizaines d'emplois dans des entreprises étrangères s'implantant chez nous ou pour garder chez nous une entreprise qui voulait prendre de l'expansion.

Je suis de bon compte : l'aide de l'État à ces investissements est la plupart du temps en capital, c'est donc un investissement qui porte un rendement. Mais pas seulement. Il y a toujours la fameuse « aide financière non remboursable ». Euphémisme pour dire « subvention ». Je ne suis pas dupe, tous les États sont dans cette enchère internationale à l'attraction d'investissement. Les États américains du Sud sont les plus féroces. Pour avoir sa part d'investissement, parfois extrêmement structurant, il faut jouer ce jeu.

Je ne doute pas que le fait d'avoir doublé, en 2013, l'investissement étranger à Montréal est une bonne nouvelle. Et je savais que les Finances ne gardaient que les meilleurs dossiers. Chaque mémoire, chaque aide étaient défendables, et bien défendus par mes collègues.

Mais ça commençait à me taper sur les nerfs quand même. Car, cumulativement, ces aides ont un effet sur le budget de l'année en cours. Et pendant que je me battais pour chaque million, j'en voyais plusieurs dizaines s'envoler.

Je me suis demandé si on jugeait bien du rendement de l'aide gouvernementale destinée à la création d'emploi. Et s'il n'y avait pas une discussion à avoir sur la priorisation des ressources, pour obtenir le plus de retombées possible. Les conseillers et fonctionnaires des ministères de la Métropole et des Relations internationales et moi avons trouvé un début de réponse.

Nous nous sommes demandé combien il en coûtait, pour chaque programme de l'État, pour créer ou maintenir un emploi. Je me suis ensuite tourné vers le coût de la création d'emploi en économie sociale. Comme ministre de la Métropole, je disposais d'une enveloppe de 700 000 dollars par an pour appuyer des projets de démarrage et de développement de ces entreprises.

Voici ce que ça donne :
• 54 000 dollars par emploi pour Essor, le principal programme d'aide à l'investissement ;
• 14 400 dollars par emploi dans l'aide au démarrage d'entreprises d'économie sociale ;
• 9 620 dollars par emploi dans l'aide à la consolidation d'entreprises d'économie sociale ;
• 3 373 dollars par emploi dans le programme d'aide à l'exportation Export Québec.

Il faut prendre ces données avec beaucoup de pincettes. Le type d'aide varie. La qualité de l'emploi créé aussi, de même que ses retombées sur l'économie, sur la consommation. Pour l'économie sociale, l'échantillon est trop petit pour être vraiment fiable.

Reste que l'écart est gigantesque. Pour le coût de chaque emploi du programme Essor, on aurait pu en créer 5 en économie sociale ou 16 en aide à l'exportation.

Et jamais n'a-t-on calculé, comme on le fait pour l'aide aux grandes entreprises, les rentrées fiscales engendrées par cette aide et, dans le cas de l'économie sociale, les économies réalisées par l'État lorsque les salariés viennent de l'aide sociale.

On ne calcule pas non plus les répercussions sur la productivité. On sait pourtant que c'est là, dans la productivité par heure travaillée, que se trouve la clé de la prospérité future des Québécois. Les grandes entreprises — les CGI ou les Bombardier — sont toujours à la pointe de l'augmentation de leur productivité.

Le retard relatif du Québec se trouve dans les petites et moyennes entreprises, qui n'insèrent pas assez rapidement dans leurs outils de production les dernières découvertes, malgré la panoplie de crédits d'impôts mis à leur disposition.

Et c'est là que l'exportation joue un rôle si crucial. L'entrepreneur québécois qui vend à l'étranger est exposé à ce qui se fait de mieux ailleurs dans son secteur d'activité. Il est immédiatement mis au défi de produire mieux et à meilleur coût. L'augmentation de sa productivité est une condition de son succès, puis de sa croissance.

Nous avons constaté que les trois quarts des entreprises bénéficiaires de nos programmes d'exportation comptaient moins de 50 employés. La moitié de celles que nous avons aidées ont investi dans leurs équipements et les deux tiers ont amélioré leurs produits ou en ont créé de nouveaux.

Depuis des années que je surveille ces choses, jamais je n'ai vu de programme ayant un effet aussi direct et immédiat sur l'amélioration de la productivité des PME. Et pourtant, il fallait se battre pour chaque million du programme.

D'autant que ces sous servent à l'entrepreneur qui a un projet d'exportation, mais aussi aux regroupements d'entrepreneurs qui s'organisent pour percer, ensemble, des marchés étrangers. Le groupe 48e Nord international, d'Abitibi, par exemple, aide les centaines d'équipementiers miniers à percer les marchés étrangers. Le soutenir, lui, c'est créer de l'emploi. Lui couper les vivres, c'est se priver d'un levier de développement efficace.

Évidemment, la solution serait de financer toutes les bonnes propositions créatrices d'emplois. Or, voici le hic : toutes les bonnes propositions d'investissement étranger ou d'expansion de grandes entreprises locales sont acceptées. Toutes les bonnes propositions d'aide à l'exportation ou d'aide à l'économie sociale ne sont pas acceptées, faute de moyens.

Alors, il faut décider. Soit la création d'emploi et la hausse des exportations sont une priorité — ce qui est rentable pour l'État à moyen terme —, et on y met toutes les ressources nécessaires. Soit les sommes sont limitées, et il faut choisir les interventions qui offrent le meilleur rendement.

Il faut un mélange de chaque élément, bien sûr. Mais, personnellement, j'ai un faible pour l'entreprise locale, en développement, dans toutes les régions.

La gestion de l'investissement public dans la création d'emploi me semble aussi inadéquate lorsqu'il s'agit non seulement de créer un nouvel emploi, mais d'insérer un chômeur dans le marché du travail. Ce qui m'amène aux entreprises d'insertion. Il y en a beaucoup dans ma circonscription. Je sais que je me répète, mais je n'en reviens pas que ces entreprises, qui aident les décrocheurs à s'adapter au monde du travail, aient des... listes d'attente.

Sachant que le taux de succès des entreprises d'insertion est de 80 %, il est ahurissant qu'on ne réussisse pas à trouver les petits budgets supplémentaires nécessaires pour résorber ces listes d'attente. (Et pourtant, j'ai essayé !)

Même chose pour les jeunes autistes et handicapés. La pratique québécoise actuelle montre que leur dépistage précoce et leur insertion dans le marché du travail se traduiraient non seulement par des vies plus réussies, mais par des économies considérables dans les services sociaux et une réelle création de richesse.

Bizarrement, ces calculs ne sont jamais faits lorsque vient le temps de faire des choix budgétaires.

De même, le Québec a très bien su, depuis 20 ans, réintégrer les prestataires de l'aide sociale. Évidemment, ceux qui sont aptes au travail et qui continuent toujours de recevoir de l'aide sociale sont les plus difficiles à intégrer. On pourrait penser qu'une partie des sommes économisées chaque année par le ministère de la Solidarité sociale grâce à la réduction du nombre d'assistés sociaux est réinvestie dans l'insertion des cas plus difficiles. Mais il n'en est rien. Pas un sou qui ne reste disponible. Tout est happé par le Conseil du Trésor.

Pire, les libéraux viennent de couper de moitié un petit programme qui visait justement la réinsertion de ces cas les plus difficiles et qui, en 20 ans, a fait ses preuves.

Il faut, à mon avis, poser autrement la question de la création de la richesse au Québec.

Une subvention de 10 millions pour implanter une entreprise étrangère créant 100 emplois génère-t-elle vraiment davantage de richesse qu'une somme équivalente intégrant dans le marché du travail 2 000 décrocheurs ? Je veux que ce calcul soit fait. Je veux qu'il conditionne nos actions.

Nous avons des outils. Nous avons des budgets. Nous n'en tirons pas, il me semble, le maximum.

CHAPITRE 18

Vivre ensemble : l'occasion manquée

Diane De Courcy et moi avions un plan. Nous l'avons exposé. Tout le monde était d'accord. Puis, rien ne s'est passé. Enfin presque.

Début 2014, nous avions conclu qu'il y avait un énorme vide dans la position gouvernementale. Diane était ministre de l'Immigration. J'étais ministre de la Métropole. Nous étions aux premières loges pour constater que le débat sur la Charte des valeurs avait un effet paradoxal. Certes, les Anglo-Québécois y étaient massivement opposés (25 % étaient pour, contre 40 % chez les anglophones du reste du Canada).

Parmi les allophones, on sentait chez certains une opposition farouche, parfois fondée sur les principes — le primat de la norme religieuse sur la norme sociale —, parfois aussi sur de fausses perceptions (certains pensaient qu'on allait interdire le voile, même dans la rue). Mais on y trouvait aussi une importante minorité d'allophones pour qui la laïcité et les propositions de la Charte avaient une réelle résonance. On les entendait et les rencontrait, anecdotiquement. Les sondages les estimaient à entre 30 % et 40 % des allophones. C'était beaucoup. Davantage que l'appui au PQ. Davantage que l'appui à la souveraineté.

Diane et moi pensions cependant que notre politique envers les Québécois de l'immigration était trop unidimensionnelle. Nous avions amplement montré notre côté salé : la Charte affirmait notre volonté d'établir des règles claires pour notre vivre-ensemble. Mais qu'en était-il de notre côté sucré : notre volonté de réussir notre vivre-ensemble ?

C'était important pour les communautés issues de l'immigration. Ce l'était aussi pour tous les Québécois favorables à la Charte, mais inquiets du message de frilosité qui pouvait en ressortir. Les répercussions étaient particulièrement visibles chez les jeunes électeurs, acquis à la fois à la normalité que représente la diversité et aux droits individuels, qu'ils jugent sacrés à l'âge où on veut interdire toutes les interdictions, y compris celle de porter les signes que l'on veut, quand on veut, où on veut.

Le PQ était-il anti-immigrants ? La réponse était non. Mais où étaient les preuves ? Nous pensions qu'il y en avait, et qu'il fallait les faire connaître.

À l'Immigration, Diane avait fait adopter 24 mesures pour assurer le succès des nouveaux arrivants et avait obtenu l'essentiel des nouveaux budgets qu'elle avait réclamés, notamment pour la francisation. Elle avait d'autres projets. De mon côté, j'en avais aussi. Il faudrait les faire connaître. Montrer, à tous, notre côté sucré.

Pour faire passer ce message à contre-courant de la tempête médiatique entourant la Charte, il faudrait persévérance, patience, répétition. Et un gros mégaphone. Nous en avions un : Pauline Marois. Car il nous semblait essentiel que ce message soit porté non par les seuls ministres montréalais, mais par la première ministre.

Nous avons élaboré une séquence en quatre temps : résultats obtenus, politiques nouvelles, candidatures, engagements.

1. NOS SUCCÈS POUR L'INTÉGRATION

D'abord, on commençait à recevoir début 2014 les données de l'emploi pour l'année 2013. Les chiffres étaient étonnants.

Le taux de chômage des Québécois issus de l'immigration avait chuté du tiers en 2013. C'est dire qu'alors même que les Québécois discutaient des règles du vivre-ensemble, la société québécoise avait embauché des immigrants comme rarement auparavant : 42 000 ! Les débats autour de la Charte n'ont donc eu aucune incidence négative sur l'embauche, contrairement à ce que tous les détracteurs de la Charte ont voulu nous faire croire.

On découvrait, en regardant les chiffres, que le taux d'emploi des immigrants au Québec était désormais plus élevé qu'en Ontario ou en Colombie-Britannique[1].

---

[1] Les chiffres de Statistique Canada sont nets : au Québec, la proportion des immigrants *qui ont un emploi* est *supérieure* à celle de l'Ontario et de la Colombie-Britannique, souvent cités comme des paradis de l'immigration. Le *taux de chômage* des immigrants, même s'il a chuté de 35 % en 2013, *reste supérieur* à celui de ces deux provinces. Pourquoi ? Parce que le *taux d'activité* des immigrants québécois est plus élevé ! C'est-à-dire que,

Ce devait donc être notre première salve : faire connaître ces chiffres, complètement contre-intuitifs, sur les succès du PQ à faire entrer, bien plus que le PLQ, les immigrants sur le chemin de l'emploi. Car, comme le disait Diane, « le Parti québécois en a fait davantage en 18 mois que les libéraux en neuf ans pour assurer le succès de l'intégration au Québec ». L'absence de mesures adéquates d'accompagnement lors de l'augmentation des niveaux d'immigrants sous Jean Charest avait largement contribué à la hausse du chômage. « Avec les libéraux, ajoutait Diane avec raison, c'était la grande séduction suivie de la grande déception. »

Le Parti québécois, dirions-nous, a rectifié la situation et veut maintenant aller encore plus loin. Notre objectif serait de faire en sorte que le taux d'emploi des nouveaux arrivants soit aussi élevé que le taux général d'emploi. Une première dans l'histoire moderne du Québec.

J'avoue que nous n'avons pas réussi à communiquer correctement ce message. Mais dans l'embouteillage des annonces gouvernementales, nous n'avons pas eu le feu vert.

2. DES POLITIQUES INÉDITES

Dans une deuxième étape, nous voulions que Pauline fasse devant des membres de la diversité montréalaise trois importantes annonces, déjà prêtes dans nos cartons.

La reconnaissance des compétences est l'embûche la plus souvent citée, avec raison, par les nouveaux arrivants diplômés et professionnels. Nous étions prêts dès février 2014 à annoncer que nous allions :

1. Réduire à 35 jours ouvrables, dès 2014, le délai de délivrance d'une évaluation comparative des diplômes, un document souvent essentiel pour l'obtention d'un emploi. À notre arrivée, le délai était de plus d'un an. D'ici 2017, nous serions à même de délivrer cette évaluation encore plus rapidement. Nous allions même offrir un service en ligne qui permettrait aux candidats d'obtenir une évaluation préliminaire.

2. Négocier avec la Tunisie, le Maroc et l'Algérie des ententes de reconnaissance réciproque des compétences professionnelles. C'est ce que le Québec

---

même s'ils sont plus nombreux à travailler, ceux qui n'ont pas d'emploi sont plus nombreux à s'en chercher un que leurs semblables en Ontario et en Colombie-Britannique. Bref, les immigrants québécois sont plus actifs, davantage engagés sur le marché du travail. Une hypothèse : c'est parce que les garderies québécoises à bas coût permettent à davantage de femmes issues de l'immigration d'entrer sur le marché du travail.

avait fait avec la France, ces dernières années, pour un total de 72 ententes. Nous allions maintenant concentrer nos efforts sur la principale source d'immigration diplômée au Québec, le Maghreb. Ces accords, lorsqu'ils se concluent, s'appliquent non seulement aux futurs immigrants, mais aux ressortissants professionnels déjà présents au Québec, qui en bénéficient.

Cela a été, par exemple, le cas pour des centaines d'infirmières françaises dont le statut a été reconnu et le salaire rehaussé grâce à une entente. Les futures ententes avec le Maghreb pourraient donc s'appliquer aux professionnels concernés déjà établis ici. J'en avais déjà avisé les ordres professionnels québécois — nous allions procéder par projet-pilote. Diane et moi avions déjà rencontré les diplomates des pays concernés, j'avais envoyé des lettres d'intention aux ministres des Affaires étrangères, et reçu une première réponse de la Tunisie désignant un coordonnateur pour l'opération.

3. *Offrir une aide financière remboursable aux immigrants en formation ou en stage.* Il est fréquent, pour des diplômés ou des professionnels, que la reconnaissance complète des compétences nécessite des cours supplémentaires, un stage, une formation. Nous allions mettre sur pied un système de microcrédit qui permettrait à ces personnes de disposer des sommes nécessaires pour financer ces périodes de mises à niveau. Une fois employées, elles rembourseraient les sommes, à des taux d'intérêt très bas. Les sommes ainsi remises dans le fonds serviraient à d'autres immigrants. Ce qui s'appelle « passer au suivant ».

De jour en jour, de semaine en semaine, nous attendions le moment de faire ces annonces avec la première ministre pour leur donner un retentissement maximal. Le calendrier était surchargé, nous le savions. Mais nous pensions que ce signal d'ouverture était essentiel non seulement pour les communautés québécoises venues d'ailleurs, mais aussi pour les Québécois francophones inquiets de notre attitude envers l'immigration et qui auraient accueilli ces annonces comme un baume.

C'est souvent ainsi en politique. Une annonce est prête. Elle est en concurrence avec plusieurs autres. L'agenda est plein. D'autres priorités sont choisies.

3. LES CANDIDATURES

Quoi de mieux, pour illustrer notre volonté de vivre ensemble, que de l'incarner par des candidatures venues de cette diversité ?

Diane et moi nous sommes donné la tâche de recruter des candidats de valeur dans les diverses communautés pour illustrer cette volonté. J'avais appuyé, en décembre, avec l'aval de Bernard Drainville, la sortie des Québécoises issues du Maghreb qui étaient favorables à la Charte. Plus de 150 Maghrébines avaient signé leur appel — des femmes musulmanes, juives, berbères.

L'organisatrice était Évelyne Abitbol, que je connaissais depuis son passage aux côtés de Lucien Bouchard au Bloc québécois. Juive marocaine, elle était partante pour représenter le PQ. Parmi nos autres rencontres, nous allions convaincre la chercheuse Yasmina Chouakri, ex-présidente du Réseau d'action pour l'égalité des femmes immigrées et racisées du Québec (RAFIQ), et l'ingénieure Leila Mahiout, très impliquée dans le Festival du monde arabe de Montréal. Elles ont choisi des circonscriptions difficiles pour y convaincre leurs communautés d'origine. Elles allaient s'ajouter à Djemila Benhabib, qui se présentait cette fois à Laval.

Jusqu'à la dernière minute, nous étions en contact avec des candidats potentiels haïtiens et hispanophones. Nous savions que nous n'allions pas gagner dans chaque circonscription. Mais nous comptions former une équipe politique représentative de la diversité montréalaise qui allait continuer à agir, après notre réélection, pour bâtir une coalition péquiste plus large.

4. LES ENGAGEMENTS

Forts de ces candidatures, nous comptions encore ajouter à notre volonté de vivre ensemble en prenant deux engagements pendant la campagne électorale, en plus des politiques que nous aurions annoncées avant son déclenchement.

D'abord, *adopter une politique de lutte contre le racisme et la discrimination*. Cette proposition était déjà inscrite dans le programme du PQ. Nous allions prendre un engagement ferme : faire davantage pour que reculent les préjugés et la discrimination ; élaborer une politique de lutte contre le racisme ; préparer une campagne, destinée au public et plus particulièrement aux employeurs et responsables du personnel, pour assurer une réussite plus grande encore de l'immigration québécoise ; déployer un effort particulier contre les crimes dits d'honneur et mettre sur pied l'observatoire sur l'intégrisme proposé par l'ex-députée libérale Fatima Houda-Pepin.

Nous avions aussi constaté que les politiques d'embauche de membres des minorités visibles dans la fonction publique québécoise étaient un échec. Leur proportion restait bien en deçà de leur poids réel dans la société. J'y étais d'autant plus sensible que c'est moi qui avais convaincu Lucien Bouchard, en 1996, de mettre dans son discours d'ouverture l'objectif d'accélérer l'embauche de minorités pour atteindre rapidement l'équité.

Pourquoi l'échec ? Parce que les administrateurs chargés des embauches n'avaient ni récompense s'ils atteignaient leurs objectifs ni pénalité s'ils ne les atteignaient pas.

Diane et moi voulions annoncer que, *le PQ réélu, et pour la première fois dans l'histoire du Québec, la politique d'embauche des minorités serait assortie d'une obligation de résultats.*

<hr />

Bien communiquée, cette série d'annonces aurait-elle suffi à corriger le tir ? Impossible de le dire. Contrairement à ce qu'on pouvait penser, la campagne électorale n'allait pas se dérouler sur le terrain de la Charte, mais sur un sujet tout autre : la peur référendaire.

Les candidatures d'Évelyne, Yasmina et Leila furent annoncées en début de campagne, avec un bon effet dans la série d'annonces de candidatures féminines. Mais l'essentiel des politiques évoquées plus haut firent l'objet d'un engagement électoral cinq jours avant le vote. Il est passé complètement inaperçu.

La question des congédiements était venue hanter la campagne et nous mordre la cheville. Avant la campagne, j'étais revenu à la charge auprès de l'équipe de communication. « À la question : combien de personnes seront congédiées à cause de la Charte, la seule réponse est : aucune ! »

Avec Pauline, avant les débats, j'avais recogné sur ce clou. « Philippe Couillard va t'attaquer là-dessus, c'est sûr. Tu devrais dire : "La seule personne qui a perdu son emploi dans ce débat, c'est Fatima Houda-Pepin, et c'est vous qui l'avez virée." » La députée libérale avait été exclue du caucus par Couillard, qui ne voulait faire aucun compromis sur le port des signes religieux. « J'y avais pensé », m'a répondu Pauline, et nous sommes convenus de ne pas utiliser cette phrase jusqu'au débat. Ce fut un de ses bons moments dans ses échanges avec Couillard.

En fin de campagne, dans un débat avec Christine St-Pierre, qui la bombardait de questions sur les congédiements, Évelyne Abitbol a semblé répondre « Oui ». Ce n'était pas son intention. Elle était fermement dans le camp de la clause des droits acquis. Mais cette ambiguïté, jouée très fort par les libéraux sur le Web, a poussé Pauline, le lendeman matin en entrevue à l'émission de Paul Arcand, à indiquer qu'après tous les efforts pour convaincre les salariées de se conformer à la Charte, on allait, en cas d'échec, leur trouver un emploi dans le privé.

Misère.

J'étais dans l'autocar avec elle, nous préparant pour l'annonce du vivre-ensemble. « Les éducatrices de garderie, on ne va pas les envoyer chez McDo ! » lui dis-je pour la convaincre d'adoucir son propos. Je la pressais de dire au moins qu'on leur trouverait un nouvel emploi dans le secteur public. C'est ce qu'elle allait faire en point de presse. Mais notre message sur le succès du vivre-ensemble a sombré corps et bien dans la tempête des congédiements appréhendés.

Notre incapacité, comme gouvernement et comme parti, de communiquer correctement cet important volet de la politique péquiste constitue mon principal regret politique. Y a-t-il pire que de tenter un changement social, comme celui proposé par la Charte des valeurs, et d'échouer ? Les travers qu'on voulait corriger en sortent renforcés. Légitimés.

Mais oui, il y a pire. À l'échec s'additionne le sentiment que le PQ n'était pas attaché au concept du vivre-ensemble. Pas intéressé par le succès de ses immigrants. Pas investi dans les conditions de la réussite de chacun de ses nouveaux citoyens. Or, le contraire est vrai. Mais c'est un secret bien gardé. D'où mon grand chagrin.

○ ○ ○

CHAPITRE 19

Comprendre le choc du 7 avril

Le soir de l'élection, j'étais zen. Jusqu'à la fin, le parti nous avait abreuvés de projections folles affirmant que nous étions toujours dans la course, grâce au vote francophone. Que le gouvernement serait minoritaire. Ce serait eux ou nous. Libéraux ou péquistes. Avec 50-55 sièges, l'un ou l'autre. Avec la CAQ détenant la balance du pouvoir. Ces sondages n'étaient pas faux. Ils étaient mauvais. Et dans plusieurs circonscriptions, le pointage était bon. Alors, qui disait vrai ?

On se demandait même ce que ferait le lieutenant-gouverneur en cas d'égalité des sièges. Réponse : il demanderait au gouvernement sortant, donc à Pauline, de tenter d'avoir la confiance de l'Assemblée. Si elle ne l'avait pas ? Si la CAQ choisissait les libéraux ? Il n'y a pas de précédent. Nous serions dans l'incertitude constitutionnelle. Super !

Quoi qu'il en soit, j'avais avisé Pauline, après que Jean-Pierre Ferland lui eut chanté « T'es belle » lors de l'assemblée de Montréal, qu'il fallait commencer à envisager la possibilité de parler à la CAQ. Au cas où. « Oui, a-t-elle répondu. Mais survivons d'abord à la campagne. » En effet.

« Soit ça va être très serré, soit ils vont nous en servir toute une. » C'était la prédiction de Dominique Lebel, conseiller de la première ministre, quelques jours avant le vote.

C'en fut « toute une ».

~~~~~~~~~~

La politique est un combat. Sauf pour les affairistes, bien sûr. Mais ceux qui font de la politique pour des idées la font par définition pour faire triompher des idées qui n'ont pas encore été réalisées. C'est vrai pour les néoconservateurs comme pour les écologistes, pour les socialistes comme pour les indépendantistes.

Si on arrêtait de proposer des idées parce que, au début, les électeurs n'en veulent pas, on ne proposerait jamais rien.

Je vous l'ai dit tout au début de cet ouvrage. Après 1998, j'avais conclu que, dans la phase historique actuelle, il serait impossible de faire la souveraineté en ligne droite. Il fallait un préalable. Un moment de vérité. Je pensais qu'après notre réélection la Charte pouvait offrir ce point de passage. L'élection serait : « pas de PQ, pas de Charte ». Ensuite ce pourrait être, si on le décidait, « pas de pays, pas de Charte ».

Quoi qu'il en soit, ça ne s'est pas passé comme ça. Pas du tout. Il y a eu quatre phases. Et pour ce chapitre, je vais faire alterner analyse et témoignage.

VERS LA MAJORITÉ

Ce fut la phase la plus courte. Au début, on gagnait. Nos sondages nous donnaient majoritaires. Ceux des libéraux aussi. Pauline était plus populaire que le parti. Les stratèges l'ont donc montrée, seule, dans une pub où elle marchait, déterminée. Le téléspectateur ne voyait pas exactement où elle allait. Mais elle y allait.

Le dévoilement des candidats, et en particulier des candidates, fut un moment magique. La force, la jeunesse, la confiance exprimées dans l'équipe ainsi renouvelée, renforcée, diversifiée, partout au Québec, étaient à couper le souffle.

Je m'occupais de donner de la cohésion à notre équipe montréalaise et c'est là, lors de notre réunion de candidats montréalais du premier dimanche de campagne, qu'un conseiller de la PM nous annonça : « Dans une heure, Mme Marois va annoncer la candidature de Pierre Karl Péladeau dans Saint-Jérôme. C'est un tournant pour nous faire gagner la campagne et c'est un tournant pour la souveraineté. »

On voulait bien le croire.

Mon cellulaire vibre. C'est Pauline. « Je sais que tu avais des réserves sur Pierre Karl, alors je voulais t'appeler. »

Des réserves, oui. Pas sur sa compétence, pas sur son engagement. Mais, lorsque j'avais décodé des signaux sur sa candidature possible, je m'étais risqué à dire qu'il serait beaucoup plus utile que Pierre Karl reste dans le privé jusqu'au référendum et qu'il fasse, à ce moment-là, son *coming-out* souverainiste. À mon avis, toute personnalité influente qui devient député ou ministre péquiste perd une bonne partie de son influence. Il est normalisé par la politique. Rapetissé.

Et puis si, comme le voulait la rumeur, Pierre Karl voulait un jour être chef du PQ, il aurait toujours le temps, après le référendum, d'entrer au gouvernement. Pauline allait gagner les élections, serait première ministre pour encore au moins cinq ans. Rien ne pressait pour personne. (Je ne dis rien ici que je n'ai pas raconté directement à Pierre Karl. Je suis d'ailleurs convaincu qu'il aurait accepté de bonne grâce, si Pauline lui avait demandé d'attendre le référendum.)

Mais ce matin de la grande annonce, je n'avais qu'une chose à dire : « Pauline, tu sais que tu peux compter sur moi ! »

L'EFFET PKP

L'arrivée de Pierre Karl a eu un effet gigantesque. Jusque-là, les Québécois percevaient le gouvernement Marois comme capable de gouverner, mais certainement *incapable de faire avancer son projet souverainiste, les conditions ne s'y prêtant pas.*

Pauline avait d'ailleurs pris soin de faire état, avant la campagne, de son projet de produire un livre blanc sur l'avenir du Québec pendant le mandat. Un livre blanc. Pas de quoi inquiéter qui que ce soit.

Mais si on veut écrire seulement un livre blanc, pourquoi recruter un géant de l'entreprise ? De surcroît, un géant dont le passé patronal est imparfaitement au diapason d'un parti social-démocrate ?

On allait faire la rédaction d'un livre blanc avec un char d'assaut ? L'opinion a tout de suite compris que ça ne tenait pas debout. L'arrivée de Pierre Karl changeait tout. Amplifiée par les déclarations enthousiastes de souverainistes — Parizeau, Landry, Larose, etc. — qui applaudissaient son entrée comme providentielle et de nature à faire reculer la peur de l'indépendance, la combinaison PQ + PKP a donné à l'hypothèse souverainiste une nouvelle crédibilité.

Dans la semaine qui a suivi la candidature de Pierre Karl, le ressac antiréférendaire allait frapper la campagne comme un camion lourd surgissant de notre angle mort.

Rétrospectivement, on peut constater qu'une route avait déjà été tracée dans l'esprit public. D'abord par notre position sur la Charte. Pendant de longs mois, le principal commentaire qu'on recevait des électeurs sur la Charte était: «Ne reculez pas là-dessus!» Comme lors du débat sur la loi 101, les Québécois trouvaient étonnant qu'on soit aussi fermes dans notre action sur un sujet si sensible. À force de ne pas reculer, on les a convaincus qu'on avait davantage de ténacité qu'ils ne l'avaient supposé.

Puis, le début de la campagne nous avait montrés sûrs de nous, organisés. La qualité de l'équipe de candidats et de candidates portait un message sous-jacent: «On ne s'en vient pas pour écrire un livre blanc!» Plus encore, le simple fait de déclencher les élections sans attendre d'être renversés par l'opposition dans un vote sur le budget était une manifestation d'assurance, de force. Notre slogan donnait l'heure juste: nous étions déterminés.

Avec PKP, les électeurs ont fait 1 + 1 = 2: l'équipe Marois ne le dit pas, mais elle est déterminée... à tenir un référendum.

Or, cette détermination, cette crédibilité dans notre marche vers la souveraineté ont réveillé chez près d'un demi-million de Québécois francophones une vive aversion à l'idée de retenter l'aventure référendaire.

Les sondages étaient terribles. Pas moins de 72 % des Québécois ne voulaient pas de référendum. Et paradoxaux: la majorité des électeurs péquistes pensaient qu'il n'y en aurait pas. La majorité des autres pensaient qu'on allait en tenir un, quoi qu'il arrive!

Et nous, au gouvernement? On disait la vérité: on espérait en tenir un. On n'était pas certains de pouvoir le faire. On en tiendrait un si les Québécois étaient prêts. Mais cette vérité n'était, de toute évidence, pas bonne à dire — ou du moins à entendre.

J'ai beaucoup écrit, dans le passé, sur la légitime crainte de l'échec chez les Québécois. Elle s'était manifestée pendant la préparation du référendum de 1995, puis dans la phase finale des élections de 1998. Les sondages donnaient Lucien Bouchard fortement gagnant. Cette victoire annoncée a cependant eu pour effet de réveiller la peur référendaire et, à la fin, suffisamment d'électeurs ont retiré leur vote au PQ pour que M. Bouchard n'ait qu'un mandat tronqué: davantage de sièges que le PLQ, mais moins de voix que le PLQ dans l'urne. Un signal antiréférendaire fort. C'était trois ans après le référendum de 1995.

Nous étions maintenant près de 20 ans après les faits, et ce même réflexe antiréférendaire s'est fait entendre, avec une force amplifiée.

L'EFFET PKP ÉTAIT-IL ÉVITABLE ?

De l'entrée en scène de PKP, on pourrait critiquer le texte, le ton, le geste. Mais cela n'a presque pas d'importance. Si Pierre Karl s'était présenté à Saint-Jérôme sans parler d'indépendance et sans lever le poing, le seul fait qu'il s'associait au PQ aurait provoqué la même onde de choc, suscité les mêmes réactions — enthousiastes chez les indépendantistes, puis négatives chez les allergiques au référendum.

Et j'estime qu'il était impossible de prévoir l'ampleur des deux ondes de choc. L'équipe de Pauline pensait que PKP allait attirer vers le PQ l'électorat de la CAQ et l'aider à Québec, où il était très populaire. C'était une présomption raisonnable. Et on ne peut certes pas blâmer Pierre Karl d'avoir pris la décision courageuse de se présenter à des élections et de se déclarer souverainiste. Tenir Pierre Karl responsable de ce retournement serait profondément injuste et stupidement réducteur.

C'est absurde, mais c'est la réalité : parce que la souverainiste Pauline Marois a réussi à recruter une personnalité extrêmement forte, le référendum est devenu une éventualité réelle, donc un repoussoir.

Les libéraux, eux, n'ont fait que leur travail en braquant les projecteurs sur cette éventualité. Ce n'est pas leur faute si la crainte du référendum a une telle résonance dans une si grande partie de l'électorat. (Enfin, ils font tout pour aviver cette crainte, mais elle existe en soi.)

Les journalistes, eux, n'ont fait que leur travail en nous demandant si nous avions récemment réfléchi aux questions de monnaie, de frontières, d'armée d'un Québec souverain. Puisque nous étions déterminés, avec notre char d'assaut, et que nous n'en avions pas parlé récemment, qu'en pensions-nous ?

Pauline a répondu, pendant 48 heures. Elle savait quoi dire. Normal, elle est souverainiste. La question de l'élection s'est cristallisée, là, dans ces jours de la deuxième semaine. L'élection porterait sur la tenue, ou non, d'un référendum.

Pauline aurait pu décider de mener tout le reste de la campagne sur les bienfaits de la souveraineté. Nous aurions perdu. Un sujet comme celui-là ne pouvait pas arriver comme un cheveu sur la soupe, en catastrophe, au dernier moment.

Pauline aurait pu décider d'annoncer qu'elle renonçait à tenir un référendum pendant le mandat. Nous aurions perdu. Cela aurait divisé les souverainistes. Cela aurait paru improvisé, désespéré. On n'élit pas des désespérés.

~~~~~~~~~~~~~~~~

Personnellement, c'est cette lame de fond antiréférendaire qui m'a emporté, émotivement. C'est à ce moment que je me suis rendu compte qu'une part suffisamment importante de la nation était non seulement opposée à la souveraineté — ça, on le savait —, mais opposée à la simple possibilité qu'on tienne cette discussion.

C'était comme si on avait tiré le tapis sous mes pieds.

Vous avez vu le film *The Usual Suspects*? J'espère, car maintenant je vais vous en révéler la fin. C'est un suspect interrogé par un policier qui décrit richement et longuement, et en se disculpant, le crime dont il a été le témoin. Lorsqu'il quitte le bureau du policier, qui l'a laissé partir, un détail nous révèle qu'il a menti. Puis, le policier se rend compte que son témoin a utilisé, pour désigner ses personnages fictifs, des noms épinglés sur un tableau accroché derrière lui.

On sort du film en disjonction synaptique. Si ceci était faux, donc cela aussi? Et par voie de conséquence cet autre élément, puis cet autre? Tout ce qu'on a vu pendant deux heures?

Et donc, si nous sommes en train de nous faire battre pour la simple raison que nous promettons de consulter les Québécois « s'ils sont prêts », ils ne seront en fait jamais prêts à ce qu'on les consulte? Et donc, s'ils ne veulent pas nous élire pour nous interdire (et s'interdire) cette possibilité, c'est donc que, si on était élus, ils refuseraient qu'on les consulte sur des pouvoirs identitaires au sein du Canada, car cela ouvrirait évidemment la possibilité qu'ils vivent un moment de vérité? Ou encore, si on les consultait quand même, ils voteraient non à l'autonomie qu'ils désirent pourtant, seulement pour éviter qu'en disant oui cela provoque un moment de vérité et une discussion sur leur avenir?

Et donc, et donc... il sera impossible de se rendre même au premier but?

Comme un désarroi. Mais qu'est-ce que je fous ici? À quoi bon tout ça? À quoi ça rime?

Depuis la publication de mon livre *Sortie de secours,* en 2000, que je me sens une responsabilité personnelle de faire progresser cette idée, cette trajectoire, avec moult difficultés (j'ai été *persona non grata* au PQ pendant plusieurs années, au début), dois-je conclure que j'avais construit un château de sable, sur du sable?

~~~~~~~~~~~~

J'ai toujours eu le plus grand respect pour les candidats aux élections, surtout pour les candidats perdants. Pas pour ceux qui savent, au début, qu'ils vont perdre. Mais pour ceux qui se rendent compte, en cours de campagne, qu'ils vont vers la défaite. Il leur faut être à la fois stoïques et acteurs. C'est encore plus vrai pour les chefs, scrutés constamment par une nuée de caméras. C'est aujourd'hui pire qu'avant, avec la haute définition. Pas une perle de sueur qui n'échappe à l'œil électronique.

Même simple député, il faut faire front. Pour soi, et pour les autres. Pour les militants, pour l'organisation, pour les bénévoles. (Et ça, c'était bizarre, pendant toute la campagne, nous avons eu davantage de bénévoles que d'habitude. Cela nous a d'abord confortés dans l'idée que le vent était avec nous. Puis qu'on allait sombrer en gang!)

En outre, je réunissais chaque semaine les candidats montréalais, je faisais des apparitions dans les campagnes locales, je faisais du porte-à-porte dans Verdun, des appels dans Sainte-Marie–Saint-Jacques et ailleurs. Il fallait maintenir le moral, se montrer fort, résolu. Déterminé?

C'est un récit banal pour tous ceux qui ont vécu une campagne perdante et encore, mon directeur de campagne, Jean-Pierre Sylvain, m'assurait que ma victoire dans Rosemont était certaine. Ce que ma tournée des HLM m'avait confirmé. (Incroyable, on a gagné le vote par anticipation, généralement prolibéral car centré sur les aînés, mais ensuite ma majorité a fondu au scrutin général.)

Dans mon cas, je ne perdais pas seulement, avec l'équipe Marois, la campagne électorale nationale. Je perdais 15 ans de stratégie souverainiste. Ça enlève du ressort dans le pas. Ça détraque la boussole professionnelle qui m'avait guidé toutes ces années.

C'est pourquoi j'allais déclarer publiquement que je n'avais « jamais été aussi pessimiste pour la souveraineté ». Ce n'était pas prévu. C'était pendant un point de presse de Pauline et de Diane De Courcy sur la langue. D'autres candidats et moi étions de corvée de plantes vertes.

Un journaliste décida de me poser une question directe sur la souveraineté. C'était après le premier débat, où Pauline avait martelé: « IL N'Y

EN AURA PAS, DE RÉFÉRENDUM, sauf si les Québécois sont prêts. »
Oui, oui, on entendait très bien les majuscules et les minuscules.

Pauline me permit de répondre. Je savais depuis quelques jours que
si moi, très associé à la souveraineté, je déclarais mon pessimisme, cela
pourrait aider à convaincre les Québécois réfractaires que les chances
étaient bien minces de tenir un référendum et qu'il était donc sans danger de voter PQ. Je l'ai donc dit. Et il faut voir la tête de Pauline pendant
que je parle. Elle n'est pas certaine que ce soit une bonne idée. En réponse
à une autre question d'un journaliste, elle se dit un peu plus optimiste
que moi, pour faire bonne mesure.

Hélas! Ça ne suffira pas. Ils veulent qu'on ferme complètement la
porte. Ils: les journalistes, les commentateurs, les chroniqueurs, la table
éditoriale de la *Gazette,* qui m'invite. Il y en a — pour qui j'ai beaucoup
d'estime — qui trouvent qu'« un référendum si les Québécois sont prêts »,
ce n'est « pas clair ». Comme s'ils n'avaient jamais entendu les mots
« peut-être » de leur vie. Aurait-il fallu dire: « On verra »? On ne pouvait
pas, l'expression était déjà prise.

Je faisais campagne pour quoi, alors? J'adorais être ministre et, vous
le savez maintenant, j'avais plein de projets en tête. Pour Montréal, pour
les Relations internationales, mes deux portefeuilles — j'avais avisé que,
si nous étions élus, j'étais candidat pour rempiler dans ces deux rôles.
J'avais l'impression de contribuer concrètement à ces postes, au bien
commun. (C'est fou, ce métier de politicien, où il faut se battre pour avoir
le droit de donner le meilleur de soi-même!)

Mais cela ne suffisait pas à me redonner le carburant nécessaire pour
le reste de la campagne. Non.

LA BATAILLE (GAGNÉE, PERDUE?) DE L'INTÉGRITÉ

Ce qui a surgi, comme motivation, c'est l'intégrité. Après tout ce que
nous avions fait, en 18 mois, pour réparer les institutions québécoises
gravement érodées par neuf ans de régime libéral, nous n'allions
quand même pas redonner les clés du pouvoir à 18 anciens ministres
de Charest!

Nous avions été témoins, de l'intérieur, depuis notre arrivée, de l'état
de délabrement des machines administratives, des contrôles, de la rigueur,
par les années libérales. Juste au MRI, mon chef de cabinet, l'inestimable

François Ferland, avait mis au jour un système de double comptabilité libérale, inventé pour berner les journalistes et les parlementaires sur les coûts des missions à l'étranger.

Nous avions réformé les lois électorales, cassé les systèmes de prête-noms, mis en fuite les maires ripoux, donné aux policiers toute la latitude pour remonter les filières crapuleuses. Nous avions demandé des comptes aux grands de l'ingénierie — les SNC et Dessau —, les avions mis en pénitence pour un an et les avions forcés à faire acte de contrition et à soumettre leurs plans de rédemption aux pointilleux agents de l'UPAC et de l'Autorité des marchés financiers avant de pouvoir obtenir un seul sou neuf d'argent public. Nous avions mis en œuvre la fin du placement syndical sur les chantiers et pacifié l'industrie de la construction.

Et nous n'avions pas fini de récurer les écuries libérales. Et nous allions les laisser revenir ? Si tôt ? Sans connaître la fin des histoires criminelles entourant leur passé récent ?

C'est dans cet état d'esprit que j'ai croisé Bernard Drainville à une assemblée publique à Québec. Dans la salle, les 400 militants ne semblaient pas avoir encore encaissé ce qui était en train de se produire dans l'opinion.

Bernard était aussi atterré que moi. « On a une responsabilité morale d'empêcher le retour des libéraux », lui dis-je, comme pour trouver en lui un appui dans cette nouvelle quête de sens électorale. « On doit ça au Québec. » Bernard est d'accord. On doit ça au Québec. Il le faut.

En tant qu'ancien journaliste, je ne participe pas — ou alors très épisodiquement — au jeu de « blâmons les médias », qui suit généralement les défaites électorales.

Je mets de côté le microclimat radiophonique de Québec, qui pose problème en soi, et je ne formule que deux remarques.

Au moment du déclenchement des élections et pendant la phase de débats sur l'intégrité, je n'ai pas vu dans un grand média un récapitulatif de ce que nous avions fait, en 18 mois, pour redresser le cap éthique du Québec. J'estime que notre activité législative et ses effets ont été un tournant historique. Il y aurait eu matière à comparaison entre l'action et l'efficacité libérales des dernières années Charest (il y en avait) et les nôtres. Le contraste, en notre faveur, aurait été frappant.

Et lorsqu'au second débat Philippe Couillard s'est tiré dans le pied avec un bazooka en affirmant qu'il fallait être bilingue sur le plancher des usines au cas où un acheteur anglophone passerait par là, j'ai été soufflé par l'absence de suivi médiatique où que ce soit. Un libéral de mes amis (j'en ai) m'a confié : « On se croisait les doigts. »

Je ne dis pas que cela aurait changé le résultat. Je ne le crois pas. Mais ça me laisse « fru ».

Alors, voilà. La volonté de ne pas faire subir au Québec une régression éthique a été ma bouée de sauvetage pendant la dernière phase de la campagne. Il fallait tout faire. Et il y avait Gaétan Barrette. Le *poster boy* du cynisme politique, de la recherche de pouvoir en soi, peu importe le parti, de la quête de fric en soi, peu importe qui paie, de l'excès libéral.

« Vous ne voulez quand même pas que les libéraux reviennent », disais-je aux clients du IGA de La Prairie que je rencontrais, aux côtés de notre candidat, l'économiste Pierre Langlois, dans les derniers jours.

« Gaétan Barrette au gouvernement ? Pour quatre ans ? Pensez à nos enfants. Quel modèle ça leur donnerait ? »

J'avais l'impression que ça marchait. Il a été élu — non, pas élu, pro-pulsé — par une majorité record.

~~~~~~~~~~

À partir du premier débat, donc, la discussion s'est déplacée vers le thème de l'intégrité. On peut penser que le coup a porté, dans la mesure où la progression du PLQ a cessé à compter de ce moment. L'inconfort palpable de Philippe Couillard au second débat, où il était constamment sur la défensive, a sans doute mis fin à la montée libérale.

Cependant, les contre-accusations portées par une source anonyme à Radio-Canada contre Claude Blanchet, le conjoint de Pauline (même si elles n'avaient aucune commune mesure avec les enquêtes criminelles portant sur le PLQ), ont brouillé les pistes. Il est raisonnable de conclure que, au total, le thème de l'intégrité a, certes, fait plafonner les libéraux, mais a aussi donné une raison supplémentaire aux électeurs péquistes réfractaires au référendum d'aller voir du côté de la CAQ, essentiellement épargnée par les allégations.

La bonne prestation de François Legault en dernière période — du second débat jusqu'à la ligne d'arrivée — a bien sûr servi d'aimant, attirant des électeurs dans sa direction.

Aurait-il fallu s'abstenir de parler d'intégrité ? S'abstenir de lancer, comme le répétait Couillard, « de la boue » ? Il est vrai qu'après quelques jours les électeurs avaient atteint le point de saturation. Et la synthèse des sondages de la campagne le confirme, rien ne pouvait convaincre les électeurs maintenant acquis au PLQ de revoir leur choix. Mais, au moins, la progression libérale dans l'opinion a cessé.

Mais ils ne déclineraient pas. Même si Pauline et son équipe avaient, en toute lucidité et en toute franchise, refermé la fenêtre référendaire, des centaines de milliers de Québécois — en rejoignant les libéraux ou en désertant le PQ — allaient préférer risquer de se retrouver avec un gouvernement libéral empêtré dans d'interminables scandales plutôt que d'élire un gouvernement qui, peut-être, un jour, s'ils étaient prêts, pourrait leur poser une question sur leur avenir collectif.

Était-ce prévisible? En fin de campagne, un sondage Ipsos sur les motivations des électeurs a révélé que 35 % des francophones (et 18 % des anglophones) étaient avant tout préoccupés par les questions d'intégrité et de lutte contre la corruption. C'est beaucoup.

On peut poser l'hypothèse que, si nous n'avions pas ouvert le front de l'intégrité, le PLQ aurait pu progresser encore un peu. Et comme le journaliste Alain Gravel, de Radio-Canada, aurait de toute façon rendu public son reportage sur Claude Blanchet, nous aurions quand même perdu des voix au profit de la CAQ.

L'EFFET CHARTE

Avant la campagne, les sondages indiquaient qu'une majorité de Québécois appuyaient la Charte telle que proposée par le PQ, en particulier pour ce qui est d'interdire le port de signes religieux par les employés de l'État.

Le choix était donc posé entre, d'une part, la volonté plus ferme du PQ, en phase avec l'opinion, et d'autre part, la volonté plus molle de la CAQ et de QS, et finalement le refus du PLQ d'agir de façon, disons, visible.

La question était de savoir quel serait le poids relatif de cet enjeu parmi les grandes motivations de l'électorat. Le sondage Ipsos nous donne la réponse: 14 % des francophones motivaient leur choix par leur volonté d'appuyer la Charte, 9 % par leur volonté de la bloquer. C'est très peu.

Et presque moitié moins important que leur volonté d'empêcher la tenue d'un référendum, à 27 %, ou leur désir d'en tenir un, à 13 %.

ÉTAIT-CE ÉVITABLE ?

Il aurait été possible d'imaginer une campagne davantage centrée sur les questions identitaires, dont la Charte et la langue, ce qui aurait permis d'augmenter leur poids parmi les enjeux électoraux. Il aurait certes été plus sage de préparer, à l'avance, les discours de Mme Janette Bertrand.

L'introduction mieux planifiée des propositions substantielles — malheureusement passées inaperçues — pour mieux accueillir les immigrants aurait aussi pu placer la proposition de Charte dans un ensemble cohérent et plus attirant pour les partisans de la Charte, qu'ils soient libéraux, caquistes ou solidaires. Une meilleure gestion, en amont, de la question des congédiements n'aurait pas nui non plus.

Mais quelles qu'aient été toutes ces belles stratégies, l'effet PKP provoquant le ressac antiréférendaire aurait balayé tous les plans.

Cela n'aurait eu qu'un effet marginal. Or, il aurait fallu bien davantage pour éviter la raclée électorale.

DÉCHIFFRER L'ÉLECTION

Si on veut, d'un point de vue péquiste, résumer en une métaphore le résultat de l'élection du 7 avril, cela irait un peu comme ceci : nous avons beaucoup déçu notre blonde (notre électorat). Elle ne voulait pas embarquer dans notre beau grand bateau vers un référendum et vers la souveraineté — elle a compris que c'est là qu'on souhaitait aller quand on a sorti notre PKP. Plus généralement, elle ne nous reconnaissait plus vraiment — sommes-nous ou non écologistes ? Sommes-nous ou non sociaux-démocrates ? Elle avait aimé notre combat pour les valeurs, mais cela ne comptait pas autant qu'on aurait pu le croire. Surtout, elle ne voyait pas pourquoi on lui imposait tout à coup un test de loyauté (déclencher des élections), alors qu'on aurait pu continuer à sortir ensemble un bout de temps (en gouvernant en minoritaires) sans brusquer les choses. En somme, elle ne nous trouvait pas nets. Pas clairs.

Bon. Elle nous a quittés. Elle : quelques centaines de milliers de nos blondes. Mais pour l'essentiel, elle ne nous a pas quittés pour un autre *chum* (PLQ, CAQ ou QS). Elle est retournée chez elle, ou chez sa mère (c'est l'abstention massive).

Tous ceux qui se sont déjà fait plaquer comprennent : ce serait pire si elle était déjà avec un autre *chum*.

C'est le fait majeur de ces élections. En avril 2014, 325 000 Québécois ont déserté le PQ, par rapport au vote tenu 18 mois plus tôt. C'est énorme. Une hémorragie. Certains sont passés à la CAQ, d'autres à Québec solidaire, certains au PLQ.

Mais, principalement, massivement, ils sont restés chez eux.

Le PQ a perdu 24 circonscriptions. Dans trois cas, à Montréal (Crémazie) et à Laval (Sainte-Rose et Laval-des-Rapides), cela est dû à l'extraordinaire mobilisation des anglophones et autres non-francophones en faveur du PLQ. En 2012, ils avaient voté PLQ à hauteur de 73 %. En 2014, leur vote prolibéral fut de 93 %! Il n'y a aucun doute que l'effet combiné de la crainte référendaire et de la Charte a propulsé le vote non francophone à ce niveau record, inégalé depuis le référendum de 1995. Dans les bastions libéraux, cela s'est traduit par une hausse des majorités.

Il reste 21 circonscriptions. De celles-là, seules deux francophones — Roberval, où se présentait Philippe Couillard, et Ungava, où la question minière était centrale — ont obtenu des résultats où les libéraux ont eu davantage de voix que le PQ n'en avait eu en 2012.

Dans les 19 autres cas, soit 79 % de l'ensemble, le candidat gagnant a eu *moins de voix que le péquiste n'en avait eu en 2012*. Et dans tous ces cas, le taux de participation a chuté. Dans 79 % des cas, donc, le PQ a perdu de lui-même, en raison de l'abstention massive de ses appuis, plutôt que de s'être fait doubler par un adversaire.

Les pires cas sont Sherbrooke et Saint-François, où le PLQ a battu le PQ, mais en obtenant moins de voix qu'il n'en avait eu en 2012. C'est donc dire que, dans cette course, les coureurs libéraux ont reculé, mais que les péquistes ont reculé bien davantage.

Et dans sept circonscriptions sur les huit ravies au PQ par la CAQ, le parti de François Legault a obtenu moins de voix qu'en 2012 !

Il s'agit donc, chez les francophones, non pas d'une adhésion au PLQ ou à la CAQ, mais d'un abandon du PQ. Les blondes sont restées chez elles.

Rien de ce qui précède n'enlève quoi que ce soit à la légitimité de l'élection d'une majorité libérale, évidemment. Celui qui gagne, gagne. Peu importe qu'il ait couru plus ou moins vite ou que ses adversaires se soient enfargés (ou, en langage péquiste : autopelu-redebananisés).

Les résultats électoraux recèlent d'autres surprises :

Il est vrai que la CAQ a connu une extraordinaire fin de campagne et que, si elle avait disposé d'une semaine de plus, elle aurait théoriquement pu emporter la deuxième place. Mais cette remontée de campagne camoufle une baisse d'énergie au cours des 18 mois qui avaient précédé. En fait, il y a eu un recul de la CAQ par rapport à 2012. François Legault n'a fait aucun progrès dans l'électorat. Il a au contraire perdu 17 % de ses électeurs de 2012.

La progression de QS a été faible, au regard de son poids médiatique et militant. Les solidaires n'ont obtenu que 60 000 voix de plus, dont l'essentiel pourrait s'expliquer par le report des voix obtenues par Option nationale en 2012. ON, ayant perdu son chef, Jean-Martin Aussant, s'est littéralement effondrée.

Le troisième fait majeur est la faiblesse relative des départs des électeurs péquistes vers Québec solidaire, malgré l'arrivée de PKP. Cette réalité est masquée par l'obtention d'un troisième député de QS, à l'arraché, à Montréal.

QUELS ENJEUX ONT PESÉ SUR LE RÉSULTAT ?

Pas la Charte. Établissons d'abord que la Charte n'est pas en cause. Les sondages menés en début d'année indiquaient clairement qu'au-delà de 85 % des électeurs péquistes y étaient favorables, en particulier sur la question de l'interdiction des signes religieux. Même en postulant que la totalité des 15 % qui étaient opposés ou tièdes à cette proposition aient quitté le bercail péquiste (alors que seuls 4 % s'y disaient «totalement défavorables»), il est impossible d'attribuer cette chute de votes jeunes à la Charte.

Pas le pétrole. Le sondage Ipsos sur les motivations de vote a montré que les questions d'environnement (Anticosti, Enbridge) n'ont eu une influence que sur 3 % de l'électorat francophone. Il ne faut pas chercher là.

Localement, le Plan Nord. L'hypothèse de mon collègue Pascal Bérubé est que le Plan Nord a joué dans les gains libéraux dans le nord du Québec : Abitibi-Est, Dubuc, Ungava, Rouyn-Noranda. Là, la chute du cours des métaux vécue pendant les 18 mois de gouvernement péquiste a donné des armes aux libéraux, qui ont accusé le PQ d'être la cause de ces maux. Assez pour déprimer une partie de l'électorat péquiste. C'est plausible.

Globalement, le référendum. À l'échelle nationale, on sait par d'autres recoupements que, sur les 40 % d'électeurs se disant favorables à la souveraineté, environ le tiers se sont prononcés contre la tenue d'un référendum dans les sondages de la campagne (comme dans presque tous les sondages depuis 1997). On peut en déduire un mouvement fort : des électeurs péquistes de 2012 réfractaires au référendum ont choisi de rester chez eux plutôt que d'aller vers un autre parti. On nous parle parfois des électeurs péquistes pressés d'avoir un référendum. Oui, il y en a. Mais on peut penser que le vote pour Option nationale aurait augmenté si cette motivation était forte. Or, le vote ON a régressé.

Anecdotiquement, on sait par le pointage que des électeurs péquistes de 2012 étaient mécontents de la non-abolition de la taxe santé, de la tenue d'élections alors qu'il y avait une loi sur les élections à date fixe, de l'arrivée de PKP (surtout parmi les syndicalistes). Difficile de déterminer, dans tout cela, le principal du secondaire.

Cependant, rien n'est statique dans cette campagne. Lorsqu'on observe le film de la campagne, on note dans l'intention du vote péquiste un décrochage important, qui s'accentue avec le temps.

La certitude d'une victoire libérale. Nous étions plusieurs à penser que l'imminence d'une victoire libérale allait servir de coup de fouet au rassemblement derrière le PQ, seul à pouvoir empêcher ce retour. Mais l'analyste Pierre-Alain Cotnoir, du Groupe de recherche sur l'opinion publique, qui mène des sondages pour le PQ depuis des années et qui en a effectué pendant la campagne, croit que l'effet fut inverse : « Une partie de l'explication du désistement d'une portion significative d'électeurs péquistes d'aller voter, c'est que pour eux les jeux étaient faits. Ils pensaient que l'élection du PLQ était inévitable dans la dernière portion de la campagne. »

Depuis des années, Pierre-Alain segmente les électeurs entre fédéralistes, centristes et souverainistes. Il constate ce qui suit :

« Les péquistes les plus politisés, les plus souverainistes et les plus convaincus sont restés au PQ. Mais les électeurs centristes, moins politisés et, même lorsqu'ils se disent souverainistes, moins fermes dans cette conviction, sentant la victoire libérale inévitable, se sont désolidarisés de leur vote de 2012 et ont soit décidé de ne pas voter, soit migré vers la CAQ en fin de campagne. »

Or, Pierre-Alain constate une réduction du nombre de souverainistes et une augmentation du nombre de centristes ces dernières années, donc une fragilisation du bassin d'électeurs potentiellement péquistes (j'y reviens dans un autre chapitre).

Théorie générale. Si on voulait fabriquer une théorie générale, on pourrait avancer l'hypothèse suivante : les éléments cités plus haut — refus d'un référendum, mécontentement suscité par les promesses non tenues, attrait pour le Plan Nord — ont entamé le départ des centristes qui avaient voté PQ en 2012, ce qui a provoqué dans les sondages une victoire annoncée du PLQ, qui a elle-même accéléré le décrochage, et dirigé l'essentiel des décrochés vers l'abstention et le reste vers François Legault, qui a offert une excellente fin de campagne.

LE BON CÔTÉ DES CHOSES

Mais si on tient à voir le bon côté des choses — et, oui, on y tient énormément —, on peut conclure de l'analyse à ce jour que :

1. Il y a eu assez peu de départs du PQ pour le PLQ — sauf, sans doute, dans Roberval, où se présentait Philippe Couillard, et dans des circonscriptions du Nord.

2. La force de mobilisation des autres partis est moins importante qu'on ne pouvait le penser au premier coup d'œil. C'est la démobilisation péquiste qui a joué.

3. Les électeurs péquistes ont migré soit vers l'abstentionnisme, soit vers des partis voisins, la CAQ et QS. Ils montrent une certaine cohérence dans leur attitude et sont donc relativement récupérables.

4. Le vote non francophone a certes été hypermobilisé, mais il n'a eu des répercussions sur le résultat que dans trois circonscriptions.

PAS *UNE* JEUNESSE, MAIS *DES* JEUNESSES

L'échec péquiste — notre échec — est particulièrement dévastateur chez les jeunes. J'ai obtenu deux séries de données qui offrent une photographie de la répartition électorale de la jeunesse en avril 2014.

Les données du sondage Léger de fin de campagne (1 100 répondants) et les terrains effectués par les sondeurs du PQ pendant la campagne électorale donnent chacun des résultats concordants, même quand on garde en tête les ajustements apportés aux sondages par le résultat électoral, dont je tiens compte dans les constats.

LES CONSTATS

La jeunesse francophone est politiquement très fragmentée entre les partis. Cette répartition varie selon que l'on est dans la tranche des 18-24 ans ou des 25-34 ans.

Le PLQ est maintenant le premier parti de la jeunesse francophone des 18-24 ans, avec près de 30 % d'appuis, suivi, dans la marge d'erreur, d'une répartition équivalente entre le PQ, la CAQ et QS autour de 22 % à 25 % chacun.

Cela signifie évidemment que QS tire parmi les jeunes nettement plus que sa part générale d'appuis, mais *QS n'est pas le parti prédominant de la jeunesse* et ne dépasse pas le PQ dans ce groupe d'âge (il le fait sans doute à Montréal, mais il est impossible de le mesurer avec les données actuelles).

La CAQ est, de loin, le premier parti des 25-34 ans francophones, avec 38 % d'appuis. Une domination qui se prolonge chez les 35-44 ans. Le PQ et le PLQ sont deuxièmes dans la marge d'erreur chez les 25-34 ans avec autour de 22 % à 25 %, et QS arrive loin derrière avec 12 %.

Le PQ est, de loin, le premier parti des baby-boomers *de 45 à 54 ans,* avec environ 40 %, suivi du PLQ dans la vingtaine avancée.

Bref, il est faux de prétendre que le PQ a *perdu le contact* avec les jeunes. Dans un système à quatre partis, il rallie plus ou moins sa juste part de jeunes. Il est plutôt devenu le premier parti des *baby-boomers.*

Mais lorsqu'on compare le résultat de 2014 avec le dernier sondage Léger de la campagne de 2012, on doit noter des reculs importants. Le PQ détenait alors la première place chez les 18-24 ans *et* chez les 25-34 ans, avec des marges confortables d'une dizaine de points. Le PQ a perdu en 18 mois le tiers de sa force jeunesse.

Le PQ dominait déjà en 2012 chez les 45-54 ans, et il a augmenté son avance. Il était nettement derrière le PLQ chez les plus de 65 ans, et il le talonne désormais.

J'entends l'argument : le PQ avait fait le plein de jeunes en 2012 parce qu'il avait pris fait et cause pour le combat étudiant contre la hausse des droits de scolarité. Faux. La chute d'appui des 18-24 ans au PQ est tendancielle sur une plus longue période. Les grands sondages Léger pré-électoraux témoignent du glissement suivant, en quatre rendez-vous électoraux : 43 % en avril 2003, 42 % en janvier 2007, 33 % en septembre 2012 et 19 % en avril 2014.

LES JEUNES ET LA CHARTE

Les jeunes n'étant pas seulement jeunes, mais aussi québécois, leur départ partiel du PQ doit aussi être attribuable aux mêmes causes que celui de leurs aînés. Sans doute leur tiédeur envers la Charte a servi de repoussoir pour une partie d'entre eux. Cependant, les sondages que j'ai pu consulter ne permettent pas de conclure que les électeurs péquistes de moins de 25 ans ou de moins de 35 ans étaient proportionnellement plus nombreux que la moyenne des autres électeurs péquistes à être « très défavorables » à la Charte, soit 4 %.

En fait, lorsqu'on compare les sondages de septembre 2013, quand les débats sur la Charte ont débuté, avec ceux de janvier 2014, la proportion de « très défavorables » a chuté chez la totalité des francophones (de 27 % à 15 %) et chez la totalité des jeunes francophones (de 39 % à 22 %). Pour ce qui est de l'électorat péquiste, les jeunes n'ont pu logiquement être plus de 8 % à se dire « très défavorables », soit le double de la moyenne des péquistes. Or, être « très défavorables » est le seul indicateur qui puisse motiver une défection du PQ pour cette raison.

L'hypothèse la plus crédible, selon les données à notre disposition, est que la plus grande part du vote jeune francophone que le PQ a perdue en 2014 s'est retrouvée parmi les très nombreux abstentionnistes, et seulement accessoirement dans les transferts vers les autres partis. Mais cela ne répond pas à la question : pourquoi ?

Le PQ est un vieux parti ? La personnalité de Pauline ? Ces facteurs étaient présents en 2012, et n'expliquent donc pas l'évolution des choses dans l'intervalle.

En fait, le désamour entre les jeunes et le PQ est d'autant plus problématique que le gouvernement Marois et les autres gouvernements péquistes avant lui ont accompli une grande série de gestes en leur faveur. L'annulation de la hausse de 82 % des droits de scolarité, bien sûr. Mais aussi l'introduction du vote dans les établissements d'enseignement. Le recrutement de deux leaders étudiants très populaires : Léo Bureau-Blouin et Martine Desjardins. Sans compter la jeunesse d'une partie de la députation et des ministres péquistes : Pascal Bérubé, Alexandre Cloutier et plusieurs autres.

Léo a été chargé d'une tournée du Québec pour produire une politique jeunesse très bien accueillie. Pour les jeunes familles, le PQ a créé les garderies à moindre coût, le congé parental, généralisé les maternelles à cinq ans et la garde scolaire, puis la maternelle à quatre ans.

Il est étonnant que, malgré ces mesures, le PQ n'ait pu ni attirer ni conserver son vote chez les jeunes.

Il y a, à mon avis, quelque chose de plus profond : dans l'attitude générale qui a fait diverger le PQ et la jeunesse. C'est là qu'il faut creuser. Et, non, je n'ai pas les réponses.

○ ○ ○

CHAPITRE 20

Lettre à Pauline

Le lecteur aura remarqué, tout au long de cet ouvrage, combien m'était précieuse ma relation avec Pauline. Oui, j'étais un de ses ministres turbulents. Dérangeants. Je n'étais pas le seul. J'avais fait le pari de la franchise. En comité ou seul à seul, elle savait qu'avec moi il n'y avait pas de faux-fuyants. Pas de calculs politiques. Pas de tabous. Elle n'aimait pas toujours le fond de ma pensée, mais elle y avait toujours accès.

Elle me rendait la pareille. Et j'estimais qu'on pouvait se dire d'autant plus de vérités que cela faisait 20 ans qu'on se côtoyait, qu'elle me savait membre du club de ses admirateurs, qu'elle pouvait compter sur moi en cas de coup dur.

Je n'étais pas parmi ses plus proches. Mais j'étais de ceux qui ne l'avaient jamais lâchée. Parmi ceux mêmes qui, pendant sa crise de leadership, en 2011, étaient intervenus pour la soutenir et pour éviter le pire.

Toutes les analyses qu'on peut faire sur la débâcle électorale d'avril 2014, tout le blâme qu'on peut collectivement s'attribuer — ou encore lui faire porter à elle et à sa garde rapprochée —, toute la contrition dont on peut faire preuve ne peuvent gommer une conclusion : Pauline Marois ne méritait pas la sortie brutale que l'électorat lui a imposée.

Son parcours, sa contribution au Québec moderne — en particulier dans la construction d'une société devenue le «paradis des familles», notamment grâce aux combats qu'elle a personnellement menés —, les réformes qu'elle a pilotées pendant ses 18 mois à la tête du gouvernement, tout cela appelait bien davantage que le résultat obtenu.

Le lendemain des élections, je lui ai écrit une lettre. Une lettre ouverte. Elle est sortie d'un trait, sur mon clavier. Elle a touché le cœur de Pauline, mais aussi celui de dizaines de milliers de militants et de citoyens. En quelques jours, 100 000 personnes l'ont lue, plus de 400 ont ajouté leurs propres émotions à celles que j'avais exprimées. La voici :

Très chère Pauline,
La politique est ingrate. Ça, tu le savais. Tu l'avais vécu. Plusieurs fois. Tu t'étais relevée. Plusieurs fois. Tu nous avais, tous, relevés. Et depuis 18 mois, c'est tout le Québec que tu as relevé, le sortant des marais de la collusion, de l'immobilisme, de la résignation. Tu n'en as pas été récompensée. Loin de là. Mais nous savons tout ce que tu as réparé, tout ce que tu as fait, tout ce que tu as mis en branle.

Nous savons, et nous le dirons sans relâche, combien ta compétence et ton énergie ont été notre boussole pendant ces 18 mois. Combien ta bonne humeur, ton écoute et ton esprit de décision nous ont servi de modèle, pendant ces 18 mois — et à l'avenir pour notre vie entière.

La politique est ingrate et, hier soir, elle t'a montré la sortie. Tu l'as prise avec élégance, avec sérénité, en évoquant l'histoire du Québec, la résilience, la durée. Des qualités québécoises que tu incarnes de la tête aux pieds.

Pauline, l'électorat a été dur, hier. Dur surtout envers notre grand rêve d'un pays à faire. Dur comme une troisième défaite référendaire. Dur comme un autre Non.

Les Québécois n'ont sanctionné ni le combat que tu as mené pour la langue française, ni celui d'un État plus laïque, ni celui de faire du Québec un modèle de transports électriques, ni ton choix de sortir le Québec du nucléaire, de l'amiante, des petites centrales, du gaz de schiste, ni celui de chercher à savoir si nous avions du pétrole exploitable, ni celui de la souveraineté alimentaire. Ils ne t'ont pas reproché tes réformes pour l'intégrité des contrats publics, la moralisation du financement des partis, la liberté donnée aux policiers d'arrêter les maires corrompus.

Les Québécois ne t'en ont pas voulu, hier, d'avoir naguère inventé puis, ces 18 derniers mois, d'avoir complété le réseau de service de garde le plus envié d'Amérique du Nord, ni d'avoir introduit les maternelles 4 ans pour les démunis, ni d'avoir prévu une augmentation historique du financement des groupes communautaires. Ils ne t'ont pas reproché d'avoir introduit une politique sur l'itinérance, d'avoir concentré les budgets de la santé pour les soins à domicile, d'avoir fait reculer du tiers le chômage chez les immigrants l'an dernier, d'avoir adopté des politiques économiques applaudies par le patronat comme par les syndicats, d'avoir ramené la paix sur les chantiers de construction, d'avoir doublé les investissements étrangers à Montréal l'an dernier, d'avoir signé des ententes fructueuses et pragmatiques avec les Premières Nations, que tu rencontrais avec franchise et respect.

Non. Rien de tout ça ne t'a été reproché hier.

Alors de quoi t'en ont-ils voulu ? De vouloir t'inscrire dans le combat des Lévesque, Parizeau, Bouchard et Landry. De vouloir, de tout ton cœur et de tout ton cerveau et de toutes tes tripes, donner aux Québécois un pays.

Même pas, en fait. Tu as perdu parce que tu voulais laisser entrouverte la possibilité d'offrir aux Québécois le choix, si un jour ils le voulaient, de se donner un pays.

Fermer cette porte à double tour était plus important pour un plus grand nombre de Québécois que toute autre considération. Fermer cette porte valait tous les autres risques incarnés par le Parti libéral.

Alors, Pauline, tu vois, tu n'as rien à te reprocher. On pourra pinailler sur telle ou telle décision tactique, c'est sûr.

Mais sur le fond, sur la trame, sur l'essentiel, tu t'es tenue debout, avec tes convictions. Tu t'es présentée telle que tu es, authentique, vraie et — oui — déterminée.

Gilles Vigneault le disait au lendemain du référendum de 1980 : « Nous n'étions pas assez nombreux à penser comme moi. »

Hier, ma très chère Pauline, les Québécois n'étaient pas assez nombreux à penser comme toi. À penser comme nous.

Alors, tu peux prendre tes quartiers de printemps avec le sentiment — non, pas le sentiment, la certitude — du devoir accompli. De la fidélité à tes convictions. Tu laisses derrière toi une équipe formidable. Trente députés que tu as choisis et qui t'ont choisie. Une base militante que tu as reformée et ressoudée. Malgré la défaite : le plus grand parti au Québec, avec 90 000 membres et un financement populaire inégalé.

Il y a du ressort dans cette défaite. Le ressort que tu as mis en nous. Il y aura beaucoup d'introspection à faire dans les semaines et les mois qui viennent. Il y aura du découragement, des débats, des mauvaises humeurs. Puis, le sens des recommencements, des consensus, des choix, de l'action.

Ce ne sera pas facile. Mais si nous avons le centième de ta sagesse et de ton courage, nous franchirons ces étapes en nous nourrissant de l'exemple que tu nous as donné toute ta vie durant.

Repose-toi, Pauline. Très chère Pauline. Tu l'as bien mérité. Nous t'emportons avec nous, tu fais partie de nous, dès maintenant et pour très longtemps.

Merci d'être ce que tu es. Merci tout court.

Au nom de tous ceux qui t'admirent et t'aiment,
Jean-François

○ ○ ○

CHAPITRE 21

Dans les entrailles de l'opinion souverainiste

Le scénariste Daniel Thibault a le sens de la formule. Un de ses gazouillis postélectoraux se lisait comme suit : « Quand le PQ est élu, on n'ergote pas tant sur la mort du rêve fédéraliste, me semble. »

En effet. Mais quand le PQ est battu, c'est la mort du séparatisme. Ça doit être vrai : on la prédit tous les 10 ans. Cette fois, selon *Maclean's,* il s'agit d'un « effondrement épique ». D'autres, plus prudents, dont notre nouveau premier ministre, notent au contraire que l'idée souverainiste ne mourra jamais.

Ils ont tous raison. L'idée d'indépendance, dans l'après-avril 2014, est bien vivante, mais son principal véhicule a subi une terrible défaite. Il nous appartient, à nous indépendantistes, de décider non pas de la vie de l'idée, inexpugnable, mais de sa vitalité.

Où en est l'opinion sur la question centrale de la souveraineté ? Il y a la façon régulière de voir les choses. Si on se fie aux moyennes annuelles des sondages publics de CROP et de Léger, la proportion de souverainistes évolue depuis 2006 dans une fourchette allant de 38 % à 42 %.

Cela donne l'impression d'une grande stabilité, donc d'une disponibilité presque ininterrompue de 40 % de souverainistes qui seraient mobilisables électoralement, pour peu qu'on fasse la promotion active de la souveraineté ou que les partis souverainistes s'unissent.

La situation est malheureusement plus complexe (pour le Oui et pour le Non). D'abord, ces résultats ne tiennent pas compte de la variation du nombre d'indécis, qui sont, par définition, non décidés, donc non mobilisables. Ensuite, ils ne nous disent rien sur l'intensité de leur conviction.

Par exemple, la grande majorité des Québécois souhaitent abolir la monarchie. Mais si un parti décidait d'en faire un enjeu électoral, il apparaîtrait clairement que cette opposition à la monarchie n'est pas suffisamment forte pour motiver un choix entre tous les sujets abordés pendant la campagne.

Je vous en ai parlé au premier chapitre : depuis des décennies, Pierre-Alain Cotnoir, du Groupe de recherche sur l'opinion publique (GROP), scrute la solidité de l'intention souverainiste en posant quatre questions :

1. Le fédéralisme canadien est / n'est pas réformable de manière à satisfaire à la fois le Québec et le reste du Canada (le bilan que le répondant tire de la relation).
2. Le Québec possède / ne possède pas le droit à l'autodétermination (le droit de partir).
3. Le Québec a / n'a pas les capacités d'être un pays souverain (sommes-nous capables ?).
4. La souveraineté est réalisable (faisabilité).

Pour Cotnoir, le répondant qui dit quatre fois oui est un souverainiste décidé ; trois, un modéré ; deux, un centriste ; tandis que trois et quatre non donnent un fédéraliste modéré ou décidé.

Pierre-Alain Cotnoir, explique : « Nos recherches ont révélé que les répondants "centristes" sont ceux dont les opinions demeurent les plus volatiles. Si on les interroge à deux moments différents, ils pourront être passés de POUR à CONTRE la souveraineté lors d'un référendum, tout comme du PQ au PLQ ou à la CAQ dans un court intervalle de temps. Ils possèdent peu de représentations politiques et se montrent peu intéressés par l'actualité politique. »

Alain a une façon encore plus crue de dire les choses : « Les centristes s'intéressent à la souveraineté comme vous vous intéressez au curling. »

C'est donc que, sur les 40 % de sondés qui répondent oui à la question référendaire — en incluant les indécis, répartis contre leur gré —, les centristes sont non mobilisables. L'important est de savoir quelle est leur importance relative. Elle évolue dans le temps. Dans le mauvais sens.

Voici l'évolution de la répartition des souverainistes, centristes et fédéralistes en quatre temps :

1995 Souverainistes 41 % Centristes 21 % Fédéralistes 37 %
2002 Souverainistes 36 % Centristes 31 % Fédéralistes 33 %
2004 Souverainistes 32 % Centristes 28 % Fédéralistes 40 %
2014 Souverainistes 28 % Centristes 24 % Fédéralistes 48 %

Les constats sont clairs : il n'y a désormais que 28 % de l'électorat qui est mobilisable sur la question de la souveraineté. Cela est proche du vote péquiste d'avril, soit 25 %. Il n'y a donc pas de « réservoir » de 15 % de souverainistes qui auraient quitté la barque parce que le PQ n'insiste pas suffisamment sur l'indépendance. (Je ne dis pas qu'il est impossible d'augmenter le nombre de souverainistes en déployant une meilleure promotion du projet, je dis qu'au moment des élections ils n'existaient pas.)

Autre indice concordant : si 40 % des Québécois se disent souverainistes, mais que 72 % d'entre eux ne veulent pas de référendum, le chevauchement entre ces deux ensembles nous ramène aux centristes.

Enfin, il est faux de prétendre que 60 % des Québécois sont des fédéralistes convaincus. Ils ne sont que 48 %. C'est beaucoup, mais c'est moins que 60 %.

LA SÉPARATION QUI NE DIT PAS SON NOM

Lorsqu'on a dit ça, on est loin d'avoir tout dit. Dans la presse anglophone, il s'écrit des choses sur l'état des relations entre les Québécois et leur beau grand pays qu'on aimerait lire dans la presse francophone.

D'abord, le fédéraliste le plus lucide au Québec, l'éditorialiste André Pratte, dit régulièrement des vérités aux lecteurs du *Globe and Mail*. Il l'a encore fait trois jours après les élections : « Le séparatisme peut n'être pas une menace dans l'avenir proche. Mais craignez le dragon qui dort. Et dans l'intervalle, nous devrions être attentifs à l'indifférence réciproque qui caractérise désormais la relation entre le Québec et le reste du Canada. Cette indifférence pourrait, subrepticement, mener à une séparation *de facto*. »

Mais où va-t-il chercher ça ? À plusieurs sources.

D'abord, dans son propre journal, *La Presse,* où l'irremplaçable Pierre Foglia diagnostiquait la chose ainsi en janvier 2012 : « *De facto,* le Québec est séparé du Canada émotivement, spirituellement, intellectuellement, mais aussi idéologiquement, culinairement, sportivement, agronomiquement (de moins en moins de cornichons), scientifiquement, géographiquement, poétiquement, linguistiquement, musicalement, esthétiquement, philosophiquement, économiquement, sexuellement, absolument, totalement. Et cela n'a rien à voir avec M. Harper. »

Trois mois plus tard, en avril 2012, l'ex-chef libéral fédéral Michael Ignatieff enfonçait le clou dans une entrevue à la BBC. Après avoir vécu trois campagnes électorales canadiennes *coast-to-coast,* il concluait : « Maintenant, dans les faits, nous sommes presque deux pays séparés. »

Vous m'avez lu, chers lecteurs, évoquer cette décanadianisation dans les premiers chapitres de ce livre. Elle n'a pas cessé entre les élections de 2012 et celles de 2014. Elle a, au contraire, continué à croître. Les derniers chiffres d'auto-identification des francophones datent de mai 2013 : 70 % se disaient québécois d'abord, un record historique ; 13,5 %, canadiens-français ; seulement 14,5 %, canadiens.

Alors ? Alors rien. L'hypothèse précédente voulait que cette auto-identification québécoise allait, à terme, nourrir l'intention de vote souverainiste — du moins dans les cas où la question souverainiste est directement posée à l'électorat. Est-on en droit d'estimer que les élections du 7 avril ont revêtu un caractère référendaire suffisant pour canaliser l'identité dans le vote ? Pour l'électorat francophone au grand complet, ma réponse est non : la question posée n'était pas celle de la souveraineté, mais celle du référendum. Or, les Québécois sont plus réfractaires au référendum qu'à la souveraineté. Mais pour l'électorat péquiste, je dirais oui. La chute du vote péquiste indique clairement que l'augmentation de l'identification au Québec n'a pas joué. Elle aurait dû.

Et lorsqu'on compare deux tendances suivies par GROP, on obtient des résultats contradictoires, en yin et yang. Yin : le niveau d'identité québécoise, en particulier chez les jeunes, augmente indubitablement. Yang : le niveau d'appui au projet souverainiste, en particulier chez les jeunes, baisse indubitablement. Comment l'expliquer ? Un grand sondeur canadien-anglais, le président d'Ekos, Frank Graves, a sa théorie. Trois jours après les élections, on le lisait dans le *Globe and Mail* : « Du point de vue de l'attachement émotionnel de base, les Québécois francophones ont déjà quitté la Confédération. Il est difficile d'imaginer qu'un pays est viable lorsqu'un de ses peuples fondateurs a si peu de liens de base avec ce pays. »

Pourquoi est-il si sombre ? C'est qu'il a comparé, de 1998 à 2013, le niveau d'attachement au Canada.

Hors du Québec, les Canadiens se disent « très attachés » au pays. Ils étaient 90 % à le dire en 1998 et 85 % en 2013. Les Québécois francophones n'étaient déjà, en 1998, que 57 % à se dire très attachés au Canada. Ils n'étaient plus que 31 % en 2013. Graves conclut : « Les chiffres de 1998 indiquaient un problème. Les chiffres de l'an dernier indiquent que les inquiétudes sur le séparatisme québécois, dans un sens très réel, n'ont plus lieu d'être, car les Québécois francophones sont déjà partis. »

Déjà partis ? En congédiant le seul parti qui propose, justement, ce départ ? Graves poursuit : « Les liens émotionnels du Québec avec le reste du Canada ont faibli à un point tel qu'une sorte de séparation mentale est déjà établie — ce qui diminue la nécessité d'une séparation légale. [...] Sur les plans émotionnel et symbolique, le Québec est déjà parti. Les Québécois semblent satisfaits de cette réalisation et ils ont peu d'appétit pour les risques associés à l'indépendance complète. »

Bref, pourquoi se donner le trouble de faire l'indépendance quand, en fait, pour la plupart d'entre nous, le Canada n'existe presque pas ? Intéressante théorie.

TANT DE PAYS

François Legault disait vrai, au lendemain des élections, en affirmant que « le pays rêvé nuit au pays réel ». Comme le pays rêvé — la souveraineté — ne réunit pas suffisamment de voix, le pays réel — le Québec d'aujourd'hui — souffre de voir un mauvais gouvernement, celui des libéraux, être élu.

D'abord, il est intéressant de noter que François Legault a utilisé le mot « pays » pour décrire le Québec. Tout le monde a compris qu'il ne parlait pas du Canada. C'est un indice de plus de la décanadianisation du Québec. Combien de temps un peuple détaché de son pays légal peut-il continuer à s'en accommoder?

Car finalement, lorsqu'on a tout dit, la volonté des Québécois de rester dans le Canada se résume à cela: un accommodement raisonnable. Arrivera-t-il un moment où cet accommodement apparaîtra déraisonnable?

○ ○ ○

Ce que je suis, ce que je sais, ce que j'ignore, ce que je crois

« Tu ne te livres pas assez », me dit une des premières, et des plus vives, lectrices du livre que vous avez en main.

« Quoi ? Mais je raconte tout ce que je peux raconter !

— Oui, oui, tu racontes plein de choses, ça nous apprend ce que tu fais, ce que tu peux faire, mais tu ne te livres pas.

— Livrer quoi ?

— Ce qui te motive à faire tout ça, au fond. Qui tu es, vraiment ? Et pourquoi tu songes à devenir chef ?

— Hum. Je pourrais mettre ça dans la conclusion ?

— Bonne idée. »

CE QUE JE SUIS

Je suis la somme des 56 premières années de ma vie, je suppose. Et à refaire le parcours de mon engagement en politique, pour ce « journal », je constate qu'il y a une double force qui me pousse constamment vers l'avant. C'est la force du dépassement du Québec et du dépassement de soi.

Au début, lorsque je me suis lancé en journalisme, mon ressort principal était la curiosité. Savoir comment fonctionnent les choses, la société. Connaître l'envers du décor, les raisons cachées. Puis, bien les expliquer aux lecteurs.

Mais je fus rattrapé par une autre motivation : être curieux de ce qui améliore la condition humaine et voir comment cela peut s'appliquer, chez nous, au Québec.

Mon goût pour le Québec, je l'avais déjà pendant mon enfance, à Thetford Mines, pendant mes études de droit à Montréal, pendant mes années de militantisme étudiant de gauche, pendant que je faisais de la radio, la nuit, à CKAC, pendant mes premières années de journalisme.

Mais c'était un goût pour le Québec — comment dire ? — ordinaire. Qui allait de soi. Et mon grand rêve était de devenir, pour longtemps, correspondant à l'étranger. Donc, hors du Québec. Puis, il m'est arrivé quelque chose. J'ai passé quatre ans comme étudiant, puis correspondant, à Paris, et ensuite quatre ans à Washington. Mon vœu était exaucé. Curieux, j'ai vu, là aussi, l'envers du décor. Les réussites, les échecs, les illusions. Les forces de progrès et de réaction à l'œuvre. Les bons, les brutes et les truands.

Puis, j'ai écrit mon premier livre, qui a fait la jonction entre l'étranger et le Québec. *Dans l'œil de l'aigle* est l'histoire moderne du Québec vue à travers les yeux des Américains et des Français. Et pas n'importe lesquels : Kennedy, de Gaulle, les analystes de la CIA et de Wall Street, les diplomates, le Pentagone. Je voulais faire œuvre utile. Jusque-là, une grande question restait en suspens : si les Québécois décidaient de devenir souverains, Washington le permettrait-il ? Le libéral Claude Castonguay croyait que non. L'indépendantiste Pierre Vallières avait consacré tout un ouvrage, *Un Québec impossible,* pour enfoncer ce clou.

Mon livre allait démontrer, documents et entrevues à l'appui, que la réponse était oui. Pour Washington, l'indépendance du Québec n'était pas souhaitable, mais l'Oncle Sam ne s'en mêlerait pas. Le Québec était, donc, vraiment libre de choisir son destin. (La grande prudence de Washington pendant le référendum de 1995 allait le confirmer.)

Surtout, j'ai été frappé par le respect que ces experts et élites étrangers avaient pour l'expérience québécoise. Le respect. Nous étions pour eux un sujet de politique internationale digne d'intérêt. Et si nous devions faire l'indépendance, était-il écrit dans le rapport secret préparé pour Henri Kissinger et le président Jimmy Carter en 1977, il n'y avait « aucun doute sur la viabilité à long terme d'un Québec indépendant en termes économiques ou en ce qui concerne sa capacité d'être un membre responsable des Nations ».

De retour au Québec, en 1989, j'ai développé une réelle passion pour ce coin de planète, mon coin de planète. C'était comme si mon séjour à l'étranger — dans la France socialiste de François Mitterrand puis l'Amérique conservatrice de Ronald Reagan — m'avait immunisé contre le complexe d'infériorité qui a longtemps plombé le parcours québécois et qui anime encore beaucoup les détracteurs du Québec.

J'ai acquis la conviction que l'expérience québécoise était non seulement respectable, mais à plusieurs égards admirable. Par sa résilience linguistique et culturelle dans un monde qui lui avait été activement hostile. Puis, par la réussite de sa Révolution tranquille, d'abord en matière d'éducation, en prenant, en 1961, des francophones dont la scolarisation était la plus faible en Occident et en les portant, depuis 1990, dans le peloton de tête.

Peuple de locataires économiques en 1950, le Québec est aussi devenu, en un demi-siècle, le maître de larges pans de son économie, créant en son sein plusieurs entreprises transnationales de renom.

Tout cela, en parallèle avec une créativité en matière sociale qui n'a pas sa pareille en Amérique. La réduction du taux de pauvreté, de 1995 à 2010, est proprement exceptionnelle. L'équité salariale, la perception automatique des pensions alimentaires, les garderies à faible coût ne sont que quelques exemples de notre constante volonté de faire du Québec un endroit qui travaille, fort, pour l'égalité des chances.

À bien y penser, c'est mon parcours — de Thetford Mines à Paris, puis à Washington, et mon retour à Montréal, en 1989 — qui m'a poussé à illustrer les succès du Québec en multipliant les comparaisons internationales, depuis *Sortie de secours* jusqu'à *Pour une gauche efficace* et *Comment mettre la droite K.-O.* et un nombre incalculable de billets de blogues (notamment la série « Temps dur pour les détracteurs du modèle québécois »). J'ai beaucoup défendu le Québec contre le mépris ambiant (ce qui m'a valu l'épithète de « jovialiste » de la part de ceux qui écrivent que le Québec est « médiocre »). Mais j'ai aussi multiplié les propositions de réforme, pour aller plus loin, pour faire mieux, pour déployer la capacité créative des Québécois. Ces idées de réforme s'inscrivent dans le prolongement de l'élan québécois, pas en tentant de lui faire faire demi-tour.

Je serais sans doute indépendantiste de toute façon, sans cette admiration que j'ai pour le Québec. Je trouverais normal que les Québécois ne soient pas, pour toujours, les habitants de la nation de leurs voisins.

Mais je n'y mettrais sans doute pas autant d'énergie si je n'étais pas aussi convaincu que l'indépendance permettra aux Québécois d'aller au bout d'eux-mêmes, dans tous les domaines. Ces deux pulsions sont, chez moi, « tricotées serré » : de tous les changements qui pourraient porter les Québécois au dépassement, l'indépendance est le plus puissant, le plus porteur, le plus libérateur.

Voilà donc ce que je suis, professionnellement, politiquement. Je suis rarement plus heureux que lorsqu'on invente une nouvelle façon d'assurer la réussite individuelle ou collective des Québécois. Rarement plus heureux que lorsqu'on constate que tel jeune Québécois excelle ici, qu'une entreprise innove là, que le décrochage scolaire recule, que toute la société se mobilise contre la corruption.

Je suis rarement plus malheureux que lorsque je constate des régressions ou lorsqu'on veut fixer comme objectif, pour le Québec, d'être proche de « la moyenne canadienne » ou de cesser d'être différent de Cleveland. Je rage : ils n'ont rien compris ! La richesse du Québec, c'est son originalité. Vouloir « normaliser » le Québec dans l'ensemble canadien ou nord-américain, c'est lui couper les ailes ! C'est l'orientation que le gouvernement Couillard veut imprimer au Québec. Je trouve cela profondément malsain, pour notre identité, et contreproductif, pour notre bien-être.

C'est ma motivation. Elle me porte depuis bientôt 25 ans. Elle a pu s'exprimer comme jamais — j'espère que vous avez pu le constater, chers lecteurs — pendant mon passage au gouvernement.

Il y a la motivation, il y a le caractère. Comment s'est-il construit ? D'abord, en prenant exemple sur un père entrepreneur. Un homme qui venait d'un tout petit village, Fontainebleau, près du moins petit village de Weedon, en Estrie, mais qui pensait toujours pouvoir faire mieux. Séduire la fille du maire. Déménager à Thetford et y ouvrir la plus grande épicerie indépendante du Québec. Faire de l'immobilier, puis démarcher toutes les grandes chaînes et les convaincre de s'établir dans notre petite ville — qui ne faisait pourtant jamais partie de leurs priorités.

Pour Jean-Claude, mon père, la vie était un défi sans cesse recommencé. Il passait d'un succès à l'autre, apprenait, appliquait chaque leçon à son entreprise suivante : hôtel, taverne, vente de maisons mobiles. Je l'accompagnais dans chacune de ses aventures et, déjà de gauche, m'assurais que les employés étaient bien payés en « temps double » le jour de Pâques.

Il était foncièrement antisyndical. J'étais foncièrement pour. Il croyait, au début, que les péquistes étaient des « bandits communistes » ! Il a fini par voter pour eux. Nous avons eu des engueulades épiques. Tempérées par un humour constant. Il avait de l'audace. Il avait du bagout. Il était un vendeur-né. Il nous a quittés à 62 ans, en 1992, fauché par un cancer qui lui a pourri la dernière décennie de sa vie.

Je suis, beaucoup, Jean-Claude. Et de plus en plus, en vieillissant. Je suis aussi Andrée, ma mère, de cette génération qui a fait du féminisme un combat personnel et a ainsi transformé les rapports dans le couple et la vision de l'égalité transmise à ses deux enfants, ma sœur Marie-Claude et moi. Je lui dois cette volonté de transformation sociale, pour le mieux, malgré les difficultés et les frustrations. Le goût du travail bien fait aussi, jusqu'au bout, jusque dans les détails. L'esprit de famille.

Une jonction s'est faite en moi entre le profond respect que j'ai acquis pour l'entrepreneur au contact de mon père et la volonté de réforme sociale que j'ai cultivée pendant mes années étudiantes et constamment maintenue par la suite (en créant, par exemple, le principal portail Internet sur les sciences sociales, PolitiquesSociales.net). Ce parcours m'a permis de comprendre à la fois le monde de l'entreprise et des mouvements sociaux, de respecter leurs valeurs et leurs richesses sans sombrer dans le sectarisme de certains d'entre eux. Ministre, cela a fait de moi, je crois, un interlocuteur valable tant pour le Conseil du patronat que pour le Chantier de l'économie sociale et les organisations communautaires.

Mon objectif pour le Québec est le mieux-être. Il passe à la fois par la création de la richesse économique, de la richesse sociale et du progrès écologique. Je ne les oppose pas. Combiner ces impératifs demande beaucoup de pragmatisme, beaucoup d'ouverture d'esprit, et beaucoup de volonté.

Cela fait de moi le contraire d'un conservateur. Je ne vois pas les choses comme elles sont, mais comme elles peuvent être, si on s'y met. Je suis le garçon qui, à six ans, a séché un cours pour aller voir le président de l'entreprise d'autobus et lui demander pourquoi il n'y avait pas un arrêt plus près de chez moi, pour les enfants de ma rue. Je suis celui qui, à 10 ans, est allé voir la directrice de l'école primaire pour lui demander si mon ami Saint-Pierre et moi ne pourrions pas sauter notre 7e année. Nous n'en avons plus entendu parler jusqu'à ce que, le dernier jour de classe, la directrice vienne nous chercher pour nous placer dans la classe de 7ᵉ et nous faire passer l'examen de fin d'année avec les élèves de ce groupe. Saint-Pierre est arrivé premier. Moi, cinquième.

Je l'ai décrit dans un autre chapitre : je constate avoir intégré dans ma personnalité des comportements, des réflexes, des valeurs de personnes que j'ai eu le privilège de côtoyer : au premier chef, Jacques Parizeau et Lucien Bouchard. Ils ont leur part de responsabilité dans ce que je suis. Des profs de droit, certains devenus bons amis, puis de journalisme, ont eu une grande influence sur moi. La lecture de biographies de grands personnages a nourri mon côté volontariste : de Lévesque et Parizeau à de Gaulle, Churchill, Martin Luther King, Franklin et Theodore Roosevelt, des héros véritables qui ont changé le réel à force de volonté.

Mais j'ai toujours eu un rapport complexe avec l'autorité. Cela a commencé tôt : le jour où, à quatre ans, je me rebellai contre la dame qui nous gardait, quelques enfants et moi. Une garde familiale. Elle voulait que, pour la 10ᵉ journée de suite, on fasse « une belle page de i » dans notre cahier. J'en avais marre des « i ». Je voulais passer aux « u ». Elle a fini ma page de « i » à ma place. Ce faisant, elle a fêlé durablement mon respect pour les figures d'autorité.

Ce qui m'a permis, je suppose, de tenir tête. Tenir tête à des profs, à mon père, à des patrons coriaces, comme Jean Paré, à *L'actualité*, puis Parizeau et Bouchard. Tenir tête à Mordecai Richler dans un débat télévisé, à Robert Bourassa sur la place publique. Cela m'a permis de contredire poliment un président de la France, en privé, pour infléchir sa position. Un ou deux ambassadeurs des États-Unis, aussi. De me présenter devant un parterre de résidants de Westmount (ça s'est bien passé), puis devant une foule réunie par la CBC qui comptait beaucoup d'irréductibles adversaires de la loi 101, en plein débat sur notre loi linguistique (ça s'est bien passé, mais j'ai eu chaud), puis d'affronter, seul représentant du gouvernement, l'équipe éditoriale de *The Gazette* pendant la campagne électorale. Et recevoir ce rare commentaire positif de Don Macpherson, le pourfendeur des péquistes au journal :

« Seul Jean-François Lisée avait le cran nécessaire pour remplacer Pauline Marois et affronter la *Gazette*. Et seul Lisée est assez audacieux pour le faire pendant la dernière semaine d'une campagne électorale où le PQ affronte les minorités linguistiques et religieuses qui constituent l'essentiel du lectorat de la *Gazette*.»

Le cran, *Dear* Don, c'est un muscle. Il faut beaucoup s'entraîner. C'est tout.

Tenir tête, surtout, là où ça compte : dans les grands débats qui ont animé le gouvernement Marois.

Je doute, évidemment. Je doute de moi. Je suis toujours à la recherche de nouvelles informations, de nouveaux points de vue. Je veux qu'on me contredise, qu'on me remette en question. Je m'entoure de gens solides. Je suis un grand partisan du bénéfice du doute. Et je doute aussi de l'autorité. Je ne crois ni en l'infaillibilité du pape ni en celle des figures d'autorité en général.

Je suis un père. Depuis 16 ans. Quatre fois. Et bientôt cinq. Cela change tout. Ramène à l'essentiel. Rouvre les canaux émotifs. Ranime l'enfant en soi. Transforme le sens des responsabilités. Fait comprendre les systèmes de garde, d'éducation et de la santé de l'intérieur. C'est très éclairant.

Cela permet de voir les choses autrement. Le prix de l'essence monte ? «Il faut prendre une corde et l'attacher avec deux bâtons», proposa un jour mon fiston. Et la cité perdue ? «C'est un gros immeuble où les mamans peuvent aller chercher tous les jouets qu'on a perdus», m'explique sérieusement ma fille de cinq ans. C'est la ressource renouvelable de la joie de vivre, emmêlée aux bobos, puis aux troublantes découvertes de l'adolescence.

Je m'efforce beaucoup de transmettre à mes enfants une attitude qui pousse à trouver le bon côté des choses. L'aspect sérieux du rire et loufoque des drames.

Un jour, un ami m'a fait beaucoup de peine, en me décrivant à un journaliste comme «un robot», toujours au travail. Et s'il est vrai que j'ai une grande capacité de travail, je suis celui qui cherche toujours l'aspect rigolo des choses. Des caricaturistes ont fait de moi le prétentieux qui sait tout, mais j'étais heureux d'entendre Serge Chapleau affirmer en entrevue que j'ai «beaucoup d'humour». Ceux qui viennent écouter mes discours s'en rendent compte. (Mon exécutif de circonscription, Rosemont, estime que je fais trop de blagues !)

Je partage le goût des Québécois pour les humoristes, pour la bonne blague qui résume une situation — j'en ai mis une assez longue, une fois, dans un discours de Jacques Parizeau[1] —, et cela fait partie de notre savoir-vivre collectif.

CE QUE JE SAIS, CE QUE J'IGNORE, CE QUE JE CROIS

SUR LE PARTI QUÉBÉCOIS

Je sais que le Québec moderne lui doit énormément. Qu'on songe à ce que serait le Québec sans la loi 101, sans le zonage agricole, sans la Loi sur la protection du consommateur, sans le Régime épargne-actions, qui a propulsé plusieurs de ses géants industriels, sans le Fonds de solidarité, sans l'assurance automobile, sans l'équité salariale, sans la perception automatique des pensions alimentaires, sans les garderies à bas coût, sans l'aide à l'économie sociale, sans les crédits d'impôt à la recherche et au développement, qui en ont fait un des lieux mondiaux de la nouvelle économie. C'est la liste courte.

Je sais que le Parti québécois est difficile, chicanier. C'est qu'il est bouillonnant, intrépide, pressé de changer le Québec pour le mieux. Il a connu des bas. Il en connaît un en ce moment. Il a connu des hauts. Il en connaîtra encore.

Je sais que le Parti québécois a été, est et sera le meilleur véhicule de progrès social, économique et identitaire du Québec.

Je sais aussi que l'histoire récente du PQ est celle du déclin dans l'opinion publique québécoise. Cela ne date pas des élections du 7 avril. Dès

[1] C'était à l'été 1995, à Alma, lors d'une assemblée avec les trois chefs du Oui. Elle va comme ceci : « Trois chasseurs arrivent dans un lac et demandent au pilote de leur hydravion de revenir les chercher dans une semaine. "D'accord, dit-il, mais souvenez-vous, je ne peux ramener dans mon avion que deux orignaux." Lorsqu'il revient, les chasseurs en ont abattu trois. Il refuse de les embarquer. "Tu avais accepté, en a un dernier, pour un supplément de 200 dollars", dit un des chasseurs. Le pilote négocie et fait monter la somme à 500 dollars. Un orignal sur chaque aile et un sur la cabine, le pilote prend son élan du bout du lac, réussit à peine à décoller, frôle la cime des arbres puis... s'écrase en forêt. "Où sommes-nous ?" demande un des chasseurs, se réveillant sur une branche. "Ah, répond son camarade, deux branches plus bas, je pense qu'on est à peu près à un kilomètre de là où on s'est écrasé l'an passé !" »
Morale : ceux qui tentent toujours de réformer le Canada obtiennent toujours le même résultat : l'échec.

celles de 1998, quelque chose a commencé à clocher, entre le PQ et sa base électorale.

On ne peut écarter, dans l'explication du déclin, le traumatisme dû à la défaite de 1995 et la peur de l'échec référendaire ainsi créée, et, semble-t-il, transmise à une nouvelle génération. La peur et, comme l'a bien dit Jacques Parizeau, l'image de «*losers*».

Mais il y a plus. Le multipartisme, évidemment: l'arrivée de l'ADQ, maintenant fusionnée à la CAQ, puis de Québec solidaire, qui fragmente principalement le vote francophone au profit de la machine libérale.

La montée de l'individualisme, aussi. Le recul des rêves collectifs. Une jeunesse qui ne voit pas les choses de la même façon. Qui n'a ni les mêmes repères ni les mêmes ressorts. Qui a envers la diversité et envers l'anglais une attitude de grande ouverture, qui peut dans le cas de l'anglais confiner à l'imprudence.

Il faut constater aussi la volonté de confort individuel chez beaucoup de nos citoyens investis dans la société de consommation, oui, mais aussi plus prosaïquement dans le bien-être de leurs enfants, dans la crainte pour leur niveau de vie lorsque sonnera la retraite. Pour nombre d'entre eux, les projets collectifs sont vus comme des coûts, plutôt que des gains.

La volonté de cohérence de nos citoyens qui se préoccupent d'écologie et qui ont eu beaucoup de mal à nous suivre entre l'électrification des transports, d'une part, et le projet de multiplier les forages pour trouver du pétrole de schiste à Anticosti, d'autre part. Le flirt du gouvernement Marois avec l'industrie pétrolière a suscité un vrai malaise, y compris chez l'auteur de ces lignes.

Je sais qu'il faut regarder ce déclin en face, avec réalisme et lucidité. Réfléchir aux moyens d'y remédier. Candidat, j'aurai plusieurs pistes à soumettre en débat. Mais ce doit être une grande œuvre collective, de réforme du PQ et de son rapport aux électeurs. Je sais qu'on ne peut faire l'impasse sur ce qui a cloché, et cloche encore. Que ce n'est pas en criant plus fort encore, entre nous, «On veut un pays», qu'on va changer la donne en notre faveur.

Je sais que rien n'est certain. La politique, en particulier la politique québécoise, est le champ des possibles, des retournements. La volatilité grandissante des choix électoraux peut faire mal. Elle peut aussi porter notre parti au pouvoir plus tôt qu'on ne le croit, si tant est qu'on réussisse une nouvelle jonction avec les Québécois.

C'est pourquoi j'appelle à un grand renouvellement du Parti québécois. René Lévesque en avait fait, à sa création, le parti le plus démocratique en Amérique du Nord. Puis, en 1984, il a fait en sorte qu'il soit le premier parti à choisir son chef par le suffrage universel de ses membres.

Nous devons faire mieux encore, nous ouvrir encore plus à tous les Québécois qui partagent nos idéaux. C'est pourquoi j'ai solidement appuyé, avec Alexandre Cloutier, l'idée d'ouvrir le choix du nouveau chef du PQ aux électeurs indépendantistes qui partagent nos valeurs.

À l'heure où les gens hésitent à devenir membres d'un parti mais sont partants pour un engagement, il faut repenser notre action et notre organisation. Comment le PQ peut-il devenir le grand parti citoyen québécois au cours des prochaines années?

Il faudra de la décentralisation, de l'ouverture, l'utilisation plus efficace des réseaux intelligents.

Il faudra surtout reprendre notre place comme défenseurs des gens ordinaires, des salariés et de la classe moyenne, des consommateurs, des familles, des exclus, des contribuables. Nous avons eu tendance à devenir d'excellents gestionnaires, mais de piètres relais de certaines colères populaires.

Il faut redevenir le parti qui représente les gens. Le parti naturel des Québécois.

SUR LE CALENDRIER RÉFÉRENDAIRE

Je sais que l'indépendance est la meilleure solution pour le Québec, sur tous les plans. J'ignore quand elle se réalisera. J'ignore si on pourra l'atteindre en ligne droite, d'un seul tenant, ou s'il faudra passer par un moment de vérité, tel que décrit plus tôt dans ce livre, ou par une autre trajectoire. Il est certain, cependant, que le point de passage démocratique du référendum sur l'indépendance est la seule porte possible pour y arriver.

Je sais que nous en sommes plus éloignés aujourd'hui qu'à n'importe quel moment depuis 1995.

Je sais que les élections du 7 avril ont marqué la fin, dans un avenir prévisible, de l'option du «référendum peut-être», qui fut celle du PQ sous Jacques Parizeau, en 1989, puis sous Lucien Bouchard, en 1998, sous Bernard Landry, en 2003, et sous Pauline Marois ensuite.

Cette ère est révolue. Elle est morte le 7 avril 2014. Aux élections de 2018, nous devrons clairement afficher notre volonté. Nous devrons indiquer sans ambiguïté si oui ou non nous proposons de conduire le Québec sur le chemin de son indépendance dans le mandat qui suit.

Est-il utile de prendre cette décision maintenant ? Je ne crois pas. D'abord, la situation peut changer. Notre travail d'éducation, les processus référendaires en Écosse et en Catalogne et leurs lendemains, la conjoncture québécoise, canadienne et mondiale sont autant d'éléments qui peuvent modifier la donne.

Je soumets donc une hypothèse : qu'un an avant l'échéance électorale, le Parti québécois décide de la place que la souveraineté occupera, ou non, dans son programme. Ce mécanisme à inventer doit impliquer les membres, les militants, le chef.

Dans ce débat, deux options seulement sont possibles, à mon avis. La première : rester sourd à l'humeur actuelle des Québécois, revenir immédiatement à la charge avec notre projet, sous une forme ou une autre, aux élections de 2018, se cogner durement la tête sur le mur de l'opinion et ainsi donner pour longtemps les clés du pouvoir aux libéraux. Si la situation ne change pas d'ici les élections — et on fera tout pour la changer —, j'estime que les Québécois fermeront les portes du pouvoir à un PQ qui voudrait mettre, au prochain rendez-vous électoral, l'État au service de son option.

La deuxième, plus ardue pour nous, indépendantistes, mais plus porteuse pour l'avenir, consiste à prendre acte du recul de notre option dans l'électorat. À admettre qu'un important travail de reconstruction de l'opinion souverainiste doit se déployer avant d'en faire, à nouveau, un enjeu électoral. Le PQ et ses partenaires doivent s'investir dans une vaste et permanente entreprise d'éducation populaire, en particulier, mais non seulement, auprès des jeunes, pour redonner le goût de l'indépendance.

Je sais que les Québécois ne sont plus aujourd'hui que moins de 30 % à vouloir l'indépendance. Que c'est peu. Mais je sais aussi qu'ils étaient moins nombreux encore à y croire à la fin des années 1980, qu'ils furent cependant majoritairement favorables à l'indépendance de 1989 à 1994, puis pendant toute l'année 1996, puis lors du scandale des commandites, en 2005.

Je crois donc qu'il est possible de retrouver cette majorité. Cela suppose qu'on emprunte à la fois plusieurs pistes.

Cela passe par un nouvel effort de conviction, notamment auprès des jeunes. Au cours des années, lorsqu'on me posait la question, au PQ ou au Bloc, je répondais que chaque dollar de fonds disponible devait être consacré à convaincre les nouvelles cohortes d'électeurs, ceux qui n'ont connu ni les combats ni les échecs passés. Je me montrais, par exemple, favorable à la *Souveraine tournée,* proposée par Paul Piché, et qui aurait réuni artistes et humoristes indépendantistes sillonnant tout le Québec l'été. J'ai plaidé aussi pour des camps de formation, des universités d'été.

Récemment, j'ai soumis plusieurs propositions pour lancer ce chantier. Combien le Québec économiserait-il s'il quittait le Canada ? Dans *Un gouvernement de trop* (VLB éditeur), Stéphane Gobeil, ex-conseiller au cabinet de Pauline Marois, estimait cette économie à deux milliards pour 2012. Il faut refaire ce calcul chaque année, et crever l'argument d'un Québec souverain incapable de se passer de la péréquation.

Je propose l'ouverture dans les villes québécoises de **Cafés-bistrots de l'indépendance,** lieux permanents de rencontres, d'échanges, de débats. De là partiraient les **escouades de porte-à-porte.** La Société Saint-Jean-Baptiste a déjà commencé à regrouper des militants pour qu'une fois par semaine ils aillent de porte en porte faire la promotion de l'indépendance. C'est ce qu'il faut faire, patiemment, constamment, systématiquement.

Pourquoi pas une opération **Liberté 65-105 ?** En avril dernier, pour la première fois depuis 1995, on a réentendu les arguments sur la perte des rentes de retraite en cas d'indépendance. On doit faire en sorte que les aînés indépendantistes parlent aux aînés non indépendantistes. Une opération Liberté 65-105, avec un minibus et des équipes qui se relaient, devrait être déployée dans tout le Québec à la rencontre de nos aînés, pour les rassurer sur la question des rentes et les convaincre de voter Oui à un éventuel référendum : souveraineté égale liberté.

Sur le plan des communications, je prône la **création de l'UPIIC :** l'Unité permanente d'idéation indépendantiste créatrice. Il s'agirait de constituer une communauté virtuelle inspirée des laboratoires sociaux, qui susciterait, validerait et répercuterait les idées, créations et stratégies sur le Web. J'estime qu'il faut **utiliser la radio,** moins chère que la télé, plus souple et plus immédiate. De courtes pubs pourraient soutenir les efforts de communication, plusieurs fois par année, sur des questions concrètes que l'indépendance réglerait. Un péage sur le pont Champlain ?

Ottawa ne pourrait pas nous l'imposer si on était indépendant. Notre registre des armes à feu ? Ottawa ne pourrait pas détruire notre registre si on était indépendant. Dépenser 45 milliards de nos impôts pour des F-35 ? Si on était indépendant, on mettrait cet argent-là dans notre bien-être collectif.

Les *baby-boomers* et les aînés connaissent assez bien notre débat national. Mais les moins de 35 ans n'ont pas voté en 1995. La moitié d'entre eux n'étaient même pas nés. Chaque année, 80 000 jeunes atteignent l'âge de voter. C'est vers eux que doit se porter l'essentiel de notre dialogue, de notre animation et de notre communication. Il faut faire **des choix jeunes.** Le rôle et le budget des organisations indépendantistes jeunesse doivent être considérablement augmentés. Il faut aller à la rencontre des jeunes, dialoguer, multiplier les activités, les fins de semaine de formation, les universités d'été.

Ouvrir les bras aux jeunes de la diversité. L'action envers les jeunes doit impérativement viser aussi les jeunes de la diversité québécoise, les enfants de la loi 101 et les nouveaux arrivants. Une partie de l'avenir de notre idéal passe par notre capacité d'intégrer la diversité montréalaise et québécoise. Il faut faire un effort de recrutement actif et, probablement au début, une obligation de représentation des minorités visibles dans nos instances montréalaises. Et pourquoi ne pas créer les **Bold Anglos for Independence,** un groupe d'anglophones en faveur de l'indépendance, et leur donner un espace de liberté et de parole.

Mais au-delà des idées fortes qu'il faut mettre en avant, nous devons admettre qu'il y a dans l'attitude — du moins dans l'image projetée — du mouvement souverainiste un déphasage avec beaucoup de nos citoyens.

Rien de ce que nous disons ou de ce que nous faisons n'aura de répercussions si nous ne réussissons pas à nous remettre en phase avec la vaste majorité des francophones et une importante fraction des non-francophones. C'est la tâche la plus difficile, et la plus importante, qui nous attend.

QUEL PAYS, EXACTEMENT ?

L'idée indépendantiste ne change pas. Il s'agit d'assumer sa liberté de choix. Mais les contours ont varié, de 1967 à 1980 et à 1995. En 2015, il faudra s'entendre sur les réponses à donner sur la nature de l'indépendance, sur les liens avec le Canada, la politique en matière de défense, etc.

Nos amis écossais ont été très précis sur les changements à apporter, ou non, dans ce que serait une Écosse indépendante. Nous avons toujours hésité à préciser trop avant les choses, de peur de nous aliéner des électeurs de gauche ou de droite. En 1995, j'avais rédigé pour le camp du Oui le manifeste *Le cœur à l'ouvrage,* qui montrait comment l'indépendance allait permettre de mieux défendre le français, les droits des salariés, et comment elle allait nous donner le pouvoir de faire nos choix dans beaucoup de domaines. Il faut refaire l'opération, aller plus loin, et diffuser notre argumentaire renouvelé sur tous les supports.

Sur la définition de l'indépendance, je suis de l'école de Jacques Parizeau, celle de 1995. Le Québec doit choisir, seul, sa souveraineté. Elle ne doit pas dépendre du bon vouloir de nos voisins. Il faudra négocier avec eux, et nous ferons pour le mieux. Mais il ne faut pas s'illusionner sur leur propension, en cas de victoire du Oui, à vouloir partager beaucoup de choses avec nous.

J'irai cependant plus loin que notre programme de 1995 sur trois points : la monnaie, la citoyenneté et le processus menant au référendum.

1. Étudier l'hypothèse d'un dollar québécois

Il est temps de soumettre franchement l'hypothèse d'un dollar québécois. Deux raisons fortes nous y conduisent. D'abord, le dollar canadien se transforme en pétrodollar, pompé par la richesse pétrolière de l'Ouest et de Terre-Neuve.

Cela pousse la devise canadienne à un niveau très surévalué (cela varie de 5 % à 25 % selon les évaluations). Ce dopage du dollar détruit graduellement des dizaines de milliers d'emplois dans le secteur manufacturier (55 000 de 2002 à 2007, selon une étude universitaire)[2].

---

[2] La littérature scientifique récente sur le tort causé par le pétrodollar canadien aux économies du Québec et de l'Ontario commence à être considérable. Voir : Beine, Michel (Université du Luxembourg), Bos, Charles S. (Université d'Amsterdam) et Coulombe, Serge (Université d'Ottawa), dans *Resource and Energy Economics,* 2012, tome 34, volume 4, p. 468-492 (http://hdl.handle.net/10993/5038). Boadway, Robin (Université Queen's), Coulombe, Serge (Université d'Ottawa), Tremblay, Jean-François (Université d'Ottawa), *The Dutch Disease and the Canadian Economy : Challenges for Policy Makers,* Thinking Outside the Box Conference, Queen's, oct. 2012. Institut Pembina et Équiterre, *Risques bitumineux : Les conséquences économiques de l'exploitation des sables bitumineux au Canada,* 2013, 41 p. (2014). Coulombe, Serge, « Le mal hollandais, le fédéralisme fiscal et l'économie du Québec », dans *Le Québec économique,* Cirano, 2014, p. 177-209. Des rapports de l'OCDE de 2012 et de Bank of America Merrill Lynch de 2014 arrivent à la même conclusion.

Notre industrie, notre économie profiteraient énormément, et immédiatement, de la création d'un dollar québécois fondé sur la valeur de notre propre économie — pas sur celle de l'Alberta. Nos exportations augmenteraient — nous exportons près de 50 % de tout ce que nous produisons —, y compris les exportations de nos surplus d'électricité, devenus nettement plus concurrentiels sur les marchés américains.

Les investisseurs étrangers s'intéresseraient davantage à nos ressources, dont les prix seraient également plus concurrentiels, comme l'ensemble des coûts de production. Le dollar québécois correctement évalué serait attrayant pour le tourisme.

Il y aurait, bien sûr, une pression inflationniste, notamment sur le pétrole importé. Mais notre banque centrale indépendante pourrait moduler les taux d'intérêt de façon à bien gérer ces variations. Et l'augmentation du prix du pétrole nous permettra de faire une transition plus rapide vers un Québec sans pétrole. Il y aurait un plus grand risque de prise de contrôle de nos entreprises par des intérêts étrangers. D'où la nécessité d'adopter des politiques plus affirmatives de maintien de nos sièges sociaux, ce qu'un pays indépendant peut faire sans peine.

L'autre grand argument favorable à un dollar québécois est dicté par l'histoire européenne récente. La poigne exercée par l'Allemagne sur l'euro a poussé les économies périphériques (Portugal, Espagne, Italie, Irlande) dans la dèche. Ces pays sont prisonniers d'un euro fort, leurs économies écopent. (Je ne parle pas de la Grèce, un cas à part.) Au contraire, les pays scandinaves non membres de l'euro s'en tirent beaucoup mieux.

De plus, les pays indépendants membres de l'Union européenne doivent désormais soumettre leur projet de budget aux fonctionnaires de Bruxelles avant de l'adopter. C'est le prix à payer pour partager une même monnaie.

Voyez-vous le ministre des Finances d'un Québec indépendant aller soumettre son budget à Ottawa avant de le présenter ? Il n'en est évidemment pas question.

J'appelle donc à ce qu'on ouvre le débat sur la pertinence d'introduire une monnaie québécoise. Que l'on débatte sérieusement de ses avantages et de ses inconvénients. Qu'on discute des modalités et du calendrier d'implantation. C'est un enjeu sérieux et lourd de conséquences. C'est ainsi qu'il doit être traité.

2. La citoyenneté

Longtemps, nous avons insisté sur le fait qu'un Québec indépendant allait reconnaître la double citoyenneté. Et nous ajoutions qu'un Québécois qui le voudrait pourrait garder sa citoyenneté canadienne. Je propose de cesser de tenir ce discours, dommageable pour l'option souverainiste.

Dommageable, parce que cela amène à penser que nous ne pouvons offrir seuls une citoyenneté. Qu'il nous faut l'étiquette «canadienne». Dommageable, aussi, parce que les immigrants récents pensent que la citoyenneté québécoise ne les protégera pas aussi bien que la canadienne.

Je propose une rupture avec cette approche. Le Québec indépendant donnera automatiquement la citoyenneté québécoise à tous les citoyens canadiens établis sur son territoire, passeport québécois à la clé.

Point à la ligne.

La double citoyenneté avec le Canada? Ça ne dépend pas de nous. On ne promet rien.

3. Le processus référendaire

On ne peut plus aborder le processus référendaire comme en 1995. L'expérience internationale des 20 dernières années, culminant avec l'exemple écossais, doit nous mener à une nouvelle conclusion.

Oui, ce sont les Québécois — et eux seuls —, l'Assemblée nationale — et elle seule —, qui ont le droit de décider de l'avenir politique de la nation québécoise. C'est irréfragable.

Mais l'expérience internationale récente dicte aux futurs divorcés politiques une obligation de moyens. Ils doivent tenter de s'entendre sur la démarche.

Comme je l'écrivais dès janvier 2011[3], j'estime qu'il serait hautement préférable que le prochain référendum se tienne selon une mécanique et une résultante préalablement fixées par les deux parties.

C'est vrai sur le principe. L'indépendance est un divorce et s'il est essentiel que le divorce unilatéral soit une option (c'est-à-dire qu'on ne puisse être contraint à rester dans le couple), il est préférable que les conditions du divorce soient agréées en commun, souvent avec l'aide d'un tiers.

[3] « Québec et Soudan : faut-il négocier la mécanique référendaire ? » (wp.me/p2SMGd-5MK).

À la décharge des souverainistes, il faut dire qu'en aucun moment, avant 1980 ou 1995, Ottawa n'a proposé une telle négociation, se limitant à dénoncer le processus québécois. C'est seulement après 1995 qu'Ottawa a voulu s'en mêler, unilatéralement.

En fait, depuis René Lévesque, les souverainistes ont toujours été ceux qui ont proposé la négociation postréférendaire, la transition vers la souveraineté. C'est Ottawa qui a toujours affirmé qu'il n'y aurait pas de négociation — jusqu'à ce que la Cour suprême, dans son renvoi sur la sécession, donne raison aux souverainistes en imposant aux parties une obligation de négocier de bonne foi après le référendum.

Mais que se passerait-il s'il y avait négociation de la mécanique référendaire avec Ottawa?

Ce n'est pas que le libellé de la question et la majorité requise qui seraient sur la table. Ce serait, surtout, la certitude qu'en cas de victoire du Oui le Canada accepterait immédiatement le verdict sans tenter de saboter les choses. À l'exemple de Londres.

Cette condition soustrairait au camp du Non son principal argument: celui de l'incertitude ou, pour citer Jean Charest, du «trou noir». Des sondages menés naguère par le Conseil pour l'unité canadienne montraient que le vote pour le Oui gagne 20 points de pourcentage lorsque les Québécois sont rassurés sur le caractère pacifique de l'après-référendum. (Ce que recouvrent, en fait, les mots «association» ou «partenariat». Le message d'un divorce négocié.)

La loi C-20, mal nommée loi sur la clarté référendaire, est d'une déviance telle par rapport à la pratique internationale et aux principes démocratiques proprement dits (elle ouvre la porte à la partition, ce qui est complètement rejeté par tous les précédents référendaires récents), qu'on ne voit pas très bien comment les partis canadiens, qui se sont fait couper toute porte de sortie par l'inexcusable texte de Stéphane Dion et Jean Chrétien — même le NPD a voté pour! —, pourraient revenir de cette dérive.

De plus, le Canada affirme que sa Constitution — en pratique impossible à modifier — l'oblige à demander aux neuf autres provinces leur consentement pour laisser partir le Québec. À supposer qu'un futur premier ministre fédéral veuille s'engager dans une négociation sur la mécanique référendaire, il se trouvera bien des premiers ministres provinciaux pour affirmer que le fédéral ne parle pas en leur nom.

L'ex-ministre fédérale de la Justice Anne McLellan a bien dit, en 1999, qu'avec l'indépendance du Québec «nous aurions affaire à des circonstances tellement extraordinaires qu'elles ne sauraient être traitées dans le cadre constitutionnel existant. Il faudrait probablement alors reconnaître la nature extraordinaire de l'événement et déterminer un processus en conséquence.»

J'estime qu'un futur gouvernement péquiste engagé dans une démarche référendaire devrait tenter de négocier la mécanique, et se montrer ainsi respectueux de la pratique internationale récente. L'exemple écossais — où les deux parties sont convenues d'un tiers crédible pour porter un jugement sur la question, où la norme du 50 % + 1 a été respectée et où Londres a accepté de se plier aux plafonds de dépenses référendaires écossais — constituerait un excellent canevas, venu de surcroît de l'Empire britannique, et béni, pour ainsi dire, par la reine du Canada, Élisabeth II. Et puisque *The Queen Can Do No Wrong*, comment lui dire non?

Cependant, le piège posé par la loi C-20 est tel qu'il faudra, j'en suis convaincu, une médiation internationale pour y arriver. Deux hypothèses: un ancien secrétaire d'État américain et un ancien ministre français des Affaires étrangères; ou alors un négociateur écossais et un négociateur britannique.

Si la médiation fonctionne, tant mieux. Si le Canada s'entête, nous aurons joué franc-jeu et pourrons procéder nous-mêmes, en affichant notre bonne foi envers la communauté internationale.

4. La défense d'un Québec souverain

Un Québec indépendant aura-t-il une armée? La réponse est oui, sinon il ne serait pas vraiment indépendant. La vraie question est: quelle armée?

Et la seule réponse possible est: une armée qui répond aux besoins et aux valeurs du Québec. Affirmons d'abord une certitude: quelle que soit la configuration choisie, un Québec souverain paierait moins pour sa défense que la part qu'il assume aujourd'hui pour la défense du Canada. Songeons que nous allons débourser le quart des 45 milliards prévus pour les avions de chasse F-35 ultraperfectionnés dont veut se doter Ottawa. Un Québec indépendant ne sombrerait pas dans cette orgie de dépenses.

En utilisant le personnel (environ 15 000 personnes) et l'équipement existant sur le territoire québécois au moment de l'indépendance, le Québec pourra, à moindre coût :

• Créer une garde nationale (de 2 000 à 3 000 personnes), dotée d'un service terrestre, aérien et maritime, qui assumera les tâches de protection et de sécurité civile ; veillera à la surveillance du territoire ; aidera et assistera les autorités civiles en cas de besoin, encadrera les activités de recherche et de sauvetage sur terre et en mer.

• Créer une force de Casques bleus (environ 2 000 personnes), qui participera aux opérations de maintien de la paix de l'ONU, mais aucunement à des opérations de guerre.

• Créer une force de Casques blancs (environ 2 000 personnes), qui participera à des opérations d'aide humanitaire dans le monde (tremblements de terre, etc.).

Cette force sera suffisante pour que le Québec maintienne sa présence dans l'OTAN et le NORAD et assume sa part de la défense du continent nord-américain. Cependant, l'action militaire internationale du Québec sera entièrement tournée vers la paix et l'aide humanitaire[4].

La contribution internationale du Québec ne peut pas et ne doit pas être guerrière. Quand bien même on le déciderait, notre poids est trop faible pour être d'une quelconque utilité. Cependant, nous sommes déjà présents et connus dans le monde, par l'action d'accompagnement à la démocratisation de notre Directeur général des élections dans un grand nombre de pays du Sud, par l'action de notre Assemblée nationale et celle de nos 65 organisations de coopération internationale.

Un Québec indépendant créerait son Agence québécoise de solidarité internationale et aurait pour objectif de devenir un acteur important dans l'accompagnement à la démocratisation, au rétablissement de la paix, à l'aide aux populations victimes de désastres naturels. Nous pouvons graduellement devenir des médiateurs, des interlocuteurs valables lors de conflits.

C'est là qu'est notre avenir. C'est la contribution que le Québec peut offrir.

[4] Cette proposition est inspirée de Bélanger, Yves, David, Charles-Philippe, Roussel, Stéphane, *Rapport du comité d'étude sur la défense, Quatre scénarios de restructuration de la défense d'un Québec souverain,* note soumise au Secrétariat à la restructuration, 27 septembre 1995.

L'ÉCONOMIE, L'ÉCOLOGIE ET LA FISCALITÉ

J'en ai touché un mot dans un chapitre précédent. J'ai une conception de l'avenir du Québec qui ne passe pas par l'obsession de l'enrichissement brut. Ma boussole n'est pas fixée sur le taux de progression du produit intérieur. Mais sur celui de l'augmentation du bien-être collectif, qui suppose à la fois la création d'une richesse durable et la réduction de la misère humaine, donc de la pauvreté. Je vois la nécessaire et progressive réduction du poids de la dette comme une condition de la résilience du Québec dans un monde financièrement sans pitié.

Candidat, je voudrai soumettre plusieurs propositions pour revoir nos politiques économiques et fiscales. Contrairement aux libéraux, je ne crains pas l'originalité québécoise. Je crois que notre succès d'aujourd'hui repose sur cette originalité. Celle de demain, sur notre capacité de construire sur notre différence.

LES ÉLECTIONS DE 2018

À première vue, la configuration des forces politiques nous est défavorable. Les libéraux ont, structurellement, une longueur d'avance. La CAQ et QS ne disparaîtront pas et fragmenteront une fois de plus le vote francophone. Nous vivons, pour de bon, dans un monde multipartiste. Autant se l'avouer : le degré de difficulté pour obtenir un gouvernement majoritaire du Parti québécois en 2018 est très élevé. Davantage que durant toute son histoire.

Le futur chef du Parti québécois ne doit cependant pas aborder les élections de 2018 comme une répétition de celles de 2014. On ne refait jamais les mêmes batailles. La réalité se charge toujours de nous surprendre.

La première tâche du Parti québécois est de rassembler davantage qu'il ne l'a fait récemment. Élargir sa base, élargir sa portée, élargir ses appuis. Il doit viser la majorité.

Je crois fermement que le Parti québécois doit clarifier son identité propre et devenir ainsi plus attirant, et ne pas tenter de devenir un parti fourre-tout qui représente toutes les positions simultanément dans le but de plaire à tous. C'est ainsi qu'on ne plaît à personne. Tenter de devenir la CAQ, ou une hydre à deux têtes PQ-CAQ, serait la pire des hypothèses. Si on ne s'aime pas soi-même, qui nous aimera ?

D'autant que la conjoncture peut beaucoup changer d'ici quatre ans. Le gouvernement Couillard va comprimer les dépenses pendant trois ans, puis réduire les impôts la dernière année. Que dira la CAQ, de François Legault, dont les promesses principales sont de sabrer les dépenses et de réduire les impôts ? La CAQ aurait fait des coupes dans autre chose ? La CAQ aurait réduit les impôts différemment ? Pas fameux comme programme.

Il y a fort à parier qu'on trouvera une soif, dans quatre ans, pour autre chose que des coupes dans les budgets et des baisses d'impôt. Une soif pour plus de générosité, plus de solidarité, plus d'humanisme, plus de vision, plus de volonté d'indépendance. Bref, une soif pour les valeurs du Parti québécois. C'est l'espoir sur lequel nous devons bâtir. Vers la majorité que nous souhaitons.

Mais le PQ doit commencer à intégrer les conséquences du multipartisme. Un Parti québécois avec une identité forte doit être prêt à composer avec d'autres forces politiques, conjoncturellement, notamment après des élections qui en feraient un gouvernement minoritaire. Nous entrons dans une ère où l'électorat nous imposera, plus souvent qu'on ne le souhaiterait, la collaboration, la cohabitation ou la coalition avec d'autres partis. Aucune combinaison n'est donnée d'avance. En ces matières, la conjoncture pèse d'un poids lourd. Mais nous devons nous montrer respectueux de la volonté populaire. Et afficher d'emblée, pour la clamer et la banaliser, notre ouverture d'esprit.

Jacques Parizeau m'a permis de jouer un rôle clé, en 1994 et 1995, lorsqu'il s'est agi de former une coalition PQ-Bloc-ADQ où chacun se retrouverait, où personne ne se renierait, pour avancer vers une cause commune. En 1995, nous avons construit, au-delà de cet accord tripartite, la plus vaste coalition de l'histoire du Québec pour la bataille de l'indépendance. Cette expérience est précieuse, car il faudra être encore plus nombreux au prochain rendez-vous avec l'indépendance. Sur le chemin, il faudra aussi composer avec d'autres forces, notamment indépendantistes.

Nous serons toujours nous-mêmes. C'est certain. Mais nous ne sommes plus seuls.

LA CAMPAGNE AU LEADERSHIP

Les analystes vous le diront : il y a une recette pour gagner la campagne au leadership du PQ. D'abord, se montrer très indépendantiste et très à gauche. Puis, une fois devenu chef, se recentrer. Devenir plus modéré pour plaire à l'électorat en général.

Je compte tourner résolument le dos à cette recette. Candidat, je tiendrai le même discours avant, pendant et après la campagne au leadership. Pour la nouvelle phase de l'histoire du PQ, il faut de la lucidité et du réalisme. Il faut que cette lucidité soit partagée, discutée. Elle doit susciter l'adhésion. Dans le PQ post-7 avril, rien ne serait pire que de se flatter les uns les autres dans le sens du poil.

Je fais le pari de la transparence et de l'authenticité. Ce livre veut en être le témoignage. Je crois — non, je sais — que les Québécois recherchent par-dessus tout, de leurs leaders et de leurs partis, cette authenticité et cette transparence. Ils veulent aussi de la cohérence et de la clarté. De l'idéalisme, oui, mais aussi du réalisme et du pragmatisme.

Cette campagne au leadership et le congrès qui suivra ne serviront à rien s'ils ne disent pas clairement et fermement aux Québécois que quelque chose a changé au PQ. Que nous avons compris les leçons du 7 avril et des élections précédentes.

L'ADHÉSION

Depuis quelques paragraphes, j'utilise le mot « candidat ». Pour vous dire que je pense à des éléments de programme. Que je souhaite soumettre des idées fortes. Dire des vérités qui dérangent. Proposer des changements importants. Lesquels ? Ils sont dans la continuité de ce que vous avez lu jusqu'ici.

Est-ce à dire que j'ai pris la décision d'être candidat ? La rédaction de ce livre m'y a aidé, c'est vrai. Pendant l'été 2014, grâce à l'écriture et à des discussions avec des proches, et avec la plus proche de tous, ma conjointe, Sandrine, ma décision a mûri. J'ai conclu que je ne pouvais pas rester à l'écart. Que j'avais une contribution à fournir. Qu'au fond, tout mon parcours, toute ma motivation, me préparaient à cette nouvelle étape. J'ai donc presque décidé d'être candidat.

Pourquoi « presque » ? Parce que ce combat n'a de sens que s'il est collectif.

Déjà, des dizaines de personnes, à Montréal comme dans plusieurs régions du Québec, m'ont contacté pour faire équipe avec moi. Je suis entouré de vieux routiers comme de membres de la relève. De Québécois dont les ancêtres sont venus de Normandie, d'autres d'Algérie. C'est encourageant. C'est motivant. Mais ça ne peut être qu'un commencement.

Il faut que je sente, avant de me commettre complètement, que ma volonté de réalisme et de changement est partagée par des milliers de Québécois, de militants, de citoyens. Pas seulement pour me dire d'y aller et de me souhaiter bonne chance. Mais de milliers de Québécois qui sont prêts à s'engager, concrètement, à mettre quelques heures de leur temps, pour participer au changement.

Ce livre se termine donc sur un appel. Je me suis montré tel que je suis dans ce *Journal*. Je suis disposé à offrir mes services au Parti québécois et au Québec. À tendre la main. Je le ferai s'il y a suffisamment de mains prêtes à saisir la mienne. Pour qu'on entre en campagne ensemble. Pour qu'on gagne ensemble.

À partir du jour du lancement de ce livre, venez me retrouver sur jflisee.org pour faire part de votre adhésion. Et pour qu'on soit des milliers à prendre, ensemble, le chemin de l'avenir du Québec.

○ ○ ○

Des histoires du Québec selon Jean-François Lisée, Éditions Rogers, 2012.

Le petit tricheur : Robert Bourassa derrière le masque, Québec Amérique, 2012.

Comment mettre la droite K.-O. en 15 arguments, Stanké, 2012.

Troisième millénaire : Bilan final — Chroniques impertinentes de Jean-François Lisée, Stanké, 2011.

Imaginer l'après-crise : Pistes pour un monde plus juste, équitable, durable, collectif, Boréal, 2009.

Pour une gauche efficace, Boréal, 2008.

Nous, Boréal, 2007.

Sortie de secours : Comment échapper au déclin du Québec, Boréal, 2000.

Le naufrageur : Robert Bourassa et les Québécois, 1991-1992, Boréal, 1994.

Le tricheur : Robert Bourassa et les Québécois, 1990-1991, Boréal, 1994.

Les prétendants : Qui sera le prochain premier ministre du Québec, Boréal, 1993.

Carrefours d'Amérique, collectif, Papiers collés, Boréal, 1990.

Dans l'œil de l'aigle : Washington face au Québec, Boréal, 1990.

A

B

C

D

F

G

M

N

O

P

R

S

Stafford, Nicole *22, 70, 172*
St-Pierre, Christine *256, 273*

T

Thériault, Lise *167, 168, 169, 170, 171, 172*
Tremblay, Gérald *81, 85, 87, 90, 91, 92, 167, 168*
Trudeau, Justin *31, 154*
Trudeau, Pierre *17, 24, 25, 27, 30, 70, 251*
Turp, Daniel *22*

V

Vaillancourt, Gilles *90, 91, 92*

W

Weil, Kathleen *130, 142, 143, 144, 145*

Z

Zakaïb, Élaine *74*

7 UP

'Give Me the Child Until He Is Seven,
and I Will Show You the Man'

Edited by Bennett Singer

With an introduction by Michael Apted

and a foreword by Ross McKibbin

WILLIAM HEINEMANN: LONDON

First published in the United Kingdom in 1999 by William Heinemann

1 3 5 7 9 10 8 6 4 2

Copyright © by The New Press and Granada Media Group Limited 1998
Introduction © by Michael Apted 1998
Foreword © by Ross McKibbin 1999
Photographs courtesy of Granada Television, © Granada Television Limited,
except on pages 28, 39, 41, 45, 59, 121, 127, and 166, courtesy of contributors

42UP © Granada Television Limited

William Heinemann
Random House UK Limited
20 Vauxhall Bridge Road, London SW1V 2SA

Random House Australia (Pty) Limited
20 Alfred Street, Milsons Point, Sydney,
New South Wales 2061, Australia

Random House New Zealand Limited
18 Poland Road, Glenfield,
Auckland 10, New Zealand

Random House South Africa (Pty) Ltd
Endulini, 5a Jubilee Road, Parktown 2193, South Africa

Random House UK Limited Reg. No. 954009

A CIP record for this book is available
from the British Library

Papers used by Random House UK Limited are natural,
recyclable products made from wood grown in sustainable
forests. The manufacturing processes conform to the
environmental regulations of the country of origin.

Typeset in Gill Sans by
MATS, Southend-on-Sea, Essex

Printed and bound in Great Britain by
Biddles Ltd, Guildford and King's Lynn

ISBN 0 434 00747 1

CONTENTS

In addition to his work as director of the UP *series, Michael Apted has earned critical acclaim for his direction of numerous feature films, including* Coal Miner's Daughter, Gorky Park, Gorillas in the Mist, *and* Nell. *Born and raised in the UK, Apted now lives in Los Angeles. This piece was adapted from remarks delivered at the Harvard Education Forum on December 9, 1996.*

INTRODUCTION:
by MICHAEL APTED:

I had done a lot of theatre at school and at university and wanted more than anything to make movies, but I couldn't see a way of getting to do it. At that time, 1963, the Manchester-based Granada Television was running a training course for graduates and I managed to get on it. Then after six months of sitting around watching great men and women work, I was thrown in the deep end and was given my first job – to research a film called 7UP.

In 1964, England was the pop-cultural centre of the world – the Beatles, Rolling Stones, Carnaby Street, all that stuff – and it occurred to Tim Hewat, an Australian journalist who was running *World in Action*, that it might be a good time to have a hard look at England and see whether or not this social revolution was in fact having any genuine impact. Hewat's great idea was to take this look through the eyes of seven-year-old children. Were the great cultural events changing for ever the class system that has permeated England for close on 800 years? Did everybody have a fair chance, or did the accident of birth bring power, wealth, and success? Were children made into winners or losers by class divisions?

So off I went with three weeks to find the children and get the film set up. We wanted 14, and I chose some from very rich families in posh private schools; some from poor families in state-run schools; a couple from suburban Liverpool; one from the remote Yorkshire Dales; and two from a London children's home. Then, with the director, Paul Almond, we filmed their opinions on money, love, God, sex, race, school, and on one another. These were to be the politicians, managers, trade-unionists, and parents of the year 2000, so what kind of England did we have now and what could we look forward to?

It was one of those ideas that sounded okay when you talked about it, but when you actually saw it, it was remarkable. It confirmed that England was as class-driven as ever, and, because of the accident of birth, some had tremendous opportunities for wealth and achievement, while others, no less gifted, talented or intelligent, were clearly not going to have the same kinds of options.

We used the Jesuit saying, 'Give me the child until he is seven, and I will show you the man', as a theme, and I think the power of the project is that everybody has a different opinion about whether or not it has any truth. Some find the film depressing because they think the Jesuits were right and nothing alters what is set out at seven; others are more optimistic, for they see evidence of change, of social mobility, with people overcoming obstacles and defying the limitations of their upbringing. For my money, lives can change, but I wonder whether the personality ever does – if you're pushy and extrovert as a child, that never alters, and if you're timid and shy you always will be. But wherever you stand on the Jesuits, it's certain that you'll identify with some character or some incident in the film; it'll touch some nerve, stay in the mind, and make you reflect on your own life. That's why the UP films live on.

Our process is hardly scientific, more a complicated and sometimes bewildering array of private moments set against the cultural and social background of the times. The films are personal to me (after I researched 7UP, I took over the project and produced and directed all the rest, with invaluable support from my colleague, Claire Lewis) and it's my dialogue with people I've known a long time: some I'm close to; some I never see between the years. I don't read up on my education theory, my psychology, my sociology, whatever; I just ask them what I think is important about their lives. We have an agreement that if they don't want to talk about something, we won't. If they don't like stuff I've used, I will take it out, because I want to go back in seven years and ask them to do it all over again.

Making these films, you get to play God a bit and try to anticipate how things will turn out, which is not always healthy. For example, I made a big mistake with Tony. He was a tough street kid who'd had a difficult childhood and at fourteen was working at a racing stables and earning dodgy money on the side taking bets at the local greyhound track. I thought he wouldn't make it, that he'd end up in trouble, probably in and out of prison. So in 21UP, I filmed him driving around the hot crime spots of London's East End, showing me the hangouts of notorious criminals and sites of juicy murders. It was my pathetic attempt to plan ahead and lie in wait for him. But I was wrong, because the wildness of his early years softened, and the energy was channelled into his marriage and children. His working-class roots became a source of strength, and by his twenties he'd begun to make something of himself. So I have learned to be careful and know my place. Tony didn't hold any grudges; he just said to me, 'Michael, you can't always judge a book by its cover.'

I have two big regrets about the series. As the years went by and the films matured, I regretted not choosing more middle-class people. In England, the middle class went through a tremendous change during this 30-year period. People born in the late 1950s were sent to school to pass exams, sent to college to get a degree, and promised great jobs. But of course when they came out into the world, the roof had fallen in and there were no jobs. Margaret Thatcher had dismantled social services, taken money out of education, out of the arts, out of medicine. So suddenly that generation was left stranded, scrambling for jobs and hopelessly over-qualified for the work that was on offer. The film lives a bit in the extremes of the social system and more of the middle ground would have been valuable.

My other regret is that of the 14 I originally chose, only four were women. In my defence, if you were going to predict in 1964 who would be the trade-union leaders or politicians of the year 2000, you wouldn't have picked a woman. Who were we to know that in fewer than 15 years, there would be a lady Prime Minister? But I've suffered for that mistake, as one of the most powerful political upheavals of my lifetime is the changing role of women in the home and workplace, the conflict between family and careers, and I missed it. I was a little bit unlucky, because the four girls that I chose all pursued the family route. They married young, three had children almost immediately, and only Lynn pursued a career and had to juggle children and work.

By now I have a gigantic amount of material. I shoot three-hour interviews and end up using five or six minutes. It's getting difficult to know how to marshal all the stuff. What's interesting is how different people emerge as important or colourful at different generations. In the very early films, Symon, a West Indian, was the leading light. He had no father, grew up in a children's home, then was reunited with his mother, who suffered from serious nervous problems. His troubled beginnings made him enormously appealing. The lives of the three working-class girls, Jackie, Lynn, and Sue, followed a fairly predictable pattern until I got to *35UP*, when they came to some sort of crossroads and things became riveting. At any given age, other people disappear into the background. Part of the skill and challenge of making documentaries is to be alive to what's happening in front of you, to be alert to what's fruitful and to what's not, so I have to let each film find its own focus and weight. In some sense it edits itself.

Also, I never know what the films are going to be about. I was surprised by the way *35UP* turned out, that it dealt so much with mortality. People were losing their parents, so death was very much on their minds. It should have been obvious, but because my technique is never to prepare them for the interview, I'm sometimes surprised by what's going on and I get caught out. This time, at 42, I couldn't have guessed how reflective they'd become, how willing to look back on things and evaluate what they'd done. The majority have teenage children, which brings a certain tension and uncertainty to life, summed up neatly by Lynn as she wonders if she treated her parents as badly as her children treat her.

I don't know what effect being in the film has had on them all and I ask the question in *42UP* (see the epilogue for their responses). There's no visible, dramatic impact – they haven't got jobs or found partners because of the film, except in one case when a friendship developed with dramatic results. Psychologically, it must affect them, but I just plough on hoping not to do damage, always telling myself that they don't have to talk, that they're free agents and can look after themselves.

They do get notoriety and it's the worst kind of fame – without power or money. They're out in the street getting on with their lives and people stop them and say, 'Aren't you that girl' or 'Don't I know you' or 'You're the one . . .', and most of them hate that. That's one of the reasons three of the originals have dropped out and why persuading the others into doing it every seven years is the hardest part of my job. I pay them to take part, and if we ever win any prize money, I give it to them, so they are financial partners. But I understand how annoying it can be to be in the film, and I thank them for their time and patience.

It might have been fascinating to talk to their children and to film their parents. There are all sorts of octopus-like things you could have done. But I was very clear about keeping it focused. It was often tempting to go outside the seven-year time frame when people would say, 'My God, so-and-so is getting his degree' or 'You-know-who's having a crisis'. I always resisted and took my chances with the seven-yearly visit, and if they were having a bad or boring time, so be it. But recently I weakened and broke my rule by sending a camera crew to Bruce and Penny's wedding, which took place prior to the scheduled filming of *42UP*. The opportunity was so seductive that I couldn't resist. However, it's best to be disciplined, because with six generations of material, it's hard enough to follow the stories without muddying the structure and running the risk of making it all hopelessly confusing.

Over 35 years these six films have become a kind of road map of contemporary English history and have been a personal marker for me as they've engaged my entire working life. I married, had children and moved to America, and wondered whether the choices I've made have been as preordained as some of those in 7UP. I've brought up my own children mindful of those I've filmed who grew up burdened by so much parental ambition that their lives have gone seriously awry. You can see the charm of a seven-year-old become stress at 14 and disappointment at 21. I look at Nick, at seven, a farmer's son from Yorkshire, and then at 28, a young academic at the University of Wisconsin, in the process of relocating his family to America, much as I did, homesick for England and trying to identify and hang on to those of his roots that would give him his strength. I watch him try to make a go of it here, with all the pain, compromise, and conflict that transplanting brings to your life.

After I had done 28UP, I was asked to show it in America. I really didn't want to do that, because even though I was living and working here, I felt Americans wouldn't understand the film. How can you understand the English class system if you don't know, say, the difference between a public, private, or comprehensive school, or you're baffled by the complicated cultural shorthand? I didn't want to show a piece of work that was so close to me only to have it be misunderstood. But I was wrong. People did respond to it, and not only here but all over the world. And then I had an epiphany: I realized for the first time, after 20 years on the project, that I really hadn't made a political film at all. What I had seen as a significant statement about the English class system was in fact a humanistic document about the real issues of life – about growing up; about coming to terms with failure, success, disappointment; about issues of family and all the things that everybody can relate to.

I believe my greatest contribution to the whole project has been to hang in and give it continuity. I remember sitting with Mike Scott, then the Granada Controller of Programmes, in Los Angeles in 1983 and saying wasn't it about time for 28UP, and him telling me that it would never happen because I wouldn't leave my Hollywood career and go back and do it. He couldn't have guessed the power the films have in my life and how I doubt whether I'll ever do anything as important as this again; important, for, in a unique way, you get a glimpse of the drama of what makes people who they are.

FOREWORD:
by ROSS McKIBBIN:

In May 1964 a remarkable documentary – *7UP* – was broadcast on ITV. It was conceived by Tim Hewat, an Australian, the founder and editor of Granada Television's celebrated current affairs programme, *World in Action*. Like many of his countrymen at the time, Hewat was struck by the apparently rigid nature of the British class system. *7UP* was thus designed to show how the advantages and disadvantages of class influenced the life chances of 14 English seven-year-olds. Intended as a one-off, the programme was so successful that Granada decided to repeat the interviews every seven years: 35 years and six programmes later, the seven-year-olds are now 42. It is a series so far unique to British television – a personal history of a number of men and women and a social history of their country.

Not all of the original group lasted the course. Several chose to drop out, though one of these, Symon, later chose to drop back in. By *42UP* there were 11, but of those only ten have been in every programme. They do not represent an exact cross-section of contemporary British society. They are all English, though one now lives in Scotland and others have Scottish connections. Only four are women and only two 'ordinary' middle class. But one is non-white: almost one-tenth of the group – in the 1960s, as now, a significantly higher figure than in the British population as a whole. The original group was assembled rather hastily by Michael Apted, then a young researcher who was subsequently to direct all the programmes after the first one. The result was a good deal of 'bunching': three of the upper-middle-class boys, Andrew, John and Charles, came from the same school; three of the working-class girls, Sue, Jackie and Lynn, were friends; two of the working-class boys, Symon and Paul, had been in the same children's home. Michael Apted himself says that if he were to start again he would have chosen 'more women and middle-class kids'. Inevitably, also, *7UP* reflected the assumptions of its time. It was, the voice-over noted, about the 'executives and shop stewards' of the future. In fact, not one of the 11 became either an executive or a shop steward.

The effect of bunching was to present a somewhat stark view of English class differences. Even by the standards of the 1960s the group over-represented the 'haves' and the 'have-nots', and under-represented those who stood somewhere between. As England's class structure has become more complicated, however, and class differences have softened, commentators have come to see the programme as a story of individual lives, a chronicle of issues common to us all as human beings. Stephen Lambert, one of its producers, has suggested that it 'has become social history. It is not as rigidly focused on class any more . . . So the programme has changed to become one about middle age and the problems of middle age which are marriage, divorce, children and death.' Michael Apted suggests that a programme originally about class has become less overtly political and more a 'humanistic document'. To some extent, this is how the group also see it. All of them think that class now matters less than when they were first interviewed. None of its working-class members expresses resentment at social or economic inequality. Lynn (at 21), when asked whether she had the same opportunities as Suzy (who had a definitely privileged background), replied: 'I'd say I've had more opportunities than Suzy in a different aspect of what she had. I've been able to do more or less what I wanted to . . . I think she's been so conditioned to what she should do and what she shouldn't do.' Lynn's friend Jackie (at 28) argued that working-class women are largely unconcerned about social inequality: 'I don't even think, to be honest, we consciously think about it until this programme comes up once every seven years.'

7*UP* is undoubtedly a human document. Nothing, for example, could be more poignantly human than Neil's story: from the little boy who wanted to be an astronaut or motor-coach driver to the man who, at 35, was a sad and lonely figure, but who somehow survived. Yet its significance is diminished if we think of it only as a human document. In practice, the series does indeed tell us much about modern British society and the way it distributes life chances, and about its people – the way they think, speak and act. For one thing, quickly apparent to the reader, the group is in fact quite conscious of class differences. Lynn, who said that she never thought about class or inequality, and who argued that people are no longer as 'interested' in the upper class as they once were, nevertheless says (at 42) 'that there are some areas you will never get into. [But] I wouldn't be comfortable there; I would never be accepted.' Suzy says rather cautiously that 'the point of the class system is that some people, you know, have advantages over others, because of what they are born into'. Andrew, a beneficiary of the system, concedes (at 35) that the balance between the public and the private is not quite right and (at 42) that inequality is wasteful. Furthermore, the two most geographically mobile of the 11, Nick, the farmer's son who became a physicist and went to the United States, and Paul, who migrated with his father to Australia, both contrast the openness and possibilities of the New World with the constrictions of the Old. Nick (at 28) sees the United States as 'less hidebound; it's less bureaucratically tied down – it's much easier to go out and get things done'. At 35 he says that Americans 'looking at this film find the English people in it very low-key and lacklustre'. Paul (at 28) loves Australia. There, he thinks, he and his family found the opportunities they would almost certainly not have had in Britain. Not all of the British who emigrated after the Second World War would share this view; but a majority almost certainly do.

Another thing that is apparent to the reader is the marked differences in the way the 'working-class' and 'middle-class' members of the group speak of their families. And in 7UP family relationships are a very prominent theme. Conventionally, it has always been assumed that working-class families are more open and less restrained in their expressions of affection – or, in some cases, dislike – for each other; middle-class families more restrained, apparently more reluctant to disclose feeling. This has been put down to the expression of strong sentiment being culturally alien to British middle-class life and to the middle classes being more prepared to put professional advancement (which often involves a readiness to move) ahead of proximity to kin. Such an assumption is now so conventional that we should probably be suspicious of it. But in 7UP it is clearly true. Amongst the 'middle-class' members of the group generally there is a seeming, and sometimes an actual, distance between children and their parents. Suzy says that she 'never had a very close relationship [with her] parents', and she regretted that her mother died just as they were beginning to build one. Her nanny, on the other hand, was 'the one person who was the sort of continuity through my childhood. She was always there for me.' Neil's relationships with his parents were clearly problematic: 'I don't think I was taught any sort of policy of living at all by my parents. This is one of their biggest mistakes: that I was left to myself in a world which they seemed to be totally oblivious of. And I found even when I tried to discuss problems which were facing me at school, my parents didn't seem to be aware of the nature of the problem.' In 7UP one of the most touching moments, and one many people still remember, is when Bruce says that his 'heart's desire is to see my daddy' who is in Rhodesia. But he never did see much of his father. After his father's death Bruce tells Michael Apted: 'I mean, we did drift apart because he was in Rhodesia – Zimbabwe as it now is. He did come back to England and retire, and I used to go up to Yorkshire to see him. Not as often as I should have done. I mean, I'm sure he had a fond feeling for me and I'd have liked to have returned that in some way.' Andrew, admittedly 21 when it happened, reports his parents' divorce in an utterly matter-of-fact way.

The 'working-class' members of the group, however, speak of their parents without restraint. At 35 Lynn has lost her mother: 'She was a great friend to me as well as a mum, probably the best friend I'll ever have. And as you see it still makes me very emotional now – it's only two years.' At 42 she is 'absolutely distraught' at her father's death. Sue, at 42 a single mother, acknowledges that the way her children behave 'is mostly down to my mum and dad, because they've done a good job and they've helped me out enormously – not just financially, but emotionally, bringing them out.' Her parents have been 'absolutely brilliant'. Jackie, at 35 also a single mother, wondered how she would survive with her son, Charlie: 'How was I going to help him? But it comes down to the same old story: my family. My father's only comment to me was, "It's your decision – you tell me what you want to do and we'll take it from there." And they've totally rallied around me.' After she went to Scotland, Jackie's mother-in-law (technically now her ex-mother-in-law) assumed the same kind of parental role. 'If it wasn't for my mother-in-law, I wouldn't be able to live.' She, too, has been 'absolutely brilliant'. Nor is this intimate bond confined to daughters. Tony is as open in admitting it as Lynn and Jackie. At 21 he says of his family: 'Well, I love 'em all. There's not one that I love more than another, other than my mum obviously, for your mum is the root of the sort of tree. You love your mum best.' The 'worst moment' of his life was the death of his mother. 'I'm sorry, but East Enders, they're all close to their mums. My mum – and I have made it clear from when we done 21 – I just loved her. That's why. That's what I think, isn't it?'

Also central to 7UP is education – who has been favoured by the system and who has not. And once again, as with class, the group show themselves fully aware of how education does this. Those who benefited are anxious that their children should also benefit; those who missed out, or whose parents missed out, are anxious that their children should not miss out. Those who went to private and public schools intend to send their children there. Nor do they apologise for that, while acknowledging the good fortune that permits them to do so. Some of the group regret that they failed to exploit educational opportunity. At 21 Tony says: 'There's no education in this world, it's just one big rat race and you've got to kill the man next to you to get in front of him.' Seven years later he says of this comment that it was 'a great mistake'.

Education does give you more opportunities. At 42 Jackie laments that she did not do more with her education. Sue hopes that her son will have 'a really satisfying career. Something that he really enjoys, which is something that I've never really had.' She also hopes he will go to university. She put both her children 'in a school – which isn't the local school, and I had to fight to get them both in there'. She worries that her daughter will pass up opportunity. Paul regrets that he was 'very lazy' at school and candidly says that 'if private schools are better, you'd be far better off spending your money and sending your kids there than getting a video, or a new television, swimming pool, or something like that, I think'.

But regrets accompany a recognition of change. Although all the three East End girls could have gone to a grammar school, only Lynn chose to do so. Sue and Jackie opted for a comprehensive. Whether to go to a grammar school or not was once a fraught decision for any working-class boy or girl. The choice of a grammar school over a secondary modern could mean almost complete social isolation at school: lost to one group of school friends but unable to find another. And it could also mean a growing distance from family as a grammar-school education drew people away from their working-class background. Lynn's decision, however, was clearly much easier: and this was so in part because the gap between grammar and comprehensive schools was much less than that between grammars and secondary moderns. Sue and Jackie's decision was probably also much easier: for many the comprehensive school itself was educationally an enormous advance on the secondary modern or higher elementary schools attended by their parents and grandparents.

7UP manifests continuing inequalities at all levels of British society. But it also reveals convergence and social advance. For example, a striking improvement has occurred in living standards, despite the fact that in the last 20 years there has been a significant widening in these inequalities. The lifestyle of all the working-class members of the group is almost certainly much better than that of their parents, and that of the middle-class members seems at least as good. A fair index is home-ownership. Sue, though a single mother, has bought her house. Symon has bought his house with the help of his second wife's insurance policy. Paul has bought a spacious house in Australia. Tony has moved to Woodford and bought an interwar house which has been expensively redecorated. Although Suzy's husband, Rupert, a lawyer, took a risk in setting up his own firm, they seem to live very well indeed. With the exception of Neil – whose story is exceptional anyway – all the group, if at different levels, share the convenience and comforts of late-twentieth-century life.

Not apparent to the reader of *7UP*, but certainly apparent to those who saw the programmes, has been a convergence in accent and speech. It is, of course, possible to exaggerate this. Regional accents and usages are very resistant to change – in Britain as elsewhere. In the interwar years the BBC failed almost completely to make everyone speak like a BBC announcer, and there is no reason to think that within a few years we will all speak a variety of Estuary English. Nonetheless, there has been a blurring of differences. One of the more memorable moments of *7UP* was to hear the piping and self-confident accent and tone of Andrew, John and Charles – an accent and tone we now scarcely ever hear, and certainly not from the 42-year-old Andrew, the only one of the three to have lasted until *42UP*. This discernible narrowing of accent has been accompanied by a broadening linguistic confidence. It was once an Anglo-Saxon commonplace that the 'average' Briton was less articulate and verbally confident than the 'average' American or Australian. There is no evidence of that here. Indeed, the film critic Roger Ebert, in a foreword to the American edition of this book, has noted that all the group are 'good at self-expression, often with grace and humour. They have style. One ponders the inarticulate murkiness, self-help clichés, sports metaphors, and management truisms that clutter American speech.' No-one who has watched both *42UP* and an American chat show can dispute this.

In two other important ways the group is genuinely representative of modern Britain. In the first place, they are very secular. Only Bruce is avowedly Christian, and while others might have a personal faith, it appears to play little part in their lives, or not one they would admit. Secondly (and almost certainly related to the first point), among the group, marriage, though popular, is risky. Only one of the group, Neil, has not married, but the majority have experienced marital failure – either the failure of their parents' marriages or the failure of their own. And of the marriages which have survived, at least one, it seems likely, has had several bad moments.

Despite, therefore, the somewhat skewed character of the *7UP* sample, it does broadly reflect Britain's social structure and the way social change has affected individual lives. But it is also, as Michael Apted has said, a striking human document. The well-known dictum attributed to the Jesuits, 'Give me the child until he is seven, and I will show you the man' (which appears on the title page of this book), is tested in *7UP*. It does not meet the test very well. Hardly anyone at 42 is quite what we might have expected of the seven-year-olds. Andrew, certainly, followed his self-ordained path to Cambridge and the law, but married Jane – not, as she says, 'a haughty deb; [but] a good Yorkshire lass', which is, she thinks, 'what he wanted'. Suzy, at 42 full of repose, raising her children without a nanny and now a grief counsellor, is hardly recognisable as the nervous 21-year-old, whose future seemed rather doubtful. Jackie, who at 28 was 'far too selfish' to have children, at 42 has three – all the centre of her life as a single mother. Bruce, who at 35 was still unmarried and seemed likely to remain so, was at 42 happily married to Penny. Most remarkable, perhaps, Neil, whose fate at one time seemed almost inevitably tragic, has emerged at 42 re-engaged with life as a purposeful Liberal Democrat councillor, a resurrection assisted by Bruce, the Good Samaritan he always wanted to be. It is probably Tony who best suggests how unexpected 'typical' people can be. Tony is sociologically and politically the central figure of the group. He personifies 'Essex Man': an East Ender who is geographically mobile, who lives in some style and likes it, who takes an annual golfing holiday with his mates to Spain, and who is undoubtedly a 'lad'. It was men like Tony whose allegiance in the 1980s the Conservative Party tried so hard to win, and who were thought, not unreasonably, to be the central element in Mrs Thatcher's electoral victories. But Tony is much more than just this. He is the unsuccessful apprentice jockey 'whose greatest fulfilment in life', nevertheless (even though he came last), 'was when I rode at Kempton in the same race as Lester Piggott . . . Proudest day of my life'; the would-be actor who is seen taking a small part in *The Bill*; and, most surprising of all, the 'Kennedy fan' who can recite all Kennedy's speeches. For his fortieth birthday Tony's wife, Debbie, took him to America, where at Kennedy's grave he recited a prayer. It is perhaps because 'Essex Man' was so much more interesting and intelligent than the rather contemptuous image the Conservatives had of him that in the end he turned so savagely against them. *7UP* is the story of 11 very different human beings, but that they are so intelligent and do at least in part realise what they take to be their potential is due to the widening, if still incomplete, democracy of British life. That they all recognise this and would not want it otherwise is what makes *7UP* such an optimistic book.

EDITOR'S NOTE:
by BENNETT SINGER:

This book would not have been possible without the cooperation of the men and women who have been part of the *UP* series since its inception. Their words, gathered over 35 years, form the basis of this collection; while interview transcripts have been edited for clarity and condensed in light of space limitations, they are presented here in a question-and-answer format to preserve the spirit in which these conversations took place. Each of the interviewees reviewed his or her chapter, corrected errors in transcription, and answered queries; many also supplied photographs. For these contributions – and, more generally, for participants' willingness to share their personal stories with readers of this volume – I am deeply grateful. (Of the 14 original participants in the series, three – Peter, John, and Charles – chose not to be interviewed for *42UP*.)

Claire Lewis, producer of *42UP*, provided invaluable assistance at every step of this project and was always available to answer questions and offer advice. Much of the inspiration for this book came from the British companion volume to *35UP*, edited by Claire Lewis and Kelly Davis and published in 1991 by Network Books of London.

Elaine Collins of WCA Licensing was instrumental in making this book a reality; thanks, too, to Arabella Woods of WCA for providing expert assistance. Additional thanks go to Elvene Morris and Nula Goss of Granada Television for helping with clearances, and to Kim Horton for his guidance and support. At The New Press, Diane Wachtell conceived this project and lent her keen editorial eye to shaping the manuscript; it was, as always, a pleasure to work with her. Greg Carter offered tireless assistance on a wide range of editorial matters, while Greg Stevenson provided much-appreciated help in preparing the manuscript.

Finally, my gratitude goes to Michael Apted and his assistant, Jeanney Kim, for their many contributions to this book. Without their support and involvement, this companion to the *42UP* film would not have come to fruition.

7UP

TONY

'The poverty was there,' says Tony, recalling his childhood in London's East End, 'but I never knew what it was. I would honestly say I had more than some other kids. You know why? Because I had adventure.' Swimming in the canal at Victoria Park, playing hide-and-seek, making regular Saturday pilgrimages to the movies, climbing over walls and drain-pipes — these were among Tony's early exploits. Until he was five, Tony shared a bed with his older brothers Johnny and Joey; when the family moved to a flat in Waterloo Gardens, Tony and his brothers each got their own bed — but instead of blankets, they used old coats and jackets to keep warm.

Tony's father, a porter at a butcher's shop, went to prison for two years after he was convicted of stealing meat. 'I remember once asking Mum where he was,' Tony says, 'and she said he was building huts for the Germans!' Following his release from prison, Tony's dad immersed himself in gambling, with limited success. When the Walkers faced particularly hard times, Tony's mother took family items, including her iron, to the local pawnshop.

As a five-year-old, Tony earned half a crown per week by working at a local fruit shop. He attended Mowlem Street Primary School, where he was one of 30 students in his class; on Sunday, he went to bible study at Mildmay Mission. Even there, he managed to find adventure: 'All the kids used to line up for orange and a biscuit,' he remembers, 'and I'd go round twice, wearing some other kid's coat and standing on tiptoe.'

TEACHER AT MOWLEM STREET PRIMARY SCHOOL: Would everybody please sit round now and get on with their work? I don't want to see any backs to me. Tony, do you hear as well? Get on with your work in front. Tony! Don't turn round again.

Q: **Tony, do you think it's important to fight?**

TONY: Is it important to fight? Yes! The poshies . . . 'Oh yes, oh yes, oh yes.' They're nuts. Just have to touch them, and they say, 'Oh! Oh! Oh!'

Q: **What do you want to be when you grow up?**

TONY: I want to be a jockey when I grow up. Yeah, I want to be a jockey when I grow up!

14

At 14, Tony was working as a stable boy.

TONY: My dad got on to Tommy Gosling, and Mr Gosling told me I could come here [to his racing stables at Epsom] for every school holiday and learn a bit more. Next April, I'll be leaving school and I'll work for him for good.

Q: **Did your parents encourage you to do this?**
TONY: Yes, they're pleased with everything I'm going to do. They always have wanted me to be a jockey.

Q: **Why?**
TONY: The enjoyment – just saying, 'My son's a jockey.'

Q: **What will you do if you don't make it as a jockey?**
TONY: Well, I don't know. If I know I couldn't be one, I'd get out of the running – I wouldn't bother.

Q: **And what do you think you would do then?**
TONY: Do a line on taxis – a taxi driver.

Q: **What do you do in the evenings?**
TONY: Go dog-racing, sometimes. I go in there for something to do at night. I don't usually go out much at night – stay in and watch telly.

Q: **Have you ever been abroad?**
TONY: Austria.

TONY

Q: **What was it like?**
TONY: Not bad.

Q: **Would you like to travel?**
TONY: No.

Q: **Have you got a girlfriend?**
TONY: No.

Q: **Would you like to have a girlfriend?**
TONY: No.

Q: **How much money do you spend in a week?**
TONY: Well, my dad gives me about two pounds a week, and my mum gives me about 30 shillings and my brother gives me some, and Mr Gosling gives me four pounds pocket money every week.

Q: **What do you think of rich people?**
TONY: Well, they can get what they want, can't they? They can just ask for money and they get it. They can buy what they want.

Q: **What effect do you think it has on them?**
TONY: It spoils them, doesn't it?

21 *At 21, Tony had given up a career as a jockey and was studying to be a taxi driver.*

TONY [pointing to photograph]: This is a photo-finish, when I rode at Newbury. I'm the one with the white cap and I was leading a length and a half for third place and I had a photo-finish, so I took it out of the box and kept it as a souvenir.

Q: **Do you have any other pictures of you as a jockey?**
TONY: Yeah . . . I've got a lot of 'em.

Q: **Tell me about them.**

TONY: That one is when I was at Windsor. That was my last ride on the old horse – a lovely old horse. I'll never forget him.

Q: **How many rides did you have?**

TONY: Only three.

Q: **Why was that?**

TONY: Well, obviously if I was good enough, I would have had more. That was the first day I ever put on my silks. That was my first ride ever.

Q: **What did it feel like?**

TONY: What did it feel like – there are no words that can explain how I felt!

That one was going into the parade ring – they're not very good, my brother I mean, at taking photos.

Q: **Describe the feeling. Go on.**

TONY: Describe? Well, I mean, Frankie Durr, like, he was told to look after me. I went in there, I said, 'I don't know, my first ride,' and he said, 'All right, don't worry – the Governor's told me to look after you.' And so I was standing there in my silks and I felt good, you know. I could see all the faces – Geoff Lewis, Frankie Durr – and I thought to myself all of a sudden, I'm in the same room getting changed! So I walk in the parade ring and all my family's there, all saying, 'Go on, Tony!' and the Governor come over and says, 'You've got to do this to the horse, you've got to hold him back, you do half pace, keep your hands down, keep him in the rails.' And I'm going, 'Yeah, yeah,' and nod, nod. Then all of a sudden when he says, 'Jockeys, please mount,' and the bell went ding, ding, then I thought to myself, Here I was yesterday, sort of nobody, and here I am today – I'm the king, right? I felt like a king for one day – well, for ten minutes.

Q: **Do you regret not making it?**

TONY: Well, I would've given my right arm at the time to become a jockey. But now, well, I wasn't good enough; it's as easy as that.

Q: **And what will you do now?**

TONY: I will be a cab driver – well, how can I fail? I've got one brother, a taxi driver, pulling me, and the other brother pushing me – I've got to make it. I will be a cab driver, I know I will, and I want to prove any person who thinks I can't be a cab driver wrong and get that badge and put it right in their face just to tell them how wrong they can be and how underestimated I am.

TONY

Q: **Apart from learning all the London streets for the Knowledge, how do you spend your time?**

TONY: Three afternoons a week I place bets for the punters at Hackney Wick Greyhound Stadium. I go out here and I earn my money. It's my sort of living, I can say, until the time I am a cab driver. You know what I mean, the freedom's here and that is the main thing I want.

If your father gambles, he gambles. Some people drink and they can't get out of drinking; some people smoke and they can't stop smoking. But I think I'm certainly on the ground with the gambling. I know you can't win gambling, putting money on the dogs and horses, I know that – but when you put other people's money on, well, you can't lose.

Q: **What do they call you here?**

TONY: I reckon a pest, or something like that, because I'm always running and sort of doing everything that I shouldn't be doing. I mean, I thought I was going to get barred one day because I used – Oh, I don't mean I make a nuisance of myself to the other patrons of the place. I mean, they wouldn't want to see a little boy nip in between their feet, running, putting a bet on here for a race, you understand? They'd say, what's he doing, is he mad? I mean, I walk up there and I order the tea. There could be eight people in front of me and I just go, 'Can I have a tea, please, tea, please' – five times – 'tea, please, tea, please,' and they've got to serve me to get rid of me, you understand? That's how you've got to do it, just keep on and on and on, and they go, 'You're driving me mad, here you are, get rid of him.' It's as easy as that.

That's the way to get on in life, just be annoyance, annoyance all the time to a person and they go, 'Oh, you're driving me mad, get him away from me,' and then they, more or less, they give you the first option.

Q: **You're very short. Has that been much problem?**

TONY: Well, a bird said to me the other day, she said, 'Ain't you small?' So I said, 'But you're ugly. At least I can grow.' Now what can they say to that? They can't say anything, can they? I looked at her tits, she was only about a 30, I said, 'Well, you're not too big either, so we're both in the same way.'

Do you understand the four Fs? Find 'em, feed 'em, forget 'em. For the other F, I'll let you use your own discretion. I mean, this one [girl I met], I done the three Fs, but I couldn't forget her. It sounds silly, but it's the only way I could put it.

5

Q: **Tell me about your family. Are you fairly closely knit?**

TONY: Well, I love 'em all. There's not one I don't love more than another, other than my mum, obviously, for your mum is the root of the sort of tree. You love your mum best.

Q: **What do you like about living in the East End?**

TONY: There's nothing false, only the police [laughs]. I'm firmly placed and there's no way I can see getting out. I wouldn't want to get out, really. It's very hard to make it in the East End. I've got my roots firmly stuck in the ground and I'd have a big hard pull to get 'em out.

Q: **Are there many villains in the East End?**

TONY: There have been in their time, I suppose. The originals were the Kray twins: they used to live here in a house they used to call Fort Barracks because it was that hard to get into, I expect.

Q: **Do you have much to do with villains?**

TONY: I can't say I have much to do – I wouldn't say I was a villain myself. I don't go thieving or do anybody any harm, frightening-wise. I think I can say that. Wherever you go there's villains; whether you mix with them or not – I mean, it's up to you.

Q: **Does it worry you – the possibility of becoming one of them?**

TONY: How can I become a villain? If it's not in me, if it's not born in me, how can I become one?

Q: **Don't you think you're going to regret not having an education?**

TONY: Where does that come into it? It doesn't come into it in my mind. Education is – it's just a thing to say, 'My son is higher than him,' or 'My son had a better background than him.' I mean, I'm as good or even better than most of them people, especially on this programme. I mean, I'm one of the tail-enders, you think – the East End boy, ain't got no good education. Then all of a sudden the East End boy's got a car, a motor bike and he goes to Spain every year and whatever. And did I work for it? No, I'm here putting bets on and you think, How does he do it? And there's a boy who's at Eton or whatever, he's studying to be a professor, he's making up things – where's the education? There's no education in this world, it's just one big rat race and you've got to kill the man next to you to get in front of him.

Q: **What do you think about trade unions and things like that?**

TONY: I don't rightly know – I don't know enough to know about it. I mean, I'm not a politician, so let them worry about what's coming for the next day. All I understand is dogs' prices, girls, Knowledge, roads, streets, squares, and Mum and Dad and love. That's all I understand and that's all I want to understand.

Q: **What's your ambition for the future?**
TONY: There's only one ambition, really. I want a baby son, and if I see my baby son, then I'll see my ambition fulfilled. No one knows that – only you now.

28

At 28, Tony was working as a taxi driver in London and taking acting lessons. He had married Debbie, and the couple had two children.

TONY: I love being a taxi driver. I like the outdoor life, the independence. There's no one to govern me, to say, like, 'You've got to be in at a certain time.'

It's surprising who you pick up. I once met Kojak; I picked him up and Warren Mitchell [the actor who played Alf Garnett in the television comedy series *Till Death Us Do Part*]. And I said, 'Hello, Warren. How are you, mate? Good to see you.' So he ends up sitting there and we go to the Langan's Brasserie, you know Stratton Street, Langan's. So halfway there I said, 'Listen, Warren, it wouldn't be you if you don't sort of come out with Alf. Let's see how he's going.' So straight away he brought Alf Garnett to life in the back of my cab. We were on the way to Langan's, you know, and all I can hear is Alf Garnett, you know: 'It's the Labour Government and you let up here.' When we get there, I said, 'Thanks, Warren. Terrific, mate. One eighty.' So he gave me exactly one eighty. 'Listen,' I said, 'I know you're Alf Garnett, I know you're having trouble,' I said, 'but you've become Warren Mitchell now . . . my tip . . . 28 pence, whatever.' He said, 'Son,' as in Alf Garnett still, 'you know Alf's doing bad at the moment. I can't afford it.' He walked away. He done me like a kipper.

Q: **What does it take to be a good cabbie?**
TONY: Happy-go-lucky character – and to take as much as what any other person couldn't take in a normal job, because it's a big world out there and everyone's a different character that I pick up. Their attitudes, some of them, like the City gents, the typical 'Waterloo, driver, please, in five minutes.' I sort of say, 'Hold on, mate, I'll get my helicopter out of the boot.'

Q: **Debbie, what is it that you love about him?**
DEBBIE: I like his personality. It doesn't matter who it is. He don't change for nobody.

Q: **How did you meet?**
DEBBIE: I used to work in a pub just on Friday nights. Barmaids, barmaiding, and then from there one night I went to a discothèque. He was in the pub earlier on, and afterwards we went to a discothèque and Tony was standing there and that was it. I couldn't get rid of him.

TONY: Bee round honey, you know.

DEBBIE: We've got two children. Nicky's six and a half, Jodie's two and a half, nearly three, and I'm having another one in March.

Q: **Who looks after them, or do you share it out?**
DEBBIE: Me, basically, yeah. He does take them out quite a lot, but telling-offs and smacks is all left to me. I have to do all that. He don't like smacking them; he don't like telling them off. Unless it's really serious, then he would.

Q: **Do you want for the kids what you had in terms of schooling and everything?**
TONY: You're talking about my childhood, five years old, upward to seven, eight, nine. I had no money, my father had no money. I had my brother's clothes for ten years, his hand-me-downs, sort of going on my arms with holes in the sleeves. I never had any opportunities to better myself, 'cause I was a kid – I never knew no better. My dad's got ill health; he couldn't work. I'm not making a violin story out of this; I mean, that's the way it was. I'm stronger it happened that way. I'm a stronger person. I appreciate things more now. And now I'm in a position through my job to give my kids the life that I never had, like lovely clothes – I go on holidays, I go to Portugal, I go to Spain, hopefully America next year. I mean, I want everything I never had to go on my kids. To let them know the benefits of a nice life, what it's all about.

When I said [in *21 UP*] there's no education – yes there is an education. I made a great mistake in saying that, but I didn't mean to say there's no education as far as academically. Yes there is. The area, the environment. And education makes a person have more opportunities in this world, that's obvious.

Q: **What advantages do you think you've had over some of the other people that we've filmed?**

TONY: Academically, probably they've had more advantages over me – they've had prep schools at a very early age, you know, they've benefited by it, which, you know, it tells obviously in this film. But as far as stability and the background with their parents, they've missed out on that.

Being in the prep school, they're missing the love and the care, what every East Ender always gives their children each time they come home from work. And the parents, you know, sometimes obviously are not going to be there because they're away at prep school, they're missing the love and affection what they're craving for. When my kids are growing up, I want to see the change in them all the time so I have my own memories of when they was a kid and how they were, you know, and what they were like.

Q: **What do you do in your spare time?**

TONY: I'm in two golf societies, and each month all the members of each society meet to play a game of golf.

Q: **And who are the guys you play with?**

TONY: They're mostly publicans or taxi drivers and others, you know. And we always have a small bet.

Q: **Do you like the whole social side of it?**

TONY: Only with my mates, because on the golf course it becomes very snooty type, you know. I mean, I understand they've got to pay £400 a year membership and they don't, you know, really want people without any etiquette to go on the golf course and ruin their so-called golf course, right. It does get a bit of a pain sometimes when they keep saying, 'Excuse me, sir, are you a member?' It comes out like that. Obviously etiquette's etiquette, so you've got to conduct yourself on these type of courses.

Q: **What excites you about acting?**

TONY: I like it. I think to myself, I can do that. I sort of want to have a go at it. I mean, nothing for fame and fortune or anything like that. Big Hollywood and bright lights. It's nothing like that; it's just a sideline.

I've been a film extra now for six years and it may not go no further; I mean, I'm just having acting lessons. I was in *The Sweeney* and *Churchill: The Wilderness Years*. I see the actors and I thought, It's not quite easy to act on stage, 'cause you need time and dedication and it's very hard.

Q: **How long are you going to be a cab driver? Is this what you want to do for the rest of your life?**
TONY: Well, at the moment, I'm very happy in driving a cab, but my wife and I always considered owning our own pub, so obviously I think within two or three years, once I get financially straightened out, I'm going to have a go at being a publican. And if I don't like it, say if I give it a go for a year or even six months, if I don't like being a publican, I'm in a good position to say, 'Well, I'll get rid of the pub and go back to taxi driving.'

Q: **So what drives you then through all these various ambitions?**
TONY: The philosophy of not keeping still. I mean, I'm a very overactive type of person. I like to feel that I don't want to keep still, 'cause life, you know, don't wait for nobody. You've got to cram it in, as much as you can, before your days are numbered. I'm an East Ender, which the attitude is 'Hello, mate, all right, how are you?' type of thing, and I wouldn't want to lose that.

I've learned through driving a cab that people are individuals, whatever they are – upper class or middle class or, as in my case, you know, East Ender. But I'm glad, you know, that I've found out the difference at an early age. So I can judge people on what they are rather than who they are.

Q: **What are the best times for you?**
TONY: Well, two, really. The best time was when the first baby was born; and the next one, obviously, Jodie. But my greatest fulfilment in life was when I rode at Kempton in the same race as Lester Piggott. I was a naïve, wet-behind-the-ears apprentice and the Governor told me, 'You've got to ride, son, Friday. You've got to lose x amount of weight,' which I did – eight pounds in four days. And I go in there and they're all there, you know, and I'm part of it. All my years from seven, all my ambitions fulfilled in one moment. When the long fellow come out and I'm in with him – like in the same room – the starters call out the register, the names. And they go like, 'Piggott-draw-eight,' 'Walker-draw-ten,' and you're there and the big man's there. Money in the whole world

couldn't buy that. Proudest day of my life. My ambition fulfilled to the highest level. And I eventually finished last – tailed off, obviously, but it didn't make any difference to me. Just to be part of it, be with the man himself. Couldn't buy it. That was the proudest day of my whole life.

35 *When 35UP was filmed, both Tony and Debbie were working as taxi drivers and living in the East End with their three children.*

TONY: The most important thing that's happened to me in the last few years was the death of my mum. It was February the ninth, exactly ten minutes past nine. Mother was having her last – well, at the time we never knew – her last breath, and she just died with me holding her hand, and it was the worst moment of my life. With respect to Debbie, she was and still is the best girl in the world. I'm sorry, but East Enders, they're all close to their mums. My mum – and I have made it clear from when we done 21 – I just loved her. That's why. That's what I think, isn't it.

I know the old man, he died there and then, but he walked around until September this year.

Q: **When you buried him, what did you put in his coffin?**
TONY: I put three cards, and I put crown-and-anchor dice, oh, and a betting slip and a pen. 'Cause that was my dad's whole life. I'm at the graveside, I'm talking to her, I've got all images running through my mind, saying like, 'Tony, go downstairs and get me five weights, you know, one and a penny,' and I used to go in the shop, she used to throw the cotton in a hair curler over the landing and I used to tie the cigarettes on this bit of cotton and she used to pull 'em up and you'd see her in the end. 'Thanks, Tone, see you after school. Be good.' And that's the way it was, and all little things like that. Mother having a drink in the pub, singing.

Q: **You've had a third child since the last filming.**
DEBBIE: I was expecting on *28UP*, wasn't I, when you were filming, but I lost that baby. I didn't feel that I could have any more. I really didn't want any more. But anyway, I did, and I had Perri. They are naughty, very naughty. They're the naughtiest kids I know. Nicky's like, he's more placid; but Jodie's like how Tony was when he was seven. I do discipline 'em, you know, I smack 'em, I put 'em in their rooms, I take things off of them. I discipline them, I do it and he undoes it. So I'm fighting twice as hard with 'em. It makes it harder for me 'cause he's too soft with 'em.

Q: **Why do you think you're too soft with them?**

TONY: 'Cause I love 'em so much.

Q: **Do you bring them up the way that you were brought up?**

TONY: The upbringing I had I saw more dinnertimes than dinners without any question. It's never done me no harm.

DEBBIE: I wouldn't have got away with my parents what my kids get away with me.

TONY: Yeah, but in saying that, you do give 'em everything possible. All these designer clothes type of thing, the naff gear and Reebok trainers. Now my Nicky plays football and she'll say, 'Oh, Nicky wants some trainers. Have you got 70 quid?' and I'll say, 'What? 70 pounds for a pair of trainers? Hold on, there's a stall round there, same quality trainers, for 25 pounds or something.' She'll go, 'Twenty-five pounds! Oh, no.' She'll say, 'He can't go to school wearing that rubbish.' She'll give 'em everything. Got an old bike wants a chain putting on and a few nuts tightening or whatever. 'Oh, can't have that bike, get a new one.'

DEBBIE: Only 'cause you don't put the chain and bolts on.

TONY: Oh, I'm not having that one . . .

DEBBIE: I think you got to work at a marriage. I think all marriages go through stages: You can't stand each other. You think, Oh God, I hate him. I wish he'd get out. I do and I'm sure he does about me.

TONY: I been in positions, you know, and it's hard to say in front of Debbie, but it's true, it's tempting – you take the bait. I go on holiday once a year with the boys type of thing, to Spain, Magalouf, and we have a golf holiday. All against Debbie's will, but it's true, I get in situations out there that, you know, life is for living. And I come back, 'Oh, I know what you've been doing out there, you've been meeting all them birds,' and whatever and they look at you as if to say, 'I know, and I don't want to know.' That's how it is.

DEBBIE: Who's to say in another ten years me and him might have split up?

TONY: Quite possible.

DEBBIE: You know. You don't know.

Q: **If you were to break up, what do you think it would be over?**
TONY: Yeah, I think it'd be the other party. It wouldn't be for the kids, 'cause the kids, they're everything. I mean, it'd break my heart knowing that another man could come in here and bring my kids up.

Q: **Tell me about your daily routine.**
TONY: Debbie's working in the day, so she'll be on her way home by four o'clock. The kids'll be coming home for tea. Debbie'll stop the cab outside, come in and cook the dinner. Then I'll sit down with the kids till about seven-whatever, then I'll start the cab up – 'cause we work the same cab – and I'll go out to work till one until it goes again.

Debbie's got a great mind. She done the Knowledge – my wife and my sister did it together – in less than two years. For a woman with three kids, the pressures, running a family, that's remarkable.

Q: **Does he do his fair share of the housework?**
DEBBIE: No, he doesn't do a thing. He doesn't even bring a cup from one room to the other. I do everything.

TONY: Sounds awful, dunnit? I'm not chauvinistic, don't get me wrong, you know, it's not a question of that. I've a very luxurious life indoors, right? And I'm not proud to say it or ashamed to say it; I'm just the way I am. I mean, I work as hard as I can outside, and when I close that door the feet go up and I feel I deserve a rest.

Q: **What's it mean to you when you see the girls on a horse?**
TONY: There are times you look at them and you see yourself in 'em all the time. When I was a kid, right, no one ever, ever showed me how to ride a horse. I had to go out and do it myself. When I see 'em riding, I'm sort of like, 'Oh, I taught 'em that,' and I see 'em doing this and I show 'em in another way. Then once they learn it, I sort of like pat 'em on their bum, sort of put 'em on automatic pilot, you know, and they're on their own. But that's what life's all about, isn't it? Giving your kids all the opportunities that give 'em the benefits that you never had.

Horses were my whole life, flesh, blood, in my veins, the smell – everything.

Q: **What became of your plan to open a pub?**

TONY: We did eventually get a pub, about 18 months after, wasn't it? And we went in partnership with my brother-in-law, and I saw the pub going in one direction, he saw it going in another one. And after about eight months or a year, wasn't it, we decided to call it a day.

I've always said there's never ever a thing in my life I've never set out to do that I've never achieved. I wanted to be a jockey; thank God, I rode in a race with Lester Piggott and I did it. I wanted to be in the film game, and I got in it – working with Steven Spielberg for two weeks on one of his films. I made it happen on my terms, and no one can say, 'I helped him,' and I'm a lot stronger in that respect.

Q: **But you didn't pull it off. You didn't pull being a jockey off, you haven't made it as an actor, you didn't pull off the pub.**

TONY: Well, it's better to be a Has Been than a Never Was, isn't it? My ambitions have gone out the window now 'cause I'm running a family, I'm playing a role now. That is my role in life, I feel, but in saying that, coming to the age of 35, I've done everything what I wanted to do. I've got no regrets other than not making it as a jockey; that is my only regret, but we all live on dreams sometimes. If they don't come off unlucky, you go again sometime.

At Hackney Wick racing stadium.

42

Q: **How does it feel to be back here?**

TONY: This was definitely the best running track in London. I look around the Wick and I can still close my eyes and I see all the voices of the bookmakers, and I got visuals of me runnin' up and down the stairs, tryin' to earn a few quid runnin' all the bets.

I used to earn my money here, as you can understand, and I come here now and, I mean, it's just bare. It's like a Sunday market, would you believe! It's really a travesty what's happened here – it's two years since they stopped the basin at the Wick. I mean, it makes you feel like cryin'.

Q: **So the East End's changing, isn't it?**

TONY: Very much so, very much so. I mean, it's the way of the world. It's very cosmopolitan now, Bethnal Green in the East End. The mash shops and fish-

and-chip shops are closin' down, and for me it's quite sad. I mean Hackney Wick was my hunting ground. It's where it all happened to me.

Q: **And you've moved out of the East End yourself.**
TONY: Well, we moved from Islington to Woodford in Essex and had a change of house. And it has been quite stressful up until the time we moved, and it took a long time to settle – but in the last three years we've settled and it's been okay.

I love my East End, you know – my roots and my people are there and everything to me, and I'm quite proud to be an East Ender, but I'm glad I am out here because I have got my own kids now and I don't think the East End now is the place to bring my children up.

The kids are happier here. I mean the schools in my opinion are better. That's not a criticism for the schools in London, but that's just the fact of how I see it now. Also I am a footballer, I play golf out here, I'm a referee, a football referee, and my referee matches are out in Essex. So it is really at arm's length. But mainly, most of my East End friends have all moved out from the East End. So really now it is home from home.

Q: **You've done well, haven't you?**
TONY: Well, I've always been the East End boy trying to make good. I mean, you have aspirations, don't you, and some work out and some don't, but I put all my energies in this house and I feel it's took a lot of strain on my marriage and my wife and we are getting there slow but sure.

I've tried to succeed in life. I mean, you don't want to scrape when you have your children. You just go to a sort of elevated section, and you just try and better yourself all the time. I am not trying to keep up with the Joneses and make myself any more than what I am capable of doing. I know what I am. I am an East End boy, but the only thing is once you get your children, your energy is to them, trying to give them a better education. They got a leg up out here from me, and that's what I like to feel I've done for them.

Q: **Why did it put strain on the marriage?**
TONY: Well, I think we overspent a colossal amount – thousands. And with my time being in the cab and the bank and everything else, you know I had to create a happy medium and my time is not in the house. My time is in the cab working to pay and I've got about another two years to go before I finally settle up.

Inside the house, with Tony and Debbie.

Q: **So what have you done in here, Debbie?**

DEBBIE: Well, when we bought it, it was very old. This was two rooms and we've knocked it completely out. Refitted a kitchen, put all new windows in, new flooring, literally everything really. This here was like a little galley kitchen and it had a wall. And it was really, really antiquated. It was like something out of the '60s, so we just really sort of tore it apart.

Q: **And how are the girls doing?**

DEBBIE: Jodie [now 16] don't like school. I do feel that she's wasted a lot of years in her secondary school. I'm not saying that it's the school's fault. Probably a lot of it is her own fault, but you know we have tried to be firm. We have tried to push her into it. She's just, I think she's a bit how Tony was. She's just not interested in school, which I feel she'll regret later on. So she's ready to leave school. She's thinkin' she wants to go to college in nursery nursing.

TONY: She loves children.

DEBBIE: And Perri, she's just started secondary school. She's a character but she's quite academic minded and hopefully she'll stay on.

TONY: An example with Perri's education. We bought her a computer last year for her Christmas present. I mean, computer – it sounds so affluent, but you know.

DEBBIE: Well, we can't work it.

TONY: And I get on the computer and I said to go up Cinemania or Windows or whatever it is. And I'm sort of typing in the keys with one finger and I say to her if I'm missing something. Perri come up here and she goes, 'What do you want to see?' And I go, 'I want x or y.' 'Yes, I'm a shorthand typist,' and she's sort of 11, you know. Could get a job tomorrow probably in a secretarial course, you know.

Q: **Do you see yourself in the girls?**
TONY: I can with the elder one. The elder one, Jodie, without question I feel is a carbon copy. I think that if she was a boy, it would've been nearest to me, if you can imagine. But the other one, I mean, she's very giving . . .

Q: **So how's Jodie like you?**
TONY: Well, I'm not proud to say the fact that I'm quite selfish, I think she takes after me in that respect, and I think the frustrating thing about it is you try to tell her to go right or wrong in life and you know it's sort of they are off like rockets . . . and they're gone. But they don't really take things and you can't really be behind them all the time, and that's the frustrating point. But she's a free spirit and I've got to let her run at this present time. But all I hope is that she grows up very quick.

Q: **What about the other two?**
TONY: Nicky, he's quite settled now and it's nice to know. He's got his own flat now and he is living in North London. He's with a young girl and he's been with her for six years, so he's quite settled. I wanted him to go on the Knowledge and become a cabby. I bought him a bike. But he's his own man now, he's what, 21 himself, and I'm quite proud of the way he's turned out. I mean, he's a very respectable kid. Very respectable towards people and most of all, he's done it all on his own terms. He's also got a good job as a French polisher and he's doing quite well there and eventually, hopefully, with my help he'll own his own business.

Q: **Tell me about Perri, your baby.**
TONY: Well she's very unlike me as far as being unselfish. She takes after Debbie in that respect. She is very giving and very caring and I am really proud of her this present time as she's going into her character. She's got a beautiful character.

Q: **So does this cost a lot of money?**
DEBBIE: Yes, it has cost us a lot of money to do it – yes, a lot of money.

Q: **Was it worth it?**
DEBBIE: I like the house and I'm quite pleased with what we've done to it, but sometimes I just think, I do sometimes ask meself, Has it all been worth it?

'Cause we had a lovely house in Islington and this has been like a lot of sweat and tears for this house. But yes, I suppose at the end of the day, it will be worth it.

Q: **Why did you move?**
DEBBIE: Well, that was Tony's idea, actually. He just seemed to get this bee in his bonnet. Jodie was ready to start secondary school and we didn't really like any of the girl secondary schools, and so we started lookin' out this way and the schools were better out here than in Islington. It's not done Jodie no good, 'cause she don't like school anyway.

Q: **So Tony was right?**
DEBBIE: Well, yeah, he was right. But as I said, with Jodie it hasn't made any difference. Nicky had left school, so the only one who might benefit is Perri. She goes to a really nice school. She is more keen to learn and more interested in school than what Jodie was, so hopefully . . .

Q: **Did you let him make the decision or did you actually just sort of figure it out together?**
TONY: You've got me – it was my decision. I mean, it took a very bad strain on our marriage for the first 18 months.

DEBBIE: Yes. I think you know we was sort of in a dilemma anyway seven years ago – sort of 'what do you do?'

Q: **What dilemma?**
DEBBIE: I just think everything was sort of going through a rocky stage. You know, our marriage was going through a rocky point, and it was sort of like we've got to get it together or we part company.

I wasn't very happy in *35UP*, I don't think. I wasn't very happy with the way my marriage was or the way things were going between me and Tony at that time. And it could have been very easy just to part company, and then we just sort of talked about what we felt and what we wanted to do.

I think you get too used to each other and you take each other for granted, and things was gettin' borin'. There was no me and Tony – it was just like going to work, come home. He'd go to work, he'd come home.

TONY: Ships in the night.

DEBBIE: Yeah, and it was getting to us and I wasn't very happy, and after a little while we sort of talked about what we felt and what we wanted to do. You know, did we want to split up which obviously . . .

TONY: I mean, even now we've been to the edge of the cliff and looked over a couple of times, and we've always seemed to sort of go back and we've sort of staked a course. But I must say, I mean, it's not easy bein' married. You know, everyone thinks it is. I mean, it's quite difficult.

DEBBIE: It is difficult because you've got to work at it, and you are a selfish person.

TONY: I'll hold my hands up to that and I got really no defence on that. I mean, I do like my cake and eatin' it. And I'm not proud to say it, but then again it's the inevitable truth.

Q: **So are things better for you now?**
DEBBIE: Yes, they are better, a lot better than what they were. Still have our ups and downs and I still want to settle up and go home.

He hasn't changed. I think he's become more grown up in the last five years since he's moved out here. I think he's grown up a bit more, but he's still got to work on his selfishness, 'cause he is a very selfish person.

Q: **Have you ever thought why you are like that, why are you selfish? Have you ever thought about the roots of that?**
TONY: I don't really know. It sounds awful but it's just the way I am. I mean, my mum spoilt me as a kid rotten. We never had no materialistic things, but I mean she gave me anything I ever, ever wanted and, I mean, it's carried on from there. My mum was an easy-touch type of mum. I always used to get everythin' what she could have gave me and ever since I've met Debbie I've not changed.

Q: **So you would have done it different?**
DEBBIE: Yes, I would. I don't think I should have waited on him the way I have done. And I can tell by my daughters, the girls' attitudes, 'cause they say to me, 'I wouldn't do that. Let him do it 'imself.' And really they are right. I've made my own rod for my own back really. I don't totally blame him for it, but I have done a lot for it meself.

Q: **Is money a big issue between the two of you?**
TONY: We work quite hard and any rewards we get, I feel we deserve 'em. And we have good lives, we have good holidays. But in saying that, my

overhead to keep everything going here at this present time is astronomical and that's what puts a strain on the marriage. Hence that I'm in the cab more time than I'm indoors, and wives, you know, they always want you indoors. Unfortunately, you can't have both. Something has to sacrifice.

Q: **Are you going to get out of this financial hole?**
TONY: Yes, without question, because this is a millstone round my neck at this time. But it's nothing what two years won't achieve through hard work and determination, and I hope to see a light at the end of the tunnel– with an understanding bank manager.

Q: **And what of your ambitions now as a couple?**
TONY: To make sure the kids are healthy and happy. That is the first and foremost.

Q: **Tony, how did you celebrate your 40th birthday?**
TONY: My wife took me to New York for a birthday present and I thought it was quite fortunate because I met the guy who does the camera on this programme, George Jesse Turner, on the same flight and it was a miracle, million-to-one chance. And we went on like a James Dean pilgrimage to see where he went. We went to the Actors' Studio, we went to the theatres where he acted. We went even to the house he lived, and the hotel he lived, and I went up and looked in there.

DEBBIE: And we went to Washington.

TONY: You may or may not know I am also a Kennedy fan and I recite all his speeches. And what I did, I went to Kennedy's grave and said a prayer, but I also went back to the spot where he recited his speech in 1961 on service to your country. And I recited every word, you know, off the top of me head.

Q: **Who paid for this trip?**
TONY: My wife. My wife. She worked hard and she knew it was my lifetime ambition to go to New York.

Q: **So are you both going to be cabbies for the rest of your life?**
TONY: Yes, I should imagine so. What we do, I've been doin' it now for 18 years and you've had what, seven years?

DEBBIE: Eight.

TONY

TONY: Eight years, yes. So, I mean, you know, we are settled in our ways.

Q: **Do you think the marriage is going to make it?**
TONY: There's been a lot of hurdles put in the way from the way I've been in my time. And I make no excuses for that, but all I can say is the fact that I hope to feel – I still love her as much as I did when I first met her. I'm responsible now in the fact that I got my family and I got to make sure I stay the course for the kids. I'm with them all the way.

Q: **Do you believe that, Debbie?**
DEBBIE: I believe he still loves me and I still love him. I wouldn't stay with him for the kids, definitely wouldn't stay with each other just for the sake of the children, because I think at the end of the day it overspills anyway and it rubs off them as well. But I think if you can sort of work a bit at it, and we do work together. We both work for the same things, and I think yes, you know we've had loads of traumas in our lives and we've got through them, so this sort of little hole that we're in at the moment, you know, I don't really see that that would split us up. I think it would have to be something a bit more than that.

Q: **Like what?**
DEBBIE: Well, I might meet a rich man.

Q: **Have there been other people involved in the marriage?**
DEBBIE: Not in my part, no.

TONY: I have often gone through life with one hand tied behind my back and my character – and I've been in positions and I've found myself caught in trouble. I'm not proud at all to say this but the situations arise . . .

Q: **Why did you forgive him?**
DEBBIE: Because at the time I felt there was still something in the relationship. You know, there was three children involved here. And he realized that he wanted his family and he wanted his wife and we've just sort of said, 'Well, you know, we'll try again.' It's not been easy to try again, to get over the hurt, because I've never done it and I've never been unfaithful and that's what I've found really hurtful, and I feel that I'm a good wife and I didn't deserve it.

TONY: Then again, never say cast the first stone. I mean it just doesn't happen with a taxi driver living in Essex. It happens with MPs, etc., etc. I mean, you know, I'm not gonna hide behind any trees and suggest I am holier than thou, which no doubt I am not. What I am suggesting is that this is what real life is all about. If I've been caught with my hand in the till, that's fair enough – I will pay the consequences.

SUZY

'I was a loner,' says Suzy as she thinks back on her childhood. At seven, Suzy was attending Lady Eden's, a fashionable day school in London, and living with her father, mother, and nanny in a flat overlooking Hyde Park. 'I can remember going to children's parties sometimes,' she recalls, 'but I don't remember having many friends in London.' Though Suzy did have three half-sisters, all were at boarding school or away from home by the time she was seven. 'For all intents and purposes, I was an only child,' she says. 'I was really brought up by Nan. She was always there for me and most memories of my early childhood include her.'

7

Q: **Tell me, do you have any boyfriends, Suzy?**
SUZY: Yes. He lives up in Scotland and I think he's thirteen. I'm rather lonely up there because he usually goes to school, but we used to play until about half past six when he comes home from school, and then we go in and then he goes home to do his homework.

Q: **What about after school? What do you do in your spare time?**
SUZY: Well, I go home, I go and see my mother, and I have tea and watch TV. And then I do my homework and I go and see my father.

Q: **And then what time do you go to bed?**
SUZY: Last night I didn't go to bed until seven.

Q: **Do you want to have children?**
SUZY: When I get married, I'd like to have two children.

Q: **Would you like to have a nanny to look after them, or do you want to look after them?**
SUZY: No, I want a nanny to look after them.

Q: **What are your plans for the future?**
SUZY: When I leave this school I'm down for Heathfield and Southover Manor, and then maybe I may want to go to university, but I don't know which one yet.

 When she was nine, Suzy and her parents moved to Scotland. She was sent to a boarding school in Dunkeld, and later to another boarding school in Sussex, returning to her father's 4000-acre estate in Scotland for holidays.

Q: **Tell me about your house.**
SUZY: It's quite small.

Q: **What sort of things do you do?**
SUZY: I swim, play tennis, ping pong, and I might play croquet, something like that.

Q: **What about the social life?**
SUZY: It's quite fun; there's lots of things going on.

Q: **Have you got any boyfriends, Suzy?**
SUZY: [Shakes her head.]

Q: **Which party would you vote for?**
SUZY: Conservative.

Q: **What do you want to do when you grow up?**
SUZY: I'd like to do maybe shorthand and typing or something like that.

Q: **What do you think about making this programme?**
SUZY: I think it's just ridiculous. I don't think there's any point in doing it.

Q: **Why not?**

SUZY: Well, what's the point of going into people's lives and saying, 'Why do you do this?' and 'Why do you do that?' I don't see any point in it.

21

At 21, Suzy was working as a secretary in London and sharing a flat with a friend from school.

Q: **What do you think about making this programme?**

SUZY: I didn't want to do it when I was 14. I know I was very difficult because I was very anti doing it. I was pressurized into doing it by my parents and I hated it, and I've vowed I'd never do it now, but here I am.

Q: **What has been happening since we last saw you?**

SUZY: I left school when I was 16 and went to Paris, then to secretarial college and got a job.

I came to London when I left school after Paris. At the moment, I could never live in the country. I'm happy down here. I mean the country is nice for four days to go for long, healthy walks, but I mean I could never live up there now.

Q: **What made you decide to leave school and go to Paris?**

SUZY: Well, I just wasn't interested in school and just wanted to get away.

Q: **Why did you choose Paris?**

SUZY: I don't know. It was my parents really.

Q: **Did you sort of feel the need to get away?**

SUZY: Well, I'd lived in London or Scotland, and I knew people who were going out to Paris and so I thought I'd go as well.

Q: **Have you travelled much?**

SUZY: I've been to Honolulu with my father about two years ago for a couple of months, which I didn't really enjoy. There's nothing much out there. There were no people my own age there, and I hated it and was glad to come home. Apart from that, I mean, I've been to France on holidays. I'm going to Australia in the summer for about two months; otherwise I don't know where I'm going to go. I'd like to travel more.

Q: **Why?**

SUZY: Well, I don't think there's any point sitting in your own country. I mean, I'd like to see how people live on the other side of the world.

Q: **Tell me about the Australian trip.**
SUZY: Well, I'm going in July for about two months with my cousin. Her eldest sister married out there, and we're just going out to see what it's like. We're not going to work out there, as we're only going for about two months. We just feel that if we don't go now, we never will. We've got the opportunity to go now, so we're going.

Q: **How are you going to pay for it?**
SUZY: Save up and go!

Q: **What do you think about babies?**
SUZY: I'm not very children-minded at the moment. I don't know that I ever will be.

Q: **Your parents split up soon after you were 14. What sort of influence did that have on you?**
SUZY: Well, any child going through their parents splitting up – aged 14 you're at a very vulnerable age and it does cut you up. You know, you get over it. There was no point in their staying together for me because it was worse – I mean the rows. It's worse. And if two people can't live together, then there's no point in making yourself, even for the sake of the children.

Q: **What's your attitude towards marriage for yourself?**
SUZY: Well, I don't know. I haven't given it a lot of thought because I'm very, very cynical about it. Then again, you get a certain amount of faith restored in it. I've got friends and their parents are happily married, and so it does put faith back into you, but myself, I'm very cynical about it.

Q: **Why?**
SUZY: Because it kills whatever love there is. It just seems to go wrong.

Q: **What do you base that on?**
SUZY: Well, people I've seen. People around me. I've obviously not got a lot of friends of mine who are married. There's a lot of people of say 20 to 30, they

all seem to be getting divorced and can't stay together. At the moment, I just don't really believe in it.

Q: **Why do you think people can't hold marriages together?**
SUZY: I don't know. I really don't know. I don't sort of sit down and think and analyse marriage. It's not a thing I've had to come up and think about that I was going to get married. I've got no desire to at the moment. I think twenty's far too young.

Q: **What do you want most out of life?**
SUZY: To be happy, get on with life. I don't want to sit back and let it all drift past. I mean, you don't know how long you've got your life for. I mean, you could be run down by a bus tomorrow. You've got to make the most out of it while you've got it.

When you're a child, you always think how nice it will be when you grow up, but there are times when I wish I was three again.

28 At 28, Suzy had been married for five years. She was living outside London with her husband Rupert and their two children.

SUZY: Rupert and I were friends for about two years. And I think the nice thing is that we knew each other very well before. We knew quite a lot of the faults of each other, which I think is very important.

I suppose 22 is considered quite young [to get married]. I felt it was the right time. I don't see what I would have gained by waiting another three years.

Q: **What gave you that feeling?**
SUZY: I just felt I was doing the right thing, which, as you said, was extraordinary when only about 18 months before I was very anti it.

Q: **Do you prefer living in this small village to life in London?**
SUZY: I had seven years up in London, I suppose, and it was fantastic, but I've just had enough. It's a much slower way of life down here. I'd had enough of the rat race.

Q: **What was the biggest shock to you when you were confronted with a small baby that you had to be responsible for?**
SUZY: Panic set in, I think. That I wasn't going to be able to cope.

Q: **Would you like to have a nanny to look after the children?**

SUZY: I felt that we'd taken the decision to bring a child into the world, and I feel that I wanted to bring him up, not somebody else. I feel it's my res-ponsibility to start him off; whether that will make any difference to how he turns out, I don't know.

Q: **Is it everything you wanted?**

SUZY: For the moment, yes. I mean, I don't think I'll have any more for the reason that I will get pleasure out of these two, but I can't see me going on and on with sort of four or five children. I think I feel that I'd want to move on and try and do something else.

Q: **Are you planning to send Thomas and Oliver off to boarding school?**

SUZY: I went to prep school boarding when I was nine. Rupert went at eight and we both hated it. I hated my prep school. I just feel it's too young to send a child off and we both feel we'd never send Thomas and Oliver off probably maybe until they are thirteen. I think eight is much too young, so we will definitely keep them at home.

Q: **Do you still want to send them in the private sector to school?**

SUZY: I think we will, yes. But as I said not till they're 13.

Q: **Why do you choose the private sector as opposed to the state?**

SUZY: I suppose it's what we had, it's what we know.

Q: **What's happened with your parents?**

SUZY: My father died three years ago. It's very hard to describe to somebody how you just take the loss.

It's terribly hard and even now I still can't believe my father's not here. It's still sinking in, I think, even after two and a half years. He was up in Scotland. It was in that very bad winter of '81 and we were literally snowed in and I couldn't get out. And it was three weeks before Thomas was born and I wasn't allowed to fly, no airline would take me, and the trains were blocked with snow, and so I couldn't get there. And I still feel guilty that I didn't try and get myself out of here and go, but, you know, when you're told you could endanger a baby's life, you have to rather sit still. The death of one of your close family is probably something you don't get over. It's a different kind of problem than anything else and it is hard to come to terms with. And it was really last year when it sunk in, that he really wasn't around any more.

Q: **It just seems a miracle to me – when I last saw you at 21, you were nervous, you were chain-smoking, you were uptight. And now you seem happy. What's happened to you over this last seven years?**
SUZY: I suppose Rupert. I'll give you some credit.

RUPERT: I'm now chain-smoking . . .

SUZY: No, I didn't know where I was going at 21. I suppose I thought I was reasonably happy at 21, but I had no kind of direction; no, I obviously hadn't found what I wanted. I don't think most people have at 21. I was still very young.

I think both of us probably were very sheltered. It's only having been abroad that you can appreciate more, that there are people who are very different, cultures are different. But I think as I was growing up, probably I was far too sheltered.

Q: **Do you have any fears for the future for yourself?**
SUZY: No, not so much for myself at all. I feel if I was going to have fallen by the wayside I would have done it by now. I think probably I'm too staid now to do that. But maybe I'm wrong.

35 *At 35, Suzy and Rupert had a third child – a daughter.*

Q: **What has changed in your life over the last seven years?**
SUZY: Very little has changed. My life is probably much the same as it was then. I've had another baby, we've moved house, and that's about all. Thomas is at a prep school now; he's a day boy now, which he enjoys. Oliver's at school and Laura's just started this week.

Q: **Tell me more about the children.**
SUZY: We didn't have a third child because we desperately wanted to have a daughter. I mean, there's no point doing that. But it was lovely when she was

a girl because I feel the boys will go off with Rupert fishing and stuff and I shall be left on my own – so it'll be nice to have a girl around the place.

Q: **This is a wonderful atmosphere to bring up children. Do you think in some way it might be too secluded and safe for them?**
SUZY: It could be. That's something that slightly frightens me, that it's a very cosseted life that they have here and they've got to hit the world at some point. I just hope that I can help them cope with it. It is the most carefree time of your life. I'm not saying it is for all children.

I hope by Rupert and I giving them a close family unit, that they'll keep their heads and won't feel that they're slightly lost like I did. Where I wasted time was in my middle teens and I think that at that stage I didn't care. I just let those years go, really; I drifted and it's too late now to look back.

Q: **Is discipline important?**
SUZY: Yes. It must be. I wouldn't want to bring up three unruly, rude children. I'd hate people to look at my children and think, Ugh, they don't want to have them for the day because they're so badly behaved and rude. But then you know some days you can spend your whole day just shouting at them because they're behaving so badly.

Q: **Tell me about your marriage in the last seven years.**
SUZY: I think you can't just walk through marriage and think once you get married it's all going to be roses and everything for ever, you know. Everybody has their rows, but we've never yet had a row that we haven't managed to sort out, and I reckon really we've got a pretty, pretty good marriage.

RUPERT: I was a partner in quite a big law firm and I resigned from that and set up my own company. I tend to specialize in refurbishing old buildings and converting them into offices.

SUZY: It was a very difficult time when Rupert was deciding to leave. He's got a lot of responsibilities with all of us and it's not easy just starting off on his own.

Q: **Do you ever worry that the roof might fall in and you'll be out of this and whatever?**
SUZY: Yes, it crosses my mind. Last year, it crossed my mind quite hard that we could lose this if things don't pick up.

SUZY

Q: **Tell me about your mum.**

SUZY: She was diagnosed before Christmas as having lung cancer, but she's strong, she's tough, and hopefully she'll pull her way out of it. She's just had a horrendous operation; she's still in hospital now, in a lot of pain. You see someone in pain like that, especially someone that you love and care for, it's very hard. Somehow I think when you're faced with it, you just find inner strength. I think you think beforehand you can't cope with it, but somehow when it's there, you just get on. Someone somehow gives you inner strength to cope with it.

42 *At 42, Suzy had embarked on a new endeavour: bereavement counselling.*

SUZY: I got into bereavement counselling about four years ago. About seven years ago, I picked up the paper one night and was reading an article on a young widow who'd been hugely helped coping with her grief by Cruse [an agency that provides bereavement care]. And it just rang a bell, and I thought, Yes, it's something I'd quite like to get involved with. But Laura was only about two then – no, she was younger than that. And I just thought it's not something that I'd like to get involved in now, but I'd like to later on. So when she went to school, I applied to go on one of their training courses and it just went from there.

Q: **Why do you do it?**

SUZY: It's a very raw, harrowing experience in some ways because it's dealing with very real grief. But I have lost both my parents now so I can understand some of that. You suddenly feel you are the next generation – the top line stops with you. It's a huge privilege to be allowed into people's lives to try and help them. And if what I can do helps them get through it a bit, I mean, it's good.

Q: **Does your work at Cruse help you?**

SUZY: Yes. Funnily enough, we found out my mother had fairly terminal cancer when I was halfway through the course. And I did wonder whether I could carry on because it was quite difficult going to the course every week and listening to other people – what they had gone through. But in a strange way, it helped me, because I suddenly felt, Yes. I'm not the only one. And some of the anger I felt, other people had also gone through. So I came through the course and my mother died just after that, but I did find it a help doing it because I'd just felt I wasn't alone. And I think that's the whole point of bereavement counselling – that people feel very alone when they've lost someone very close to them, and a lot of people don't have someone to turn to or they don't want to turn to their family. Sometimes there's a lot of anger and bitterness against other members of the family. So it's easier to explain it to a complete stranger.

Q: **And how was it when your mum died?**

SUZY: It was very hard. I mean it's not like a death when someone is killed in a car crash or an instantaneous death. I knew for probably two or three years she was dying. But however much you know – and even in the last few months, when you know it's going to happen – it doesn't help when it actually happens. That moment when you are told that your mother has died or somebody very close to you has died – it's still a shock, however much you are prepared for it and I feel sad about it. She was only 75 and you know that's not old nowadays. It's a very strange feeling, losing your mother – it's that one very close link that you have, and it's just a very odd feeling when you lose her.

Q: **Tell me how your mum died.**

SUZY: She'd smoked, oh, for about the last 50 years of her life. I suppose it was in the late, middle '60s that it came really out that smoking was very damaging and detrimental to your health, but by that stage she said whatever damage is done, it's done. And she said, 'I've smoked all my life and I'm too old to give it up now.' So she went on with that knowing the dangers.

I've watched my mother die of lung cancer and it was horrible. I mean you just feel so utterly, utterly helpless. The care she was given was fantastic; I can't criticize anybody on that. They were wonderful to her. I hope she died with as little pain as possible.

Q: **Were you with her at the end?**

SUZY: Yes, but not actually right at the end. My three half-sisters, we'd all been with her all day. She was very peaceful, we'd all got there the night before and she knew us, I think. She realized we were all there, which for us was lovely that she was aware of it, we were all there for her. And the next day she'd been given a lot of painkillers and she was very drowsy. She'd slept on and off, mostly during the day, and at the end of the afternoon we all left for a bit as she was

SUZY

asleep, and we left her. And it was extraordinary: she died. I was staying with one of my sisters and we were driving back to her house and she died on that journey home, because when we'd got back to her house, there was a phone call to say that she'd died. And whether she didn't actually want any of us to be there when she actually died, I don't know. But it was extraordinary how we'd been with her all day and then within ten minutes of us leaving her, she died.

Q: **Were you close?**

SUZY: Yes, we'd become closer. As you'd known from the previous films, I never had a very close relationship with my parents. I didn't really know them very well, but in the last few years of her life we had become closer, and I think that's what I resent – that I lost her when I did, because I was just beginning to really build a relationship with her in the last five or six years of her life. We never had any great rows or periods apart, but I just never had that kind of very close relationship, mother/child, that some people do. I was beginning to understand more of how she was and what made her tick in the last few years of her life.

Q: **Tell me about Nanny.**

SUZY: Nanny is now 93 and she's amazing. She has now moved into a home, because she did become quite frail at one stage and it really wasn't safe for her to be living on her own. She was very ill at one stage, but she's come back and she's going strong and I see her when I can.

Q: **What did she mean to you, what did she do for you?**

SUZY: She was the one person who was the sort of continuity through my childhood. She was always there for me. Whether things were good or bad, Nan was always there.

Q: **She brought you up?**

SUZY: She did.

Q: **How did you think it affected your life – not being close to your parents?**

SUZY: What you've never had, you never miss really. I mean, I can look around now, and I've got girlfriends who've got very close relationships with their mother and I just think, Well, that's what they had; I never had it, and I hope that the relationship I am building now with Laura will be close, but you know circumstances have changed so much. It's no good looking back. I can't change it.

Q: **Has it affected what you want for your children, the sort of life that you want to create for them?**

SUZY: Yes, I mean that's why I've chosen to stay home for the last 15 years to bring up my children, because I wanted to be the one that did it. I still think the way England is structured at the moment – you've got to earn a huge amount of money to be able to provide good care for your children if you don't want to do it for yourself. Well, I haven't got that kind of capabilities to be able to go out and earn enough to provide decent childcare for my children. And even if I had, I wouldn't have wanted to have done it. I want to bring my children up myself – it was just something I felt very strongly about.

Q: **And has that worked out?**

SUZY: Yes, on the whole, yes.

Q: **What have been the big rewards?**

SUZY: Just seeing them growing up into their own individual people. I mean Tom is now 16 and he's his own man really now. He is great, you know, he's suddenly got confidence in himself now, and having been quite a shy child, he's now come out of himself and he's his own person. Which is fascinating to watch.

Oliver's his own person. He's very individual; he and I have an interesting relationship. It's a sort of love/hate relationship Oliver and I have. We don't get on all the time but we still come through most things. But it's been a hard battle for him. He's got many difficulties and life hasn't dealt too many easy cards for him and so it's a lot harder for him. Laura just seems to take life in her stride. She's very easygoing and gets on with life.

Q: **Which one is most like you?**

SUZY: I don't think I'll answer that one.

Q: **Do you see qualities of yourself in them, do you think?**

SUZY: I'm quite a determined person. They've all got a fair amount of determination. I like to strive for things. I won't give up; if I try and set myself to do something, I will try my best to carry it out. I mean they've all got some of that.

Q: **You come from a divorced background. How has that influenced the way you try and keep your life going?**

SUZY: Statistics, I think, will show that in fact if you come from a divorced home, you're more likely to end up being divorced yourself, but for me it's made me strive harder to keep my family life together and to give my kids the kind of family unit that I didn't have. Even when they move on and go off to university and things, I hope they will always want to come home for the odd weekend and know that if there's some difficult times ahead, that they can come back here to put things back together again and go back out there again.

Q: **You had a fairly positive childhood, I suppose. Are you making an effort to make their lives different from the way you grew up?**

SUZY: Yes, I hope they are a bit more streetwise than I was at their ages. I did have a privileged background, but on the other hand, I was sent away to boarding school very young, which I find very hard to cope with. I'm sure my parents did it for what they felt was the right reason. I just felt rejected. I was terribly unhappy away at boarding school, which is why I never wanted to force that on to my children. Tom has had a go at boarding for a year of his own volition, and decided to come home, which was great. Oliver did go away for five years because there was no school around here that could really help him with his learning difficulties. I think he found that difficult, although he came back every weekend and he did adjust and he coped with it actually very well. But we've got to the stage with him now where we've managed to get him back to the school where Tom is, and he's much happier being at home.

I just don't like these long gaps of not seeing your children because I think you miss out. It's just interesting at the end of the day getting their comments of how the day's gone and what they think they have done and what they've achieved and the knocks they've had, and the good things. I just think it keeps them with a slightly more balanced life. I think when you're sent away to boarding school, you have a very limited view on life because you are so cosseted to the routine and the regimented life that you have at school, that the outside world is just not there. You don't know what's going on now. Whereas I think my kids take the knock – you know, the last seven years have been quite difficult in some ways and they get the rumbles of how Rupert and

I are feeling. And if things are a bit difficult, they have to learn to adjust and fit in with life – which is what it's all about.

Q: **Was it stressful on the marriage, this business of starting a business? Did it put pressure on you?**
SUZY: Yes, yes it did, and also at that time the children were quite young, and it's hard work trying to bring the three of them up and Rupert trying to run his own business as well. Yes, it wasn't easy.

RUPERT: There were very long hours involved and there still are, and I think you know when you're running your own business, it's just not a nine-to-five job. I try and have a policy that I don't bring work home with me, so it just means that you tend to work a bit later in the office to get work done.

Q: **What is it about each other that keeps you together and keeps the marriage going?**
SUZY: We just get on very well. It's very hard to actually say what it is that goes on between a couple. It's either there or it's not, and maybe we are very lucky. I mean after 20 years we still seem to have it and for me, it's what I've always wanted because I never had it as a child. It's a sort of home where I feel secure.

RUPERT: I think it's all sorts of things. We both have a sense of humour; you've got to laugh quite a lot in a marriage. I think that's terribly important. And we have some similar interests and we just get on – and I think it's worked, which is great.

Q: **Has the class system helped you or hurt you, do you think?**
SUZY: I can't say. I try not to think too much about the class system. I don't think it's hurt me in any way; I don't know. This class thing, I hate it – people are who they are for whatever reason, and I just try and accept people for what they are and like them for what qualities they have, not for where they've come from. It's the person inside, not their background.
   Well, the point of the class system is that some people, you know, have advantages over others because of what they are born into. Look at the royal family. They're given all that money, wealth, privilege, but look at them. What a mess! I wouldn't want to swap any of that for some of theirs. Money, wealth, position doesn't give you happiness or health or anything like that.

SUZY

Q: **Do you feel that you've come to a sort of crossroads? The children are growing up and maybe what you have given your life for is now ceasing to be as important.**

SUZY: Well, from what I gather with people who have got children older than ours, I've still got a long way ahead. But yes, life is changing now. Tom will be away at university in another couple of years, and they'll all get on and make their own lives. So, yes, the mid-forties is a crossroads for people because their lives do change, and I think that's why I've got involved with Cruse, because I don't want to just suddenly find when the children have gone I've got nothing to my life. I'm not very good at sitting around doing nothing. I have to have a goal or something to try and achieve, so over the next couple of years I've really got to find myself something to do.

Q: **Are you interested in doing charity or voluntary work, or would you think about having a new career?**

SUZY: I think I'm too old to go out and get the books out. Now it's always something that I've sort of regretted, that I didn't do more. I mean, I could go back to college. I did do a psychology course, which I find very interesting, but I can't really see me going back again and really taking up books. So, yes, I'll find something that I will get involved with that will give me a purpose. Something will come up.

SYMON

'When I was born,' reflects Symon, 'an illegitimate child was something that was only whispered about. People really felt strongly about it in those days, but nowadays it's not a serious matter. The serious point is whether you stay with somebody or you leave them.'

The son of a black father and a white mother, Symon grew up at a children's home in Middlesex, supported by charity. At the children's home − where Paul, another participant in the UP films, also lived − 'everything you wanted, you just had it, and everybody was your friend. You never knew any enemies really.' He did have occasional conflicts with the proctor who supervised the boys. 'He was a real bastard,' says Symon. 'I remember one night − I forget what I actually did, but he made me clean all the shoes in the house. There was about 50 pairs of shoes; it took me about two hours or so.

7

SYMON: I had a dream when all the water was on top of me, and I just about got out, and everything flew up in the air. It all landed on my head.

Q: **Tell me, do you have any girlfriends?**
SYMON: Well, not many.

Q: **What do you think about girls?**
SYMON: Not much. I don't think much of girls.

Q: **What do you think about rich people?**
SYMON: Well, not much.

Q: **Tell me about them.**

SYMON: Well, they think they can do everything but without you doing it as well, just because they're rich and they have to have people to do all their work and stuff.

Q: **What are your plans for the future?**
SYMON: Well, before I'm old enough to get a job, I'll just walk round and see what I can find.

14

Symon stayed at the children's home until he was 13, when he returned to live with his mother.

Q: **How has it been to be back home with your mother?**
SYMON: They're saying, 'Where's your father then, when your mum's out at work?' I just tell them I ain't got one.

Q: **What effect has that had on you?**
SYMON: Well, I don't think it's had an effect on me, because what you don't have, you don't miss, as far as I can see.

Q: **Have you travelled much?**
SYMON: When I was at school, we used to have outings – go to Boxhill, places and such, and we used to go on mystery tours and travel round the country. We went to history museums for outings and geographical museums, science museums. I've been to Madame Tussaud's with my mum, the Planetarium.

Q: **Do you want to go abroad?**
SYMON: Yes, I'd like to go to Majorca, take a couple of weeks out there and relax myself.

Q: **Which of the political parties would you have supported in the last election?**
SYMON: I don't think I would have voted for any of them.

Q: **What are your thoughts on racial integration?**
SYMON: Everybody has got to get used to knowing coloured people, and coloured people in turn have got to get used to being with white people, because if either side doesn't work properly, then no side will work properly. People have just got to mix in with everybody else.

SYMON

Q: **Do you feel you should be meeting a broader range of persons from different backgrounds? You don't think you are missing out?**

SYMON: If everybody had the same as everybody else, nobody would be missing anything. Rich people, they have all different things, everything they want, whereas poor people, they don't own nothing and they know they haven't got nothing, so they know they're missing something.

Q: **What are you missing?**

SYMON: A bike and a fishing rod. I get a pound a week, and usually during the middle of the week my mum takes ten bob back, and I save as much of the other ten bob as possible.

Q: **Do you want to be rich?**

SYMON: No, because if you are rich, you get bored with being rich; if you are poor, you get bored with being poor. You can have too much of a good thing.

Q: **Do you believe in God?**

SYMON: When I sit down and think, I think I believe in God, but if somebody just asks me, I say no – I suppose it's just to be big.

Q: **Why do you believe in God?**

SYMON: Well, I believe in God because if somebody had to make the world, then call him what everybody else calls him – which is God.

Q: **What kind of work would you like to do?**

SYMON: I was going to be a film star, but now I'm going to be an electrical engineer. It's more to reality.

Q: **What are your plans for the future?**

SYMON: I'd just like to be like anybody else really, nothing too marvellous.

At 21, Symon had taken a job in the freezer room of a meat company near his home in Middlesex.

Q: **Symon, was it difficult leaving the children's home and living back with your mother? You're still here after eight years now.**

SYMON: Yes. Well, I found it's comfortable. You see, I can get on well with my mother sometimes. That's good, because a lot of young children can't get on with their parents at all at this time of their life, but I get on pretty well with my mum now. We did talk very well with each other, but it's sometimes not quite as mother and son, sort of more like friends.

Q: **What sort of life does your mother have?**
SYMON: It always seems hard. Yes, well, she's always been nervous. Not all the time, but she has periods of depression, or deep depression, I think they call it.

Q: **What effect does that have on you, do you think?**
SYMON: It's made me very sort of protective towards her. I feel I've got to help her all the time.

Q: **At the meat company, you do jobs that I suppose are fairly routine and dull. What keeps you going?**
SYMON: Oh, it's definitely the people there. They work up a kind of team spirit there. I mean, you can think about all the work you've got to do in a morning and you just don't want to go. But once you get there, they make you feel you want to get the work done. We always say when we come out of the chiller, we don't want to go back in, but when we get back in, we get on with it, you know.

Q: **Are you a good timekeeper?**
SYMON: It depends. Usually I try to get to work early, but I have periods of, you know, Sod it if I get there. I think the hardest thing is to get up in the morning. For me, it takes a great deal out of me.

Q: **Do you never feel you should be doing better jobs than these? Aren't you worth more than this?**

SYMON: No, I haven't really. I suppose I just like hard work. I don't know, but it never really sort of worries me. I suppose it should do, but it doesn't.

Q: **What sort of people do you admire?**
SYMON: I think I admire people with great ambition. You know, like people who've just come up from nothing and built up their life from absolutely nothing. I could say Muhammad Ali because he absolutely came from nothing. I mean, you can't agree with everything he says, but his word goes down now. He's the biggest thing in sport, he's one of the biggest things in life. People like him.

Q: **When you look at yourself, what do you think your weaknesses and strengths are?**
SYMON: I think my main weakness is I don't really take a grip on life. I always look deeply into it, but it just seems to be a hobby with me. I look at everything and I criticize it and I work everything out, but after that, I just sort of leave it.

Q: **Do you have a dream?**
SYMON: A dream? Not so much a dream, but I know that if I ever wanted to get on, I could do it. I mean, I always feel that I've got something inside me that would make me move, but I think what it is, really, is I'm just waiting for an excuse to use it. At the moment, though, I feel okay just getting on with my life, just sort of keeping up. But I know if I really wanted to, I could get on. It would only take a little spark in me to make me do it.

Q: **What happens if you don't ever find that? How will you cope?**
SYMON: I always believe there's something inside me. I always hold back. You know – everything I do. It's just sort of something to fall back on. I've always got something else to look on if anything goes wrong anywhere.

Q: **What is that something you hold back?**
SYMON: I think it's a part of my heart.

Q: **Have you been saving any money?**
SYMON: I often say I'm saving to settle down with Yvonne, but then I think to myself, I might buy a car instead.

Q: **How do you see your future as far as work goes?**
SYMON: Well, I know I can't stay at Wall's for ever. I mean, it's just not me. I couldn't stay there for that long; my mind would go dead. But I think if I really

wanted to, I could learn a trade even now if I really felt that I ought to get out and do something different. I could learn a trade if I wanted to.

Q: **What would you like to be doing, in say seven years?**
SYMON: Well, I couldn't really say. I haven't thought one year ahead yet. I think I'm still sort of young in my head. I don't really sort of take things seriously.

28 *At 28, Symon was living with his wife Yvonne and their five children in a council flat in London.*

Q: **What's happened since you were 21?**
SYMON: Since 21, I've got married, had a couple of kids. I don't think there's anybody else I could have ever married except Yvonne, because she gives me my life, really. We've been together, we have the children and everything.

Q: **And what is it with Yvonne that you fell in love with?**
SYMON: Her nature, really. She's always quiet and thoughtful – except when she's laughing.

Q: **When you decided to have the five children, did you want to have them close together?**
SYMON: Yeah, because if you separate kids, one's 15 and one is 6, and then there's such an age gap that they could never get on. They never grow up together; they won't know each other.

Q: **Why did you want to have a large family?**
SYMON: Well, I wouldn't really call it a large family.

Q: **Well, I think it is large by average standards.**
SYMON: Yeah? We just wanted five kids. We got exactly what we want – three boys and two girls.

Q: **Will you have any more?**
SYMON: No, no, it's a handful!

Q: **Do you push your kids at school?**
SYMON: No, I don't push them. I encourage them. When they come home and I come home in the evening, they tell me what they've done. If they've done anything bad, I tell them where they've gone wrong. And if they want

encouragement or praise for what they've done, then I'll give it to them if they've done well.

Q: **Do you see maybe your kids are going to be smarter than you are?**
SYMON: Yeah, a couple of them already look like they're gonna be smarter.

Q: **How are you going to handle that?**
SYMON: Keep 'em on my side.

Q: **What would you like to give your children that you never had?**
SYMON: They've got everything. They've even got what I never had — a father. They've had everything.

I was at a boarding school and I liked the discipline. That gave me a kind of freedom. I encourage that with my children. They go to bed at the same time every night, and they get up round about the same time every morning. And they go to school the same time every day. It's good to have discipline and routine.

Q: **But what about in your life? Do you think there's been too much routine?**
SYMON: No, not really. Somebody else might think so, but I've enjoyed having the routine. I enjoyed knowing where I was gonna be next, and what I had to do next. Because that sort of relieved me from responsibilities.

Q: **Tell me about work.**
SYMON: I've been there [at the meat company] about eight or nine years, something like that. There's a lot of people I know there now. When I first went there, it was getting to know people; now that I've been there so long, I know practically everybody who's in there. Now I don't think my mind could go dead, because I've got a lot to talk about every day I go to work. There's always somebody that says something smart.

I'm quite happy to stay there. It doesn't look like it's gonna close down —

better the devil you know, isn't it? I'm not really interested in moving up the scale. I don't need the hassle of being a manager or whatever.

I mean, everybody's got the same start. They've got the grey matter in their head, and it depends how they use it and for what purpose. If you're just gonna be like me and take it easy through life, okay. If you're gonna be somebody who really wants to go far, well, you have to push yourself. If you don't push yourself, you won't go up.

Q: **And did you want to go far, push yourself?**
SYMON: No. I want to get through life nice and easy.

Q: **Are you envious of people who have a lot of money?**
SYMON: No. I may have been, but I can't envy them now, because I've got what I want. There's nothing that anyone can give me that's gonna make me any happier.

Q: **Do you think it's hard being a black man in English society today?**
SYMON: That depends what you want, doesn't it? If you just want to live in the society, no, it's not hard. If you want to fight the society, yes, it would be hard.

Q: **And have you ever wanted to fight the society?**
SYMON: Not really, no. There's no need for it.

Q: **Have you done much travelling?**
SYMON: I could have got a job in some foreign parts, working for a packing firm. But when it came down to it, I didn't want to move, didn't want to leave. So I've probably got a very narrow view of life, because I don't really like travelling.

Q: **Does that worry you, that you have that narrow view?**
SYMON: Worry me? You keep asking me if things worry me!

Q: **Does that concern you, then?**
SYMON: That's a different word. No, not really. It doesn't really concern me.

Q: **And what do you want for the future?**
SYMON: Watching my kids grow up, and when they grow up, maybe seeing their children grow up, as well.

Q: **Looking at some of the earlier films, it would seem that maybe you had a sad childhood. You didn't have a dad, and you didn't have a lot of material things.**

SYMON: I wouldn't really call that a sad life. It's a different life to somebody with everything, or thinks they have everything. But it doesn't matter if you've got all the material things in the world; you're not gonna be happy anyway, because you still want the next thing down the road.

42 *Symon chose not to participate in the filming of 35UP.*

Following his divorce from Yvonne, Symon married Viennetta. The couple have a four-year-old son.

Q: **Tell me what's happened to you since I last saw you 14 years ago.**

SYMON: I've got older, greyer, losing my hair, I need glasses. And I have a young son, a house that I've never had before. I've actually gone up, if I dare say that. I feel I've gone up.

Q: **In what way?**

SYMON: Standard of living. I feel more outward-going in myself. More relaxed. You could go into the whole spectrum. I mean, I feel more at one with the world. Before, I would get through things, and if it was difficult, I would get past it or round it, but I wouldn't face anything head on. Now I feel more that I am ready to face things.

Q: **What happened with the other family?**

SYMON: The other family. I've still got five children. They haven't really taken the break-up of my first marriage too well. I mean, they weren't young. At the time, I think the youngest was 13, so they are old enough to realize what was going on and everything. They haven't taken it too well, so I've still got to get to grips with that and make them understand that Daddy is still Daddy.

Q: **Has that been hard?**

SYMON: It has for me, because I've always been the retiring type, the not-really-taking-anything-on type. But I don't really want to lose my children, any of them. I still want them to know that I am there for them.

Q: **What do you have to do to keep them there?**

SYMON: Well, it's difficult because at the moment I'm always doing these long hours. I don't want to be doing that. I want to find time that I can be here, I can be there, I can actually be there for them. But they are also growing up. I mean the youngest is 15, 16 now; the oldest is 20 going on 21. So it's harder now because they're actually looking out and getting their own lives together as well.

Q: **Do you miss them?**
SYMON: Yes, I do miss them all the time.

Q: **And how was it with Yvonne, the divorce and all that?**
SYMON: It wasn't easy, it wasn't easy. But it was something that, to be honest, was never really working on many levels, so I was getting to that time of life where I really knew what I wanted but I just couldn't have it. So I had to see what it was that was stopping me, and apart from myself there is also my ex-wife.

For the last five or six years that I was married, I really realized that nothing was happening and I was never going to be able to do what I wanted to do. I mean, I fell into place and worked and worked and worked and worked, and I just realized that I was never gonna be in a position to do anything for myself – you know, actually for myself rather than just for the family. Plus, just working was not enough for the family. The children did miss out because I was always at work, and so I kept thinking about this, and I realized that it wasn't just that: it was me. I didn't want to do anything else. I was just working to keep things going, and it wasn't enough. At the end of the day I wanted to be me, as well.

Q: **When did you and Viennetta meet?**
VIENNETTA: Oh, many moons ago – twenty-odd years ago.

Q: **And then what happened?**
SYMON: Drifted apart.

VIENNETTA: We met in a launderette and went out for a while. Then we just sort of drifted apart, and had our own lives. Got married. We met up again six years ago, and from the day we met up we've been inseparable.

48

SYMON

SYMON: That's true.

Q: **Was it hard leaving the children behind?**
SYMON: Yeah, it was hard, it was, and it was made hard all the way, as well. But it was hard personally. I was really hoping that they would come with me.

VIENNETTA: We had the kids for a while. They were in my home for a while.

Q: **Why was that?**
VIENNETTA: Unfortunately, their mum wasn't too well and we had the kids in my home, but the family did not help. Maybe because I am kind of strict – they all got sort of certain rules and things didn't work out there.

Q: **Was that hard, having them here and then seeing them leave, Symon?**
SYMON: It was, because at that time I thought maybe the two families could meet and everything would be all right. We're not talking about a movie; we're talking about life. So things don't always work out that way.

Q: **Tell me about your family here.**
VIENNETTA: Well, I have an older daughter who's 17 called Miriam, and she's still at school doing her A levels. And obviously Daniel, who's four.

Q: **Was it a surprise when you had Daniel?**
VIENNETTA: Big surprise – a shock! I didn't really think I could have any more kids and along comes Symon and along comes Danny. It's nice to have two children, and I've got one of each. That's nice.

Q: **And you, Symon? Did you want another child?**
SYMON: I was surprised when Daniel came along, but now he's here, I can't see myself without him being here.

Q: **So he's a miracle.**
VIENNETTA: Yes, he was.

SYMON: Absolutely.

Q: **Does Daniel remind you of yourself when you were younger?**
SYMON: Oh, no, he's got far more energy than me. He's a little live wire – never sleeps, keeps us awake all day.

VIENNETTA: He's a bit of both of us actually. He's very bright and very quick.

SYMON: I like to know how things work, so for that, yes, he is like me.

Q: **Why did you call him Daniel?**
SYMON: It was my father's name, you know.

Q: **Do you know anything about your dad?**
SYMON: No, not really. Only that he was African and that he's not here.

Q: **Have you ever tried to find out more about him?**
SYMON: No. From when I was young, I was taught he wasn't there, so I don't want him. I mean, it hurts me that he wasn't there, you know, but at the same time, he wasn't there for me, he wasn't there for my mum, so I never really wanted to see him. That's anger inside me. Personally, I'd like to see him just for curiosity's sake, but the anger that I've had for how many years is a bit overgrown by boredom. No, I just can't be bothered to look for him.

Q: **Do you think it had any effect on how you are father to your children?**
SYMON: Quite possibly, because in the young days I really did want to do everything for them. Just make sure there was everything there for them. As it happened, it hasn't worked out because I am not there now.

Q: **Tell me what's happened with your mum.**
SYMON: She died in 1990. She had cancer and she didn't survive all the stuff they was doin' to her.

Q: **So it's tough.**
SYMON: Yes, probably because there were so many things I never actually said to my mum I would have liked to say to her. It's just when you think about it afterwards, it's too late because they are not there any more.

Q: **What sort of things?**
SYMON: You know, just 'I love you' every day and 'I like what you're doing' or 'I don't like what you are doing' – just silly things, you know.

Q: **Tell me about where you're living now.**
VIENNETTA: I had this insurance money that I was saving since I was 17, and I was going to go to Jamaica to find my family. Then I met Symon, and instead of using the money to go away, we bought a house.

Q: **What is the toughest thing about life at the moment?**
SYMON: I think at the moment the toughest thing is finding time just for ourselves. I mean, I'm working full time, long hours, and on top of that we've got two children to think about as well, and then we've got commitments to

fulfil – you know, money-wise. Our time doesn't come into it. We have to fight for our own time at the moment.

Q: **So what's been happening with work since I last saw you?**
SYMON: I'm at Euston Air and I've been to a couple in between, but they keep closing down on me. I'm hoping this one stays ahead of me.

Q: **And what sort of work are you doing there?**
SYMON: Very much the same as I was doing before. And light housework.

Q: **And is that okay?**
SYMON: Yeah, for now.

Q: **Do you have any ambitions with life?**
SYMON: Well, I think I'd prefer to work in an office now. I've done all my hard work. I mean, when I was young, I used to say I'd never work in an office, all those stuffy people in a stuffy office, but I've done enough hard work to realize I've been doing the wrong job for so long now.

VIENNETTA: Symon's very good at maths. A couple of years ago, he took an exam in maths and so did my daughter. He couldn't hardly go to the lessons because of work commitments obviously, and he passed his O level, GCSE maths as they call it now, without going. It's just giving him a kick up the bum to get something in that field – 'cause he's very good.

Q: **So, Viennetta, is it hard to motivate Symon, to get him going?**
VIENNETTA: Yes, sometimes. He's stubborn. But he's getting there, he's getting there. Within himself he's realizing, you know, that there is more to life, and he does work hard, and I do feel sorry for him sometimes, and he does very long hours which is no good for him, and it's cold.

Q: **Symon, what's the biggest influence Viennetta has on you?**
SYMON: I think really motivation, because before I never really pushed meself. Now I'm starting to find my way through life. I mean, before I used to take life as a joyride and I'd just sit back and where I end up, that's okay. But now I'm starting to focus and I look forward. I'm looking for retirement actually.

Q: **One of the ideas in the film is that you can see the man in the child, and if you look at the seven-year-old, you can see what's going to happen to him. Do you think in your case that's true?**

SYMON: Yes, I think that at seven you saw a shy child, not pushing themselves – and now at 40, you see the same thing.

Q: **We missed you at 35.**
SYMON: Yes, well at that time I was really making my mind up. I was really feeling that I wasn't doing anything with my life, and I wanted to do things with my life, so now I've moved on that much further, and I'm starting to see, starting to understand that there is a life for me rather than just my life being part of somebody else's life all the time.

Q: **Is it tough in England for black people?**
SYMON: To be honest, I have never actually taken it on. I've had it from both sides: I've had white people say, 'You black this and that.' And I've had black people telling me, 'You white this and that.' So I stopped thinking about colour a long time ago.

Q: **What do you want most from the future, the two of you?**
SYMON: A place in the sun.

VIENNETTA: No, we just want to be happy. As I say, we're great buds, great buddies, and we get on well. With every marriage, you have your good times, you have your bad times, but we survive through it, don't we, and we'll always be friends. We're just good friends really, and we love each other, I suppose, at the end of the day.

Q: **What do you love most about her, Symon?**
SYMON: I think it's her eyes. No – she looks after me. She doesn't just push me, she looks after me, you know. She will never let anything be wrong for me. She always makes sure that if I go down the road, I look all right. If I go anywhere, I look all right, you know, and I do the right thing, and it makes me feel that there is somebody out there that really, really wants me, you know.

BRUCE

Bruce spent the first years of his life in Rhodesia, where his father managed a country club and later worked as a civil servant. Upon divorcing, Bruce's father remained in Rhodesia ('He was a sort of figure in my imagination,' says Bruce), while Bruce returned to England with his mother. At five, he was sent to the Melbreck School in Hampshire. 'I wasn't just packed off,' Bruce explains. 'My mother had to work' – she was on the staff of a London magazine – 'and if I'd said I didn't like it, they'd have found something else. I don't remember finding it particularly awful.'

A highly competitive environment, the boarding school seated students according to rank: 'Occasionally, the teacher would say, "Right, well, I think you two better swap now. I think you're now brighter than he is",' Bruce recalls. He adds that though the teachers were generally kindly, he was 'naughty' on occasion. As a result, he was beaten a few times, he says, probably with a slipper

7

TEACHER AT THE MELBRECK SCHOOL: Balden, let's have the present tense of *Vasto*.

BRUCE: *Vasto, vastas, vastat, vastamus, vastatis, vastant.*

Q: **If you had lots of money, what would you do?**

BRUCE: I think that the most important thing in the world is everyone should know about God. I think we should give all . . . some . . . most of our money to the poor people.

Q: **Tell me, do you have any girlfriends?**
BRUCE: Well, my girlfriend is in Africa and I don't think I'll have another chance of seeing her again. There were two in Switzerland which I liked, too, in the Park Hotel.

Q: **What do you want most of all in the world?**
BRUCE: My heart's desire is to see my daddy, who is 6000 miles away.

Q: **And what plans do you have for the future?**
BRUCE: Well, I'll go into Africa and try and teach people who are not civilized to be more or less good.

At 14, Bruce was in his second year at St Paul's, a London boarding school for boys.

Q: **Looking back, how did you like Melbreck?**
BRUCE: I was about five when I went there, and then I suppose I was too young really to understand it. I thought it was a bit severe at the time, but then I just got used to it, and didn't have sort of any impulses to do things wrong or anything like that. I just got into the track of what they said you must do and mustn't.

At St Paul's I like the companionship, you know, with other boys, really – and you get that much more in a boarding school.

Q: **Do you meet boys here from very different social backgrounds?**
BRUCE: They don't sort of enforce being upper class and things like that at St Paul's; they suggest that you don't have long hair and you do get it cut, and they teach you to be reasonably well mannered but not to sniff at the poorer people.

BRUCE

Q: **Do you watch much television?**

BRUCE: I used to watch it a lot, but now I'm not watching it so much. I think it's good because a lot of it is corrupting me a bit. For one thing, the advertisements, you know. I can recite about six tunes off, and it just seems a worthless thing to know.

Q: **Have you got any girlfriends?**

BRUCE: No, not yet. I'm sure it will come, but not yet.

Q: **Do you like to travel?**

BRUCE: Well, I ski in Switzerland, and I enjoy that immensely, and we went to France this time and I've lived in Rhodesia.

Q: **And how are you getting on with your family?**

BRUCE: I've been getting on well with my stepfather, and I like to see my father occasionally, and he does come over from Rhodesia.

Q: **Which of the political parties would you support?**

BRUCE: I don't know. None of the parties really seem to agree with me. I think if I had voted, I'd have voted Labour.

Q: **Why?**

BRUCE: I didn't agree with the Conservatives about what they were doing with the black people – you know, racial policy.

Q: **Do you want to be rich?**

BRUCE: I'd help people if I had a chance, you know, by, say, giving money to charity or sponsoring things or things like that.

Q: **When you were seven, you wanted to be a missionary. Have you had any thoughts on that?**

BRUCE: No, I don't want to be a missionary, because I just can't talk about it to people. I am interested in it myself, but I wouldn't be very good at it at all, and I wouldn't enjoy it.

Q: **Why wouldn't you be good at it?**

BRUCE: Well, I'm just not very good at it anyway, standing up in front of people and making a speech, or anything like that. I'd like to keep it private.

21

At 21, Bruce was in his final year at Oxford, where he was studying mathematics.

Q: **What did you do before you came to Oxford?**
BRUCE: Well, I took nine months off between school and university and I taught at a school and worked in the Banbury sewage works for a few months.

Q: **What sort of school was it?**
BRUCE: Well, I never like admitting this, but it was a handicapped school. I mean, it seems to present me as wanting to do these things, and I suppose in a way I do get some satisfaction from doing it, but I could so easily have done something else. I mean, it's almost an accident that I ended up at a spastic school and I'm glad I did it because I enjoyed it – not for its, I suppose, slightly charitable nature of the work, but because the people I met were quite good.

Q: **Why are you afraid of presenting this image of yourself?**
BRUCE: It's possibly because – I don't know – I never want to feel too proud. It's dangerous for a start, and it's so easy and it doesn't work in a way because, all right, I can try and pretend to be humble, but that's being proud in just the same sort of way. I find it's a very difficult thing to avoid pride.

Q: **Is it possible that you might ever think of going into the Church?**
BRUCE: It is possible. I've never said no definitely, but I won't be doing it after I leave the university. I mean, it's just possible in ten years' time, I suppose.

Q: **What would draw you to the Church?**
BRUCE: I don't know; it wouldn't be dissatisfaction for whatever I'm doing at the moment. In a way, if whatever I was doing I was doing very successfully, then that would be a better reason for going into the Church, really – or at least, if I did go into the Church, it would mean I was giving up something for it. I think the wrong reasons are if you're dissatisfied with what you're doing, you know, in a

general sense of doing a job badly or a failure in some sort of way.

Q: **What sort of job are you going to try for after you get your degree?**
BRUCE: Well, there was one job – I'd quite like to make maps. I mean, it's a nice sort of outdoor life. You travel around, but there are very few jobs like that going. I'm sort of qualified – a maths or science degree would do, or a geography degree – but I think I've probably missed it this time round, and perhaps I won't like making maps.

Q: **What do you see as your weaknesses?**
BRUCE: Well, it is mainly this lack of responsibility for doing the jobs given to me. People will say, 'Why haven't you done this? Look, you've upset us.' I was secretary of the bridge society, chess society, cricket society, Scottish dancing society and I didn't do anything for any of them. They were all very angry. And I spent last summer term in total seclusion; I saw maybe half a dozen people all term, darting across court. People would say, 'I saw Balden today,' and they'd say, 'No, really?' It was awful, really.

Q: **What influence did your first school have on you?**
BRUCE: Melbreck probably had a great influence on me in a way – I mean, I was absolutely shocked rigid when I went to my prep school and found that people thought of doing things wrong. I never really upset anyone or questioned authority or misbehaved in any of my later schools, which may seem an ideal sort of thing, but I think it's probably healthy to question why you have to do certain things – which I never did.

Q: **What effect has the fact that you've seen very little of your father had on you?**
BRUCE: Nothing really. It's something I regret, that I didn't get to know him better at all. We're both very bad writers – I'm probably worse than him, and personally I regret his not having established a regular correspondence, because I think he's an interesting man and he probably regrets it as well.

Q: **What do you think of your own upbringing? What have been the strongest influences on that?**
BRUCE: Probably not to let down my mother, because she's worked awfully hard to get me through school, and I haven't let her down yet. Then, as far as not having – my mother's divorce, I don't think that really has the effect that people imagine it to have. I mean, I always have got on well with my stepfather

and with my half-sister. In that sense, I've had a family life.

Q: **Tell me, are you interested in politics at all?**
BRUCE: Not as much as I was. I am about the only socialist in my village and I go into the pub and stand up and defend all socialist policies. It's awfully hard work, really. I think I'm going to give that up.

Q: **So where do you stand politically now, then?**
BRUCE: Well, I'm still socalist, but not as energetically as I was.

Q: **What do you think about the way things are being run at the moment?**
BRUCE: Well, I'm glad the socialists are in power because the elusive thing called freedom is rearing its head and the Conservatives are pushing it forward. I thought this argument was smashed in the early years of this century, but it seems to be coming back and it really is exceptionally dangerous, because the more you try and defend freedom – I mean you allow everybody to do exactly what they like within limits – then the less you have. I mean, there's no freedom in living in a slum; I mean it's all right to say the chap can do whatever he wants, he can get a better job or anything, because that's just not the case. The more you defend freedom, the less you have it.

Q: **What fears do you have for the future?**
BRUCE: I have never suffered at all. Never been driven to despair or fear. I don't know, have any of the others?

It all springs from loving God and Christ, I suppose. You try and do that as best as possible and let that lead your actions in life.

28 *After working in an insurance company for three years, Bruce embarked on a career as a maths teacher, first at a school in Bethnal Green and then at Daneford School in the East End of London – the same school that Tony attended as a boy. He was living in a local council flat within walking distance of the school.*

Q: **How did you get into teaching?**
BRUCE: I was working at an insurance company at the time and I decided to go into teaching without any experience at all, and I didn't think that they'd allow anyone to walk in off the street into a classroom.

They were crying out for maths teachers; they interviewed me. They phoned me the next day and said would I take the job. I said yes. Within five weeks I was in a classroom. They took one look at me and thought it was Christmas, I think.

Q: **What is the most enjoyable thing about teaching?**

BRUCE: Just being a part of people's advancement and learning and watching them understand more and being more confident, getting some more enjoyment and satisfaction from mathematics.

Q: **You went to a posh prep school and a major public school and to Oxford and now you're in a council flat teaching in this school in the East End of London. You don't feel any sense of disappointment?**

BRUCE: No, because what I'm trying to do at the moment and achieve is difficult. It may not sound difficult in the sense that you could sum up what I do quite simply, but behind all that it is very difficult, and I certainly find it satisfying achieving successes. There may come a time when I decide that I can't do it, and that's not necessarily weakness; that may be a strength that you realize that you can't do it as well as you would wish.

I don't know whether I said, 'Right. I must do something,' which is what I've been brought up to do or whatever. I don't know – I've just found something I find rewarding.

Q: **It's so different from your own education where you're teaching now. Why?**

BRUCE: General education is better for society, I think. Public schools are divisive; that's with no statement about my education. My education was academically excellent and I was very grateful for it.

I think there is a class society, and I think public schools may help its continuance.

Q: **Do you have to defend immigration to a lot of people in this area?**
BRUCE: Yes, I think you do. But those who say too many are coming in and so on, I think are really uneducated about the whole question. They should see the positive benefits that they're having in this country and see that as a result of all this immigration, they're not being denied opportunities. It's not the fault of immigrants that there is unemployment. It's part of a political party's responsibility to explain that and show people what is a more truthful way of representing the situation.

I just see the lack of opportunities for a lot of people. Obviously, unemployment is a great feature in many people's lives and many families' lives, and teaching children sometimes you wonder what's going to happen to them.

It seems to me that the leader of the country at the moment should be one of the most unpopular persons in the country. And yet she gets away with everything. She, as far as I can see, has done lots of damage and yet nobody can oppose her.

Q: **What do you remember about being seven?**
BRUCE: I can remember being happy then; I can remember also being miserable because I can remember crying. I always seemed to be beaten and I never used to understand why.

Q: **Did it give you an overdeveloped sense of authority?**
BRUCE: If you look at society in general, I've always probably been on the side of authority and, you know, it's been an education learning that authority can be bad and can be corrupt.

Q: **Does it sadden you when you meet people who don't believe in Christianity?**
BRUCE: Yes, if they dismiss it casually, if they dismiss it as just being something, Oh well, we know about that. We got a little bit of that at school and it doesn't really mean very much – then it does sadden me. Because you know, it's much, much more than that.

Q: **What is it about Christianity that is so important to you?**
BRUCE: Well, the belief in goodness and in love as being two great positive forces. And just a simple belief, like a good act is never wasted.

Q: **What are your hopes for the future?**
BRUCE: I think I would very much like to become involved in a family – my own

family for a start. That's a need that I feel I ought to fulfil and would like to fulfil and would do it well.

35 At 35, Bruce took a sabbatical and travelled to Sylhet, a town in north-east Bangladesh, for a three-month research trip.

Q: **So is this your missionary dream come true?**

BRUCE: Well, not exactly. I'm a teacher now in London, and I've had the opportunity to come here for a term. It just so happens the school I am in has great links with this part of the world, and I've come here to find out about the background of many of the boys that I teach back in London.

I'm earning my keep by teaching maths and helping the teachers here, helping them design courses of study. I'm also teaching them English. They've all got quite good English but they're practising and improving their English, and then I've also got the chance to learn a bit of Bangla, which is very difficult and I'm not doing very well at.

I see education as a key to it all. I mean, once your population becomes educated, it can think for itself a lot more and create wealth and create oppor-tunities.

Q: **What do you like about Sylhet?**

BRUCE: I think mainly the people and their hospitality. A couple of weeks ago, I went on a visit to a family with a teacher from this school. They lived in a one-room flat but we were immediately invited in and we sat around having food with them and that's what hospitality means. If I was back in England and I turned up, say, at a friend's an hour before lunch with three people they'd never met, they'd say, 'Well, let's go down the pub or something.'

Q: **Have you encountered racism here?**

BRUCE: Everybody has the capacity to be

racist, wherever you are in the world. I think it's a natural human condition to be afraid of something that's slightly different to you; I think that's the basis of it. I mean, I know academically it's defined as prejudice plus power. When you've got the power to do something about it, you can turn it into something very damaging to the person who's receiving it. I think if you recognize that as an emotional position, maybe you can use your intellect to check yourself.

Q: **Has a country like this got any future?**
BRUCE: I think it needs an awful lot of help. The amount of general poverty, I think, is growing. You see so many children working. It used to be a rich area 200 years ago, and more people would call it the Pearl of the Bay of Bengal. It's not that now – and that's not unconnected with the British rule here. Basically, we don't care that many countries are incredibly poor; we simply don't care. I mean, we do raise money for charity and so on, which is excellent, but it's simply not good enough at the end of the day.

Q: **Is money important to you?**
BRUCE: Well, not really. I have enough to live on. I don't know whether teachers deserve more money. My gripe's never been about money; it's always been about conditions of work. I find it horrible that people care so much about money. There are many finer things in life than that. You know, people who bought the shares in the privatization issues just to make quick money, I just thought, Well, what are you about in life? Is that it? You know, I didn't want any part in that.

Q: **Do you think you made the most of your opportunities?**
BRUCE: My opportunity was to do what I wanted and what I found fulfilling. And I had a great variety because of my background. Yes, I've made the most of my opportunity because I've found something to do that I found rewarding – and that was my opportunity.

I see education as being very important, you know, which is why I'm distressed by something which I see in Bangladesh: the young kids working so hard. They need to bring the money in for their family. I'd say education is a right: the more they learn, the more choices they have in life. Life should be a rich experience.

Q: **Tell me about your father.**
BRUCE: He died about three years ago. He was 72. I mean, we did drift apart because he was in Rhodesia – Zimbabwe as it now is. He did come back to England and retire, and I used to go up to Yorkshire and see him. Not as often

as I should have done. I mean, I'm sure he had a fond feeling for me and I'd have liked to have returned that in some way.

Q: **Do you miss him?**
BRUCE: Well, I'd like to have been able to miss him; I'd like to have got closer to be able to miss him. I regret that chance of not getting closer at that time. You always need people to care for you, because if you disappoint yourself by acting badly in a particular way, you tend most to hurt the people who love you – and where would we be without having people to love you?

Q: **You haven't got married since we last saw you.**
BRUCE: Yes, I haven't got married or whatever, and I suppose that would've been something that I hoped would happen, you know. I suppose lots of reasons, really; I don't suppose I've met the right person.

I'm still a bit shy and awkward, still have a bit of growing up to do sometimes. I think I'm a little bit immature sometimes. I can have quite sort of teenage-like crushes on people, and I can see myself falling into it and know exactly what's happening but be sort of unable to do anything about it. I've had affairs; sometimes they've ended quite naturally with goodwill on both sides. Maybe I just haven't met the right person.

Q: **Well, you're getting on a bit. Aren't you worried?**
BRUCE: Well, not particularly. I'm optimistic. Who knows who I might meet tomorrow?

When he was 40, Bruce married Penny, a humanities teacher at the East End school where Bruce was teaching maths.

42

Q: **You two met at work. When did you realize there was something romantic going on here?**
PENNY: We were doing the school production of *Annie*, and Bruce was playing President Roosevelt and I was doing the make-up, and I had to put on his stage make-up. And we used to chat as I was making his hair grey, and he was telling me not to put on so much make-up this time, so I was having a lot of fun putting on more lines because he looked really old.

BRUCE: Made me look very old and sort of smearing that horrible stick stuff all over me.

Q: **So what was romantic about that, then?**

PENNY: Well, there are not many men who will let you put on their make-up. And he was very understanding and didn't complain that much about it and we just started to chat. I mean we'd been friends in the staffroom for a couple of years, but that was the first time we had actually been alone, I think, together.

Q: **What do you love most about Penny?**

BRUCE: Well, I wake up in the morning and she's cuddling in my arms and I think that's really nice. She has a sort of moral integrity in her work which is also true of relationships – you know, very thoughtful, very sensitive, not casual in any way.

Q: **And Penny, what do you love most about Bruce?**

PENNY: He's the nicest person I've ever met. He's very kind, very thoughtful about other people, he's very sincere, he has great integrity, he's very trustworthy. He's just somebody you could rely on the whole time.

BRUCE: Oh, I might quote that sometime.

Q: **Is Bruce romantic?**

PENNY: He can be, yes, he can be. Sometimes romance doesn't occur to him.

BRUCE: I'm getting better, because I never used to realize when she had her hair cut or anything like that and this used to annoy her, but I'm getting better. There's one point where I said, 'Do you have a black skirt?' because I wanted her to wear a black skirt with something and she said, 'I've been wearing black skirts for the last six weeks,' and I hadn't realized. But I'm getting better, dear, aren't I?

PENNY: Um.

Q: **So you have to work on this romance, do you?**

BRUCE: Yes, it's a bit new. I bought her some new flowers on Valentine's Day, didn't I?

PENNY: Yes, yes.

Q: **What about kids?**

PENNY: Maybe. We've talked about it, haven't we?

BRUCE: Yes, I mean we'd like to have kids, you know.

PENNY: Yes, it's slightly a question of work commitments. But on the other hand, it's the fact that neither of us are getting any younger and the ages we are, we shouldn't leave it much longer if we're going to have children. But it's quite a big commitment and we both have careers that we are interested in and we like what we're doing. I think we do!

BRUCE: But it would be nice if it came along, though.

PENNY: Yes, nice if it came along. Actually, it would be much easier if we didn't have to make the decision, wouldn't it?

Q: **How is it being in the same school together?**
BRUCE: Well, it's fine. We don't come across each other much during the day. We don't sit in the same place in the staffroom. We come in together sometimes, cycling, or sometimes we come in the car, and then we don't really see each other until the end of the day. And when it was announced we were getting married, the kids were immensely curious. You can imagine: two teachers going out together! The gossip was quite immense. But they were very friendly.

Q: **Did they make fun of the two of you?**
BRUCE: There have been some comments which have gone a bit too far, but that has died down and they accept us as a couple.

Q: **Did they celebrate at the school when you got married?**
BRUCE: Well, one of the other teachers said we've got to do something, so she organized an assembly in the lower school where we sang together: 'I want to be the only one to hold you' – the song of last summer, which the kids rioted at, absolutely rioted.

Q: **Tell me more about your school.**
BRUCE: It's the Bishop Challoner Roman Catholic girls' school in the East End of London. It's about 1000 girls, 11 to 18, with some boys in the sixth form, and I've been there about five years. I was at the old boys' school and had a chance to be head of the maths faculty and to teach A level as well. So it was

a promotional step. This is my third school now in 15 years of teaching, 16 years of teaching – all in the East End, and I have now taken mixed, boys and girls. And I was sorry to leave, in some ways, the boys and working more closely with the Bangladeshi community, but this is another opportunity to work with the older community in the East End – the cockney community, the West African and West Indian, the mix of kids that we have here.

Q: **What ambitions do you have now for teaching?**
BRUCE: Well, if you are promoted any more, you tend to be out of the classroom more, so I don't think I will be seeking a Deputy Head's job or anything like that. I mean I may become a senior teacher at some point in the future – five years or so is possible. But I don't really have aspirations to become a Deputy Head and a Head teacher.

Q: **It seems like hard work to me, noisy work. What attracts you to teaching?**
BRUCE: If you see them develop as people, and in your subject area they get a grade that enables them to go on to greater choices in life and at the next stage of higher education – and if you've been part of that – that's rewarding. It is a long, hard slog, though. I mean it's not as if you get those flashes of rewards very frequently; you get them as you look over the year maybe once or twice. But that makes it worth while. And it's paid employment, just like most other jobs.

Q: **Do you not feel like packing it in?**
BRUCE: Well, sometimes it can get hard. To teach for 40 years is a long slog. I don't know how sort of dried out I'd be by then. I can see myself not having as much enthusiasm as I had ten years ago, but I'm still trying to do a good job and putting energy into the curriculum and helping girls to develop.

Q: **So you are losing a bit of that passion?**
BRUCE: I think so. I just don't think you can keep up that level of intensity for so long. That doesn't mean to say that I am casual or whatever. It's just that I think you get to a level where you can only put so much in without becoming completely drained or just going straight to bed, falling asleep when you get home. Quite a few teachers do leave their careers. Very few make it through to the full retirement age as a teacher.

Q: **And you don't think you will?**
BRUCE: Probably not, I probably won't be one of those very few – no.

BRUCE

Q: **Why do you stay in the state system?**

BRUCE: Well, I strongly believe in education as being a route to opening up all sorts of opportunities. Whatever your background, if you are well educated, almost anything is open to you. I mean, if you've had a very advantaged background, then that will help you, obviously, but education is another way through. If you work hard at school, then all doors open up.

I am hoping to be part of a process which enables opportunity for everybody – not just people who can afford a public-school education.

Q: **I suppose technically you are middle-aged now?**

BRUCE: Yes, you know that creeps up on me. I notice the physical deterioration which is quite acute sometimes. I think it was last year, we had cricket nets before the season starts, so I jumped on my bike, grabbed a bagel from the bakery because I hadn't eaten. I was eating it as I was going along, cycled over to Lord's, played nets, went to the pub, had a couple of pints, cycling back. By this time it is about 11.30 and I'm halfway back to Hackney and I can't do this any more. I mean when I was 20 it had been absolutely no problem, but I just got home and I thought, That's it! I can't operate like that any more. I can't cycle and do two hours of nets and cycle.

Q: **And how do you feel about that?**

BRUCE: Well, it's all gone, that lightness, that youth. It's just gone. And also if you saw me running around the cricket field now after a ball, it's just comical. It's just a lumbering old man, you know. No flowing swoop and hurling in at the ball.

Q: **Can't you do something about that?**

BRUCE: I do a bit of exercise, but I think that's it. We all have to put up with a deterioration of powers.

Q: **Is religion still an important part of your life?**

BRUCE: Yes, in the sense that I carry on going to a local church, which is where I was married. As I grow older, I recognize the strength and qualities of other religions. No religion claims truth in a way. It just might help us to become better people and I hope to think that it makes me a better person, and so I listen to the scriptures and listen to people.

Q: **Is money a big issue in the family?**

BRUCE: Not really, no. I think that because my parents, they weren't wealthy actually but my uncle helped look after me and so on, but I've never worried about money. I've never known other people to worry about money so I've kind of adopted that in a way. We seem to live comfortably so that's not a worry – for which I am very grateful, you know.

Q: **Were you surprised that you got married?**
BRUCE: I suppose so, because I was 40. It was sort of a mature age to get married. I mean, some people may get married too young – I don't know. I think some people were surprised. They thought I was the bachelor type – too set in my ways. But they approve of Penny so far.

Sometimes I try and sneak a kiss from her in the school, you know, accost her somewhere, and she kind of goes, 'Get away! Get away from me! Get away from me!' like this. Don't you, dear?

PENNY: Yes. Anything like that on school premises and I fight him off.

Q: **So, Bruce, what's annoying about Penny then?**
BRUCE: Well, I normally have a shower before I go to bed and I don't dry very well, because I'm not really bothered with that kind of stuff. And she doesn't like that, when I get into bed all damp from the shower.

PENNY: Wet. Wet is a better word – not damp. Wet.

BRUCE: Well, I dry myself off on you, dear. And she doesn't think she's a towel – that's annoying. What else? Apart from that, she's perfect.

LYNN

'When I was on my own, I was always reading,' recalls Lynn. 'I grew up on Enid Blyton's school stories — I just couldn't get enough of those.' When she wasn't on her own, Lynn often spent time with Jackie and Sue, classmates at the Susan Lawrence School and fellow participants in the UP series. 'When Jackie came over we'd play dressing-up games or use orange boxes as pretend doll's houses. And I can remember many a time my mum coming in and telling us not to jump on the beds.'

Lynn and her sister Pat, eight years her senior, shared a room in the family's two-bedroom flat in the East End. 'Dad was working as a coalman, and I remember him coming home covered in black dust. Mum wasn't working at the time.' What, then, prompted Lynn to declare at seven that she intended to work at Woolworth's? 'My sister had just started a part-time job in Woolworth's. We all want to do what our big sisters do.'

7

Q: **What would you do if you had lots of money?**
LYNN: If I had lots of money, I'd help the poor.

Q: **Would you like to have children?**
LYNN: If I could, I'd have two girls and two boys.

Q: **And what are your plans for the future?**
LYNN: I'm going to work in Woolworth's.

69

14 *Lynn, Jackie, and Sue all had the choice of going to a comprehensive or a grammar school. Lynn was the only one of the three to select grammar school.*

Q: **Why did you choose the grammar school over the comprehensive school?**

LYNN: This is my first choice and this is where I turned up, even though some of my friends are going to the other school.

Grammar school is fantastic. Of course, we've all got our opinions. Because in a grammar school, I don't think you find many girls that really want to do metalwork or woodwork.

Q: **Have you ever been abroad?**
LYNN: No.

Q: **Which political party do you support?**
LYNN: Labour.

Q: **Who do you think is to blame for the strikes, the workers or the management?**
LYNN: I'm not commenting, because Mum's been out on strike. If they want the money, why shouldn't they strike for it?

Q: **What do you think of rich people?**
LYNN: They're just the same as us, really. Somewhere in the family, there must be someone who must have worked for it.

21 *At 21, Lynn had married Russ, whom she met at school. Russ and Lynn were both working for the Tower Hamlets Library Service and living in the East End.*

Q: **Tell me about your work.**

LYNN: When I left school, I got to be a librarian and assistant to the young people's office, which is where we are now, and I've been here since August last year. I personally visit eight schools with the van where they're not in a position to get them to a local library for class visits. I love working with children. You might remember on the last one I wanted to teach, but I didn't get to that, and seeing it as it is today, I'm glad I didn't. I think it takes a lot more patience than I've actually got – I'm much more at home here. Teaching children the beauty of books and watching their faces as books unfold to them is just fantastic.

I definitely make a point of reading all my new books I get in. It's quite funny – I take loads of books home. When people come, they say, 'Whose are those kids' books on the table?' 'Well, they're mine.' 'Oh.' And they sort of shut up.

Q: **Did you meet enough men before you decided who you were going to marry?**
LYNN: I've been married a year and a couple of months. I do think, Christ, what have I done? And I'm being honest about it, and Russ thinks the same. You think at times, Christ, what have I done?

Q: **What was the wedding like?**
LYNN: Our wedding? A laugh. I wanted a white wedding with all the trimmings; Russ would have been satisfied with very little. But seeing as we were going into it as a full thing, we went into it. I had an all-white wedding – all white. We were both in white and my bridesmaid was in white.

Q: **Comparing yourself with Suzy, who stands at the other end of the social scale, do you think you've had the same opportunities?**
LYNN: I've had the opportunities in life that I've wanted. I'd say I've had more opportunities than Suzy in a different aspect of what she had, but in my life I've been able to do more or less what I wanted to do. I'm not going to say on film what I feel for her, but I think she's been so conditioned to what she should do and what she shouldn't do.

Q: **Do you ever get depressed by money problems?**
LYNN: No, why? Why should you, if you can manage on what you've got?

28 At 28, Lynn had two daughters: Emma, who was three, and Sarah, who had just been born. Lynn was on maternity leave from her library job, and Russ was working as a postman.

Q: **Tell me about your marriage.**

LYNN: It is a partnership, marriage. We married young, but because we wanted to go out and have fun together and grow together.

Q: **What are your ambitions for work?**
LYNN: I've got no seething ambition to go out and conquer the world. To work with children of that age, you've got to love them, and I love children.

Q: **Why is it that you, Jackie, and Sue haven't changed so much, do you think?**
LYNN: We've all had a stable background with stable relationships all the way through.

35 At 35, Lynn continued her work at the mobile library while serving on the governing bodies of two schools.

Q: **Tell me about your life with Russ and the children.**

LYNN: I'm very much geared to the family unit. We do things together all the time. I mean, there are times when Russ and I obviously would like to leave it all behind and go out, just the two of us. Now the girls are getting older, we've actually started taking them with us. I'll say, 'Oh, we haven't done very much,' but when you look back, we have. It might only just be playing games or going swimming or going for a walk, but we're doing it together.

Q: **Tell me about your mum.**
LYNN: She just sat down on the settee and she died. Just like that. And we were up in Norfolk with my in-laws at the time. And so all we got was a phone call from Dad to say that Mum had died.

Q: **And how did you deal with it?**

LYNN

LYNN: I'm still dealing with it now. But then although she's not with us in body, she's still with us in spirit. She was a great friend to me as well as a mum, probably the best friend I'll ever have. And as you see, it still makes me very emotional now – it's only two years. To some, it probably seems, Oh, it's a long time, but it's not very long.

Q: **What are your thoughts on the political changes that have come about in England over the past decade?**
LYNN: The last ten years of government have actually in my opinion brought this country much, much further downhill. We have lost an awful lot of our National Health Service, an awful lot of our education system. I'm on the governing body of two schools and I want the best for those kids that the system can provide. And if the system's not good enough, then we better the system.

Q: **I understand that you started having blackouts a year ago. What did the doctors say?**
LYNN: They stuck all these tubes up inside me and discovered that I'd got these veins here [points to her head] that shouldn't be there.

Q: **In your brain?**
LYNN: Yes.

Q: **And what can they do about it?**
LYNN: Not a lot at the moment. They're investigating other treatments, but the surgeon said that he doesn't want to operate at the moment because it's too near the optic nerve, and there's an eighty per cent chance of hitting the optic nerve.

Q: **So is it frightening to know that you have this condition?**
LYNN: It was for about a week, but it got itself into its own place within my system, amongst my rungs of priorities, and I overcame the fear of it. Now it doesn't worry me at all.

42

Q: **Tell me what's happened with you since we last talked on film seven years ago.**

LYNN: The biggest area of my life that's changed since we last talked is that I lost my dad – literally just after *35UP*, he died. As you know, he wasn't well while we were filming. We hadn't realized we were going to lose him quite as quick, but it was peaceful in the end. But seven years ago and it's not easy to talk about now. It was only two years prior to that I lost Mum, and it's a spit in the ocean. It's no time at all.

Q: **It's hard being orphaned, isn't it?**

LYNN: Yes. I don't feel orphaned. I did at first; I felt distraught. Absolutely distraught. But fortunately, Russ's mum and dad are still alive, and we have always been close. And they said then, 'Well, we are all you've got now,' and fortunately they are there for me and Russ.

It's strange – the two people that were there for you for 35 years are suddenly not there any more. The people that knew the most things about you – literally, I mean memories back to childhood. Many is the time I want to pick up the phone and phone Mum because something's happened with the girls. I say Mum but I mean both of them.

Q: **Has not having them around changed the way you live?**

LYNN: Yes. They both looked after the girls while I worked. After Mum died, the first thing Dad said was, 'That's my job now.' And of course suddenly we had neither of them. So we did a rethink. Fortunately, by then my girls were older. They weren't babies any more, but they were still both at primary school.

Q: **What's happened to you in the last seven years of work?**

LYNN: For many years, we ran a library service to schools. Unfortunately, we lost that four years ago with cutbacks in the service. Children's services have had so many cutbacks overall – not just here, but through the country. But hopefully that's turned. I hope we have got to the bottom and it's now going to rise again, as it is perceived that libraries do play an important part in the education of children.

The previous Liberal group had actually decentralized library services: the whole system had gone into neighbourhoods, mini-neighbourhoods within Tower Hamlets. And Labour put it back into central units. They based me here to build up the service. They hadn't had a children's librarian here for nine years. I do regular class visits with 22 classes a fortnight coming into the library.

And within that, we do either a storytelling session or library skills with groups. We go out to schools to be involved in book weeks; that can vary with just talks to classes or displays, what have you. And we go out and do local history talks, whatever we're asked to do. This last term, we have been working more and more with secondary schools, which is something fairly new. We are monitoring at the moment to see how that is actually working – whether or not they continue as regular users.

Q: **Is your job secure?**
LYNN: Is any job secure nowadays? We seem to ride from one year to the next, but hopefully each year we survive.

Q: **Can you ever see yourself not working?**
LYNN: No. I like the excitement, I like the push of filling my life. It's stimulating.

Q: **What's the main attraction of it?**
LYNN: Every day is different. Working with children and seeing that books mean something to them – seeing it open up and actually helping them to see literacy.

Q: **I've been watching you with the children and I wonder, are you a frustrated teacher, do you think?**
LYNN: No. I get the best of both worlds. I have the teaching, but I'm not teaching the whole time. I mean, I still have to plan talks, and I still have to go and deliver them, but I have more flexibility and I'm not tied to a specific subject.

Q: **And what are your main areas of responsibility as chairman of a school board of governors?**
LYNN: We work as a team. Very much as a team. Part of my role as a governor is being very close to the school and not only knowing the staff but the children as well, because the children are what we are there for. To provide the best education that we possibly can for them. And it can only be done by taking on board new ideas, dumping old ones, and making sure that the children achieve to the best of their potential.

Q: **Why do you do this? Why do you take on this kind of responsibility?**
LYNN: In the hope that somewhere down the line I can actually be of some help. To see that the potential of the children that I deal with is actually reached.

Q: **How do you manage to keep a career going while bringing up a family?**
LYNN: I think we have got a very stable base. We all work together at it. I'm there in the morning; I take the girls to school. Russ is there when they come in from school. Russ cooks during the week, I cook at weekends. It's not as if I'm going belting home because I've got to go and cook a meal for everybody. I know that when I get home it's gonna be done. There are times I go home, I'm absolutely shattered, and I go to sleep. But family come first. I will move heaven and earth to be there for them. We've always had a very good partnership. I couldn't do it without him. I couldn't do it without their cooperation, either.

Q: **Do you think it's hard on women generally holding a career down?**
LYNN: I think it comes down to the individual. It has to be an individual choice that only you can personally make, because it's not right for some, it's right for others. I would have pulled my hair out being indoors all day and every day with the kids going out. We have quality time. I come out from home and I work with children, but it's different. They are not mine and I can go home and leave that. I go home to mine.

Q: **Has your having a job put pressure on the marriage or on the relationship with the girls?**
LYNN: No, because I've always done it. I've always had a job. They don't know Mum any different. Yes, obviously I think there are times that they wish that I was there all the time, but you go through stages. I mean, now they're old enough.

The girls do their own thing – not so much Sarah but certainly Emma. She gets herself involved in family life up to a point. What she wants to be involved in, she'll be involved in. But she's got her own life now, and she's building that life and she's making her own decisions. That's what gets me: the hardest thing as a parent is to let go. You bring them up with giving them enough confidence in themselves to do it, and then when they do it, you don't like it.

Q: **Looking at your girls, what does that make you think about your own childhood?**
LYNN: God, did we really put our parents through that? I've got two teenage girls wanting to do their own thing, and I'd love to be able to talk to my mum and dad and say, 'Really, did I really put you through that?' I remember some of it, and God, yes, I must have, but until you go through it with your own, you

never, ever realize that that's what hell you put your parents through. Because here we are as parents, only wanting the best for our children, but they think they know it all.

Q: **Were you volatile as a child, then?**
LYNN: Yeah, certainly in my teens. I mean, with the girls in their teens now, I've looked back and thought Emma is very much like I was. Very independent. Sarah's much more placid.

Q: **Are your girls growing up in the same sort of society that you grew up in?**
LYNN: Well, no. We've had so many developments in information technology and things that I think they have got more opportunity, to be honest, because of the way things are spreading. At seven we didn't even have television on all day. Now we can send e-mail to America at the flick of a button and get something back immediately. Hopefully, they'll take advantage of it.

Q: **Would you ever come back and live in the East End?**
LYNN: No. It's altered. We like open space and there's not very much left. And to be perfectly honest, the East End is too expensive.

Q: **It's now a multiracial society. What is your feeling about that?**
LYNN: It's different, but children – everybody's the same, whatever their race, whatever their colour. It's different cultures mixing together, and that's interesting in seeing that, in actually watching the transition. I mean, ten years ago, I had to learn Bengali because the children were arriving here straight from Bangladesh with not a word of English. But I can see an erosion of their culture happening to them. Hopefully, it will come through and they will see it as a good thing that's happening. But I don't know. I can't remember the last time I saw a Bengali child who couldn't speak any English. We have a lot now who actually can't read Bengali.

Q: **Is that one of the challenges of your job – a multiracial society?**
LYNN: Yes, I mean, we are going through it at the moment. It's the run-up to Ramadan, and a lot of these children are fasting. We are actually getting some in during their lunch hour – they come into the library, they come over to see us.

Q: **Do you remember when you fell in love with books?**
LYNN: Oh, God, I don't know. I used to read under the covers with a torch, so very young. I was always reading.

Q: **You talk a lot about your marriage. Why is it so successful?**

LYNN: I think if we could answer that, everybody's would be successful. I don't know, I mean we work at it. It's give and take. We are there together and we love each other and we've never stopped.

Q: **What's the give and take you talk about?**

LYNN: We share, we give, we take, we talk, we organize. If I'm perhaps not keen on one thing, maybe I can talk him round, or I'm not that bothered by it and vice versa.

Q: **When you were 35, you were worried about your health. What's happened about that?**

LYNN: I've still got this malformation and it'll always be there. Obviously, I have had it from birth, but it doesn't worry me – that's all.

Q: **Do you have much trouble with that?**

LYNN: None at all.

Q: **What's the prognosis with that?**

LYNN: It's unlikely to do anything. There is a one per cent chance that it could haemorrhage. I've got more chance of being knocked down crossing the street, and in that perspective, I don't worry about it at all. Don't even think about it.

Q: **What's the toughest thing about life at the moment?**

LYNN: There's nothing tough at the moment.

Q: **Have you been lucky?**

LYNN: Yes.

Q: **Why?**

LYNN: It's worked for me. I was lucky that Russ and I got married. We had time to establish a relationship before we had the children, and we had them when we decided. We planned that they were going to come along at the right time for us. And we see it going through and they're moving on, and we will still have a life of our own. I'm Russ's wife, I'm Emma and Sarah's mum – but overall I'm me, and I've still managed to maintain that.

NICK

'I don't remember having much of an opinion about living on a farm,' explains Nick. 'The farm was just something that was there.' The eldest of three brothers, Nick grew up in the Yorkshire Dales. The family lived in a ramshackle farmhouse with a sink carved out of granite and crumbly limestone walls. 'Some of the walls crumbled rather more than you might like,' Nick recalls. 'My bedroom had a hole at one point that went all the way through to the outside.'

Though sheep and cows were plentiful in Nick's village, children were scarce, and Nick spent much of his childhood in the company of adults. An avid reader, he attended a one-room school in Arncliffe. 'The teachers were wonderful – one woman keeping the whole mob of us of all different ages together.' The hardest thing he had to learn was long division, Nick says. 'And I never liked playtime. I wished the teachers wouldn't send us out because all we did was fight.'

7

Q: **What do you want to be when you grow up?**
NICK: When I grow up, I'd like to find out all about the moon and all that.

Q: **Are there other children in your village?**
NICK: I'm the only child in the village except for my baby brother. He was one last Friday, I mean the Friday before last Friday.

Q: **Do you like to fight?**
NICK: I have quite a lot of fun when I fight. You better watch out for me, 'cause as soon as you're not looking, I like to dash up and put my hands in front and hit them against your back.

Q: **What do you think about girls?**

NICK: I don't answer questions like that.

Q: **If you could change the world, what would you do?**

NICK: If I could change the world, I'd change it into a diamond.

14

When he was ten, Nick won a scholarship to a Yorkshire boarding school.

Q: **Are you happy at the boarding school?**

NICK: In this village there's me and then the next oldest is Andrew there. That's it. I'm not unhappy living on the farm and going to this school and boarding there. I think it would be better than living at the farm all the time. I wouldn't like to live at the school all the time, either.

Q: **Do you want to take up farming?**

NICK: No, I'm not interested in it. I said I was interested in physics and chemistry; well, I'm not going to do that here.

Q: **Did your father want to be a farmer?**

NICK: I don't think he really wanted to be, but he got stuck with it, because my grandfather, he certainly probably wanted him to be a farmer, but I don't think my father wants me to be a farmer. My youngest brother [Christopher], the deaf one, if he can't do anything else, he could probably run a farm as a last resort.

Q: **Have you done much travelling?**

NICK: I've been to Leeds a couple of times. I haven't been to Manchester; I went to London when you did the first programme, but that's the only time I've been.

Q: **Do you like money?**

NICK: Well, I mean almost everybody likes money. I don't like looking at money; it doesn't give any pleasure like that, but I certainly don't want to be poor or live in a slum. A person with one million pounds is not going to be more unhappy than a person with two million pounds.

Q: **What do you think about coloured people?**
NICK: I don't care what colour somebody is, unless they're blue, and I think that would be pretty peculiar, but you might find somebody yet. I don't care about colour.

Q: **Do you believe in God?**
NICK: I'm not sure whether I really believe in God or not. I think to myself, Is there a God? and I don't know – so I don't know.

Q: **Do you have a girlfriend?**
NICK: I thought that would come up, because when I was on the other one, somebody said, 'What do you think about girls?' and I said, 'I don't answer questions like that.' Is that the reason you are asking me? Well, what do you want me to say? I don't know what to say.

21

At 21, Nick was in his second year at Oxford, where he was studying physics.

Q: **Do you have a girlfriend?**
NICK: The best answer would be to say that I don't answer questions like that; it was what I said when I was seven and it's still the most sensible – but what about them?

Q: **Well, you seemed at 14 to be very shy of your whole sexual life. Has that changed?**
NICK: I've tried to make a change, yes. A very definite conscious effort not to be shy and to be more outgoing, and this is actually something I can point to in my own past and think, Yes, I did make my mind up here, here, and here that I was going to try and change this, this, and this. 'This' being basically my confidence and my sort of approach to – well, to people in general.

Q: **Tell me about your studies.**
NICK: Well, I'm trying to be a physicist. Fill in the detail of whenever you meet somebody at university, the standing question is, 'Where are you and what are

you doing?' And my answer is, 'I'm at Merton College and I'm doing physics.'

Q: **So what career are you going to pursue?**
NICK: It depends whether I'll be good enough to do what I really want to do. I would like, if I can, to do research.

Q: **Are there any disadvantages in coming from a small place like this preparing yourself for Oxford?**
NICK: Well, it's a rather different background to go anywhere – Oxford, perhaps especially. It's a rather more firm foundation, I would have thought, as to your character, than being brought up in a city. It's a fixed reference point in a sense – that sort of earthy life-and-death cycle that you get living on a farm. If something dies, it rots and feeds back into the earth. Sometimes it's helpful. In a city, things that some people are very concerned about seem quite irrelevant.

Q: **Is there any strength of your father as a farmer that you think has been transmitted to you?**
NICK: Well, the sense of calmness in situations, you know. You take things as they come; you have to revise things. If the dogs are chasing the animals in the wrong direction, you just have to put up with it; they won't do as they are told. You just become resigned to these things.

Q: **I suppose of all the seven-year-olds, the original ones, you are the big success.**
NICK: I'm not inclined to agree with that.

Q: **Why?**
NICK: Well, with what I've achieved I'm not really prepared to accept that I've done anything very special yet. I'd like to feel that – I'm hoping that I might at some stage, but I don't really think that I've done anything you can call a great success. It would seem really ridiculous to any of my friends who watch this if I

said, 'Christ, aren't I great? Look at me.' I can't think of it in those terms. I mean, I haven't done anything that can be called a success, nothing out of the ordinary really.

Q: **What do you see as your strengths and weaknesses?**
NICK: I suppose that I behave rather after the fashion of the people I'm with. In some circumstances, I think that can be a weakness. I sometimes just wish I didn't because on occasions I think, Christ, you bloody fool, what are you doing now? And that sometimes disturbs me.

28 *At 28, as an assistant professor at the University of Wisconsin, Nick was performing experiments in an attempt to produce atomic energy free from radioactivity. He had married Jackie, whom he met when both were students at Oxford.*

NICK: The gas in these experiments is at a temperature comparable with that of the sun, whereas in a power reactor it will be maybe ten times the temperature of the sun. We're trying to induce that gas to fuse until the fuse reaction gives off energy and produces the power that would be turned into electrical energy and sent out to the consumer.

Q: **How hot is it in there?**
NICK: In there, it's at about ten million degrees.

Q: **When did you come to America?**
NICK: I finished my degree in physics and then I went on to do a Ph.D., and having got the Ph.D. – it took some two and a half years to get that, which was relatively quick – I went to work at the United Kingdom Atomic Energy Authority's Culham Laboratory, which is where they do fusion research, and that is what I've been aiming to do throughout my Ph.D. But when I got there, I got a big shock when I found that my standard of living went down when I started work, so when some people here offered me a job, I thought this might be a good opportunity to go somewhere else where their research environment was a bit more vigorous. So I came here in November of 1982 into a blizzard. The university is substantially different from an English university for several reasons. It's a much bigger university: Oxford has 10,000 people; this has 40,000 people.

I guess the mixture of people who come here is different. A far bigger fraction of the population go to university here. Oxford is full of people who really are trying to prove something, I suppose, or be something – a lot of people with social or intellectual pretensions. You're less aware of that sort of thing here. On the other hand, the American system is much more like the comprehensive system in England would try to be. It takes many more people and gets a huge section of the population to a level where they are really technically very competent and can go out and make Silicon Valley work.

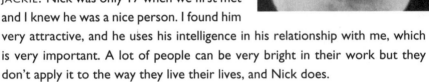

Q: **Jackie, why did you marry Nick?**
JACKIE: Nick was only 17 when we first met and I knew he was a nice person. I found him very attractive, and he uses his intelligence in his relationship with me, which is very important. A lot of people can be very bright in their work but they don't apply it to the way they live their lives, and Nick does.

Q: **What about you, Nick? Why did you marry Jackie?**
NICK: Because I find her attractive; she's bright and independent.

JACKIE: If you'd been somebody who had had fixed ideas of a woman's role in marriage that meant dinner on the table at six every evening . . .

NICK: Didn't I tell you about that?

JACKIE: I think we would have had problems, or if one of us had not wanted children . . .

Q: **Where did you get all this brain power?**
NICK: All this brain power? I don't know. Did it just happen, all this brain power? That's a hard one to answer, because first I have to accept that I've got 'all this brain power', and that's not the sort of thing I tend to go around saying, but I've always been interested, from a very early age, in technical or scientific things. When I was very young, I had a big picture book about the planets, and I thought this was wonderful. And I've just been interested in that sort of thing, in reading technical or scientific material, for a long, long time.

NICK

I was the only child of my age in my village, but I managed to spend my time talking to adults who were around. I remember looking at various natural phenomena and being intrigued to try to understand what made them tick.

I think that if I'd been in a city, I probably would have had more interaction with people and might have developed more skills in dealing with other kids – trying to become a reasonably well-adjusted person was, for me, a bit of a struggle for a while, and I was given a fantastic opportunity when I went to university, and that really saved my bacon.

Q: **What attracts you about America?**
NICK: It's an exciting place to be. There's a lot going on in terms of research and other things. I really came here to do research, but I think there are more opportunities and just a general feeling of more going on than I had previously. The place is less hidebound; it's less bureaucratically tied down – so it's much easier to go out and get things done than in England.

Q: **Do you get lonely here?**
JACKIE: You just tend to get stuck into your everyday routine and you don't think about it. When you call home, then you realize how far away you are. And now it seems acute because both our families are getting older.

Even if you think in terms of seeing them once every two years, you're thinking about only ten times and that's awful. When you think in those terms, you realize, you know, you really are in exile.

Q: **Does it put a pressure on your relationship?**
JACKIE: No, I think it binds us together because we just have one another over here.

Q: **In 21 UP, some of the people were saying that it was immoral to emigrate, immoral to leave. Do you have any feelings about that since you're the one who's left?**
NICK: In my position, I don't feel that I'm letting England down, because I don't think that England particularly wanted me there doing what I was doing. It had trained me marvellously; I'd gone through a wonderful educational system, particularly Oxford was a fantastic experience socially, and it was a great place to try and develop emotionally; and the academic standards there are absolutely superb.

Having trained in a very academic fashion there, I then went out to try and do something with all that training and found that society wasn't terribly

85

interested in what I was trying to do. So how can I feel that I'm betraying a country when it doesn't want me to do what it's trained me to do?

Q: **Are you thinking of having children?**
NICK: The big issue for us at the moment is how are we going to manage to have kids and run two careers. We don't want to miss out on the chance of having a significant career, and we don't want to miss out on the chance of having kids and to be involved in them.

Q: **But in those early formative years, would you be happy for your children to be brought up by Jackie, and Jackie not being able to give them full attention?**
NICK: Well, that's putting it in a rather strange way. This is an area where I pay lip service to the idea of equal shares on this, and it remains to be seen whether I would actually live up to my intentions.

JACKIE: There are several things, I think, to be said here. If we both work in academia, that will make life much easier because as things are at the moment in the States, if you have a computer at home, you can come in to teach and to give office hours to your students, but you can work half of the day from home.

But I don't want to be the person left behind while Nick flies in and shares an adult life with his children. I want to be there, too.

Q: **Is she difficult?**
NICK: At times, yes. Whenever we have an argument, she does have a tendency to explode, I suppose – no, to get really miserable.

JACKIE: We've only been married four years; anything could happen. We could easily drift apart. There are so many pressures on people; you just have to work at it and that's why it's important that you have the same ideas – that you want the same kind of life.

Q: **What do you fight about?**
NICK: When we were in England, our big source of arguments was money. We were always squabbling about money, but that one mercifully seems to have gone away pretty well. We still disagree, but it isn't a major source of rows.

I've never really been aiming for money, and that, curiously enough, is why it was such a surprise when I found that my standard of living mattered to me when I finished university and I found that I couldn't afford what I'd been able to afford as a student. It suddenly caught up with me for the first time in my

NICK

life that I really did care about how much money I was getting – and it had never occurred to me that I would.

JACKIE: When I first met you, I remember I thought that you were very idealistic and it was rather interesting when I asked you why you were working on fusion. You said you wanted to save the world.

NICK: That's right. I picked it because I thought it really was something that could be useful to people. Hopefully eventually.

Yes, it would be a disappointment if I didn't achieve very much, but I'm not worrying about it very much. I've just got to go out and make it happen.

35

At 35, Nick had become an associate professor at the University of Wisconsin.

Q: **Now that you're more firmly established in the States, what differences do you see between Americans and the English?**

NICK: I think in general you'll find that Americans are much more determined to follow through on their ideas and much more upbeat about their chances of having success. You'll find that Americans looking at this film find the English people in it very low-key and lacklustre. Part of that is just they don't understand how the English communicate. If the English are saying something quite positive, they'll make some very moderate statement: 'I'm quite pleased about this,' or something, and that means, 'I'm absolutely delighted' or 'I'm over the moon' in American terms.

Q: **Is Madison a friendly place?**
NICK: Yes, very friendly. It's a fairly small little community and you get deer and things running through here, so it's kinda nice. If you walk into a shop here, or a store, as they would call it, people are much more polite to you than they are in England. And it's not just a matter of being obsequious; they just try and be reasonably friendly and smile at you.

Q: **People saw the last film and thought, This marriage isn't going to work; it isn't going to last. Did you get that response?**
NICK: Well, it's actually such a mystery to me what they thought they were talking about that I really just don't relate to it at all. I just don't know why they

said that. I mean, the sorts of things you were seeing was us trying to be very honest about it. That may have been the place in *28* where we probably were working hardest about really describing what things were like. I was just saying I sometimes just am very dull and neutral. Well, in that I think we were just trying to be really upfront and say, 'This is what it's like, and we're working very hard at it and hopefully it'll work out.' If that sounds to somebody like it's in jeopardy, well, that's their problem.

Q: **I understand your son Adam is now a year old. Tell me about him.**
NICK: The thing that I notice that's different, now that I have him – apart from just spending all the time I spend and the things we do – is I look at the world even when he's not there, and I find myself relating a lot to small children who remind me of him, to small children as a whole, and seeing them as being similar to him. And so they are tremendously important to me. I feel very protective and affectionate towards them.

Q: **Do you miss England?**
NICK: An awful lot, yeah. My parents managed to get over here a couple of times in the last two years, and Andrew, my middle brother, was here about two years ago, so that's pretty good going.

Christopher is the brother who is deaf, as you know, and his language skills are getting better. He can't hear essentially at all, so you can't really have a conversation on the phone. He'll get on the phone and tell you a bunch of stuff and you can understand most of it, so that's really nice.

Q: **Is it painful for you?**
NICK: Well, the thing that was emotional to think back on was the situation when he was probably a year old, and it was really becoming clear to everybody that, despite the fact that his doctor had originally insisted he wasn't deaf, that it became pretty clear that he was, and you know, at the time, I just desperately was hoping it wouldn't be true, that somehow some sort of miracle would happen and he would turn out not to be. But then I told myself, Well, if he weren't, then he wouldn't be the same person and it would be

wishing that the person didn't exist, so that wasn't the appropriate way to think about it.

Q: **Do you think you can build a life here?**

NICK: Well, you know, one is trying to, but it is very difficult being in a place where you're a long way away from all your background and you don't have any sort of support network. I mean, you have to fend for yourself, you keep thinking you're really being called on to show pioneer spirit.

I don't have this urge that you sometimes hear people saying that I want my child to have all the things that I didn't. I don't look back and think I was deprived. There were things that I had in a certain sense as a child which were not material things that I had but situations I was in and experiences that most children wouldn't have. Growing up on a farm and actually working on a farm and being in a situation of being told, 'Clean out that calf shed,' really has made me very determined to get things done and not give up halfway through something. It develops a streak of stubbornness that can be useful now. The trouble with me is that I tend to take the streak of stubbornness too far. I have to try and mellow out a bit.

42

This interview took place in the Yorkshire Dales, where Nick grew up.

Q: **It's incredible that it all started here, isn't it?**

NICK: Yes and no – you shouldn't underestimate what resources people have. Yorkshire farmers are very profound people. They are very smart people; they are businessmen in a really rough business, a really hard business that is in the process of dying out, and they are hanging in there by tooth and nail to try and keep things going. These are magnificent people. You shouldn't look at this little place and say, 'How surprising that anything could emerge from here.' I mean, these are fantastic people and you know you don't get better teachers anywhere else than we had. So no, it is not surprising.

Q: **What do you think you have learned about life here, in this environment?**

NICK: Just look at this place. It is utterly beautiful, but not beautiful in the pretty, cutesy way. It's very uncompromising and sometimes it is very tragic, but it makes other places you go seem rather trivial as well. And so I get a lot of confidence, I'm enormously proud of having come from here. You couldn't be more proud of where I come from, and the idea of being a Dales person is really terribly important to me.

Q: **What is it to be a Dales person?**
NICK: Well, it's not an easy place to live, and people have to struggle quite a lot to just live their lives and do their work. And so Dales people, I think, are very, very philosophical, and they're quite profound, not trivial people. They just have a depth. A solidity.

Q: **Your folks are getting old now, your mum and your dad. Will you be coming back here many more times, do you think?**
NICK: I hope so. I'm going to try. Adam, my son, went straight up the hill, almost as if this was something he had been bred to do. And he wouldn't stop. I mean, he just wanted to get up to the top, to the highest possible point, and look out and get photographs. He said, 'I want to remember this, I may not come back here.' I didn't know he was going to act like that. And he didn't get that from me. I didn't say that to him; that was his own idea. I thought he'd sort of gone to the heart of the matter there.

Q: **Do you wish he had had this kind of upbringing?**
NICK: There are lots of parts of it I wish he could have. I mean, there is a feeling of being toughened up and being prepared for things by it that I don't know how to give him; and I think about that and I don't know how to supply him with that. A child needs to feel that he or she can take on things and deal with them and have things that they can build on. And just having lived here gave me a feeling that I can take on other things.

Q: **Are you happy about bringing Adam up in America?**
NICK: In some ways yes, in some ways no. I mean, it is a mixed thing. He has advantages there and some disadvantages, and you try and make the best of it. He has access to things that we didn't here. He can have lessons in this, that, and the other, but he doesn't have a hill to run up, a sheep to chase and so on – and he clearly likes that.

Q: **How long since you've been back?**
NICK: I'm afraid I think it's been five years since I've been back here.

Q: **What's happening to the farming here?**
NICK: Well, I don't entirely know, but you only have to look around and see that every second house is a hotel, and I think it's great that it's accessible to

NICK

people to come here to be tourists. The thing is, the farmers are responsible for keeping it in a form that anybody would want to look at it. And if the farming is dying out, it is not going to be very nice to visit.

If you pay someone to shear a sheep, you can't sell the wool for enough to pay the guy who sheared it, and you don't get much for our little scruffy sheep if you are selling them for meat. And cattle, of course, nobody is eating beef much right now. Even with the subsidies it's barely liveable.

Q: **So your dad is packing it in.**

NICK: It hasn't been viable for a very long time. His father was just so deeply committed to farming, just believed in it, that there was no way he could do anything else. I think he rather pushed my father into doing it, but you know it was something that generations ago was a proud occupation. Now these are small farms; a lot of them are tenant farms. We're not talking about having hundreds of acres of rich, arable land.

So, yes, he's giving up the farm. He's retiring and the stock have been sold except for a very few that we have been feeding over the last day or two, and in February it will be completely turned over, I understand, to its owner, and that will be that. They moved a couple of days ago out of the farmhouse into a little cottage that they own. They've been refurbishing it and they've done a nice job. This was the cottage where they lived when I was born and it was not in terribly good shape before they started redoing it. It's very hard to keep these cottages at all warm, for instance.

Their health has not been the greatest. My father in particular has had a number of operations, and the National Health, when they got round to him, they seemed to have done a nice job. It just took a while and he was in tremendous pain with his hip and his knee. Well, they've done the hip and he's feeling a lot better, so that's just wonderful, but his health is a great concern.

Q: **Your brother won't take over on the farm?**

NICK: No, absolutely not, no.

Q: **What has happened with Christopher since we were last here?**
NICK: Well, Christopher is married, which is great. He has a very nice wife who is getting better and better at communicating with the deaf. He works in Skipton and he's taking some courses in computers.

Q: **What about Andrew?**
NICK: Andrew is a newspaper reporter. He is I think about to take a job near York. So that's great. I hope he just finds somewhere nice to live there because for it to be a pleasant job for him, he is going to need a base over there. He can't commute from here.

Q: **Would you ever think of coming back here yourself and living here?**
NICK: I do think about it. Again, I don't know quite how I'd manage. I couldn't come back here and work. As soon as I wasn't going to be a farmer, I couldn't live here any more, and in a way choosing to leave here is like having your right arm ripped off. Maybe you could retire here, but people retiring somewhere where they haven't lived for 40 years can be a big mistake. So I don't know. It would be very hard to, and I do feel really wrenched away from a big part of my life here, and I don't know how to get back to it.

Q: **Does it make you emotional thinking about this?**
NICK: Very much so. I don't want to get too worked up about it, but yes, I feel very bereaved and somehow swindled that I can't be around here. And you know, it didn't seem like it was my choice. Didn't seem like I had any choice at all.

Q: **What about those who are left here, your brothers, your mum and your dad. Do you miss them?**
NICK: Yes, very much. My brothers can't work here, either; they are all off somewhere else. It's terrible not being able to be in touch with them as much. I don't want to say this, but I feel very guilty about not being here.

One of the reasons why I really felt driven to go through education was that I had this idea that somehow if I did, I'd be in a better place to try and help my family because goodness knows they need it. That really lit a fire under me to persevere.

Q: **Have you been able to look after them?**
NICK: I don't think I have done any more to look after them than just not actually take up any of their resources. If you ask my parents, they'd probably

say they'd rather have me around and being a drain on the resources.

Q: **The feelings you get from here, would you call them spiritual values or what?**

NICK: There is a feeling of being in touch with nature. I mean, one of my jobs in spring, unfortunately enough, was burying dead lambs. Now this is not pleasant, obviously; it's really horrible. But that feeling of being part of the cycle – you look at trying to help them in being born; you look after them; you feed them; you deal with the ones that don't make it – and having dealt with that helps you to deal with other things. It's actually in some sense very unspiritual. It's all very down to earth and practical sometimes. But also when you go to the top of that hill and look out at the views you can get from there, it's desperately beautiful and moving.

Q: **Tell me about what has been happening at work over the last seven years since I last saw you in Madison.**

NICK: It's changed in a few ways. In addition to now being a full professor, I've been doing some administrative jobs. I've been associate chair of my department. I've been running admissions and dealing with student problems for the graduate programme. We had a centre from NSF [National Science Foundation] for basically using plasmas in industrial applications. Plasmas are ionized gases. That was funded to the tune of between two and three million dollars a year and it got shut down probably a year earlier than I would have expected because of conflicts in the centre. As far as I know, it had nothing to do with me, but nevertheless that stream of money has gone away, so that we are going to have to look lively and replace that.

And I've spent the last year and a half writing a couple of books. One about this business of using plasmas to process semi-conductors; that one's not quite finished. And there is another one that was about semi-conductors.

Q: **Have your ambitions changed?**

NICK: They have a bit, because I think that I tend to be getting a bit less of a pure scientist and more looking for real impact. I mean, I always wanted to have an impact, to do something useful that was actually going to benefit people. I had this vision of people in ivory towers being cut off, doing stuff all their lives and having no effect on anybody whatsoever, and that was absolutely not what I wanted to do, and so I chose to go into this fusion business because I thought this would have a huge impact. When I was a teenager I read books that were all concerned about environmental catastrophes and I really wanted to do something that would make recycling and so on more practical – and one of the things you really need to recycle is lots of electricity.

Q: **Do you still have your passion?**
NICK: I'm very driven to work on what I am doing. There are things that I am doing that I think should be useful short term, and there are mathematical methods that I am working on that I think are fairly profound. And so I am still a workaholic. Most of it has to be done after midnight when it is quiet.

Q: **Are you optimistic that you can make a difference?**
NICK: Well, I think that the sort of difference I'm thinking in terms of making is not a very grandiose one at the moment. I mean, most times when scientists do something spectacular, they stumble on something that is lucky and it is very hard to plan for these sorts of things; otherwise more of us would do it. I try and identify important problems to work on, but even that's hard. It's hard even to know the important problem to work on. And most people don't even make a strenuous effort to do that. But I'm not expecting to be reported in newspaper headlines any time soon. That is not the limit of my ambition, but it's just trying to be realistic. I'm just about to try and settle for reasonable, small victories.

Q: **Tell me about marriage and children in the last seven years.**
NICK: Well, the last seven, eight years have been dominated by children, or one child, and I think that my life is focused much more on my wife and child. Emotionally, it centres round them more than work. I still work an enormous amount but they are much more the focus of what I am thinking about or fretting about than work is. So that's probably quite a big change for me.

Q: **Why only one child?**
NICK: Well, there's a couple of reasons. One is that these silly jobs we have demand such an amount of time and such a commitment that it is hard to fit in one. Also, he's such a lively person and he demands such a lot of attention that he makes it hard to find time for another.

Q: **So you don't want another?**
NICK: I would dearly love to have another one. I actually adore children. I think two is as many as I could legitimately hope for and as many as I could ever manage, but if I had to say my ideal number, it would probably be two.

NICK

Q: **Are you getting on well, you and Jackie?**

NICK: I would say very well, yes. In many ways we are very compatible. We are both a bit too forceful, but the thing is – I hate to say this – we both come from backgrounds where not everybody expected us to get a tremendous education, and in order to get an education in our backgrounds you do have to be quite single-minded. We couldn't have got this far if we hadn't have been like that.

We spend a lot of time trading off who is looking after our son because the other one has to rush off to work. We're doing a little bit better on that but it's very wearing; we are always tired, we are always short of sleep, always cranky, always stressed out.

Q: **What does Jackie do?**

NICK: Jackie is a professor of journalism. She's just got tenure, and she does research in advertising and in related areas and in what she would call 'media convergence'. She's interested in psychological aspects of advertising and how they should be regulated and controlled. She did some stuff which I thought was really fascinating on political advertising and how it works for women candidates, or how it can work against them, and what their strategies should be.

She's a wonderful teacher and she gets tremendous ratings and you can hardly walk down the street in Madison without being stopped by all the students. She had a class of 400 students last semester. It's another reason why we are tired. I mean, it take hours to even write down their grades.

Q: **Is money an issue with you, a problem for you?**

NICK: Money is not an overriding issue. I haven't managed to save any, but it's not my number-one thing that I worry about at the moment. I have a grumble about how much is getting spent every month when I get the credit-card bill, but I'm just trying not to be such a grouch about it and not be quite so anxious about it. No, so that's probably not my number-one concern.

Q: **Where is home to you now, then?**

NICK: What a nasty question, Michael! The easy answer is probably it's not a physical location at all. I mean, that's the problem: I don't really feel like I belong anywhere at the moment except with the people who are closest to me.

Q: **It's hard being away from your roots, isn't it?**

NICK: Terribly hard. It's hard in lots and lots of ways. I mean, if you go to an alien culture, you don't know what's going on around you half the time. It's really strange to go to a different country: people don't send out the same signals. When we do something, it doesn't mean the same thing. So even when you think you speak the same language, you scarcely do. Everything from good manners to just more subtle clues if you meet somebody. Somebody who has grown up in the culture can tell a lot about somebody – who they are and what they are likely to be like – very quickly from little clues, and it's like being suddenly tone-deaf and colour-blind, both of which I am.

Q: **Do you imagine you will spend the rest of your life in America?**
NICK: I don't know the answer to that, and whenever anybody asks me I just give them some noncommittal answer. It's very hard to imagine being able to come back here and I think about it a lot, but I haven't seen the way to do it yet.

SUE

The daughter of a cabinet maker and a part-time machinist, Sue grew up in the East End. The family's house was on a quiet street, opposite a bridge; Sue's parents and grandmother slept upstairs, while Sue's bedroom was downstairs, facing the yard. 'I was really frightened of that yard,' she recalls. 'Maybe it was because the toilet was out there — we didn't have an indoor bathroom.' As a child, Sue developed a fear of vampires, and to this day, she says, 'I still have to have something round my neck when I'm asleep.'

An only child, Sue attended the Susan Lawrence School with Jackie and Lynn, other participants in the UP series. 'At the time,' she says, 'I don't remember being that bothered about not having any brothers or sisters. I do remember being jealous of Jackie with all her sisters. But the only way it really affected me was that it made me decide I'd never do it to my own child.'

7

Q: **What do you think about fighting?**

SUE: Well, sometimes we go out and play nicely with the boys, and sometimes we go out and argue with the boys.

14 *Like Jackie and Lynn, Sue had the choice of going to a comprehensive or a grammar school.*

Q: **Why did you choose a comprehensive school?**

SUE: I just didn't feel like going to grammar school. Comprehensive school just seemed more friendly.

Q: **What advantages has a comprehensive school got?**

SUE: Oh, especially this school, it's got everything, everything you could want.

Q: **How do you spend your free time?**

SUE: I like serials – I like *Peyton Place* and *Crossroads*.

Q: **Have you ever been abroad?**

SUE: I have. Spain, Gibraltar, and Casablanca. That was interesting.

Q: **Have you got any boyfriends?**

SUE: That's personal, ain't it?

Q: **What do you think of rich people?**

SUE: They can be all right, but I don't like people who are too posh. They look down on everybody else; they think they are better.

I don't see why they should have all the luck when people worked all their lives and haven't got half the money that they have. It just doesn't seem fair. Some people don't know what to do with their money, so they spend it, waste it.

Q: **Is money important to you and your friends?**

SUE: It does mean a lot to us now, with the clothes and the new fashions and everything, doesn't it? Midis and that – you need money.

Q: **Do you want to be rich?**

SUE: I don't mind. I'd like to stay as I am. I don't want to be too rich; I don't want to be too poor.

Q: **Do you believe in God?**

SUE: Well, if you are brought up to believe in Him, you do.

SUE

Q: **What are your goals for the future?**
SUE: Just to be content with what I'm doing and be happy with it, and to know where I'm going, and to remember fondly what I've done.

Q: **There is a danger that you will get married in your early twenties and have children quickly and be stuck at home. Have you had any thoughts on that?**
SUE: I don't think I'd get married too early. I'd like to have a full life first, and meet people . . . before you commit yourself to a family.

21

At 21, Sue was single and working in London.

Q: **Tell me about your work.**
SUE: I work for a travel company. I don't deal with the public; I deal with groups and company groups. Incentive holidays abroad and conferences, that sort of thing, which I like, because I like foreign places. I do quite a bit of typing, but a lot of my work is involved in making bookings and dealing with hotels abroad.

Q: **In admitting that you're not a career girl, does it mean that you are therefore looking for a family?**
SUE: Well, I don't know. I suppose I am, but everything's not that cut and dried. It's not either a career or a family: it's what's in the middle. I mean, am I just going to carry on as I am now – and end up on the shelf? Or am I just going to get married? Could be any day.

Q: **How did you feel about attending Jackie's wedding?**
SUE: I was pleased I was there. It seemed the right place to me. I've known her a long while.

Q: **What are your thoughts on marriage?**
SUE: Marriage didn't appeal to me. I've still got my ideals about marriage; I don't know what it's all about, obviously, so I've still got pictures of cosy evenings indoors.

I've got a lot to learn about marriage.

28

Sue was 24 when she married Billy, a gas fitter. At 28, Sue was living in a council house in the East End with Billy and their son William.

Q: **Tell me about your decision to get married.**

SUE: When I got married, the primary reason was because I wanted to have a child. The two to me went together. I can understand Jackie's decision [not to have children], because I think there's still a lot of pressure put on young married couples to have children, as though it's expected of them. And I think it's all wrong – it's just a personal decision that everyone's entitled to make. And knowing what it does to your life, I can completely understand someone who decides not to.

Q: **How does married life contrast with single life?**

SUE: I'm lucky, I expect, because I still manage to do my own thing. I've got a husband who lets me do what I want and a mum who helps me out, you know. I do a part-time job, which is enough for me, because I don't think I could cope with a full-time job and wouldn't want to, personally.

I had a good time up till I was 24, and I think that to get married young, there must be things that you miss. You must miss that crucial stage of being yourself – because the minute you get married, you're no longer a single being, you're a partnership and that should be the idea behind it.

Q: **Do you get depressed by money problems?**

SUE: It was hard first of all when I gave up work – from having a fairly high salary to nothing was hard. But you get used to it. Whatever your circumstances are, you live in them, you get used to them and you cope. Everybody does.

Q: **So you don't feel bitter about a society that maybe gives one stratum more opportunities than another?**

SUE: No, not bitter.

I think that we all could have gone any way that we wanted to at the time within our capabilities. I mean, we chose our own jobs – we were able to choose our own jobs quite freely.

SUE

Q: **Looking back, do you think you made the right choice when you decided to go to a comprehensive school?**

SUE: My mum knew I could go to grammar; and I decided that I didn't want to, and she encouraged me in the choice that I made. And right or wrong, that was my choice – as much as I was capable of making a decision. And I enjoyed myself.

Q: **Do you have any regrets about it?**

SUE: No, no. You can only have regrets about things if you're not happy with the way you are.

35

At 35, Sue was working part time in a building society. She and Billy divorced when she was 32.

Q: **Tell me about your life since you were 28.**

SUE: Just after we had made the last film, I had Kathryn, and when she was about a year, the marriage started to sort of dissolve round us, really, and we decided to go our separate ways. I've never sat down and thought what it was: Was it this, was it that? I just knew it wasn't working, and the discussion really was the best way of splitting up rather than why we were splitting up. It was really strange – I think it seemed so obvious to both of us that it was probably easier to do than it should have been.

I think that women want more out of life now; that is basically why they won't put up with a less-than-happy marriage. The number of people in my situation – not single parents as such, but divorced single parents – is unbelievable. And for people of my mum's generation, it's still rare, very rare.

Q: **Why did you have a child out of a marriage that wasn't working?**

SUE: Because I wanted to have more than one child – it was a thing about being an only child myself. I was always jealous of other children that had brothers and sisters when I was growing up, and I didn't want to have more than one child with two different fathers. I think that a brother and sister should have the same mother and the same father; that is my ideal.

Q: **Has the divorce been hard on the kids?**

SUE: I would hate to think it was tough on the kids. William used to say, 'Why isn't Daddy living here any more?' and I would say to him, 'Well, you know how you and Kathryn argue and get on each other's nerves? Well, that's how Daddy and I are. We just find that we're happier if we're not living in the same house.'

Q: **How did you feel about living off Social Security after you and Billy split up?**
SUE: I hated it. Really hated it. Perhaps it's old-fashioned values. I mean, Mum and Dad have certainly never been in that situation, but then my mum and dad have never been single parents, either. So you have to do what's best for you and the children.

Everything's changed for me 'cause I'm now supporting myself a lot more than I was a year ago.

Q: **Do you socialize much?**
SUE: I have a regular one night a week when I can go out. It just happens to be that in this particular circle, most of my friends are separated or are divorced. You have common problems, so sometimes it's easier because you recognize each other's problems with baby-sitters. You know it's not always possible to drop everything and go out.

Q: **Are you ready for a long-term relationship?**
SUE: I don't think you're ever ready for a long-term relationship. Either it happens to you or it doesn't. I certainly wouldn't kick one in the teeth if it crept up on me – yeah, why not?

Q: **Do you have any regrets?**
SUE: We've all got little secret dreams. I mean, I loved drama at school – I loved to sing, along with millions of others, so I would have liked to have carried that further. It was discussed at one stage, you know, going to drama school and pursuing it, but I really at the time didn't want to give up work and income as a young person. As a young person, I was quite enjoying myself. Didn't want to risk all that to follow the dream.

Q: **So are these good times, Sue?**
SUE: Not particularly, no. I've got two lovely children now, but it's just another

crossroads for me. I don't know which way I'm going to go, what's going to happen. I'm on my own, basically. I'm starting again.

Q: **Tell me what's happened since I last saw you at 35.**

SUE: Oh, goodness. Nothing dramatic happened in the last seven years. I'm still single and the children have grown enormously. I am still living in the same place, so there's been no moves, although I have bought the house now rather than just renting it. So I suppose that's something to work on, something to build on. But I haven't actually done anything to the house yet – there's plans but nothing's actually been done yet.

Emotionally, obviously, I've had some relationships – some long ones, some short ones. Met some nice people, but nothing permanent.

Q: **Why's that?**

SUE: Because I think when you get to my age – or perhaps it's just me – I don't know. I've never been able to settle unless I've thought it was right. I mean, there have been relationships where I could have settled, but they didn't feel quite right, so I've always come away and pulled away and just waited until the right one comes along. If they ever do.

Q: **Are you asking too much of a relationship, do you think?**

SUE: Maybe. It's probably difficult. I mean, I've got two children, and that's a lot for anyone. It's never caused me any problems; no one's ever said, 'Oh, I can't get involved with you because you've got two children.' I suppose it does happen, but it's never happened to me. I've had some relationships where the situation just wasn't right, and although I've been happy for a while, I've taken a sort of step back and thought, Well, this has got to stop.

I'm with someone now, which is nice. It feels nice, it feels right, but it's early yet.

Q: **Do you enjoy this kind of life, or does it get you down, this relationship following relationship?**

SUE: Deep down, I probably wish I wasn't having to do this. I mean, I'd like to be married and have a steady relationship. But I'm the type of person who likes to go out and have a good time, so it's not that hard for me. But I think as you get in your forties, you start thinking, Well, maybe I should slow down a bit. You don't know what's round the corner, do you?

Q: **Tell me how the children are doing.**

SUE: They keep me busy. They are really, really, really good kids. I mean, they're at a funny age. William is 15, doing his GCSEs, so I'm trying to make him study. He's always been extremely bright, but he's discovered computers in a big way, and he tends to spend a lot more time on that than he should, probably. He's not quite as enthusiastic about school as he used to be, but he's doing really well.

He's had a bad year, actually, William. He had an operation earlier this year. He had a lump in his neck; we had various opinions. They thought it was a cyst, and it was quite noticeable to him, particularly because he's so tall and thin, and he wanted it gone. The worst moment was when we went to see a specialist, just me and him. I'll never forget it. We sat down and he said, 'Right. Bear in mind this could be a tumour.' That was the first words out of his mouth. And my eyes, my mouth – just filled up and I looked at William. He's very calm, he's very together, but I thought, What is going through his mind? Then the doctor said that it could also be a cyst. He had every test under the sun. And then he examined him and said, 'Well, actually now I think it is a cyst of some sort.' And I thought, Well, why didn't you examine him first instead of terrifying us?

It turned out just to be a normal cyst that happened to be near William's thyroid. It didn't affect him at all, but he's got a scar now which is obviously going to take time to heal.

Q: **Has it been hard bringing up a boy without a father?**

SUE: I don't think of it like that. He's very easygoing and he speaks his mind, as I do. That's the way I bring them up; we're very open with each other. And he sees his father occasionally, not as often as I would like, probably. I mean my ex, Bill, might ring up and say, 'Can I take them out?' but they won't be there. When they are little, it's easier. They can have a regular time when they see their dad – which they did. But now that they are older, it's trying to fit in with their schedule rather than the other way around.

Q: **So you don't think he's missed having a dad?**

SUE: Probably, but I don't know how it's affected him. My dad's there; my children probably owe a lot to my mum and dad. I mean, my mum and dad have been absolutely brilliant with them. The way that they behave is mostly down to my mum and dad, because they've done a good job and they've helped me out enormously – not just financially, but emotionally, bringing them up.

SUE

Q: **Has the money been tough?**

SUE: Money has been extremely tough. I've always worked, but anyone who's got teenagers knows how expensive it is, and there are times when I can't quite manage what I'd like to with them, especially school trips and things like that. I can't say they're greedy kids; they're just normal. They want things and they can't understand why they can't always have them. Particularly with the designer label thing that's going on. Especially with Kathryn, everything has got to have a name on it or she won't wear it, you know.

Q: **Is it scary thinking of the future in terms of money and you working?**

SUE: I don't worry about it. I've survived this far. I suppose with William being 15, he's going to carry on with his education and hopefully do his A levels, because he can and he should. What he's going to do, I don't know. He keeps changing his mind. It will be something to do with computers probably, and no, I don't worry about it – particularly because you can't. I've got certain little savings plans for them and policies that all come out when they're 21, and hopefully things for when they get married or if they want a car. There are times that are hard when you are on your own, but hopefully I've got a few things put by that will help me out.

Q: **And what about Kathryn? Tell me about her.**

SUE: Kathryn is very much like me. My house is completely full of girls, constantly. I mean, it's like, 'Who can stay tonight?' and 'Where is she going tonight?' Very rarely is she in on her own. She's always got someone with her, four or five people sometimes, and she loves to be out with her mates. She's more into boys and dressing up and looking nice and that sort of thing.

She likes the karaoke – they both like it, actually. We went on holiday to Spain just for a week, the three of us, which was quite scary, because I'd never done that before. And we had a wonderful time. We went out and we found a nice bar with a karaoke and we were all singing together, and we had a wonderful time.

Q: **Why was it scary?**

SUE: Well, because I had visions of them both wandering off, finding friends, which they do quite easily, and leaving me. But we made friends, sat around the pool with people, and we had a really good time.

Q: **Were they brought up like you were brought up?**

SUE: Course they weren't, because there was only me. But the values are very much the same: I try to keep them on an even keel and to know what's acceptable and what isn't, and that's all that you can do. Their personalities are very different. Kathryn is doing well at school, but she's not into it like William. I mean, she just goes through it – she does what she has to do. She's bright but she does what she has to do rather than look to the future.

Q: **What do you want her to do that you didn't do?**
SUE: Everything, everything. I just want them both to travel and to do as much as they can, but she loves babies and she keeps saying, 'Mum, I want a baby.' And I say, 'Don't even think about it,' you know, but she's obsessed with babies. I think it's a thing that girls go through when they are that age – 12.

Q: **What do you want them to do differently from what you did?**
SUE: With William, I want him to have a really satisfying career. Something that he really enjoys, which is something that I've never really had. I've had jobs that I like – I've never done something I really hated – but nothing that really stimulated me. I think that for him, I would love that – well, for both of them. I think he can go far if he puts his mind to it. You know, he may go to university – we have talked about it – if he does well. He's capable of it. With Kathryn, she talks about doing things like hairdressing and girlie things, 'cause she doesn't really know what she wants to do yet. She just wants to enjoy herself at the moment, and I can remember being the same when I was her age. We'll have to wait and see with Kathryn; I don't know which way she's going to go.

Q: **What sort of advice does a mum give her girl about men?**
SUE: What sort of advice? Never go out with a man whose eyebrows meet in the middle or wears brown shoes with black trousers. No – I mean, I don't know. I think the main thing I can do for her is to be there and listen to her and give her the benefit of my experience, but that probably won't help an awful lot. But I think that that is the best you can do as a mum, because she'll make mistakes – we all make mistakes – but that's the best I can do. I can't warn her or tell her what I think, because she'll find her own way. My job is, I think, to be there and help her out when she needs it.

Q: **And how do you handle having different boyfriends with the two of them?**
SUE: Well, the funny thing is I have never really got them involved in boyfriends. I have had two fairly long relationships, and they met one of them and they got to know him. But they were younger then; that was quite a while ago. Since

SUE

then, I made a mistake: they met one of the men I went out with for a while, and they got quite attached to him. And when I finished with him, they were more upset than I was. So I thought, Well, this isn't right, this isn't good.

I've never had anyone stay in the house when they've been there – I've never done that and I suppose I've been lucky, because I've always had my own time anyway, because my mum and dad have always sort of taken the kids off my hands maybe one night or a weekend or something. So I've had time to myself, but I've never really put it in their face, never. The fella I'm seeing now is probably the closest I've ever got to that, because as I say, it feels right. They are older now, anyway. They accept things. They could have made my life a nightmare if I'd really got them too involved in that, so I never have.

Q: **You've never thought of getting married again just for the kids?**
SUE: No, I would never do that. If I get married again, it will be for me first, and then obviously, hopefully, they will benefit from it as well.

Q: **You're one of the few single parents in the film. How is that?**
SUE: I've been a single parent for a long while, and I've brought them up on my own, really, 'cause Kathryn was only two when Bill left. It's been extremely hard, and sometimes it's been very lonely. The early days were the worst. Definitely. When they were ill or when they were worried or changing schools, making decisions. But I am quite strong-willed, so probably the decisions I made I would have made anyway, whether I'd been married or not. I put them in a school – which isn't the local school – because it was a better school, and I had to fight to get them both in there. Times like that, it would have been nice to have someone, you know, a partner to share those sorts of things with. But as the years go by, I think you get used to it.

Q: **Are there times when you've just said, 'I can't'?**

SUE: There have been times when I've just wanted to lock myself in the bedroom and let someone else take over, but it doesn't happen. It never has happened, and so we just go from day to day. And if we're going through a bad patch, then we just get through it.

Q: **How do you deal with the bad patches?**

SUE: Well, you don't have any option, do you? I think the hardest thing is when they are ill, you know. When William was ill with his operation, that was quite scary; that would have been wonderful to have someone there with me. But at that time, I'd been on my own for so long that it would probably have annoyed me having to be with someone. At least this way, as I have got used to it, I can sort of get through it my own way.

Q: **You've never moved out of the East End. Why's that?**

SUE: Because I've never been able to. I mean, I've never really had this burning desire to move. There are much nicer places to live – I know that – but time tends to run away with you. I think maybe I am more likely to move in the next few years than I ever have been. Now they are sort of coming to the end of their major schooling years and I've bought the house now, and it's something I've got to build on. So probably – well, hopefully – I may do it in the next five or ten years, something like that. But until now, I have never been able to. I sort of live from month to month on my wages and there is never a lot left to save for major expenditure like that.

Actually, I've got two friends that live in the same street, and everyone's quite close to me, and we all meet in the same places, so for me it's still a nice place to be. You know, I've been single, so it's nice to have people round you. Starting afresh somewhere new on my own probably would have been a lot harder.

Q: **And has the neighbourhood changed?**

SUE: Absolutely. It's unbelievably different. The shops that you grew up with have gone; they've been replaced. The people are different; the community is different. The schools I went to are now completely changed.

Q: **In what way?**

SUE: Well, it's difficult to say without sounding racist, but the thing is that now there are certain areas in the East End where I suppose you could say that we're the ethnic minority. The people, the generations that have grown up in the East End – we are the minority. And that's what's different, really. The shops have changed. They cater more for that side of the community than for us, you know.

Q: **And does that worry you?**

SUE: It's not worrying, but it's different. You've got to learn to adapt. I'm quite lucky in that I work with people from all round the world, and I mix with all sorts of cultures, and probably one helps me with the other.

Q: **Do you think it's true that England is a class society?**

SUE: Yes, it probably is true, but I don't think it matters as much any more. I don't think people are as intimidated by an upper class any more. You know, years ago it was very much, 'You know your place,' but I think you don't have to know your place any more. You can do anything you want, within reason.

There are some areas you will never get into. I have met some really interesting people through my work that are of a higher class, and they talk to me and they describe things, and you know you will never be a part of that circle. But do you want to be, really? I don't want to be. I wouldn't be comfortable there; I would never be accepted.

Q: **What fears do you have for the children and their future?**

SUE: The biggest fear I probably have – it's a basic one, really – I just wish that they could find a cure for AIDS. I wish they could do that, because I never had that fear when I was growing up. I'm a worrier anyway, and I think Kathryn's a bit of a worrier, but wouldn't it be lovely if they didn't have that to worry about? They could just grow up and be normal and not have to worry about that. There are enough things to worry about without that.

Q: **Do you feel optimistic about the future?**

SUE: Yes. I'm always optimistic about the future. Always am – things can only get better.

PAUL

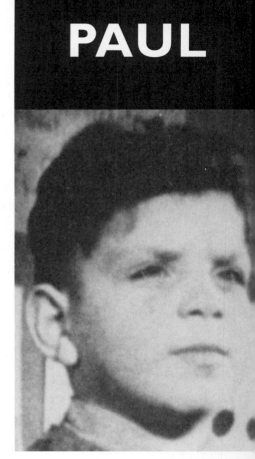

Paul spent his early years in London, where he lived with his father (a tailor), his mother, his Auntie May, and his older brother Grahame. When their parents separated, Paul and Grahame were sent to a children's home in Middlesex – the same home where Symon, another participant in the UP series, was living. 'I honestly don't have that many memories going back then,' says Paul. 'I can remember bits and pieces, but they're only silly little things, like making our beds in the dormitories and having hot chocolate and buns for supper now and then. I would say I was unhappy at the children's home,' he reflects, 'but I wasn't in there for a long time. My father was saying the other day he doesn't even think it was 12 months.'

7

Q: **Would you like to get married, Paul?**
PAUL: No.

Q: **Tell me why not.**
PAUL: Say you had a wife. Say you had to eat what they cooked you. And say I don't like greens – well, I don't – and say she said, 'You'll have to eat what you get.' So I don't like greens, and if she gives me greens, that's it!

Q: **What do you think about the children's home?**
PAUL: Well, I don't like the big boys hitting us and the prefects sending us out for nothing – and the monitors up in the washroom shouldn't send us out when there's no talking. I wasn't talking today, and Brown sent me out for nothing.

Q: **What do you think of fighting?**
PAUL: If they fight me – if somebody comes up and starts a fight – then I think it serves them right.

Q: **What do you think about money?**
PAUL: I've got 23 threepenny pieces, and I don't know how many halfpenny pieces I've got now.

Q: **Do you want to go to a university?**
PAUL: What does 'university' mean?

Q: **What do you want to be when you grow up?**
PAUL: I was going to be a policeman, but I thought how hard it would be to join in.

When he was 14, Paul had moved with his brother, father, and stepmother to a suburb of Melbourne, Australia.

Q: **Were you happy at the children's home in England?**
PAUL: We didn't mind that really, because we didn't know what was going on – because we were a bit young.

Q: **What do you remember of England?**
PAUL: It seemed to be raining all the time. I wouldn't stake my life on it, because I can't remember very much.

Q: **Are you keen on sports?**
PAUL: Basketball appeals to me most. With this school, I'm one of their best players in Form Two, but when I get into a team, they make me look as though I can't play.

Q: **What career are you interested in?**
PAUL: Well, I was going to become a bank accountant, but it's more book-keeping than maths, and that was the main reason I was thinking about becoming a panel beater. And I don't know why, you know, I've stopped

thinking about that; I just haven't made my mind up yet. I was going to be a phys.-ed. teacher, but one of the teachers told me that you had to get up into university.

Q: **Would you like to get married?**

PAUL: I'd prefer to be alone, really. I wouldn't mind living with my brother, but otherwise I'd prefer to live alone.

21 | *Paul left school when he was 16 and entered a bricklaying course. At 21, he was working as a junior partner for a firm of bricklayers in Melbourne and living with Susan, his girlfriend.*

Q: **Tell me about your job.**

PAUL: The job I'm in – I'm in bricklaying – I enjoy it, it interests me, and I'm very content at work. In June last year I was made a junior partner. That was through circumstances, but I look at it this way: I'm not great at bricklaying, but if my boss didn't think I was good enough, he would never have made me a junior partner. As to the job, you know you build a house and you turn around and look at it and say, 'I did that.'

Q: **When you look at yourself, what do you think your strengths and weaknesses are?**

PAUL: I find it hard to express emotions most of the time. Well, I'm getting on top of that more now. You know, just the simple things to say to Susan, you know, 'I love you.' Something like that, I can tell you about it. I really haven't been able to say it freely to Sue, you know. That's a weakness.

Q: **What fears do you have for the future?**

PAUL: To me, it is a dream to be totally happy. I mean, I don't think you can expect that.

Q: **How would you define happiness? What is it?**

PAUL: Well, basically, to me, it's the will to live. I literally love life and I love people, and I think before I didn't. I mean, when I was 14, I said – I've forgotten what the question was – but I said something about I want to be alone, and when I said that, I know even now I meant that. If someone were to drop me out in the Sahara Desert, I probably would have been happier, more or less, if you get the point. I'm not like that now. I like being around people; I don't like doing things by myself.

I've started to think, Well, now, I'm not a no-hoper, because really I think that's always what I've thought of myself. I know I didn't have much confidence in myself. I've always lacked confidence. I still do to a certain extent, but nothing like I did, say, when I was 14.

Q: **What would you like to be doing in, say, seven years?**
PAUL: All I want out of life is to be happy – and when I say happy, I want to be happily married as well, because I can't say I don't want to get married, because I think I do. But I want to be happily married, you know, and therefore I want to be sure.

28

Paul and Susan married shortly after the filming of 21UP. At 28, they were living in a working-class suburb of Melbourne with their two children, Katie and Robert.

Q: **What was it that you fell in love with? What is it about him?**
SUSAN: His helplessness, I suppose. It was the mothering instinct in me just to pick him up and cuddle him. He's also very good-looking, I think, but he doesn't agree with me. In the summer, he's got this cute little bum in shorts!

Q: **Back in your early twenties, you bought an old van and spent seven months travelling through Australia. Tell me about that experience.**
SUSAN: I think it brought us closer together; because we really got to know each other and really relied on each other so much.

PAUL: I'd never been so relaxed in my life – I felt a lot more confident in myself. Just great fun, really. No pressures or worries, you know. Everything was forgotten.

SUSAN: We really went out in the middle of nowhere, where we had to carry our own petrol and our own water to do us for the three or four days that we were out that way. While we were up in Carnarvon, we went and stayed on a sheep station up there with our friend from Melbourne. And it was about a

PAUL

million acres, just under a million acres, the sheep station.

When we got to Perth, I was ready to fly home. Being together so much, it was hard, but then we settled down, and we must have settled down really well, 'cause I got pregnant. So something must have been going right.

It gave us our own peace of mind that we could now settle down and have a family, that we had done something; we hadn't just been nobodies and lived in suburbia all our lives. We'd done something that we were proud of, that we'd accomplished on our own.

Q: **Are you happy here in Australia?**
PAUL: I love the place, you know. I find it hard to put into words, really. You've got the country, you've got bush, outback, you can do more or less anything you want, I think, here – whether you do that in England, I don't know.

Q: **How would you compare life here to what you might have in England?**
PAUL: We've got a lot more than we would have had in England from what other people tell us. But there again, when it comes to work, I don't sit down on my backside. I'll go and chase it. So it's hard to say.

The family's going to come first, but I'm still going to be working and we'll progress, you know.

Q: **What's been happening with your work?**
PAUL: I went out on my own as a sub-contractor not long after the last show, but then I started with a partner. I organized everything, I bought all the equipment, 'cause I didn't want to be dependent on someone else. Things didn't work out between the two of us – he was a bit lazy.

Q: **Do you have the right temperament, do you think, to run your own business?**
PAUL: If you're talking about employing other people, I'm not hard enough. I'm a little bit slow working out things on the job – not particularly the laying of the bricks, but fairly slow thinking when you've got to work something out. I think that'll end up being my job for life, probably. Not that I want it that way, 'cause it gets harder as you get older, I think.

Q: **Do you feel there's any conflict ahead if Susan wants a job and a career?**
PAUL: Really, I think Susan will probably be the best one to be a business-woman, and I'll stay home.

Q: **Are you ambitious for your children, Paul?**
PAUL: I said something about wanting Robert to be a brain surgeon but that was a joke. I mean, if he's a brain surgeon, good and well – but it'd be nice to let them go one step up from us, I think.

Put it this way: I hope he's better at schoolwork than I was, so that he's got a choice, 'cause, really, the educational standard I got, I didn't have a choice.

At the moment I'm pretty happy with Katie. I've got fears for Robert because he's struggling a little bit. He's only been at school for two years; he's in Grade One, and he's had three teachers already that say they don't know how to motivate him.

Q: **What regrets do you have about your education, then?**
PAUL: I didn't work hard enough. I was just very lazy at school, you know. If you're lazy and you don't work at school, you suffer for it. There needs to be a little more discipline.

If private schools are better, you'd be far better off spending your money and sending your kids there than getting a video or a new television, swimming pool, or something like that, I think.

Q: **What else do you want for your kids that you didn't have?**
PAUL: A happier family, I think. Don't get me wrong: I wasn't miserable, but I think it could have been better. I think that'd be one of the most important things.

Q: **Do you have any regrets about the fact that you weren't closer to your father when you were younger?**
PAUL: Yes, I suppose. I mean it's all wasted time in a way, I suppose. He was always there; I could always talk to him, but it was different. We were sort of distant friends and all; we always got along fairly well. We didn't see much of each other.

He said actually to his wife Barbara that he missed out on his own children and he's not going to miss out on these.

Q: **What mark has it left on you, the fact that you were brought up within a bad marriage?**

PAUL

PAUL: Divorcing your wife, what does it get you? It messes up your own life; it messes up the kids' lives, wife's life. I don't think half the people that get divorced even think about it properly.

Q: **You seemed such a sad little boy.**
PAUL: That's me, that. I was pretty long-faced. I was like that sometimes out here, too – always getting knocked up.

Q: **Does he eat greens now?**
SUSAN: He loves them, he loves them, he loves them!

35 At 35, Paul and a partner had started a business that specialized in underpinning foundations.

Q: **Tell me about your work.**
PAUL: Well, I'm more of a tradesperson than a business person, you know. I've never had any business training, and if I've got a natural ability, I probably haven't used it.

I think the confidence was never there – it might run in the family sort of thing.

SUSAN: I think maybe it's the lack of security he felt as a child, perhaps; that's my theory, my theory alone. I mean, that's the old thing, isn't it, when one of your parents are taken away from you, you lack security.

Katie now has this saying, 'Oh, you know me, I'm hopeless,' and it's just Paul, you know: 'Oh, you know me, I can't do this.' And it's sort of like this defeatist attitude.

He has got better. I think as you get older, mature, confidence does come, to a point.

PAUL: I really went through a stage – it's so stupid, 'cause I was only a bricklayer – like I failed. Something happened with that job, and maybe I did start to look at what we had and think, What do you want out of life? What's so bad about what we got?

Q: **What keeps this marriage together?**
SUSAN: Learning to keep your mouth closed at times. I don't know.

PAUL: Tolerance, I think. I mean we don't stew; we have arguments, big

117

arguments like anyone else, and we have spoken about this before. We don't tend to stew over it for any length of time. We can be unbelievable together, you know, biting each other's heads off, but we never go to the next day.

SUSAN: This is one thing that the show's done to us – it makes you analyse things a bit more, you know. Like maybe if the show hadn't been here, we may have split up. We think, Well, we can see what we were like a long time ago, and it brings it back to you. You think, Well, we had this then. Often a lot of people grow apart and can't see what they had originally.

PAUL: I don't think the show could actually hold you together.

SUSAN: No, no. But what it's showing you is what you had in the past.

I can tell quite a few stories here, but the one that really irritates me the most is that when we have an argument, he says, 'That's it. Leave me.' And I say, 'Fine.' We've been married for what, 13 years now or something, and he still says, 'You're leaving me.' Well, one day I might just pack my bags and go.

Q: **Is there any way you would want to be a father any differently from the way yours was to you?**
PAUL: I'd like to be more contact-close – actual physical, contact-close. My dad and I are exactly the same like that; you know, if we hug, it's unusual.

Q: **Do the two of you have a dream?**
PAUL: I've always wanted to move to the country. I wouldn't mind a small property, more relaxed style of living, an attractive sort of lifestyle.

SUSAN: We've just been together for so long; we just sort of plod along together. I enjoy his company and he enjoys mine most of the time. I know that he's gonna come home to me every night, I'm gonna have someone there. He's very secure that way.

PAUL: She does put up with a lot. I can't be that easy to live with. I'm not easy to live with.

Q: **Tell me what's been happening about work since the last time I saw you**

PAUL: I've gone from being stable in basically one job, which was the bricklaying. I probably have had about 10 or 15 jobs – I've never really counted them. Although I haven't been sacked from jobs, I just haven't been able to settle. The job I'm in now is the longest I've ever been in a job, which is three years.

Q: **Why can't you settle?**

PAUL: I don't really know. I guess I'm trying to find something that I like doing. You see, I'm interested in the work I'm doing now. Maybe that's why I've been there for three years. But the other jobs, I just couldn't get motivated in them. I mean, I worked hard in them while I was there, but they weren't me.

Q: **What is the job you are doing now?**

PAUL: I work for a sign company, GSA Design and Products, and they're in Victoria. We do a little prototyping of different signs, like bank ATM surrounds. These days I run between all of the jobs, like filling in with the waterjet cutter. There's a vinyl cutter there, which I'm starting to learn. I've done a little bit of prototyping work there, and sign installation.

Q: **Is this the future for you?**

PAUL: You have to be careful about that. I'm not really sure; I'm not really sure.

Q: **Do you have any ideas of what you'd like to do for the rest of your working life?**

PAUL: I don't know. I think I've got to a stage now where I just want to stay and work. Two or three years ago, I tried to increase my skills and went back to school and took a carpentry certificate, because I wanted to go out and work as a carpenter. But I basically found there were too many good carpenters out of work for the jobs that were available. So I didn't go too far with that. I was hoping to get in with a builder that I knew quite well, which would have made me feel a lot more relaxed about starting in that trade about 40.

Q: **Is confidence still an issue with you?**

PAUL: Yes, unfortunately. I've learned to live with it, sort of accept it, but I've never really got on top of it fully, which really annoys me. But I don't know what to do about it, though.

Q: **Is that why you like all the animals, the outside? Do you feel comfortable out here?**
PAUL: I think so, yes. I'm more at peace around the horses and the animals. I can be upset, I can be on edge, and I come down to the horses. And within three or four minutes of being here, I've forgotten everything, you know. So it does calm me down.

Q: **Do horses mean a lot to you?**
PAUL: Yes, they've given me a lot. I feel really peaceful with them. It's just very quiet being on horses. And the areas that you tend to ride in are very scenic, very quiet. Sort of like you've gone back in time, I suppose. I don't just enjoy riding; I enjoy coming down and feeding them and that sort of thing. I get just as much out of that as riding them, really.

I come down here nearly every day, especially when we're hand-feeding them. Basically, I come down and just have a bit of a chat with them and feed them and put the water in the bath for them, because I bring the water from home. I cart the water.

A friend of mine talked me into going to Mansfield on a three-day trail ride. I didn't know how to ride then; I was just hanging on for grim death. I was basically the only non-rider up there, and thought, What the hell have I done for three days on a horse? But that's what kicked it all off. In the end I had such a great time up there and I was so relaxed – it felt like I had gone back 40 years.

And year after year, I went up there riding. Even when we haven't had the money, we've pained about should we go or not. It's very hard not to, 'cause we just really enjoy it. These days, there's normally quite a few of us that go up – a group of at least 15. And then in the last four years, I looked after Poyken, the buckskin here, and then he was given to me.

Q: **Going to Mansfield is the highlight of the year for you.**
PAUL: It is. Actually, about this time of year I go into work and get the foreman's calendar and put a big cross across four or five days and write something like 'Paul – Mansfield' on it so they've got notice that I want that time off. It is true, I don't really like to miss it.

Q: **Would you love to live in the outback? Would you like to travel around Australia and live out in the wilds, as it were?**

PAUL

PAUL: When I was younger, I definitely wanted to move out of Melbourne, and I would have only needed that encouragement from Sue. If Susan had been exactly the same, we wouldn't be here now. And I don't think I would have come back either to Melbourne. I think once I'd had the opportunity, that would have been it. I think as I'm getting older, I'm more nervous about doing that. Well, my work's changed, and I probably don't really have enough skills to get in a country sign company. So it would be going back to bricklaying, which I'm not keen on doing, and it's wear and tear on the body.

Q: **If you won a lot of money and you didn't have to work, what would your dream life be?**
PAUL: I'd definitely like to go on to a country property with maybe five acres, that sort of thing, and have horses, basically. And then I would, obviously if money wasn't a problem, I'd definitely see about getting the kids lessons, because I mean like all kids, if your parents have got horses or are interested in horses, then they want a horse. And, of course, that's the same with my two kids.

Q: **What is it about Australia that attracts you?**
PAUL: I think it's the serenity, the open spaces. It's just such a beautiful country, right down to even barren land. There is something significant about it, there really is. And you know, we haven't really been out in the areas that we went to when I was younger for a long, long time, but that's still something I would really like to do again. But my wife tells me I have to wait till the kids grow up and leave school.

Q: **So how's married life been since I last saw you?**
PAUL: Shocking, shocking!

SUSAN: We had our 20th wedding anniversary this last Christmas, just before Christmas.

PAUL: Which is a life sentence.

SUSAN: Yes, everyone reckons that we should be out of jail by now. But no, I think we don't change much. Do we?

PAUL: I don't think so.

SUSAN: We still argue, we still spend lots of time together. We enjoy spending time together, and since we've moved to this house because it's a smaller block and we have to walk our dog more, we try and go for a walk maybe one or two mornings or days. And the children are just old enough to leave at home for half an hour or an hour. They'd probably like to be left alone for . . .

PAUL: . . . a few weeks!

Q: **And how are things going with the children?**
PAUL: Good in a lot of ways, but we've had some problems, as well. We do a lot with the kids now, because they play a lot of sports. So generally, either one or both of us, on a weekend we take them to different sports.

SUSAN: I think we said in the last one that Robert had started school and he was having a few problems. And now that he's at high school, the problems do get worse and he just is a square peg in a round hole in the normal, mainstream schools. So we've actually moved him now to another high school, a community school, which is much more relaxed, and as a family unit we are a lot calmer.

Q: **Do you see yourselves, your strengths and weaknesses, in your children?**
PAUL: Robert's more outgoing, like Susan, and Katie's probably a little more – I suppose you'd call it withdrawn, like me in that respect. But at the same time, they are still different. They have got the characteristics, some of our characteristics, but they've got their own, as well.

SUSAN: You see, because we are such opposites, they are also opposites.

Q: **Does having a marriage of opposites work?**
SUSAN: Well, I think if you had two Pauls together, it wouldn't last – and if you had two of me in a marriage, it probably wouldn't last.

PAUL

PAUL: She probably brought me out of myself a little bit, and I've probably brought her back a little bit.

Q: **Has he changed in the last seven years?**
SUSAN: Yes, I think so. I think age is a great leveller. It gives you the confidence to do things, you know, like, 'I'm a big person now and I don't have to take stuff.' In the last seven years, I haven't, but he has, yes, he has changed. He keeps telling me how he's not confident, but sometimes he seems pretty confident to me. Having a go at things.

We're both chatterboxes when we're together. He never used to be; now I've made him talk a lot. He used to sit there and not talk, and I'd say, 'For God's sake, just talk to me,' and I needed to talk all the time.

Q: **Since I last saw you, you've moved house. Why?**
PAUL: The other one got a bit small, I guess, and we were just after a bit more space with the kids getting older. Thought it would give them a little bit more privacy.

Q: **Do you like it?**
SUSAN: I really like it – it's like living in a palace compared to our other house, because it's nearly twice the size. We'd been talking about moving on and off for ages, and just neither of us had got together at the same time to say, 'Yes, I want to move.' These things happened and we just decided that that was it. Put the house on the market and it sold in two days, and it was a mad rush to find something else.

Q: **And is it the same sort of neighbourhood you were in before?**
PAUL: A little bit different, I think. I think probably a few more professional people live around this area.

Q: **So you moved up the market a bit?**
PAUL: Yes, yes we have. It was an investment thing, too, for later on really, 'cause we got to a point where we paid the other house off. So I suppose it's a form of savings, too.

Q: **Are you comfortable with moving upper class a bit?**
PAUL: I don't think we really looked at it as that. It's just that we wanted a bigger house and it just happened to be in this particular neighbourhood. It could quite easily have been in the same neighbourhood, because we looked at houses in North Bayswater, where we lived. We just couldn't find one that we liked.

Q: **Will you have to make financial sacrifices to keep it going?**

PAUL: I think we will have to tighten up, because we went at least 12 months where we weren't paying home loan services. Certainly for that reason alone we have to tighten up a bit. But we will have to watch our purse strings, maybe.

Q: **Is money an issue between you?**

PAUL: We do have discussions, and sometimes we get a little bit heated about whether we can save more than we do, that sort of thing. I think that's pretty standard. We've found it doesn't seem to matter how much people earn — they're still at roughly the same point where we are.

SUSAN: People that have gone to a better wage have often said to us, 'The more you earn, the more you spend.' You know, it doesn't make that much difference.

PAUL: Really for quite a few years we've lived reasonably comfortably. You know, we haven't really gone out of our way to scrimp and scrape or really knuckle down, so I think if things got a little bit tight, we'd manage to really buckle down again. Which we'll probably be doing shortly anyway, to sort of secure things. Make things a bit safe, you know, for a while.

Q: **You had a very dislocated childhood. What effect has that had on you, do you think?**

PAUL: I'm not really sure, to tell you the truth. I think the initial separation of my dad and real mother might have had more effect on my brother Grahame — he was two years older, so it might have had more effect on him. I might have been a bit more insulated than he was.

Q: **Susan, have you really thought about that?**

SUSAN: Yes, I have. Paul doesn't have anything to compare it to and I did, 'cause I had a wonderful childhood. My father died when I was about 19, but I had him most of my life. I had both sets of grandparents, I had a huge family nucleus to always call, and, you know, I think that's why I just skip along in life without that much care, because I know there are always lots of people around me. But Mr Worrywart here felt very alone a lot of times, and in the early parts of our marriage when we used to have arguments, he used to say to me, 'For God's sake, I've got no one else. Don't fight with me!' He hated it, he really hated fighting.

PAUL: I didn't grow up even understanding what an uncle was. It was only

PAUL

Susan's family that sort of tried to explain. I mean, I obviously knew there were relations in a family, but I didn't know exactly what first cousins, uncles, all that was, and I still don't think I know.

Q: **You said something moving last time about what keeps you together – that he's reliable and he comes home to you.**
SUSAN: I keep telling my children, 'Isn't it nice to be loved and to know that someone loves you?' It must be really sad for people out there that have no one, that don't know that they are loved. And each day you are coming home and you think, Well, they'll all be home and it's nice to just come home to your family.

Q: **What keeps you going, Paul?**
PAUL: The same thing, I think.

SUSAN: Yeah, we always rush to come home.

PAUL: You're gonna make me cry. I think that's what it is – I think I'm pretty lucky in that respect. Even when times get tough, you know you can go home.

ANDREW

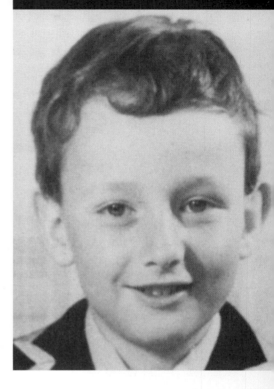

'It was marvellous for a small boy to be able to get out in the open spaces at the weekends and do all the things that you cannot do in London,' says Andrew, recalling the cottage in rural Sussex where he and his parents used to spend weekends. 'I have loved the country ever since.'

When not in the countryside, Andrew lived with his parents in London's South Kensington. His father was a merchant banker and newspaper columnist; his mother owned a hairdressing salon in the West End. Shortly after the filming of 7UP, Andrew, an only child, was sent to a boys' boarding school in Kent. 'Although, with hindsight, the education I received there was to stand me in good stead for the future,' he reflects, 'I did not really enjoy being away from home at that age. I do not think that I would want to send my own sons away from home at such a tender age.'

7

Q: **What do you think about the system of house captains at your school?**

ANDREW: I think the system of house captains is rather good, because when somebody is naughty, the house captain asks him and has a talk to him. Once I had a talk with Greville – he was in my house – and I asked Sir if he could put him out of my house, because he was always getting minuses.

Sir said he would see about it this term.

Q: **Do you think house captains should be elected or appointed by Sir?**

ANDREW: Appointed.

Q: **Tell me, what do you think about girlfriends?**
ANDREW: I've got one, but I don't think much of her.

The girls never do what the boys want. They always start playing with dolls when the boys want to play rough and tumble with them. And they always take you away from whatever game you're playing yourself.

Q: **What do you do in your spare time?**
ANDREW: When I go home, I have tea. Then I practise my piano, then I practise my recorder, and then I start watching television.

Q: **What time do you go to bed?**
ANDREW: Well, I have my bath at six o'clock and then go to bed at seven and read until half past seven.

Q: **Do you read the newspaper?**
ANDREW: I read the *Financial Times*. I like my newspaper, because I've got shares in it and I know every day what my shares are. On Mondays they don't move up, so I don't look at it.

Q: **Is paying for schools a good thing?**
ANDREW: I think so. [Otherwise] the poor people would come rushing in and the man in charge of the school would get very angry because he wouldn't be able to pay all the masters if he didn't get the money.

Q: **What plans do you have for the future?**
ANDREW: When I leave this school, I go to Broadstairs, St Peter's Court. Then after that, I'm going to Charterhouse, and then after that to Trinity Hall, Cambridge.

14

At 14, Andrew was attending Charterhouse, a public school in Surrey.

Q: **What do you think of boarding school?**
ANDREW: Well, I think boarding makes you feel self-sufficient, and it also teaches you to be away from your parents, and to live with people for a long time, which you have to do in later life anyway.

Q: **How do you spend your free time?**
ANDREW: I'm quite interested in archaeology. We are doing a local dig near our school.

ANDREW

Q: **Have you ever been abroad?**
ANDREW: Not till this holiday have I ever been out of Europe. This holiday, I went to America to stay with somebody from school.

Q: **Do you have any girlfriends?**
ANDREW: They're beginning to become more important. They are no longer just bores.

Q: **Do you not feel you should be meeting a broader range of persons from different backgrounds?**
ANDREW: We do mix with people from the town. When I went to Glasgow and I saw the Gorbals, that rather upset me . . . to think that people are living in that state when we waste things every day.

Q: **Do you want to be rich?**
ANDREW: Mainly to be self-sufficient – to feel that you don't have to owe anything to anybody.

Q: **Are you religious?**
ANDREW: You have got to believe in something, so God seems to be the most logical thing.

Q: **What do you think about making this programme?**
ANDREW: We're not necessarily typical examples, and that's what people seeing the programme might think – and falsely. I mean, they tend to typecast us, so everything we say they will think, 'That's a typical result of the public schools.'

At 21, Andrew was reading law at Trinity College, Cambridge.

Q: **Do you think there is any truth in the ideas behind the programme that certain people have more options than others and this is undesirable?**
ANDREW: The mere knowledge creates an option in itself. I do think we have more options; it is undesirable, but it is very difficult to correct.

We've been taught to expect more. It's not that because we'd been to private schools, we're better qualified necessarily; it's a matter of expectations.

Q: **What do you think about the concept of paying for education?**
ANDREW: I think if people earn their money, they should have the right to spend it, and education is very important. You can never be sure of leaving your children any worldly goods, but at least you can be sure that once you've given them a good education, that's something that no one can take away.

Q: **Tell me about your ski trips to the French Alps.**
ANDREW: Well, when I was very small, my father always used to go skiing and he took me with him, and we've been ever since, really.

Q: **And how young were you when you started?**
ANDREW: Oh, about five, on tiny little skis. It was quite frightening, really.

Q: **What is the appeal of it?**
ANDREW: Well, the freedom and going in the snow, in the mountains, and the feeling of speed and getting away from people if you can.

Q: **Do you save up to come skiing?**
ANDREW: I don't, but my father does. And he pays for me.

Q: **Your parents have got divorced?**
ANDREW: That's right – quite recently.

Q: **Tell me about that and the effect it's had on you.**
ANDREW: Well, not much influence, in fact, because it happened when I'm quite old and I'm away from home a lot anyway. It's very sad, of course, but I don't think it has had a great deal of influence. If it had happened when I was much younger, it would have had much more influence, an adverse influence, I would have thought.

Q: **What are your goals for the future?**

ANDREW

ANDREW: I'd like to be a solicitor and also fairly successful.

Q: **Do you see yourself as staying in England, making your career in England?**
ANDREW: Yes. Well, the trouble with law is it's not very exportable, from my point of view. Anyway, I quite like England.

28

At 28, Andrew was working as a solicitor in a large London firm. He was married to Jane, who was working full time as a secretary; the couple spent weekends in the Sussex countryside, converting an old barn that they bought with financial help from their parents.

Q: **What qualities do you think it takes to be successful in your work?**
ANDREW: Well, you have to have a legal ability in my business, obviously, and you have to have a sort of bedside manner as far as your clients are concerned. It's no good being brilliant if you can't communicate with your clients.

Q: **Do you think it's bad that people like you opt out of the state system?**
ANDREW: Well, there are really two counter-arguments. First of all, there's the argument that people should have the choice, if they've earned the money, to spend it. And then the other argument is that if we all went to the same sort of schools, those schools would probably be better, because those people who had influence would do their utmost to make them better, if they had to send their children there. Whereas they just look back and don't particularly care what happens in the state system.

Q: **What do you feel about that?**
ANDREW: Well, I think probably the latter choice is fairly impractical, so I suppose one has to continue with the idea of everyone having a choice.

It's a shame that all people can't get the opportunities that I have had. And I'm not sure how one deals with that. I've had all the material advantages, and I've had the opportunity to make the most of them. I have been really lucky.

Q: **Jane, tell me about your background.**
JANE: I don't think I financially come from the same background. Andrew didn't go for a haughty deb; he went for a good Yorkshire lass. But I mean obviously he knew what he wanted.

I think I'm probably quite down to earth. I tend to be less extravagant than maybe some women are who go out and buy lots of expensive dresses. I just go out and buy one or two.

35

At 35, Andrew had become a partner at his law firm. Jane had left her job and was staying home with the children.

Q: **What's been happening since you were 28?**
ANDREW: I suppose the most important thing that's happened is that we've had two children. One five years ago, Alexander, and then a couple of years later, Timothy. We've also moved out from central London over to Wimbledon. We decided we should look somewhere there was a bit of green space, so we moved out here.

Q: **What was the biggest surprise about having children?**
ANDREW: When I see the children playing together now, I realize how much fun they have together, and it's probably what I missed perhaps being an only child.

Q: **Tell me about your work.**
ANDREW: Well, I work in the corporate department of a large firm of solicitors in the City that is dealing with things like mergers and acquisitions, joint ventures, general corporate advice, putting deals together for clients.

Q: **What are your feelings about the balance between money spent in the public sector and in the private sector?**
ANDREW: The important issue is drawing the distinction between

allowing people to spend the money they earn, in other words low taxes, and also putting enough money into the infrastructure – things like education, health service, transport system. And that's a very difficult balance to draw, and I'm not sure that we're doing the right thing at the moment. I think more should be being put into that, and I think perhaps people would be prepared to pay higher taxes to pay for that sort of thing.

Q: **Does money concern you a lot?**
ANDREW: I think so long as one has enough to be comfortable, that's really what one should aim for.

Q: **Is the family unit the most important thing in your lives, more than your own ambition?**
ANDREW: I'm not sure that I have any ambition as such now – just to progress with my work and so on.

42

Though they still live in Wimbledon, Andrew, Jane, and the boys were filmed on a trip to New York City.

Q: **Tell me, Andrew, what's happened since we last met seven years ago?**
ANDREW: Well, not really much has changed for us over the last seven years. I'm still in the same job, working for a large law firm, in the City of London. We live in the same house, even have the same car. Our children have obviously grown older: Alexander, our oldest son, is now coming into his teens, and moving school, hopefully later this year. And Timothy, our younger son, is going to be ten.

Q: **How's the work going?**
ANDREW: It's going fine. I suppose the pace has changed a bit; as you know, with technology, people expect work done much faster than they did – well, perhaps not so much as seven years ago, but 14 years ago. Our practice has got much more international, with more business travel; we have offices in places like São Paulo in Brazil, Moscow, Thailand.

Q: **How has that changed your life, or your part in the company?**
ANDREW: Well, it really means that you are under increasing pressure to produce things quickly.

Q: **And how is that for you?**

ANDREW: That's fine; you have to meet the pressures. That's what people come to your firm for.

Q: **And are you advancing in the firm?**

ANDREW: No, not really. I'm still a partner, and that's really where I shall be until I retire.

Q: **What's the most interesting thing about the work?**

ANDREW: Well, its tremendous variety: you never quite know what you're going to get when you come into work. Different problems and different sorts of jobs arise all sorts of times.

And it's not just looking at what's happening in Britain. You are considering what's happening all over the world – the opportunities for business all over the world.

Q: **How is it keeping the family together and doing a pressured job?**

ANDREW: I think having a family gives you stability at home. It puts things in perspective, when you get home and you find your wife discussing more mundane, perhaps more mundane things . . .

JANE [laughing]: Thank you!

ANDREW: . . . rather than sort of high-powered work-type things. That gives you a perspective on life. And also watching your children grow up and go to school and the problems and things that they achieve at school.

Q: **You always wanted to do this job, didn't you? I was looking at 21UP, and you said you wanted to be a lawyer, solicitor.**

ANDREW: Yes. Well, at 21, of course, I was just coming to the end of my university career, so by that time, I would have to have chosen what I was going to do, or at least that sort of job. I didn't know when I was seven or 14 that I wanted to be a lawyer; it's something really that came later.

Q: **Do you have any regrets about the choices you made or anything with work that you would have wanted to have happened differently?**
ANDREW: No, I don't think so.

Q: **Are you involved in his work at all, Jane?**
JANE: Not really, no. I try to understand it, but that's about as far as it goes.

Q: **And do you see that as one of the tasks of marriage, to keep a perspective on his work?**
JANE: Yes. I think so, yes, it is definitely, to support him when he's got it, when it's tough, but to also make him relax when a job is over, or you know when it's really bad, just to try and say, 'Now come on, let's just get this into perspective.' And it does make a difference.

Q: **And you don't feel the need for your own career?**
JANE: No. I left work when I had Alexander, and I decided then that I really wanted to stay at home with the children and not have a career, and Andrew was quite happy with that. I'm fortunate enough that we can have a reasonable standard of living without me working, and I'm happy in looking after them. I don't have any regrets.

Q: **And, Andrew, do you feel the same about Jane? Are you glad she doesn't have a career?**
ANDREW: Well, I think it's really a very personal thing. Some people just feel lost without a career, and Jane wants to be a mother, and one has to respect that. Different people have different yearnings. I don't think you can choose for other people on that.

Q: **Can you imagine not working?**
ANDREW: Not at the moment, but I suppose as one gets older, one can imagine it.

Q: **How's married life together? Is that going well?**
JANE: I think so, isn't it?

ANDREW: Yes.

JANE: Here we are.

Q: **What's the most difficult thing about keeping the marriage together?**

ANDREW: I don't think it is particularly difficult, actually. We seem to manage all right. Would you say?

JANE: I think so. We talk, don't we? We have a situation where we retain a baby-sitter once a week, and we make a point, if at all possible, that once a week, we always go out by ourselves, mid-week, and I think that's quite important. You know, if he's been working long hours, or if I've had a problem with one of the children, it does mean that we've just got no interruption with our conversation, and I think that's been really very important.

Q: **So you make an effort to carve out time.**
ANDREW: Yes. You hear about people who devote their whole life to their children, and when they get into their forties and fifties, when their children have gone away, perhaps they don't have anything to say to each other, because they aren't used to talking to each other. Certainly we don't think we will have that problem.

Q: **We're here in New York. Is this something you try and do, travel and have holidays as a family?**
ANDREW: Yes, we do. It's our children's half-term, so we decided to spend a few days in New York. I come here from time to time on my work, but it's usually very rushed, rushing from an airplane to a hotel to a meeting room and back to a hotel, and then rushing off again. But we thought it would be rather nice to bring them with us, and see it in a more leisurely way.

New York itself is full of vitality, has a tremendous buzz about it, and it's an exciting place to visit. The architecture is wonderful, with these large 1930s and 1940s skyscrapers, reaching up into the sky, sort of like canyon walls.

Q: **And is this something you want to give them, this sense of the world, this sense of travel?**
ANDREW: Yes, I think it is good for them to travel. They say travel broadens the mind. I'm sure that's right.

Q: **What sort of trips have you made as a family?**
ANDREW: Well, we tend to go on our sort of ritual skiing holiday every year, which I drag Jane along for, because she's not terribly keen on skiing. And then we go on a summer holiday, and then the odd weekend here and there.

Q: **You came from a divorced family. Has that made you more attentive, do you think, to family life?**

ANDREW

ANDREW: Well, my family were not divorced until I was in my late teens, so I don't think it really affected me in that way.

JANE: Your parents are still very friendly with each other.

ANDREW: Yes, they are indeed.

Q: **Do you think it gave you, though, a different aspect on what you wanted out of marriage?**
ANDREW: I don't think it has made any difference. I got married in my late twenties, having found who I thought was the right person, but I didn't keep on saying, 'I've seen what happened to them, and I can't possibly get married. I must wait to make sure that Jane was the right person.' So I don't think it had a fundamental effect.

Q: **What have the children inherited from you, do you think?**
ANDREW: I suppose a reasonably good sense of humour, flexible outlook on life, not being too biased – that sort of thing.

Q: **Are you bringing the children up in the way that you were brought up?**
ANDREW: Yes. My upbringing was fairly easygoing, not too pressurized, and we're trying to do the same with our children. I think it's become much more competitive for children nowadays: they have to sit many more exams than when I was a child. But again, one must try and not get it out of perspective. As long as they do what they can, that's all you can hope for.

Q: **What have you decided about the education? What are you going to do with it?**
ANDREW: Well, Alexander is coming up into his teens and he'll be sitting common entrance to go to his next school later in the year, which will be a boarding school. In fact, he's down to go to the same school as I went to, which is still a good school and reasonably close to where we live. Timothy is continuing where he is now, for a while, and perhaps will be going through the same procedure.

Q: **How do you feel about the boarding school idea?**
ANDREW: Well, we thought quite carefully about it before deciding. I went away to boarding school when I was seven. And that was really quite a young age to be away from your parents. We decided we didn't want that for our children. I was an only child, so being away at boarding school was perhaps one

way of putting me with lots of other children, but we thought once 13 had been reached, that would be fine, it would be good for Alexander. He's very keen to do it himself.

JANE: Yes, I was going to say, it's really his decision as much as it is ours. I mean, it has been a discussion, and at the end of the day he has decided that is what he would like to do. Whereas I think in the past, probably children were just sent away at 13, and they didn't have any question about it themselves.

Q: **Do you have fears for the future with them?**
ANDREW: Yes, I think as a parent, you have all the usual fears – that they'll go on drugs or drop out or whatever, not find their way in life. It would be unnatural not to.

Q: **One of the most powerful images of the film is when you and John and Charles sat there at seven, with your life kind of laid out.**
ANDREW: That's right – born with a silver spoon in your mouth. I think people who have been born into that sort of background obviously have perhaps more opportunities, say to the extent that it's been made easier for them.

Q: **Is that true of you?**
ANDREW: It has been made easier for me, yes, than if I had come from a working-class background, perhaps.

Q: **And how do you feel about that?**
ANDREW: Just a fact of life. Clearly everyone should have equal opportunity.

Q: **But people don't . . .**
ANDREW: But they don't.

Q: **And that's wasteful, isn't it?**
ANDREW: Yes, it is.

Q: **How would you like to see England change?**
ANDREW: I suppose in an ideal world, greater opportunity for everyone, a wonderful national health service, brilliant education for everybody, so they all got absolutely the same opportunities as each other, that sort of thing.

Q: **You talk about an ideal world. What can someone like you do about creating this society?**
ANDREW: I don't suppose I can do very much, really.

ANDREW

JANE: If somebody comes to you for a job, you don't judge their background in the consideration of them getting that job.

ANDREW: No, that's true. Certainly, when I'm looking at someone who's applied for a job with me, I wouldn't look at their social background. I would see what they'd achieved and what I thought their potential was.

Q: **Do you have any feelings about the balance between money spent in the public sector and money spent in the private sector? Have things changed over the period?**
ANDREW: Well, not so far, to my mind. More does need to be spent in the public sector still. The health service is desperately short of money still; more needs to be spent on education.

Q: **Is money important to you both?**
ANDREW: Well, if you work hard, it's nice to be rewarded, although I know there are lots of people who work very hard and aren't very well paid. But I think as long as you have a reasonably comfortable existence, that's good enough.

Q: **Is England a class-driven society, do you think?**
ANDREW: Over the years, I think class distinctions have been blurred and people are judged much more now on what they have managed to achieve, rather than what social class they come from. In the City where I work, there are lots of very successful and well-paid people from all sorts of social classes.

Q: **Do you think there's been something inevitable about your progress through life?**
ANDREW: Through life? You know, you look back at us at the age of seven, saying we're going to this school, that university, and so on, so to that extent – but there have been many places where one could have gone wrong. Just because you have the opportunities, it doesn't mean that you necessarily are going to pull through.

Q: **And what is it do you think that's pulled you through?**
ANDREW: Well, I suppose it's just being persistent. I don't like giving up, and perhaps it's also not being too adventurous, not wanting to do anything else once you start, you know. I've been in my job for 20 years; I haven't really wanted to do anything else.

Q: **Would that be a negative, not being adventurous?**
ANDREW: Well, it's served me quite well, as it happens.

JACKIE

The third of five sisters, Jackie grew up in a three-bedroom flat in the East End. 'Home was cramped,' she recalls. 'There were three of us – myself and my two younger sisters – sharing a room. We were always being moaned at to put the toys away because there wasn't enough room.' Jackie's family lived at the end of a block, and she remembers that in winter her bedroom used to get quite cold. 'Mind you, we had blankets galore – and we had each other to keep us warm.'

After school and on weekends, Jackie frequently stayed overnight at the home of Sue, another participant in the UP *series, and an only child. 'I felt spoilt when I went there, because there was only me and Sue. I know it sounds silly, but you didn't have to share when you went to Sue's.'*

Though Jackie acknowledges that 'materially, Mum and Dad would certainly have been happier with a lot more,' she stresses that her parents 'always managed to get what we wanted. I don't know how they did it. Because at the end of the day, they never really had two halfpennies to rub together.'

Q: **Jackie, what do you think about boys fighting?**
JACKIE: It's really silly to fight, 'cause if you fight and Miss comes into the classroom, you only get told off.

Q: **What did you think when your baby sister was born?**

JACKIE: My mum's had seven years' bad luck; that's why she's got five girls. And when the baby was about to be born, we all wished it was a boy, but we were all waiting. My dad visited her and he came home and said, 'It's another girl, kids.' And we said, 'Aaaaah!'

Q: **Do you think it's important to help poor people?**
JACKIE: Yeah, 'cause if you don't help them, they'd sort of die, wouldn't they? And every time we have a Harvest Festival, we send food to them.

Q: **What do you think about coloured people?**
JACKIE: Well, they're nice – they're just the same as us, really, but one thing: it's only 'cause their skin's brown and we're white, sort of pinkish we are.

Q: **Do you want to get married when you grow up?**
JACKIE: I would like to get married when I grow up. I don't know what sort of boy, but I think one that's not got a lot of money but he has got some money – not a lot.

Q: **What would you do if you did have a lot of money?**
JACKIE: I would buy myself a new house, one that's all nice and comfy.

14

At 14, Jackie was attending St Paul's Way Comprehensive School, which she chose instead of an academically selective school.

Q: **What advantages has a comprehensive school got?**
JACKIE: What I enjoy about this school is we do metalwork and woodwork and the boys do cookery. We get our share of everything, as it were.

Q: **What do you do in the evenings?**
JACKIE: Go out with friends normally, or to clubs sometimes.

Q: **Have you ever been abroad?**
JACKIE: I've never been abroad.

Q: **Have you got any boyfriends?**
JACKIE: I don't like the way you come out with that!

Q: **Who do you think is to blame for strikes, the workers or the management?**

JACKIE

JACKIE: Say the workers and we'll get loads of letters.

They're going to strike for it, right? They're going to get more money, the school meals are going up, so that means they're going to strike again. And they're just going to keep on going and going.

Q: **What do you think of rich people?**
JACKIE: Some people are just born into rich families, and they are lucky.

Q: **Do you want to be rich?**
JACKIE: To be comfortable, just so long as you've got all you need.

Q: **Do you believe in God?**
JACKIE: I don't really know if I do or not – I don't really think about it much. That's the sort of thing I'd like to sit and think about, or talk to somebody about.

Q: **What are your ambitions for the future?**
JACKIE: I would like to have a happy family. I mean, it is not possible to be happy all the time, but as much of the time as it was possible.

21

At 19, Jackie married Mick, a decorator whom she met at a local pub. The couple relocated to Essex.

Q: **What was the wedding like?**
JACKIE: It was a funny day, actually. Two of my friends and I were up till around five o'clock, and I spent all day preparing – well, all morning, I should say – and then sitting around for about three hours just waiting for something to happen. And when it did happen, I don't remember it happening. It was just complete confusion, really.

Q: **Did anything happen, anything funny?**
JACKIE: I can't forget the cake. It was horrific – really, the wedding cake. It was sitting just between Mick and myself and suddenly the columns gave way and fell into one!

Q: **Do you think you settled down too young?**

JACKIE: No, I've married and we do things together. I mean, I go out on my own sometimes with friends from work. He does the same. I mean, what do you mean by settle down? If you think that being married as far as we're concerned is a case of going to work, coming home and cook tea for hubby, going to bed, getting up, going to work, you're totally mistaken.

Q: **Tell me about your work.**

JACKIE: I left school and started work for an Australian bank, and I'm still there. I've been there three and a half years now. I've done various jobs within the bank. I started off as a telephonist/typist, which was very interesting actually, because of the sort of calls you get. Then I went on to work the NCR machine, which is the actual machine which posts the accounts. And then counter work, dealing with clients' money and things like that.

At the moment, my career is about the furthest thing from my mind. I don't really know what I'm aiming for except getting the house together. That can take years.

Q: **Comparing yourself with Suzy, who stands at the other end of the social scale, do you think you've had the same opportunities as her?**

JACKIE: But the whole thing is you're saying, 'Do we envy anything Suzy's had?' I mean, I don't know *what* Suzy's had. What's Suzy had that I haven't had? I mean, until I know that, I can't honestly say whether I envy her.

Q: **Well, she's had money and she's been around a lot.**

JACKIE: *I've* got money, maybe not enough, but I've got it.

Q: **Do you ever get depressed about money?**

JACKIE: When you reach the 18th day of the month and my mortgage is due on the 20th, and there's nowhere near enough money in there, I get depressed about it obviously. You suddenly think, Oh my God, what's going to happen? But it gets there. Don't ask me how, but you get it.

JACKIE

28

At 28, Jackie was working for an insurance company and living with Mick in London.

Q: **What are your ambitions for your career?**

JACKIE: I certainly don't want to stay in the position I am in at the moment for ever and ever. But how ambitious, I'm not really sure. Tends to change as you get older – so just got to wait and see, really.

Q: **As a working-class girl, you don't feel bitter about a society that maybe gives one stratum more opportunities than another?**

JACKIE: I really don't think we even think about it. I don't even think, to be honest, we consciously think about it until this programme comes up once every seven years. I do not sit there thinking, 'Huh! She was born into money,' 'He's had more opportunities.' It doesn't even cross my mind.

If you've got a comfortable background, then perhaps it can make life easy, but I think you've also seen within this programme that it doesn't always work that way.

Q: **Do you wish your parents had encouraged you to choose a grammar school instead of a comprehensive school?**

JACKIE: Most parents would want every advantage that they can get for their child. Now, whether you class going to grammar school as an advantage is dependent on your entire outlook. If you don't class it as an advantage, then you're not going to push that.

My father got a reasonably good education. He never went to the local comprehensive. But at the same time, I don't think he was too worried which one I decided to go to. I think he probably knew me better than I did, which was that basically I was a very lazy person, academically. And I think I would have found grammar school a push.

Q: **Do you think you married too young?**

JACKIE: I'm not sure I would recommend it, but again you're generalizing. I would say on average 19 is probably too young.

Q: **Why have you decided not to have children?**

JACKIE: Basically, I would say because I'm far too selfish, and I enjoy doing what I want when I want and how I want, and certainly at the moment I can't see any way around that. That's not to say that's a for-ever decision. Some people can make it work; I just don't think I could.

Q: **You don't think you're missing out on what other women have, their stake in the future?**

JACKIE: Actually, that's a terrible way to put it, you know. That makes it sound like you're saying, 'All right, great. We're going to have a child – and that's us.'

I do feel, to a degree, that yes, I'm missing out, but I also think that I get far more pleasure – or I'm gaining far more experience – by not having that tie.

35

Jackie and Mick were divorced when Jackie was 29. At 35, Jackie had had a son, Charlie, whom she was raising on her own.

Q: **How did you decide to end your marriage to Mick?**

JACKIE: We decided ourselves – I mean, just between the two of us. We knew it wasn't going any further; we both knew, I think, at the end of the day, we would be happier leading our own lives. Whether that involved other people, you know, was to be seen. But you've got to bear in mind we had no children to worry about, so really the only people that were getting hurt by us was us.

Q: **Tell me about Charlie.**

JACKIE: I had a brief but very sweet relationship, the result of which was Charlie. It's the best thing that could have happened to me, and I would never have believed I could've enjoyed a child as much as I enjoy him. I actually sat down and sort of thought about should I have him or not. I thought about what I was going to do if I did have him. How was I going to keep him? But it comes down to the same old story: the family. My father's only comment to me was, 'It is your decision – you tell me what you want to do and we'll take it from there.' And they've totally rallied round me. Anybody that wanted to know just got told I was pregnant, I wasn't with the father, end of story. People that know

JACKIE

me know the full story and that's all that matters. And Charlie will when he gets older.

Q: **How did you feel about living off Social Security?**
JACKIE: I took a year off when I had Charlie and the state kept me for that year, but I went back to work. To be honest, at the time I pay everything out, I'm not that much better off, but I feel better.

Q: **Tell me about your mother.**
JACKIE: She initially went into hospital for an exploratory operation. They found out she had cancer, although at that stage we didn't know how bad it was. She was ill at the time; they started chemotherapy and radiation treatment, and she was just so bad. Mum badly wanted to come back to the family and the family needed her here. She then spent nine months of hell I wouldn't have wished on anybody.

Q: **What are your hopes for Charlie's future?**
JACKIE: All I am interested in is what is good for me, what is good for my son, and that's it. I don't sit there envying maybe what Suzy could do for her children that I couldn't do for mine. Yes, I'd love the money to put him all round the world, I'd love to be able to do that, but I haven't got it. And at the end of the day, I'm going to do what I can.

Q: **You seem very happy.**
JACKIE: This precise moment in time is probably one of the best times of my life – I think probably because I've got Charlie. He's totally transformed my life. A lot of the times I obviously pull my hair out, but certainly for the better. So yes, I'm a lot happier within myself. People around me have noticed that.

I don't really want Charlie to be an only. I'd love him to have brothers and sisters, but not necessarily loads of 'em – just one would do, actually. I think Charlie would like that as well. I think Charlie would love it.

42

Q: **Tell me, what has happened to you in the last seven years since we were together?**

JACKIE: Well, I already had Charlie when we did the last one. I've since had the other two boys, James and Lee, and moved from London up to Scotland. I've split from the boys' dad, and we're now living on our own, although he is a regular visitor and sees the children quite often. I was working up here till very, very recently, but they've discovered that I've got rheumatoid arthritis, so at the moment that's put work on hold.

Q: **How is it bringing up three?**

JACKIE: Hard work, but obviously very rewarding. It's more than my life. I mean, everything revolves around them and what they need. They give me a lot of pressure, a lot of hassle, and they can be a bit of a pain – but no, they're good.

Q: **What went on in your mind that you wanted three of them?**

JACKIE: I think after having Charlie, it was just a lot more pleasure to it than I ever imagined in London. There was no way I was only having one. I was in a relationship with Ian, and we had James and then we decided that we'd better round this up. Actually, if I am totally honest, I wanted a little girl, which is probably why we had Lee – but we weren't disappointed, not really.

Q: **Which one is the most like you, do you think?**

JACKIE: At the moment, personality-wise, it would be James. He's the cheeky one, he's the one full of confidence. They are all quite like me really, but in different ways. I mean, Charlie is the quieter one; Charlie is the grown-up; he is the more reserved. Lee's an absolute bullet. I mean, if he wants to do something, he just does it – no fear of anything. But they are all good boys. You can take them almost anywhere.

Q: **Do you bring them up in the way that you were brought up?**

JACKIE: Yes, very much so. It's very much 'please' and 'thank you'. I mean, manners don't cost anything. One of my father's favourite sayings is, 'You should do what I tell you, not as I do.' And you will hear the boys at one point repeat that back to me, because they hear me saying it.

There is not much that they get away with. I insist on them being in bed at a certain time during the week. There is a certain behaviour that I will accept and a behaviour that I won't, and they have to conform to that.

JACKIE

Q: **What's the most fun?**
JACKIE: Comments that they make, the little things that they come out with. The sheer unexpected pleasure of them. It's really hard to describe, but they come up with so many different comments.

Q: **And what's the hardest thing about it?**
JACKIE: It's not the luxuries; the luxuries, to be honest, their gran takes care of. It's just the basics: keeping them fed and clothed and making sure they have got decent shoes on their feet and coats on their backs.

Q: **Tell me about your mother-in-law.**
JACKIE: I just don't know where to begin. If I could have chosen a mother-in-law, she was the one I would have chosen. She's great for me, she's absolutely brilliant with the children, and she's always there when I need her. She'll hear a tone in my voice and there she comes and she takes the boys out or takes me away. She's just always there when I need her to be.

If it wasn't for my mother-in-law, I wouldn't be able to live. My children would not be eating and be clothed the way they are without the help from my mother-in-law.

Q: **Tell me a bit more about her character.**
JACKIE: It's really difficult, because she is such a character. I mean last year, year before, she bought a bike so that she could go on bike rides with the children. Now she is not the smallest woman in the world, as she is first to admit, but she really doesn't give a hoot. If her grandchildren are going to go out bike riding, she wants to go with them. And I've no doubt this year it'll be the rollerblades, because they are all on their blades, and she'll probably end up getting a pair and be out blading with them.

She's got a wicked sense of humour. She loves to torment the boys, but in the right way. She spoils them in the right way and she torments them in the right way. Really quite good fun.

Q: **So how did you land up here, in Scotland?**
JACKIE: Well, because the boys' dad is Scottish and it's his home town. Charlie was five, about to start school, and it was now or never. If we hadn't moved then, I don't think we would ever have done it, but obviously I am glad that we did. There is a lot more here for the boys: they've got a lot more freedom here. I mean, they know when strangers are here, so the children play out and all the neighbours tend to watch.

This is a place called Newmains, which is about a forty-minute drive from Glasgow. This is actually sort of an estate, but just over there you've got a farm. I mean, there is just so much open space. It's just open fields, and as much as the motorway is just ten minutes down the road, you just don't know it. It is really more like a village – I'll probably get shot for that. But the atmosphere is like a village. Perhaps that's the way of putting it. The way the people treat each other and talk to each other, it's more like a village, and that's a good advert, I think. A very good advert. I like it far more than I ever did London.

Q: **How is it for you being away from your roots?**
JACKIE: Well, they're the roots now. Having said that, I miss the family. I miss Dad in particular, but the phone is there and I am constantly on the phone. I go down and they come up when they can. It works – I mean, it's awful coming back. I go down for a visit and I come back and the tears are streaming at the station, but you know, I've got a life up here. All of us do.

Q: **Is it a surprise that it was so good up here for you?**
JACKIE: Yes, in some ways. I think I am probably surprised the boys settled as quickly and as well as they did. The school works absolutely marvellous with them. You know, they sort of took them in, and children can be cruel – 'cause Charlie had the London accent then, although he's not now, but he had a London accent – and they loved that accent. That made him a bit different and a bit special, so, yes, it was good. Settled really quickly.

Q: **We always used to talk about how close the East End was.**
JACKIE: Yes, but the East End of London isn't like that any more. People have to lock their doors. I mean, don't get me wrong, most people do here, but the atmosphere is what it used to be in the East End. People talk to you: you can walk up the street and people say good morning to you. You get on a bus and people will have a conversation with you. I used to get on a bus and go to work, or a train and go to work, and normally you wouldn't think to say hello, but they do that here, and that's the big difference.

JACKIE

Q: **Tell me about the sickness.**

JACKIE: It's painful, particularly my hands and my shoulders. It can be almost crippling at times, but the trouble is it doesn't come on its own. I mean, you get anaemia with it, and once you are low like that, anything that's coming along you seem to pick up. So it's crippling in the actual condition, but with anaemia I get tired, and that obviously makes life awkward with the children. Along with that comes depression and the hatred of having to rely on people – which makes me even more depressed. So it is completely debilitating, it really is. And unless you have got it or live with someone that has got it, you really would not understand it at all.

Q: **Why have you got it, do you know?**

JACKIE: It tends to be hereditary, rheumatoid arthritis, but it's not in my case. I mean, I certainly don't know anyone with it in the family, not the sort of grans or grandads. We can't find anyone who had ever had it, so we are not too sure what's happened.

Q: **What's the future for it?**

JACKIE: Well, there is certainly no cure. At the moment, they are literally trying to hold it at bay. They are trying to stem it just so that it gets no worse. Whether we are having much success at that, it is still quite early days and I really don't know at the moment. I certainly don't feel that great at the moment, but that could alter – and with the way medicine advances, who knows. I mean, I am still young, and hopefully in a few years' time they may just find a cure. You just don't know. At the moment, work is out of the question. I just can't: I just have not got the energy even to go to work. And the trouble is my hands get swollen and they get stiff, so I certainly can't type or use the computer as I normally would. Plus the fact that I can't walk very far. I mean, my feet can get sore, and so I just don't know at the moment. It's just wait-and-see at the moment.

Q: **How do you cope with this in your mind?**

JACKIE: Not very well. I mean, you have your good days and you have your bad days. On the good days, I can virtually go through a day and it can be almost normal, but they are the days that I have to watch more than anything, because I do tend to try and do so much, and if I suddenly decide, yes, I can spring clean today, then the following day I can't manage. So it's learning to live with it. It's not trying to beat it; it's just trying to live with it.

Q: **Who helps you?**

JACKIE: At the moment, nobody really. I must admit the social worker is trying to work that out at the moment. The first thing in the morning is bad, so they are actually going to try and get somebody in to get the boys ready for school and take them to school, which will at least then give me a couple of hours to get myself mobile and in working order, as it were.

Q: **Do the boys know that you're not well?**

JACKIE: Yes, they had to know.

Q: **How do they deal with it?**

JACKIE: Quite well. Charlie — he's the sensitive one — he's, 'I'll help you with this one' or 'Can I do that for you, Mum?' Or just where they would normally jump on me, they've had to stop most of that. Lee doesn't really understand, and unless Lee can physically see something wrong with you, he doesn't understand that you can be ill. So he still tends to jump up and down on me and the older ones will say, 'No, don't do that.' It's only if I physically react that Lee will realize that he can actually hurt me. But on the whole, they are quite good; they cope with it quite well. Charlie does a lot with the younger two.

Q: **Can you tell me about breaking up with Ian?**

JACKIE: No. No, I can't.

Q: **Is it painful?**

JACKIE: Yes, and it's not really for public display, so I'd really rather not.

Q: **I mean, is it over, or he's around a lot?**

JACKIE: Oh, he's around a lot, and particularly after saying I was never having children, I'll never say 'never' again. But, I mean, I don't know. See me in seven years and then we'll find out.

Q: **How were the children affected when you and Ian split?**

JACKIE: When any couple parts — and I don't care how good or how bad the terms are — there is always a tendency for recrimination: 'This was your fault,' 'This was your fault,' and blaming each other. It took us a long while to realize just how much the boys were listening to us. They were taking in everything we were saying, and that was wrong because that wasn't anything to do with them. It was a problem between me and him. It wasn't their fault, it wasn't their problem, and it took me a long while to convince those children that they hadn't done anything wrong.

JACKIE

And I must admit that is one thing that I would totally go over again. If I could rerun that part of my life, yes, because they could so easily have grown up thinking that it was their fault – and it wasn't, in any way, shape, or form. They just happened to be the unlucky victims of it. In fact, I think there should be counselling for couples breaking up, so that you could do it amicably. So that the children don't get any more hurt than they have to be, because that will hurt regardless of how your parents are. But if you can do it without that acrimony, without that blame, then obviously it's got to be better.

Q: **Are you finished with men?**
JACKIE: No! Finished with men? My God, anyone would think I was 80. Yes, come back in 42 years, Mike, and we'll see if we'll answer that one. No, no – I mean, that's like saying you had a bad teacher at school so you don't want any more teachers. There must be some good ones out there somewhere.

Q: **And you're on the look?**
JACKIE: Well, I don't know about on the look, but I've got enough on my plate at the moment. I mean, it's just enough to cope with day to day and the three boys.

Q: **If you could do it again, is there anything you would do differently?**
JACKIE: No, I don't think so. Maybe, maybe I would go on for more education than I did. That's the only thing. I mean, I'd like to think that my children will go to college or university. I think that's the only thing I should have done that I didn't do.

When we did the last programme, I think a comment my father made at the time was maybe he should have pushed me a little bit harder. And I think that maybe in retrospect he should have done, and that's probably the one thing that I will do with mine that he didn't do with me. I think I should push them just that little bit harder.

Q: **There was so much hope back then, wasn't there?**
JACKIE: Oh, there still is. Don't make that mistake, Mike. I am down and I am depressed about my illness, but I am certainly not down and depressed about my life. Nothing is going to do that. I've got three wonderful boys. I've got a loving family around me. I mean, I'm lucky! There are a lot of people who are a damn sight worse off than I am, a lot of people.

NEIL

Neil grew up in Woolton, a Liverpool suburb, where he lived with his parents (both teachers) and his younger brother. 'I was happy at school,' says Neil, 'though I can't remember doing a lot of work. I used to play games where you just went off by yourself in the schoolyard and imagined something happening, like America attacking Russia or something like that. You'd be an important character in the story and you'd rendezvous with your mates at the end of it and compare notes.'

Neil's father, an avid train enthusiast, used to take Neil and his younger brother train-spotting. Neil's father also organized school trips, often to Belgium. 'On one occasion,' recalls Neil, 'I couldn't sleep on the night train. I was tossing and turning; it was like Christmas Eve. So the guard took me into his compartment and told me the names of all the stations. And for somebody who loved trains, this was just so wonderful. Even now, I still get a thrill from travelling on a train, particularly if it's somewhere I haven't been before.'

7

Q: **What would you like to do when you grow up?**

NEIL: When I grow up, I want to be an astronaut. But if I can't be an astronaut, I think I'd be a motorcoach driver.

Q: **Tell me about coach driving.**

NEIL: Well, I'm going to take people to the country and sometimes take them to the seaside. And I'll have a big loudspeaker in the motorcoach and tell them whereabouts we are, and what we're going to do, and what the name of the road is, and all about that.

Q: **Would you like to go to university?**
NEIL: Well, I don't think I need to go to university, 'cause I'm not going to be a teacher.

Q: **Why did you say you prefer living in town instead of in the country?**
NEIL: Because in the winter, if you live in the country, it would be just all wet, and there wouldn't be anything for miles around, and you'd get soaked if you tried to go out, and there's no shelter anywhere except in your own house. But in the town, you can go out on wet, wintry days. You can always find somewhere to shelter, 'cause there's lots of places.

Q: **What do you think about fighting?**
NEIL: We don't do much fighting in school, because we think it's horrible and it hurts.

We pretend we've got swords and we make noises like swords fighting, and when somebody stabs us, we go, 'Aargh!'

Q: **What do you do after school?**
NEIL: When I go home, I come in and Mummy gives me a cup of tea, and then I go out and play. And when it starts to get dark, I come in again and put on TV.

Q: **Tell me, what do you think about girls?**
NEIL: Well, I hate Caroline Tetford. She's always getting bad-tempered and cross with me. She's always saying, 'Neil Hughes, move your desk forward.' And sometimes when you're supposed to have your chairs back on the desk, she says, 'Neil Hughes, take your chair forward,' and she just gets very cross with me like that.

Q: **What do you think of coloured people?**
NEIL: You think of a purple person and red eyes and yellow feet, and you can't really think what they really look like.

Q: **Do you want to have children someday?**
NEIL: When I get married, I don't want to have any children, because they're always doing naughty things and making the whole house untidy.

NEIL

14 *Although his parents encouraged him to attend a grammar school, Neil chose to attend a comprehensive school in Liverpool.*

Q: **Tell me about your school.**

NEIL: When I moved up to a comprehensive school, I found it much bigger, of course, and I found it hard to settle in at first. You get so many different types of people. People with different sorts of brains, you know – from the very clever people to the people who haven't got much sense at all, really.

Q: **Tell me about your interest in chess.**

NEIL: I've been playing since I started at the comprehensive school, since the first year. I think it is a very good idea to have competition, or you relax really and not sort of try hard enough.

Q: **Have you done much travelling?**

NEIL: I used to go with my father; he used to take school parties abroad. I enjoyed Switzerland most, I think. I think it's a very beautiful country, and we went to so many interesting places. I also enjoyed Austria, but not to such a great extent. Those are my favourite two countries. I've been to France and Belgium and Holland as well, but I didn't find them as interesting.

Q: **Would you like a girlfriend?**

NEIL: Perhaps I'm not mature enough yet to be interested.

Q: **What do you think of coloured people?**

NEIL: Well, personally, I've got nothing against coloured people. I think they're the same as anybody else, but it seems that there is a lot of argument about them – as any foreigners, really, that take people's jobs.

Q: **Do you want to be rich?**

NEIL: I think if you are healthy and you have good friends, you can get on perfectly well. Everybody would like to be rich.

Q: **Do you believe in God?**
NEIL: Yes, I'd say I believe in God.

Q: **Are you religious?**
NEIL: Well, I go to church with my parents on Sunday.

Q: **At seven, you said you wanted to be a coach driver. Have you changed your mind?**
NEIL: It is probably linked up with the fact that I want to travel. I mean, my thoughts haven't changed, as I definitely would like to be a coach driver now.

21 *Neil attended Aberdeen University for one term and then left. At 21, he was doing casual labour in London and squatting in a London flat.*

Q: **Tell me about the period in your life when you went to university and what happened.**
NEIL: Well, I only took university seriously for a couple of months – two or three months.

Maybe I went to the wrong university or maybe the university life didn't suit me. Either way, I felt a very great need to get out of the system.

I did make an application to Oxford, but I didn't get in. That's in the past now. I don't know whether I would have been any happier at Oxford. It had always been a dream to get into Oxford, I think because people had encouraged me and because I knew famous people had been to Oxford. I'd read memoirs written by famous people, and things like *Brideshead Revisited* was a great favourite. But these, I suppose, were only dreams which I had when I was at school. I will have to just get over the fact that I didn't get into Oxford. Probably because I didn't approach the thing in the right way.

Q: **Are you bitter about that?**
NEIL: I was very, very bitter at the time. Maybe I still am, but I try to get over it.

Q: **Why did you come to London?**
NEIL: I came to London because I think I wanted to start a new life, really. I'd left the university at Aberdeen at the end of 1975, and I became conscious of the fact that I was still drifting around, which I suppose I'm still doing here. But at least I took the decision to move myself. I think there is possibly more challenge in London than there ever could be in Aberdeen.

NEIL

Q: **How did you find a place to live?**

NEIL: I came to London and I contacted an agency for squatters, and they were able to give me the address of somebody who was able to help people who were looking for accommodation in the London area. And by process of chasing people around, I eventually managed to find this place. I wouldn't squat in a place which I knew to be owned by somebody else. I wouldn't, because I know that if I had a place of my own and found somebody squatting in it, I would be disgusted;

but this place was empty and I was simply offered a place to live and was very grateful for it. I think in questions of squatting, a bit of humanity is more important than vain rules about who can live where.

I've got my own room. I can cook whenever I like; I haven't got a landlady to tell me what time to come in. I've got my own front-door key. To tell you the truth, it's a lot better than a lot of accommodation I've had over the last 18 months or so. It could be warmer – it's a bit chilly – but it's perfectly satisfactory for the time being.

Q: **What sort of influence did your parents have on you?**

NEIL: Well, they made me believe in God, for a start. I don't know now whether I believe in God or not. I've thought an awful lot about it, actually, and I still don't know. But still, they made it absolutely certain if one was to survive in the world, one would have to believe in God. It was something that was taught to me. Always think of other people first, before yourself, to a ridiculous, neurotic degree, which I think affected me.

Q: **What do you mean by that?**

NEIL: Well, I suppose it's just basic Christianity, just sort of if somebody slaps you on one cheek, let them do it on the other – almost literally, which gave me a few shocks when I tried to put it into practice.

Q: **In what way?**

NEIL: To go back to that question, I don't think I was really taught any sort of policy of living at all by my parents. This is one of their biggest mistakes: that I was left to myself in a world which they seemed totally oblivious of. And I found even when I tried to discuss problems which were facing me at school, my parents didn't seem to be aware of the nature of the problem.

Q: **Were they ambitious for you?**

NEIL: Yes, but along set lines, which they had planned. They've often said to me that they had seen me even from when I was very young in a certain type of career, and possibly they never even thought that anything else was vaguely possible. They probably imagined I would be maybe a university lecturer or a bank manager or something like that. Some kind of indoor work which involved writing and reading and the rest of the things, because they didn't take into account the other side of my personality. I wonder how many parents really think of their children as individual human beings.

Q: **What are your feelings about your parents now?**

NEIL: I'm glad they're there, because if I become homeless again, I will be able to go back and live with them. They wouldn't object to this. I'm capable of getting on with my parents perfectly well if they are willing to let me live as another adult in their house and appreciate that I am living my own way of life and that I am living there because I cannot think of anything else to do with myself.

Q: **What do they think of what you are doing now?**

NEIL: They accept it now; they accept the person that I am and they see this simply as my attempting to add more experience to my life, which satisfies me.

Q: **Were they worried about you?**

NEIL: Probably, yes. Well, no more worried than when I first left the university, which was the time when they were most worried. We have, in fact, managed to discuss a lot of personal things which I felt at one time I would never be able to discuss. Therefore, it is possible for me to live for a few weeks, even for a month or so, at home without there being too much friction.

Q: **What goes through your mind when you see those films when you were seven, bright and perky, full of life?**

NEIL: I find it hard to believe I was ever like that – but there's the evidence. I want to know why I was like that. I wonder what it was inside me that made me like that. And I can see, even at 14, that I was beginning to get more subdued, and I was putting a lot more thought into what I was saying, and to a ridiculous degree. Probably when I was seven, I lived in a wonderful world where everything was a warm sensation and I could be happy one minute and I could be miserable the next minute. I didn't have a plan for the future; I didn't have to worry about having friends. Everything was so mapped out for me.

I don't know what sort of stumbling block should be put in a child's way to get him used to living in the outside world. I think maybe this was something that was wrong with my upbringing: I didn't have enough obstacles to get over to toughen myself up against. I was unprepared for things as they were, but looking back, even now, I couldn't think what might have been done, and I certainly wouldn't start writing educational theories about this, because I know how personal a thing it is and it probably wouldn't work in anybody else's case.

Q: **Would you like to be seven again?**
NEIL: No, because I know I would have to be 21 again.

28

At 28, Neil had just arrived in the Western Highlands of Scotland, following seven years of roaming around Britain.
He was homeless.

Q: **Tell me about your life over the past few years.**
NEIL: The last three years, I've been unemployed but travelling quite a bit, mostly in Britain. I've been abroad once or twice, but not as extensively as I used to do. I live off money from Social Security, which does me for my rent and my food. I've been moving about a bit between different places, really. I'm a bit unsettled but I'm very shortly moving to live in digs.

Q: **Do you think people like you who live off the state are scrounging?**
NEIL: If the state didn't give us any money, it points you towards crime, and I'm glad I don't have to steal to keep myself alive.

I do it simply because I don't want to be

without any money at all. If the money runs out, well then, for a few days there's nowhere to go to. That's all you can do. I simply have to find the warmest shed I can find.

The last job I had was cooking in a youth hostel, and some cleaning work as well. I was the only person in the hostel who could speak French, so I used to do a bit of that.

Q: **Do you eat every day?**

NEIL: Yes, yes, I'm eating better now than I was at times when I was in Aberdeen. In those days sometimes I really was short of food.

Q: **How do people regard you here?**

NEIL: Well, I'm still known as an eccentric, as I have been since the age of 16 or so.

Q: **Do the days seem long for you?**

NEIL: They can do.

Q: **Do you have any friends anywhere?**

NEIL: I've some good friends still in England.

Q: **Do you regret dropping out of university?**

NEIL: No formal education can prepare anybody for life; only life can prepare you for what comes, and sooner or later you're going to have to cross certain barriers, and I don't think you ever cross those at school or at university. You come across the problems of mixing with other people, but the real problem, the real problem of becoming a success in the world, is something you have to tackle yourself.

Q: **You'd talked about not having enough obstacles in your life. How do you feel about that now?**

NEIL: It's funny that, isn't it? I can't remember saying that, but now I do remember and it seems that the whole situation is reversed.

Q: **In what way?**

NEIL: Now I've got a free hand, but I've got nothing to do with myself.

Q: **Do you think you're typical of the environment in which you've lived?**

NEIL: I don't think I've been typical of the environment in which I've lived. I might still have been unemployed, but what my background has given me is a sense of just being part of a very impersonal society. The suburbs force this kind of feeling upon somebody. The most you can hope to achieve is to have the right to climb into a suburban train five or ten times a week and just about stagger back for the weekend. The least is just unemployment.

Q: **What other things about modern society turn you off?**
NEIL: The cheap satisfaction of so many things. The aimlessness. But I think the total lack of thought is at the bottom of it.

Nobody seems to know where they or anybody else is going, and nobody seems to worry. You know, you finish the week, you come home, you plug into the TV set and the weekend, and then you manage to get back to work on Monday, and it seems to me that this is just a slow pass to total brainwashing. And if you have a brainwashed society, then you're heading towards doom. There's no question about that.

Q: **It would be pretty tough to convince most people that what you have here, the way you live, the way you look, is better than the suburban life.**
NEIL: Well, I don't want to convince anybody. I know it is. You see, what I look like isn't necessarily what I feel like. I'm not claiming that I feel as though I'm in some sort of Nirvana, but I'm claiming that if I was living in suburbia, I'd be so miserable, I'd feel like cutting my throat. And so there is a slight difference.

Q: **Were your parents upset with what you said about them in the last programme?**
NEIL: I'm sure they were, but I don't wish I hadn't said it, because I said exactly what was going through my mind. I think I was venomous, and I think had I been in an easier situation myself, and had I had less worries myself at the time, I would have been perhaps a little kinder. I had to take out my anger on somebody, and I think it came out on my parents. But perhaps unconsciously a lot of what I said was what I did feel underneath. But I don't want the scar to remain.

What I'd like most of all would be to be able to do something for my parents when they're older, to be there when the time is necessary.

Q: **Do you want to have children?**
NEIL: I always told myself that I would never have children, because children inherit something from their parents. And even if my wife were the most high-spirited and ordinary and normal of people, the child would still stand a very fair chance of being not totally full of happiness because of what he or she would've inherited from me.

I know at seven years old I was fascinated by everything around me – the colours of things that were funny, sounds that people made. I had, if you like, idiosyncratic views about things that other people hadn't even thought about.

I remember I thought that coloured people had purple noses and green legs or something like that. Perhaps I'm still looking for the green noses and this sort of thing, and I know that they're still there; I know that when you look at a human being, there's more to that person than just a robot.

Q: **Do you believe in God?**

NEIL: I don't think of God as a creature, but I think of something – time, destiny – which is regulating everybody's affairs, and which you cannot fight against and you cannot order about.

I said to somebody last week that I preferred the Old Testament to the New Testament, because in the Old Testament God is very unpredictable and that's, I think, how I see Him in my life. Sometimes very benevolent, sometimes seemingly needlessly unkind.

Q: **What sort of careers have you thought about?**

NEIL: All the things I always thought I could do. I could give lectures on erudite subjects that I'd read all about, or I could work in the theatre, perhaps lighting or directing a show.

Q: **And is all that lost to you?**

NEIL: Does seem to be, yes. I don't see any way out. I've thought of everything I possibly could. It seemed to me for a long time that getting a reliable job, a nice place to live, would be the solution. Well, I haven't succeeded.

I can't see any immediate future at all, but here I am. I've still got clothes on my back, not particularly nice clothes, but I've got them. I have a place to go to; I have some prospects of work. I'm still applying for jobs; I haven't given up. I think I'm lucky because I've met so many people and worked with people who have no future whatsoever, for whom life is finished completely at 50 and yet they still have to somehow keep going, and I don't want it to seem that I'm complaining too much.

Q: **Do you worry about your sanity?**

NEIL: Other people sometimes worry about it.

Q: **Like who?**

NEIL: As I said, I sometimes can be found behaving in an erratic fashion.

NEIL

Sometimes I get very frustrated, very angry for no apparent reason, for a reason which won't be apparent to other people around me. It's happened from time to time.

Q: **Have you had treatment?**
NEIL: I've occasionally had to see doctors, yes. I haven't had any treatment.

Q: **And what have they said to you?**
NEIL: I've had a lot of advice. But you know the best medicine is kind words, and it usually comes from somebody who has nothing to do with the medical profession, which isn't to say that the doctors can't be very helpful. But really, the thing a sick person wants is to be away from doctors as soon as possible.

Q: **What did they say was wrong with you?**
NEIL: Well, I have always had a nervous complaint. I've had it since I was 16. It was responsible for my leaving university and for some of my difficulties with work.

But as you know, you can't afford to go around looking depressed. That in itself is bad enough.

Q: **So can you lick it?**
NEIL: It remains to be seen.

Q: **Do you think, What a waste?**
NEIL: Yes, perhaps.

Q: **Why should you accept this? You're better than all this, aren't you?**
NEIL: No, I'm not better than anything or anybody. I'm just somebody with my own particular difficulties, and my own particular obstacles to surmount, and everybody else is doing exactly the same thing.

35

At 35, Neil lived in a council flat in the Shetland Islands.

Q: **Tell me about life here in the Shetland Islands.**
NEIL: The nice thing about here is that you can cut yourself off when you want, because there are people living around, but they're pretty quiet people.

It's an environment which sustains me; it's one in which I can survive. I still feel my real place is in the world, where people are doing what the majority of

165

people do. And the reason I don't feel
safe is because I think I'm getting more
and more used to this lifestyle, which
eventually I shall have to give up.

Q: **How do you manage for money
these days?**
NEIL: Social Security still. I wish it
wasn't, but I'm afraid it is. I've no desire
to be putting the taxes up and drawing
money off people who've earned it
themselves, but that's the way it is.

Q: **Is the community important to you?**
NEIL: Yes, it has to be. This is where I
live. It's been very good to me. People
have been especially kind in many areas,
and I'd like to be putting something back
into it and we'd be putting something
back into the whole of Shetland, not just
this area.

Q: **Tell me about your involvement with the community theatre.**
NEIL: I think the attendance at last year's pantomime on the Saturday night was
the biggest crowd of West of Shetland folk I'd ever seen in one place. And you
know, we think they enjoyed it.

We had good receptions in other parts of Shetland, as well. We did tour one
play. I think we're moving into an age where there's going to be more stress
on the community.

Q: **You directed the play last year and you're not this year. Why is that?**
NEIL: Well, the specific reason is that we had a preliminary meeting and my
name was not put forward as the one they wanted.

Q: **Why would that be?**
NEIL: Probably because I like to do things in my own way. I'm perhaps quite an
authoritative director: I have my own idea of the performance before we even
start, and I don't like people to deviate from that. And during the course of
production, of course, people come along with suggestions. No, I accept

suggestions; I don't just go along without listening to people. But I know how I want the thing, and once I deviate once from that idea, the whole thing actually falls apart. It's not a work of art any more. I'm not claiming that I produce marvellous works of art, but I do know what I'm aiming for.

Q: **Do you think of yourself as a writer?**
NEIL: I've had an instinctive feeling I was a writer since I was 16. I never really wanted to be anything else. I would actually pay to have something published. I think that's important – there must be something in what I've done. I don't think it's all useless. I probably am overvaluing it, but I know how much effort went into some of it, and on that strength alone I just can't believe it's useless.

With each successive play I don't know who I am trying to speak to and what I'm trying to say to them and whether they're listening. I just keep going, 'cause that's what I feel I should be doing.

Q: **There was an enormous reaction to you in the previous film. What do people see in you, do you think?**
NEIL: It's seeing I was representing some kind of successful escapism or somebody who'd managed to be totally himself, hadn't given in to pressure of society to conform. And people flooded me with letters and seemed to think I could solve their personal problems. And I was quite frightened, because I knew I couldn't. But what really bothered me was people seemed to see something in me that I hadn't been aware of myself. All I was aware of was that I didn't have anywhere to go. I had nothing to do, I'd no money, I felt let down by quite a lot of people. I didn't think my life was a success, but suddenly everybody seemed to think so. But the most nagging thing was that even if a million people had written to me, it wouldn't have made any difference to my situation.

Q: **Are you having any medical treatment for your mood changes?**
NEIL: No. I haven't for many years, because I wouldn't like to be dependent upon man-made substances for a cure.

Q: **Do you ever think you're going mad?**
NEIL: I don't think it. I know it. Well, we're not allowed to use the word 'mad' here, but I think it's a mad world. I think I remember walking into London 12 years ago and just walking through the City, and they were digging up the drains and there were cranes knocking down buildings and there were cars trying to get down impossible alleys and having to reverse out again and

policemen trying to do all kinds of things. And I thought, This world is just mad, you know. This world is just mad.

Q: **And how's God been treating you?**
NEIL: Well, after I'd tried about every remedy one could possibly think of for my personality disorders, I thought, Well, I'm going to trust God, because other people have done so, seemingly with positive results. I can't say the moment I trusted God my life was fine, and I can't say all the time that I think I've found the answer, but I can say with some certainty that once I started believing that there is actually a God who has something of a design for the world, who is working in a certain way in the world, after that, some things became clear to me. I really can't say much more than that.

Q: **What are you likely to be doing in the year 2000?**
NEIL: That's a horrible question! I tend to think most likely the answer is I will be wandering homeless around the streets of London, but with a bit of luck that won't happen.

I always feel that somehow a good fairy has waved a wand over me and saved me from that, because that seemed very much what the end would be for a while. That's why I cling on here. I know how tempting it is to escape into fantasies, to believe that I already am a successful writer, to believe that I've got lots of friends, to believe that if only I had done such and such my life would've been different. But, I mean, the most difficult thing is to accept the reality, to be what we are in a situation. That's terribly difficult.

42   *At 42, Neil was living in London and serving as a local councillor, an unpaid elected office. He had also forged a friendship with Bruce, a participant in the UP series.*

Q: **Tell me what's been happening since you were in the Shetlands.**
NEIL: I left Shetland very soon after the last programme was made and I moved myself to London. And with the help of Bruce, I was able to find some accommodation – first of all in the Dalston area, and then I moved to a part of Hackney, and since then I've been on a number of training courses. And I did an Open University degree; that was perhaps the longest of all.

I also trained to be a teacher of English as a foreign language in the first year I was in London. I haven't been able to put that to a great deal of use, but I have

NEIL

done a small amount of teaching inter-
mittently. I've done a fair amount of work
with the church and various courses, such
as parish visiting, befriending. At the
moment, I am on what's called a training
course to become, hopefully later this year,
a reader in the church.

I'm a local councillor, which in fact can be
as much a full-time job and more and
involves me at the moment most evenings
and weekends. But I haven't had paid work
apart from a couple of interim government
schemes. I worked for a local community
theatre for about six months, and I worked
as a gardener. I suppose everybody my age
who has been unemployed any time has had
to work in a garden or a park at some time,
and I did my stint. But after about six
months of that, needless to say, I did tire of
that. It wasn't what I wanted to do as a
career, and so I moved on to something
else.

Q: **It's like a million miles from Shetland here – the city, the noise, and all
that. How have you coped with that?**

NEIL: That is one aspect of it. Certainly, adjusting to London after all that
period away – even though I had been back occasionally for visits – was
extremely difficult. It became progressively easier. The first six hours were an
absolute nightmare, and then the first week was pretty bad, and I suppose it
took me a year or so to adjust. But people here have a strong sense of a need
for a community – of doing things in groups, of organizing themselves, of
progress and change coming up from the street level, if you like, rather than
being dished down to them from above. So there are many similarities in that
extent, and I found settling to Hackney from a social point of view not as
difficult as I expected.

Q: **What's the most fun living in the city?**

NEIL: Obviously, for me, the availability of theatres and music, which I'd never had at any other time in my life. It can be a bit tempting sometimes when limited money is available, but that's great. For someone who enjoys travel, being in the hub of the country's travel network is very useful and also the closeness to the continent.

Q: **And what is the hardest thing for you about living in London?**
NEIL: It can be such a lonely place, and I don't think intentionally, but I think people pass on their feelings of grudge and dissatisfaction with their neighbours just through their daily interaction with others. And sometimes there are days when everybody seems to be in a bad mood and it's impossible not to feel that. Of course, this can happen in the country as well, it's just as possible – but I think people in cities need to make a special effort to be aware of other's needs, given the social pressures and how people live so closely to each other.

Noise, of course, can be a terrible pressure in cities, and a lot of duties I have had to perform as a councillor have been trying to solve noise problems. If only people would be a bit more concerned about their neighbours' feelings, so much would be a lot easier. This is where no councillor, no government, and no police force can make the difference. It's a question of individual awareness, and I think if people want to be treated fairly themselves, they have got to try and treat other people with respect. I think that's quite important.

Q: **Do you feel more at ease in company and in groups of people than before?**
NEIL: Oh, I have never felt at ease with groups of people. I'm not a natural socializer, and I'm particularly nervous at social gatherings, like parties. This is well known to my friends, and they don't expect me to be the star of the show. But I think having not had a regular job for any part of my life or length of time inevitably makes me very unfamiliar with the sort of social behaviour that is natural for so many people. Perhaps that's not so much a personality difficulty as just simply a lack of contact with the world that so many people share.

Q: **When did you become a councillor?**
NEIL: It was in June 1996. A vacancy occurred in a seat which the Liberal Democrats held. Our councillor had to resign owing to work pressures, and, as I had just moved to the ward in which the by-election fell, I was asked would I be the candidate.

Q: **What does your work as a local councillor involve?**
NEIL: Councillors, of course, run councils, take the decisions regarding the budgets, the provision of services, and so forth. This is a job which councillors

of all parties are involved in, not just those who are actively leading the council. In our council, there is no party leading; we are under no overall control. But a great proportion of my work, and I would hope for most Liberal Democrat councillors, is actually dealing with members of the public, trying to step in where they are dissatisfied with the services they are getting from the council.

One of the advantages of being a councillor is that a councillor can prioritize his time – and I don't have to do anything at any certain time, apart from attend meetings. At what times a day I do my casework and visit people and so forth is up to my own decision. So I find that a great help.

Q: **What is the most rewarding thing about being in politics for you?**
NEIL: It's being able to help people, to sort out and solve problems which previously we thought unsolvable. I can't claim I've always been able to do that, and I don't think there is a councillor anywhere who can, but it's great, with the help of council officers, of course, getting to grips with the issue and finding out it's not as complex as it originally seemed, and discovering the lines of communication through which one has to work and getting something done.

Recently, I managed I think to get a floor retiled for a lady who has a disabled lodger in the house, and I am so pleased, because normally this is not something I think the council would have done. But because of the circumstances, I was able to intervene and have this work done. And I think this is what councillors in their functions – certainly as representatives of those elected – are there for. I think if somebody has paid rent year after year and been a model tenant, then they deserve good services from the council. It's important.

That is one side of being a councillor. The other side is the policy-making in the council chamber, and they are both important. I don't think anybody can be a satisfied politician if they are not fulfilling both parts of the job.

Q: **Do you have any nerves when you stand up and give speeches or make arguments or defend positions?**
NEIL: Yes, of course, and if I didn't it would be wrong. The councillor who has no nerves is not doing his job. It becomes slightly easier after the first time, and I'm glad you didn't record my first speech, because most of the chamber walked out, and I was determined, like Disraeli, to say something like, 'Well, you're not listening now, but one day you will hear me!' But unfortunately, most of the chamber had already walked out.

I do enjoy the rivalry and the competition, and it's a great thrill to be able to change the course of a vote. That's not always possible, but sometimes one can achieve that.

Q: **You're going to have to move up for re-election shortly?**
NEIL: That is correct. In fact, I think by the time that this film is shown, the election would have taken place. So who knows what the result would have been, but yes, I am hoping to stand again. I haven't been re-selected yet, but this procedure comes up in the near future.

I hope I will be re-elected; that depends on my performance in the last two years.

Q: **One thing I keep hearing from you is this word 'community'. Is that something by which you live?**
NEIL: Yes, the community is important. I have had so many times in my life when I have been on my own and felt vulnerable, and although perhaps this was partly as a result of a seeking to escape from established networks and organizations, I feel that communities must have a sense of truth within themselves. And a community is not a community if it's simply people continuing and being there because they are there.

When it's a religious community or otherwise, there has to be a sense of common purpose of some kind. This doesn't mean conformity to me and setting a patchwork of laws and rituals, but it means respect and recognizing the importance of others. If there were not people emptying my bins and the neighbours', the street would be filthy. If there were not people driving buses and trains, I wouldn't be able to get anywhere. If there were not people developing new programmes at universities, the world would be more restrictive. Whatever people are doing, they are contributing to community. And this is true on a wider level and it's also true on a local geographical level.

I see a huge globe full of individual communities which are serving together side by side – not repressing but learning from one another – and where people recognize other people's cultures and values different from their own and also flourish themselves. I think that is the only way.

Q: **Is the church still an important part of your life?**
NEIL: Going to church is a regular weekly event. I have religious beliefs, which obviously find a ground on my visits to church. Probably I know more people in Hackney through the church than through any other means. And I do see the Christian faith, which has survived changes in custom and rule and

invention in science and so forth, to be the centre of so much. Of course, the Church is no longer the centre of society, but I don't see any reason why it still shouldn't be highly significant in individuals' lives.

Q: **And how has your health been?**

NEIL: My health has been a lot better more recently than other times in my life. Maybe being busy has been the cure. I think my Christian faith has helped me, and I also believe that my friends who have been so loyal and got to know me better and better have been able to show support and sympathy in the most appropriate ways. I do so value the support of friends to whom I can turn. And I need that help.

I think in Shetland I was cut off from a lot of people who over the years have been able to help, but I didn't meet many new friends there. So perhaps just being amongst some of my longer-term friends made a difference.

Q: **How are things with your parents?**

NEIL: Well, my father wasn't so well recently. From what I hear, he's made something of a recovery. Both my parents have now, of course, retired. Still living in the north of England. I think they are as well as could be hoped for.

I've no doubt they were very pleased when I was elected on to the council, and I know they were very pleased when I achieved my Open University degree. There was no stopping them coming to the ceremony, and I was very glad to have them there. So yes, they have been able to participate in some of my successes.

Q: **So how do you do for money?**

NEIL: Well, I was a little better off when I first became a councillor, because apparently the benefit agency had miscalculated how much they should take off my income support. But I've been told I don't have to repay the amount they have overpaid me, and I must say that it wasn't that much as a result of their blunder. So probably I am slightly better off, but the measly amount they give me nowadays wouldn't support anybody, and of course if I lose my seat on the council, I would either get a job, which would be preferable, or try to get back on to some reliable benefit. I would much prefer to get a job.

Q: **And why can't you or haven't you got a job?**

NEIL: I think I am a bit wiser about that now than I was for a long time, because quite recently I sat on an interview panel, interviewing somebody to work for the council. I discovered so much about interviewing technique, and I think I realize why I had never been successful in any. But what is interesting is that through the countless training sessions I have been on, organized by the employment services and so forth, I have never once been given the adequate tips for passing interviews.

Q: **What are your biggest regrets looking back on your life?**
NEIL: Well, I think not having been married is perhaps one of them. I think not having been able to visit certain places in the world, although I shouldn't be ungrateful because I have travelled a great deal in Europe. Not having been able to publish a single thing I have written or have a single play performed – and I say this despite having moved in circles in which one would have thought this might have become possible.

Q: **Do you feel more useful than you have before?**
NEIL: I feel I am achieving some good on the council. But politics at any level is restricted by the fact that it is only a game of grabbing things, either for yourself or for other people. I don't think it's the highest level in which individuals or groups can work, and it's certainly not what I feel to be my natural medium.

While I was in Shetland, I felt very strongly that I should become involved in politics simply because I felt I wasn't achieving anything in the ways I really wanted to, and I could see decisions being made politically by people I felt were not competent to make them and who I felt were not representing the majority of the public, and I felt angry. And I felt in my own small world I had to get in there. I think more people should – it's only apathy which leads to bad government at any level. But I still don't feel that I am achieving things in the field in which I want to achieve, and that's in the world of literature and theatre.

Q: **Do you think you have changed in the last seven years?**
NEIL: Well, it's always impossible for me to know. I've always been determined to do what I thought was the right thing to do in any situation, and I don't perceive any change in that.

Q: **Is this a good time in your life?**
NEIL: Yes. Probably I've never been busier and I've never been in contact with so many people, so I have to say that. Yes, and I feel incredibly grateful for the opportunity to do what I'm doing and grateful for people that elected me. I hope I won't let them down any time. I'm glad that there are some people out there who actually feel I am capable of doing something publicly, because, as

you know, my persistent failure at interviews for work has inevitably persuaded me that there isn't anybody that wants to use my services. So it's a great compensation when there are so many hundred people in my ward, saying, 'We have the confidence in you.'

Q: **What is the most enjoyable thing for you in life at the moment?**
NEIL: I think it's looking to the future.

EPILOGUE

Thirty-five years after the UP *series began, Michael Apted asked participants to reflect on the personal impact of appearing in the films.*

SUE: It's funny, because before the films start, you think, What on earth have I done with seven years that I can possibly say? What can I talk about that I've done? And you panic. You think, I should have done something. I should have done something dramatic! You know, I was hoping to win the lottery last night, so that I could come on and say so. But life's not like that.

NICK: We were talking about my ambitions as a scientist. My ambition as a scientist is to be more famous for doing science than for being in this film. But, unfortunately, it's not going to happen.

NEIL: I've met some of the most interesting people I know, and I'm still in contact with. And this includes people in different parts of the world. And one or two particularly close friendships have been forged through the programme. Although I have to say, I was very suspicious when the initial contact was made.

JACKIE: I don't think I'd ever have kept a record of my life in the way that we have with this programme. So, yes, I enjoy doing it. But it's not something that takes a great precedence.

ANDREW: If you came and asked me if you could do this to my children, I certainly wouldn't be enthusiastic. I think it's something that I wouldn't want to wish on someone, particularly.

SYMON: I think for the first 40-odd years, it restricted me. Because I was always shy to start with, and knowing that people were going to be looking at me and watching me, rather than do something that's going to look stupid, I've always pulled myself back.

SUZY: There's a lot of baggage that gets stirred up every seven years for me that I find very hard to deal with. And I can put it away for the seven years, and then it comes round again, and the whole lot comes tumbling out again, and I have to deal with it all over again.

BRUCE: It hasn't changed my choices in life. I haven't thought, Well, I have to be doing this by then, or, How will this seem to others, or so on. It's just a kind of periodic little intrusion.

TONY: It's the only time, when you're a cabbie, instead of you picking up a celebrity and saying, 'Hello. You're, say, for example, Paul Gascoigne, ain't you?' They go, 'I know you,' and they turn the tables on you, you know?

PAUL: Being honest, I think despite all the things that I might have said over the years about, 'Oh no, they're coming in,' there is a certain amount of excitement there, too, underlying. I'm old enough to admit it now, I suppose. It probably is a bit of good fun.

LYNN: Some of us don't see family from one year to the next, seven years on, and I think that's how we all feel about each other: we're linked. And that can never go.